中国近现代针灸文献研究集成教材卷

王富春 杨克卫／主编

针灸基础分卷

北方篇

北京科学技术出版社

图书在版编目（CIP）数据

中国近现代针灸文献研究集成. 教材卷. 针灸基础分卷. 北方篇 / 王富春, 杨克卫主编. —北京：北京科学技术出版社, 2021.11
ISBN 978-7-5714-1901-1

Ⅰ. ①中… Ⅱ. ①王… ②杨… Ⅲ. ①针灸疗法—文献—汇编—中国—近现代 Ⅳ. ①R245

中国版本图书馆CIP数据核字(2021)第204648号

策划编辑：侍　伟
责任编辑：吴　丹
文字编辑：吕　艳　董桂红　杨朝晖　严　丹　陶　清
责任校对：贾　荣
图文制作：北京艺海正印广告有限公司
责任印制：李　茗
出 版 人：曾庆宇
出版发行：北京科学技术出版社
社　　址：北京西直门南大街16号
邮政编码：100035
电　　话：0086-10-66135495（总编室）　0086-10-66113227（发行部）
网　　址：www.bkydw.cn
印　　刷：北京捷迅佳彩印刷有限公司
开　　本：787 mm × 1092 mm　1/16
字　　数：406千字
印　　张：42.75
版　　次：2021年11月第1版
印　　次：2021年11月第1次印刷
ISBN 978-7-5714-1901-1

定　　价：**490.00元**

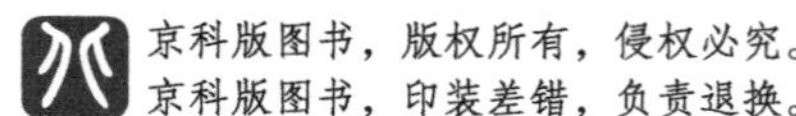

“中国近现代针灸文献研究集成”丛书

编　委　会

张　琪　张　楚　张子扬　张丹枫　张珊珊　张晓旭

张晓梅　张瀚文　陆孟静　陈丽丽　陈春海　陈维伟

陈新华　邵　阳　范芷君　范嘉毅　岳永月　周　丹

治丁铭　赵晋莹　赵雪玮　胡英华　柳正植　哈丽娟

钟　祯　洪嘉靖　姚　琳　贺怀林　柴佳鹏　党梓铭

徐　铭　徐万婷　徐立光　徐晓红　高　姗　郭丽君

郭晓乐　曹　洋　曹家桢　康前前　董国娟　蒋海琳

韩香莲　路方平　詹旭晖　谭蕊蕊

《中国近现代针灸文献研究集成·教材卷》

编委会

总 前 言

1840年，鸦片战争爆发，西方列强入侵中国，自此中国由独立的封建社会逐步沦为半殖民地半封建社会。20世纪初，受“五四运动”时期各种新思潮的影响，许多有识之士开始积极地向西方学习，由此，大量的自然科学和社会科学知识传入中国，这对中国的政治和社会经济等都产生了重大影响。近代西医学的影响力逐渐增大，解剖学、生理学等知识开始被当时的人们所了解和接纳，西医医院、西医学校等机构也在中国相继出现。随着西医医护队伍的不断壮大，许多人以转译日本人所著的西医学书籍的方式来学习西医学，并成立了相应的学术团体和职业团体。这一时期的针灸界亦是如此，宁波东方针灸学社、中国针灸学研究社等学术团体相继成立，针灸医家访问日本，带回大量日本的针灸著作并将之翻译出版。这些翻译著作较传统针灸医籍更容易学习，颇受民众喜爱。中国近代中医学家、教育家对针灸学术的研究极大地推动了针灸学的现代发展。中华人民共和国成立后，中医针灸学研究越来越受到重视，著书者众、办学者多，由此，针灸成为中医学研究与发展不可或缺的一环，并逐渐在世界范围大放异彩。2010年，中医针灸被列入《人类非物质文化遗产代表作名录》。中国近现代是中西方思想碰撞的时期，是中医学术多流派发展、百家争鸣的时代，其中又以民国时期最具代表性。研究民国时期这一特殊历史时期的针灸文献，可以为今后的针灸学术发展提供良好的借鉴。“中国近现代针灸文献研究集成”丛书对中国近现代针灸文献进行收集、整理和研究，其中以民国时期的针灸文献为主。

一、民国时期针灸的发展概况

民国时期的针灸学术研究一直未被学界所重视，但作为传统针灸与现代针灸的衔接，这一时期的针灸学术研究影响深远。民国时期是中医针灸学院化教育的萌芽时期，是现代针灸教育模式的源头时期，是针灸学术发展的历史转折期。近年来，对于民国时期针灸文献的研究逐渐被学界重视，大量民国时期的针灸医籍得以整理出版，如承淡安编撰的《中国针灸治疗学》《中国针灸学讲义》，杨医亚在民国时期办学的讲义等。然而，随着对民国时期针灸学术、针灸医籍的研究日渐增多与深入，研究者们面临着一个共同的难题——民国时期针灸文献的收集十分困难。这一难题产生的主要原因是民国时期的针灸文献存量不多，有些甚至已经失传。

经历了明清时期的积淀，民国时期的针灸学术得到进一步发展，针灸学术团体、学术体系逐渐形成，这一时期是传统针灸向现代针灸过渡的时期。以承淡安为代表的澄江针灸学派的先辈们创办中国针灸学研究社，开办针灸讲习所，招收学员，传播针灸技术，实践“针灸科学化”，对民国时期的针灸学术发展具有举足轻重的作用。民国时期针灸名医曾天治提倡的“科学针灸”的理念在这一时期备受关注，这对现代的针灸教育及针灸体系产生了巨大影响。中华人民共和国成立初期，全国各地兴办针灸学校，以承淡安为代表的针灸医家在继承古法、融汇新知的基础上，总结民国时期针灸学术研究成果及针灸教育的经验，开办针灸学习班，创办针灸高等教育学校，为现代针灸教育的发展打下了坚实的基础。

二、民国时期针灸文献的保存现状

有学者据《中国中医古籍总目》考查，发现民国时期的针灸医籍共有193种，较之明代的24种、清代的86种多出数倍。另有学者认为，民国时期的针灸医籍共有254种，其中中国本土针灸医籍有229种。民国时期是针灸医籍大量出现的时期。随着印刷技术的发展，出版书籍的成本逐渐降低，许多书籍得以大量出版。另外，民国时期各种中医学校、学术团体大量涌现，由于教学及学术交流的需要，针灸医籍的出版数量激增。

然而，对这些文献的保护并未得到足够的重视。首先，受当时的历史条件所限，大量图书并未经过正规出版，只是简单印刷，数量较少，且战乱频仍，导致不少文献难以留存全本。其次，由于不是正规出版物，相当一批文献没有进入馆藏系统，而是散落于民间，这使得这些文献留存状况不明，有些文献已经成为孤本，甚至已经散佚。同时，由于当时书籍纸张的质量普遍较差，且装订十分粗糙，部分文献在辗转流传过程中被损坏，已成残本，这种情况尤以油印材料及手抄本为突出。民国时期是我国出版业由手工造纸、印刷向机械造纸、印刷的过渡时期，相关技艺还不够成熟，用于印刷的纸张酸性强、保存期限短，加上长期以来各馆藏机构对民国时期文献的保护观念滞后、认识不足、保管不善，以致部分医籍呈现出不同程度的老化或损毁现象，情况岌岌可危。当前，亟须对这批文献进行重新整理及抢救性保护，使之进入国家各级馆藏体系，为我国针灸学术的传承及中医药事业的发展提供宝贵的文献资料。

三、本丛书所收录的针灸文献情况分析

（一）本丛书所收录的针灸文献书目

作者团队通过查阅《中国中医古籍总目》《中国针灸文献提要》《中国针灸荟萃·现存针灸医籍》《民国时期总书目·医药卫生》等工具书，参考各省（自治区、直辖市）及院校图书馆、档案馆和民间个人收藏书籍，共收集针灸文献1000余种，以来源可靠、记录严谨、实用性强、学术价值及文献价值高为原则筛选出210余种针灸书籍作为本丛书的书目。本丛书所收录的针灸文献以私人藏书为主，除了涵盖约90%的《中国中医古籍总目》所收录的民国时期的针灸文献，还增补了《中国中医古籍总目》所未收录的民国时期的针灸书籍近50种，其中不乏珍稀文献，如讲述“广西派针法”的《针灸菁华》、四川程兴阳的《针灸灵法》（石印本）等。对于抄本针灸文献，部分图书馆公藏的难以查阅，故本丛书未予收录，而民间发现的则择而收之。

本丛书按收录文献的内容题材进行分类分卷，并参考编者或学术团体所在地域进行分册，使体例清晰，便于使用。本丛书所收录文献按内容题材具体分为：①教材类；②专著类；③医案类；④杂志类；⑤图谱类；⑥其他（主要包括清末民国时期的佚名抄本等）。本丛书所收录针灸文献的情况如表1、表2所示。

表1　本丛书所收录针灸文献情况（按内容题材分类）

	教材类	专著类	医案类	杂志类	图谱类	其他
数量	54种	127种	5种	13种	6种	10种

表2　本丛书所收录《中国中医古籍总目》中针灸文献书目数量与《中国中医古籍总目》书目数量对比

	针灸通论类	经络孔穴类	针灸方法类	针灸临床类
"中国近现代针灸文献研究集成"收录书目数量	50种	23种	18种	16种
"中国近现代针灸文献研究集成"未录书目数量	15种	15种	8种	6种
《中国中医古籍总目》收录书目数量	65种	38种	26种	22种

注：《中国中医古籍总目》书目包括本丛书所收录书目与本丛书未录书目。其中抄本书目不在统计范围内，且《中国中医古籍总目》中的重复书目算作1种。①针灸通论类：收录50种，未录15种；另存抄本44种。②经络孔穴类：收录23种，未录15种（其中民国时期11种）；另存抄本64种，其中挂图7种，经查未见3种。③针灸方法类：收录18种，未录8种（多为太乙神针别本）；另存抄本15种（收录1种）。④针灸临床类：收录16种，未录6种（含针灸医案别本）；另存抄本17种。

（二）本丛书未收录的针灸文献书目

在对《中国中医古籍总目》进行查阅及对馆藏图书进行实地考察的基础上，现列举部分本丛书未收录的书目，以便后续收集。

针灸通论类：《针灸便览》、《中医刺灸术讲义》、《针灸秘法》、《简明针科学·论针篇》、《针灸纂要》、《针灸说明书》、《实用针灸医学》、《针灸学薪传》、《针灸学》（富锦文新书局）、《针灸学讲义》、《针灸精华》，以及《针灸学》（《中国中医古籍总目》载四川铅印本，经实地考察，实为《针灸医案》油印本）、《针灸学讲义》（重庆石印本，经查未见）、《针灸讲义》（石印本，经查与《针灸医案》同一函，蓝印）。

经络孔穴类：《脉度运行考》、《经络图说》、《俞穴指髓》、《铜人经穴骨度图》（张山雷）、《明堂孔穴针灸治要》（孙鼎宜）、《经络要穴歌诀》（经实地考察，该书与《经穴摘要歌诀·百症赋笺注》系同一馆藏代码，系重复编目）、《经穴辑要》（勘桥散人）、《十四经穴分布图》（姚若琴，经查未见，经考证为中华人民共和国成立后出版的，《中国中医古籍总目》有误）、《铜人新图》（范更生）、《正统铜人插针照片》、《实用铜人经穴图》（董德懋）、《针灸经穴挂图》（杨医亚）、《人体十四经穴图像》（赵尔康）、《人体经穴图》（承淡安）。以上多系人形挂图，未收录。

针灸方法类：《砭经》、《神灸经论》、《传悟灵济录》、《灸法秘传》、《灸法心传》、《延寿针治症穴道》等部分晚清针灸古籍。以上近年多有出版，未予收录。

针灸临床类：《济世神针》、《针灸治验百零八种》、《针灸医案》（系收录《针灸医案》别本）。

如上所述，本丛书基本涵盖了《中国中医古籍总目》所列大部分馆藏图书，亦收录了馆藏未见的民国时期的针灸书目近50种（其中新发现的民间私立学校所用针灸材料有数十种），缓解了目前民国时期针灸文献研究材料难得一见的窘迫局面，既能及时抢救该时期的中医针灸文献，又可使之化身千百，服务于学界，促进文化的传承。

四、民国时期针灸文献的价值及其对近现代针灸学术的意义

（一）民国时期针灸文献的价值

1. 文献保存

民国时期是一个战乱不断的特殊历史时期，战乱对书籍的保存流传的影响是灾难性的，如《针灸杂志》有35期，其中一部分印有千余册，时隔近百年，存世者已非常稀少，可见民国时期的针灸文献散佚了不少。部分老中医所藏医籍在1966—1976年亦有损毁，如著有《实用科学针灸》的谈镇尧（《中国中医古籍总目》为淡镇垚，系误）多年来整理的资料在这一时期几乎被销毁殆尽。《实用科学针灸》一书在河南中医药大学有藏，惜其只藏有中、下两册。在收集文献的过程中，作者团队收集到了谈镇尧的《实用科学针灸》《实用针灸讲义》。其中《实用针灸讲义》为1955年内部铅印本，其内容包含了谈镇尧已散佚的著述与资料，因此，该书的发现将谈镇尧的主要针灸医籍很好地保存了下来。民国时期的针灸文献凝结了一代中医针灸工作者的宝贵经验，是一代人无私奉献的结果，是我国中医针灸工作者宝贵经验和学术成果的集中体现。收集整理民国时期的针灸文献，可有力推动中医针灸学的发展。

2. 历史研究

1929年震惊中医界的“废止中医案”事件，使民国时期的中医学发展遭遇了前所未有的政策压制。民国时期的针灸史研究是整个近现代医学史研究的重要组成部分。目前我国对针灸史的研究多集中在民国时期以前的文献，对民国时期针灸文献

的研究基本处于空白状态。

民国时期是以澄江针灸学派为主导的多流派共发展、百家争鸣的时期。澄江针灸学派兴起于20世纪30年代。该学派以近代针灸名家承淡安先生为代表，以中国针灸学研究社核心成员及其传人为主体，是中国针灸学术发展史上具有科学学派特质的学术流派。民国时期该学派的代表人物还有罗兆琚、曾天治、赵尔康、杨甲三、程莘农等。该学派创办了民国时期影响最大、发行时间最长的针灸专业期刊《针灸杂志》，开创了具有现代化教育模式的中国针灸讲习所，推进了针灸学院化教育方式的发展。该学派的代表人物撰写了高质量的著作，如承淡安的《中国针灸治疗学》《中国针灸学讲义》，曾天治的《科学针灸治疗学》《针灸医学大纲》，罗兆琚的《中国针灸经穴学讲义》《实用针灸指要》，赵尔康的《针灸秘笈纲要》。这些书籍对民国时期及后世针灸医生影响甚深。除此之外，《（香港）广东中医药学校针灸学》（周仲房）、湖南国医专科学校《针灸学讲义》、《莆田国医专科学校针灸讲义》、《广西省立医药研究所针灸学讲义》、《广西省立南宁区医药研究所针灸学讲义》、《华北国医学院针灸讲义》、江苏省立医政学院《经络俞穴歌诀》等馆藏未见讲义陆续被发现，这为研究民国时期全国各地的院校教育提供了宝贵的一手材料。

作者团队在关注学院教育的同时，也收集到数目可观的民间私立学校的教学讲义，如《天津私立益三针灸传习所讲义》、《私立叔平针灸学社讲义》、《温灸术函授讲义》（广东温灸术研究社讲义）、《针灸菁华》（胡耀贞传习广西派针法使用的讲义）等。这些讲义使得民国时期的一些针法及治疗经验得以保存下来。

3. 临床应用

（1）“穴性”对初学针灸者的指导价值。“穴性”一词起源于民国时期。中华人民共和国成立后，“穴性”一词经李文宪、孙振寰等针灸医家的推广而广为流传。陈景文《实用针灸学》记载：“穴之有性质，亦犹药之有性质，知其性质，而后方明其功用。”该书将86穴分为气、血、虚、实、寒、热、风、湿8门。罗兆琚《实用针灸指要》记载：“夫所谓穴义者，即各穴具有之主要特性也，知其性之所在，而后明其功用之特长。故研究针灸术者，不知穴之性质，亦犹讲求方剂，而不识其药性。”该书记载了122穴，依旧将其分为8门。曾天治《针灸医学大纲》第五编“证治”中有“分门取穴”一节，此节除了介绍气、血、虚、实、寒、热、风、湿8门，又介绍了汗、肿、积、痛4门，然而后增的4门实为治疗处方，并非“穴性”。李文宪的《针灸精粹》亦记载了8门“穴性”的相关内容。20世纪80年代，孙振寰的《针灸心悟》记载了

“经穴性赋”的内容，使“穴性”广为流传。

“穴性”分气、血、虚、实、寒、热、风、湿8门。将药性与“穴性”进行对比，对腧穴进行分类，可使腧穴的临床应用更加系统化。“穴性”理论对于初学针灸者有较大帮助，初学针灸者可以依据症状选取穴位进行治疗，这种按“穴性”进行针灸治疗的方式在当时得到了众多医家的认可，并影响至今。

（2）“针灸科学化”为临床建立了相对容易理解的针灸理论体系。民国时期，在“五四运动”时期各种新思潮的影响下，西方科学技术和西医学在中国迅速传播，对针灸学术的发展产生了巨大而深远的影响。中医存废之争及中医科学化思潮使中医针灸面临着巨大的生存危机，以致民国时期的针灸医家被迫对当时的针灸进行反思和变革，试图用“西学”阐释和研究针灸，力求用“科学”改善针灸的生存环境；同时，日本针灸著作和研究成果的引进和翻译，将日本明治维新时期通过引进西方科学技术、西医学方法来阐释和研究针灸机制的方式带入中国。这使民国时期的针灸医家看到了曙光和希望，他们力图效仿日本而革新针灸，试图将中医针灸科学化，这也成为民国时期针灸学术的一大特色。

民国时期的针灸医家将解剖学引入对经络实质的研究中，进而阐释针灸治病的机制。如张山雷在《经脉俞穴新考正》中言：“中医之所谓经脉，质而言之，即是血管。”但在民国时期，以血管阐释经络的理论并未占据主流。这一时期以承淡安为代表的针灸医家，将用“西学”阐释针灸原理的方式从日本带回中国并广泛传播。如承淡安在《中国针灸治疗学》中用神经、血管、淋巴来解释经络系统；在《增订中国针灸治疗学》中明确指出经脉由血管、淋巴、神经等构成，用刺激神经的理论阐释针灸治病的机制，通过“强刺激、中刺激、弱刺激”来阐释传统针法的泻法、平补平泻、补法，并将手法量化为具体的操作范式，以便于临床应用。

（3）“广西派针法”的传承与实践。“广西派针法”肇兴于清代末期，起源于广西，创始人为光绪年间著名针灸医家左盛德先生。民国时期，“广西派针法”传播于安徽、天津以及江南等地，成为国内闻名、成绩斐然、颇具影响的针灸流派。

罗哲初（1878—1944），字树仁，号克诚子，“广西派针法”的代表性针灸学家、针灸教育家。罗哲初弟子张治平受该学派思想影响，编著《针灸菁华》。该书现仍存世，是目前研究“广西派针法”的重要资料。以《针灸菁华》为主线展开研究，作者团队发现了以罗哲初、张治平为主传承的2支“广西派针法”传承脉络，一是张治平→吕应韶→胡耀贞的传承脉络，二是张治平→王文锦→于冈樵→白荫昇的传承脉络。通过对《针灸菁华》所载内容的初步梳理发现，该书应为“广西派针法”传习过程中的针灸讲义，经张治平、胡耀贞等弟子整理得以保存下来。参考“广西派针法”相关研究文章，可以窥见“广西派针法”的针灸特色，其特点为遵循子午流注学说，以奇经八法、井荥输经合、主客原络为取穴原则，运用生成数施行补泻手法，独擅针下辨气，将针下气感分为紧、绵、虚、顶、吸、滑、涩、软、微、无力、纯紧、纯虚12种，并在辨气的基础上，采用针刺手法以治疗疾病。《针灸菁华》记载了《六十六穴歌》，将六十六穴每穴编为七言歌诀以便记诵，并记载了《治验效穴歌》《行针秘要歌》等针灸治验歌诀，以便读者学习或研究。

罗哲初及其弟子张治平对“广西派针法”的传承做出了突出贡献。近代分布在天津、安徽、山西及浙江宁波等地的数名针灸医家（如天津的郑静侯、曹一鸣、张治平、华佩文，安徽的刘泽涛和田理全，山西的胡耀贞，以及浙江宁波的裘如耕等）与“广西派针法”皆有渊源。这些针灸医家对“广西派针法”进行了传承与发扬，如郑静侯对“奇经八脉推算开穴法”进行了研究，曹一鸣对“养子时刻注穴法”进行了研究，华佩文对“不留针法”的催气、调气、行气进行了研究，胡耀贞对“无极针法”进行了研究等。这些针灸医家在继承“广西派针法”精髓的基础上，崇尚古法，融汇古今，形成了独具一格的针刺方法及手法，对“广西派针法”的传播做出了卓越的贡献。

（二）民国时期的针灸文献对近现代针灸学术的意义

1.是对近现代中医针灸学术成果的系统总结和突出展示

民国时期的针灸文献记载了当时的针灸医家传承针灸学术的宝贵经验。民国时期是中医针灸学院化教育的萌芽时期，是针灸学术发展的历史转折期，是现代针灸区别于古代传统针灸的开端，是现代针灸教育模式的源头时期。对该时期的针灸文献进行系统、全面的挖掘和总结，是我国中医针灸发展史上具有里程碑式意义的大事。保护好、传承好这些中医针灸文献，并对其进行深入、系统的研究，发掘针灸医家的宝贵经验，不但可以为当今的中医针灸学术研究提供资料和良好的借鉴，还对我国中医药事业的发展具有重要的现实意义和历史意义。

2. 使针灸学术经验得到完整的传承

民国时期的针灸文献凝结了一代中医针灸工作者的宝贵经验，是一代人无私奉献的结果，是该时期我国中医针灸宝贵经验和学术成果的集中体现。我们应珍惜该时期的文献资料，珍惜一代人的无私奉献。通过收集整理、出版该时期的文献，可以有力地推动我国针灸学术的传承发展。

3. 有助于我国中医针灸产业的发展

作者团队对民国时期中医针灸文献进行细致的筛选，并对本丛书所收录的每一种文献进行了深入的研究，撰写了内容提要，对每一种文献的主要学术价值、临床实用性等做出了客观的评价。这使得本丛书整体的学术质量得到了明显提高，也为中医针灸文献后续的学术研究、临床实践、学术流派研究、新疗法创新等工作，奠定了良好的学术基础。长期沉寂在近现代针灸文献中的技术、疗法的不断涌现，必然会对我国针灸相关产业的发展起到积极的推动作用。

4. 填补学界空白，有助于促进我国优秀传统文化的发展

对民国时期针灸文献的研究填补了这一时期针灸文献学术研究的空白。此次整理是中华人民共和国成立以来对这一时期针灸文献最集中、最全面的收集整理。此次整理以《中国中医古籍总目》为主要线索，对该时期的材料进行地毯式搜集。此次整理、出版使近现代针灸文献（本丛书目前所收录的文献以民国时期针灸文献为主）得到了抢救性保护，缓解了当前部分文献传承断裂的严峻局面，使民国时期针灸文献整体进入国家各级馆藏体系，有力填补了民国时期针灸文献学术研究的空白，为我国中医针灸的传承和中医药事业的发展提供了宝贵的文献资料，从而大大促进了我国优秀传统文化的发展。

前　言

《中国近现代针灸文献研究集成·教材卷》所收录的近现代针灸教材文献多出版于民国时期，少数出版于中华人民共和国成立后。

民国时期针灸教育的发展可谓曲折，1914年北洋政府主张废止中医，1929年国民政府通过了“废止中医”的提案，这些举动大大地影响了我国针灸学术的继承和发展。此时期的针灸学家们也清楚地意识到了中医针灸濒于湮灭的危机，他们团结一心，通过开班办学、创办杂志、翻译国外针灸著作等实际行动振兴中医针灸学，为我国针灸学的继承及发展做出了重大贡献。中华人民共和国成立初期，在民国时期中医院校、针灸学术团体的基础上，全国各地大力兴办中医学校，开办针灸学习班，中医针灸学术和教育得以进一步发展。

民国时期是传统针灸与现代针灸的衔接时期，是中医针灸学院化教育的萌芽时期，是针灸学术发展的历史转折期，是现代针灸治疗及理论区别于古代传统针灸的肇始。总结民国时期针灸学术的研究成果及针灸教育的经验，对现代的针灸教育影响深远。

民国时期的针灸教育主要有以下几方面的特点：一是针灸教育团体、学术体系逐渐形成，针灸学校主要由社会团体或个人创办；二是形成了具有地域特征的针灸学术流派，传承有序、传播广泛；三是教学内容以传统中医针灸理论为基础，注重吸纳西学，提倡“针灸科学化”，如以《西法针灸》、《高等针灸学讲义》等为代表的国外针灸著作被译成中文广为流传。

如1931年承淡安等学派先辈们创办了中国医学教育史上最早的针灸函授教育机构——中国针灸学研究社，开办针灸讲习所，开创了我国近代针灸教育的先河。该研究社传授并实践“西式”针灸学术，所用教材《中国针灸治疗学》与传统的针灸学著作不同，采用解剖学来讲解腧穴的定位。为了深入研究新法针灸，1934年10月，承淡安东渡日本学习和考察日本的针灸学，并带回针灸教学图具和在中国已经失传的

《十四经发挥》等医学专著。中国针灸学研究社培养出了邱茂良、罗兆琚、曾天治、赵尔康、杨甲三、程莘农等众多针灸名家，他们遍布全国各地，传道授业，对澄江针灸学派的传承与发展、对中医针灸学的传承与发展做出了重要贡献。

又如广西派针法的代表罗哲初游学办学，继承古法，以师传身授的教学方式在上海、南京、宁波、安庆等地先后举办了8期“针灸讲习班”，培养了一大批造诣颇深的针灸医家。这些人遍布大江南北，为传承和发扬广西派针法发挥了重要作用。罗氏弟子中如郑静侯、张治平、曹一鸣等积极研究学习针灸学术，对民国时期民间针灸学术的发展起到了重要的推动作用。

为适应时代变化和针灸学术的发展，民国时期的针灸教材在重视传统针灸理论的基础上，大都积极借鉴西方医学理论知识体系，重新诠释传统针灸理论。当时以西医学解剖部位及神经、肌肉等知识讲述腧穴的定位，以西医学神经、生理等知识阐释针灸现象已被广泛认可。针灸教材的内容渐趋规范化、科学化、实用化。

从民国时期针灸教材的内容中可以看到这一时期针灸学术研究的状况以及现代针灸教材的雏形。

但是需要注意的是，民国时期的针灸教材文献存量不多，大多已经失传。作者团队以《中国中医古籍总目》为主要线索，对以该时期为主的针灸文献进行地毯式搜集，经过10余年的努力，收集了1000余种针灸文献。此次，作者团队遴选了民国时期的针灸教材文献54种作为研究对象，以期保存和传承这些文献，为中医针灸的发展尽一份绵薄之力。以馆藏未见讲义为例，作者团队搜集到数种难得一见的针灸教材，如《（香港）广东中医药学校针灸学》（周仲房）、《针灸学讲义》（湖南国医专科学校）、《广西省立医药研究所针灸学讲义》、《广西省立南宁区医药研究所针灸学讲义》、《莆田国医专科学校针灸讲义》等，为民国时期全国各地的院校教育的研究提供了珍贵的一手材料。

另外，作者团队在关注学院教育的同时，也收集到数目可观的民间个人创办的私立学校的教学讲义，如《天津私立益三针灸传习所讲义》、《私立叔平针灸学社讲义》、《针灸菁华》（胡耀贞传习广西派针法使用的讲义）等。这些讲义在继承明清时期文献的基础上，以传承古法居多，使得一些家传针法及治疗经验得以较好地保存下来。私立办学在民国时期对针灸学术的发展也产生了举足轻重的影响。

此次对54种针灸教材文献的整理，以文献的内容题材进行分类，并参考编者或学术团体所在地域进行分册，体例清晰，便于使用。《中国近现代针灸文献研究集成·教材卷》按内容题材分为：①针灸基础分卷；②针灸技法分卷；③针灸临床分卷；④针灸综合分卷。其中，针灸基础分卷又按地域分为江浙闽篇、北方篇、两广篇；针灸综合分卷按地域分为江浙闽篇、北方篇、广东篇、广西篇、湖南篇。通过上述的分卷、分篇，可以方便读者学习与研究该地区的针灸学术特色。

以民国时期为主的近现代针灸教材文献承载了该时期针灸医家传承针灸学术及教学的宝贵经验，对整个近现代的针灸发展具有深远影响。本次对这一时期的针灸教材文献进行系统整理、深度挖掘和总结，对我国中医针灸的发展具有重要的历史意义和现实意义：不仅可以保护珍贵的文献资料、呈现针灸教育发展史，还将填补民国时期针灸教材文献研究的空白，为现代针灸教育的改革与发展提供参考和借鉴。

目　录

近世针灸学全书·配穴概论、孔穴学

提　要

一、作者小传

杨医亚（1914—2002），原名杨益亚，曾用名杨鸿星，河南温县人，中国共产党员，九三学社社员，河北中医学院教授。1934年，杨医亚考入近代名医施今墨先生主办的华北国医学院。在校学习期间，他受聘于施今墨先生主办的《文医半月刊》，任主编。1937年，杨医亚主办了《国医砥柱》月刊。办刊期间，他发表了大量针灸方面的文章。1938年，杨医亚从华北国医学院毕业。1939年，杨医亚在北京创办了国医砥柱总社函授部（1943年更名为中国国医专科函授学校）及中国针灸研究所函授部学习班。1943年，杨医亚受聘于华北国医学院，任教授。1949年，杨医亚被聘为华北国医学院院长。之后他辗转于河北、天津等处，任编辑、教师等。1983年，他被调至河北中医学院任中医基础教研组主任、教授，直至1988年退休。

办学期间，杨医亚撰写和翻译了多部针灸著作，包括《针科学讲义》《中国灸科学》《配穴概论》《针灸治疗学》《针灸处方集》《针灸秘开》《针灸经穴学》《针灸治疗医典》《耳针疗法》《孔穴学》《实用针灸治疗学》《袖珍针灸经穴便览》等。中华人民共和国成立后，上述书籍有部分再版。1954年，《近世针灸医学全书》出版，该书是在《针灸经穴学》《针科学讲义》《中国灸科学》《配穴概论》《实用针灸治疗学》等的基础上改编而成的。

二、版本说明

《配穴概论》《孔穴学》刊于民国时期，两书合订为1册，于1937年初刊，1947年刊行第四版。

三、内容与特色

《配穴概论》第一页题“配穴概论讲义”。首页记载配穴概念：配穴“乃某穴之特性，与某穴之特性，互相往使，而成特效之功用，犹之用药，某药为君，某药为臣，相得益彰也”。整个讲义介绍了“大椎、曲池、合谷”“合谷、复溜”“曲池、合谷”等31组穴位的功能、主治，对临床颇有指导意义。

《孔穴学》第一页题“孔穴学讲义”，分2章。第一章总论部分介绍孔穴学的由来，该书所介绍之孔穴为“日本文部省经穴调查会审定之经穴”。日本文部省于大正二年（1913）组成调查会，“医学博士三宅秀，医学博士、理学博士大泽岳太郎，医学博士、文学博士富士川游”等多位委员历时6年，于660穴中删除无关紧要之穴，得120穴。该讲义以解剖学上之位置描述，使读者得知腧穴准确之位置。第二章穴名及部位部分按头部、颜面部、颈部，胸部、腹部，侧腹部，背部，肩胛部、上肢部，下肢部6节介绍人体腧穴之定位，为临证取穴提供定穴标准。

现将该书特色介绍如下。

（一）配穴精，临床实用

《配穴概论》讲述了31组经穴的功能主治，配穴巧妙，临床应用效果显著，如“大椎、曲池、合谷”等穴组，至今仍广泛应用于临床。

（二）取穴易，操作简便

《孔穴学》取古代经穴之要者，描述其解剖学位置，使读者能更准确地了解穴位的位置，并且此取穴法较古籍中的经穴定位取穴法更容易掌握。

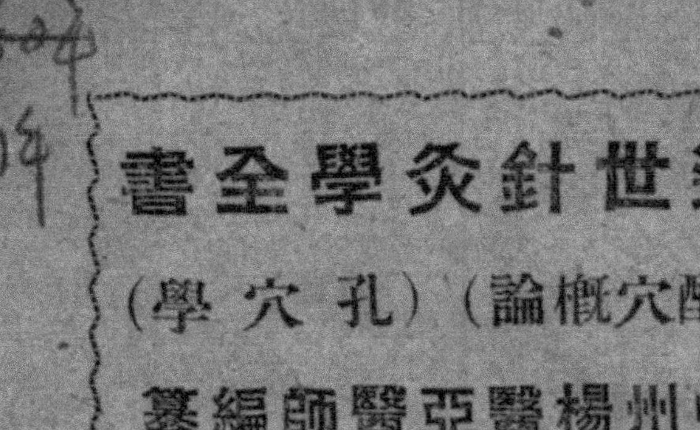

近世針灸學全書

（配穴概論）（孔穴學）

中州楊醫亞師編纂

（全一冊）

1947

北平國醫砥柱月刊社出版

姜春華醫師撰
楊醫亞醫師校

中醫診斷學出版

中醫診斷書籍甚多然皆鈔纂舊文陳陳相因於眞實經驗麗以玄說致使後學目迷心眩不知適從尤其診脉一項更屬難明眞相著者根據科學及歷年臨床經驗羅列舊籍數百種去蕪措精凡診斷中之一一項目皆據科學而解釋據科學而評論是者是之非者非之闡百代之眞理破千古之迷惑誠爲前所未有今所僅見劃時代之創作

定價二萬元航掛加五千元

總發行處：北平宣外米市胡同乙五二號國醫砥柱月刊社

分發行處：上海麥琪路一七七號姜春華醫師

時逸人醫師編著
楊醫亞醫師校閱

中國婦科病學出版

△將二十年之經驗費數年之心血始成此書△能讀此書對診治婦科病症可立收奇功本書共分三篇如經行概論、行經各論，胎產各論，因胎產而致之胎前病，妊婦自生之胎前病等，根據科學方法，均述其病原，病理，症候，診斷，治法，處方，皆以合乎實用爲依舊，全書博而精，簡而約，凡經帶胎產諸病，均有各家專科秘方良法，實初學必讀之書。醫家必須精研之專書，每部定價四萬元，航寄另加七千元。

經售處：北平宣外米市胡同乙五二國醫砥柱月刊

本社社長楊醫亞醫師鑒定—名醫學家譚次仲醫師著述

傷寒論評誌（一名急性傳染病通論）上集出版發行

—本書是用科學方法解釋傷寒論最有價值之名著

—本書是研究傷寒論者不可不讀惟一之善本

傷寒論如滿盆散沙，註家又復連篇累述，故治斯學者，幾於蒙頭蓋面，"有窮老盡氣而不能卒業之嘆，本書則尋得其原理原則，逐節逐方，依原文次序，註解、不稍變易，且立爲五個定法，舉全書三百九十七節，一百一十三方，皆不出五定法之外，而五定法，則以經證經，均完全證明爲仲景所出，且並爲全中醫之定法，亦全西醫之定法，定法者不可易，所謂聖人爲百世之師也，此會在前十年刊諸各省醫刊，爲最受讀者所歡迎，本書乃十年前譚次仲國醫函授學社傷寒論講義，而未出單行本，今中國國醫專科函授學校採用爲內科講義，上集已印出，每部四爲元，航空掛號七千元。

總發行所：北平宣外米市胡同乙五十二號國醫砥柱社

配穴概論講義

中州楊醫亞編纂
北平中國針灸學術研究所印行

配穴—配穴云者，乃某穴之特性，與某穴之特性，互相往使，而成特效之功用，猶之用藥，某藥爲君，某藥爲臣，相得益彰也，故研究針灸者，不知穴之配合，猶之瞎馬亂跑，不獨不能治病，且有使病機變生他種危險之狀態，不觀市醫乎，往往使病者得無窮之危機，此未得師傳也，爰特編述，以與諸君研討也。

（一）大椎曲池合谷

大椎手足三陽督脉之會，純陽主表，故凡外感六淫之在於表者，皆能疎解也，佐以曲池合谷者，以陽從陽，助大椎而斡旋營衛，清裏以達表也，審其身熱自汗，則瀉大椎以解肌，無汗惡寒，則補大椎以發表，或先補而後瀉，或先瀉而後補，神而明之，存乎其人矣，至於外感變症，至繁且雜，兼他症者，尤必兼而治之，是以邪在於經，頭項強痛者，則加風池，（透風府），熱甚而心煩溺赤者，則加內關，譫語便燥胃家實者，則加豐隆，三里，脇痛嘔吐見少陽症者，則加支溝陽陵泉，氣逆喘嗽，則加魚際，傷風鼻塞，則加上星，又若瘧疾之病，雖有表裏陰陽之別，而其寒熱往來，無不關乎營衛，故是法亦能兼治，再如骨蒸潮熱盜汗等症，雖係陰虛勞損之候，但採用此法，亦大有養陰清熱之功，誰謂個中無活潑潑大機耶。

（二）合谷復溜

二穴止汗發汗，書有明文，針家皆知之，而其所以能止汗發汗之理，則多未知也，試申言之，夫止汗補復溜者，以復溜屬腎，能溫腎中之陽，升膀胱之氣，使達於周身而外衛自實也，瀉合谷者，即所以清氣分之熱，熱解則汗自止矣，發汗補合谷者，則以合谷屬陽，清輕走表，故能發表托邪，隨汗出而解也，佐以瀉復溜者，疎外圍之陽，而成其開皮毛之作用也，至若陽虛之自汗，陰虛之盜汗，固與外邪有別，而合谷復溜亦能止之者，蓋又以復溜，匪特能溫腎中之陽，亦且以滋腎中之陰也，尤有進者，寒飲喘逆水腫等症，余推詳其理，借以復溜以振陽行水，合谷以利氣降逆，頗有奇效，可見此中變化無窮，學者當隅反之。

（三）曲池合谷

二穴屬手陽明經，主氣，曲池走而不守，合谷升而能散，二穴相合，清熱散風，為清理上焦之妙法，以清輕之氣上浮故也，頭者諸陽之會也，耳目口鼻咽喉者，清竅也，故禀清陽之氣者，皆能上走頭面諸竅也，以合谷之輕，載曲池之走，上升於頭面諸竅，而實行其清散作用，故能揚蕩一切邪穢，消弭一切障礙也，雖然二穴之上行也，漫無定所，苟欲其專達某處，勢必再取某穴以為響導，則其徑捷，其力專，其收效也亦速，故頭痛頭暈，取風池頭維，目赤目翳，如絲竹晴明，鼻痔鼻淵，配迎香禾髎，耳鳴耳聾，還聽會翳風，口臭舌裂，水溝勞宮，咽腫喉痺，魚際頰車，齦腫齒痛，則有下關，口眼喎斜，則參地倉，君臣合力，標本兼施，何患疾之不瘳也乎。

（四）水溝風府

風者，百病之長也，若善行而數變，金匱曰，邪入於臟，舌卽難言口吐涎，蓋腎脉挾舌本，脾脉絡舌本散舌下，心之別路亦繫舌本，故風邪中於此三臟，則令人舌強難言，口吐涎而神昏不省也，又三陽之經幷絡入頷頰挾於口，今諸陽爲風寒所客，故經急而口噤不開也，是法補水溝以開關解噤，通陽安神，瀉風府搜舌本之風，舒三陽之經，凡一切卒中急症，邪閉不開，不省人事，施之關竅立開，隨卽甦醒，語言自和，轉危爲安，誠針科之首選，起死回生之寶筏也，他如口眼喎斜，偏枯不遂等症，雖有中經中絡之別，然異流同源，亦其所宜焉。

（五）肩髃曲池

二穴皆屬手陽明大腸經，大腸爲肺之腑，故是法有調理肺氣之特效，尤妙在肩髃臥針，有舒通之象，而曲池更走而不守，擅能宣氣行血，搜風逐邪，二者相配，眞可謂之珠聯璧合，舉凡一切經絡客邪氣血阻滯之病，無不能舒暢而調和之，而尤以中風偏枯諸痺七氣等症爲對工，所謂一通百通也，昔仲景有云，客氣邪風，中人多死，預料此法風行後，其或能減少客氣邪風中人之死率歟。

（六）環跳陽陵泉

二穴皆屬足少陽胆經，厥性舒通宣散，善能理氣調血驅風祛濕，且陽陵泉又爲筋之所會，尤有舒筋利節之功，故凡中風偏枯不遂諸痺不仁，以及癱瘓筋攣腰痛痿躄等症，皆其傑奏，余嘗以環跳擬肩髃，陽陵擬曲池，以彼此上下相應，形性相彷，而功效又雷同者也。

（七）曲池委中下廉

痺者風寒濕三邪合而爲病也，風氣勝者爲行痺，以風性游走也，寒氣勝者爲痛痺，以寒性凝結也，濕氣勝者，爲着痺，以濕性重着也，主以是法者，曲池搜風以行濕，委中疎風以利濕，下廉通陽以滲濕。其寒氣勝者則補瀉兼行，散寒祛風而燥濕，兼以各舒其經，各通其絡，邪去而經絡亦通，何痺之有哉。

（八）曲池陽陵泉

曲池居於肘內，陽陵泉居於膝下，同爲大關節要，曲池行氣血通經絡，陽陵泉疏經利節，皆具有宣通下降之功，以之配合，相德益彰，百症賦列其治半身不遂，是舉其要，餘如癱瘓歷節諸痺等症，可一望而知矣，且也，二穴尤有降濁瀉火之功，曲池清肺走表，陽陵泉瀉肝胆平裏，今因推廣其用，凡肝肺抑鬱胸脇作痛，或熱結腸胃腹脹便濁等等，借其清利疏泄之力，靡不獲效，由是可見穴法之妙，全在善用者之配合也。

（九）曲池三陰交

一陰一陽，恰相配偶，曲池性游走通導，擅能清熱搜風，三陰交乃三陰之會，爲肝脾腎三經之樞紐，亦即血科之主穴，二者相合曲池入三陰之分，故能清血中之熱，搜血中之風，而瘀自行血自行矣，是以諸般腫痛，得之而腫消痛止，花柳毒瘡，得之而毒消瘡平，餘如風溼諸痺腰痛脚氣痿躄，以及婦女崩帶瘕聚經閉等症，尤能着手成春也。

（十）三里三陰交

三里升陽益胃，三陰交滋陰健脾，陰陽相配，爲脾胃虛寒氣血虧薄之主法，虛損門所不可少者也，亦有胃濁脾弱陽亢陰虧者，則補陰之中，勢必兼行清導，補三陰交瀉三里是也，更有陽虛氣乏，風温客邪成痺腿胻痲木疼痛者，則一以振陽氣，一以和陰血，合而舒經利痺其功效尤卓著者也。

（十一）陽陵泉三里

陽陵泉爲胆經之關鍵，三里爲胃府之樞紐，二穴相合，瀉陽陵泉以肅清淨之府，平肝火之橫，降上逆之勢，輸胆汁入胃，從木疎土而完成其中精之府之吏能也，再瀉三里以導胃中之濁，通胃之陽，于是清陽得升，濁陰得降，凡木土不和之病，如中消停痰吞酸口苦泄瀉嘔吐等症，得之自然煙消瓦解，而飲食亦因之暢和矣，且陽陵泉爲筋之所會，大有舒筋利節搜風祛濕之特力，三里亦有通陽活血燥濕散寒之功能，更進而治諸痺膝痛筋攣歷節痿躄脚氣等症，亦未始非針法之妙用也。

（十二）四關

四關者，合谷太衝四穴也，經爲奇穴，以之名關，蓋有精義存焉，夫合谷原穴也，太衝亦原穴也，以形勢言，合谷位於合歧之間，而太衝亦位於兩歧之間，是二者相同之處也，再以性質言，合谷屬陽主氣，而太衝則屬陰主血，是又二者同中之異也，然二者之同，正所以成其虎口衝要之名，二者之異，亦正所以竟其斬關破巢之功，規其開關節以搜風理痺，行氣血以通經行瘀，及乎配豐隆陽陵泉以墜痰瀉火而治癲狂，配百會神門以鎮癇安神而療五癇，是明證矣。

（十三）豐隆陽陵泉

二穴爲通大便之主法，何以言之，夫豐隆爲足陽明胃經之絡脈，別走太陰，其性通降，從陽明以下行也，得太陰濕土以潤下也，陽陵泉性亦沉降，斜針向下透三里，從木以疎土也，余嘗以是法擬承氣，有承氣之功，而不若承氣之猛峻，其治癲狂等症，非但瀉其實，亦且折其痰也。

（十四）氣海天樞

氣海者，氣血之會，呼吸之根，藏精之所，生氣之海，下焦至要之穴也，補之益臟，眞回生氣，温下元，振腎陽，有如釜底添薪，故能蒸發膀胱之水，使化氣上騰，而布於周身也，天樞乃大腸之募，胃經之穴，其分理水穀糟粕，清導一切濁滯實有特效，以之與氣海相配，取氣海振下焦之陽，以散羣陰，取天樞調腸胃之氣，以利運行，故擅治腹寒疝瘕賁豚脫陽失精，陰縮厥逆脹滿疼痛氣喘，小便不利，婦女轉胞崩帶，月事不調等症，爲虛勞羸瘦積寒痼冷之首法，轉較諸天雄散腎氣丸等方，且猶過之無不及也。

（十五）中脘三里

經云，陽明之上，燥氣治之，燥者陽明之本氣也，胃腑禀此燥氣，故能消腐水穀，若此燥氣不足，則水穀停矣，太過則又爲中消噎膈等症，燥氣之關乎胃者如此，是法專理胃腑，兼治腹中一切疾病，君以中脘者，以中爲六腑之會，胃之募也，臣以三里者，正所以應中脘而安胃也，審其胃中虛寒，飯食不下，脹痛積聚，或停痰蓄飲者，則補中脘即所以壯胃氣散寒邪也，瀉三里者，引胃氣下行，降濁導滯，而襄助中脘以利運行也，其或胃腑燥化太過，消穀引飲嘔吐反胃者，則中脘亦可酌瀉也，至於霍亂爲病，總由夏秋之時，飲食不節，暑濕汚穢擾亂中宮，以致清濁不分，陰陽混淆，上吐下瀉，腹中疞痛而揮霍變亂，治之先刺出惡血以去暑穢，然後補中脘以升清，瀉三里以降濁，中氣調暢，陰陽接續，斯愈矣，再者胃病而兼有其他症候者，兼治必須加減，如下脘虛寒補氣海，上焦鬱勢瀉通谷，臟氣微補章門，腸中滯瀉天樞，或取上脘，或取三里等是也。

（十六）合谷三里

二穴皆屬陽明，一手一足，上下相應，合谷爲大腸經原穴，能升能降，能宣能通，三里爲土中眞土，補之益氣升消，瀉之通陽降濁，二穴相合，腸胃並調，若清陽下陷胃氣虛弱納穀不暢者，則補三里應合谷以升下陷之陽，俾胃氣充而食自進，若濕熱壅塞濁滯中宮，或蓄食停飲而腹脹噫噦者，則瀉三里引合谷下行以導濁降逆，斯中宮利而氣自暢矣，昔賢調理中宮以宣通爲胃腑立法，信不誣也。

（十七）三里二穴

五臟六腑，皆賴胃氣以爲營養，有胃氣則死，蓋以胃爲後天之本，水穀之海，主消納者也，胃氣盛則納穀自暢，營養自周。否則臟腑失養而生氣絕矣，夫胃者戊土也，三里者合土也，是三里爲土中眞土，胃之樞紐，後天精華之所根也，秦承祖云諸病皆治，蓋又以胃爲五臟六腑之海也，余取之以壯人身之元陽，補臟腑之虧損，凡寒氣積聚之癥瘕，皆得而溫之化之，濕濁瀰漫之腫脹，亦得而燥之消之，至其升清降濁之功，導痰行滯之力補中升陽等方，不能擅美於前也。

（十八）勞宮三里

勞宮屬心包絡，性清善降，功能理勞役氣滯，開七情鬱結，尤擅清胸膈之熱，導火腑下行之路，與三里相合，大瀉心胃之火，挫上逆之熱，凡結胸痞悶嘔吐乾噦噫氣吞酸煩倦嗜臥等症，無不效若桴鼓，用針者其勿忽諸。

（十九）三陰交二穴

李東垣治病以脾胃爲主，宗之者頗不乏人，惟立方皆升提辛燥，與陰虛體質大相違背，自唐容川氏滋脾陰說唱與以來，深得醫林多數人之信仰，蓋脾陽虛陷運化失司，誠宜益氣升陽，若脾陰枯槁，津液不行者，則溫燥之法，斷斷乎不可嘗試，而當滋陰潤燥者也，考三陽交爲肝脾腎三經之交會，故其補脾之中，間接可補肝陰腎陽，是三陰交獨有氣血兩補之功，不特爲女科之主穴，亦且爲內傷虛勞雜病門中之要法也，其治腹痛瀉痢疝瘕轉胞崩帶經閉絕嗣等症，較之理中建中八珍腎氣等方，實不可同日而語也。

（二十）隱白二穴

脾主運化，全賴陽氣爲之旋轉，苟脾陽不運，則腹脹瀉泄倦怠少氣崩帶等症作矣，東垣立補中調中升陽等方，卽本此意，余取隱白，將復如是，緣隱白爲太陰之根，補之大益脾氣，升舉下陷之陽，溫散沉痼之寒，直如流馭中州之主師，內傷虛勞門中之良相，所謂扶中央卽可固四維也。

（二十一）大敦二穴

肝主筋，前陰爲宗筋所聚，而足厥陰之經，又環陰器抵小腹，故諸疝皆屬於肝，大敦爲肝經井穴，余取其直接舒筋調肝祛邪，寒則補之，熱則瀉之，兼風濕者加曲池委中，寒甚卵縮引小腹痛者加隱白，見效後再取三陰交太衝行間中封蠡溝曲泉諸穴繼之，卽可痊愈，又若婦女寒瘕下墜，痛引小腹陰挺，腫痛等症，與男子諸疝無異，故此法亦爲對症，學者其細參可也。

（二十二）大椎內關

夫飲水邪也，水停於胸膈之間，氣道壅塞，則作喘咳嗽吐逆等症，然水何以能停也，是又當責之於三焦，經云，三焦者，決瀆之官，水道出焉，蓋三焦卽人身之油膜，水之道路，全在油膜之中，人飲之水，由三焦而下膀胱，則決瀆通暢，水自無停留之患，如三焦之油膜不利，於是水道閉塞，氣化不行，而飲症作矣，此法大椎爲督脉手足三陰之會，余取之以調太陽之氣，氣行則水自利也，內關爲手厥陰心主之絡，別走少陽三焦，余取之宣心陽以退其羣陰，利油膜以通其淤塞，則決瀆暢而飲症自觸矣，是說本自內經，參之唐氏，又與仲景青龍苓桂諸方吻合，其亦愚者之千慮一得歟。

（二十三）內關三陰交

內關手厥陰心之絡，別走少陽三焦，能清心胸鬱熱，使從水道下行，配以三陰交滋陰養血交濟坎離，爲陰虛勞損之要法，蓋下焦之陰精一虧，則上焦之陽獨亢，而骨蒸盜汗咳嗽失血夢遺經閉等症作矣，內關清上，三陰交滋下，一以和陽，一以固陰，陰陽和合，斯可以滋生化育矣。

（二十四）魚際太谿

虛勞之病，現咳嗽吐血骨蒸潮熱者，十居七八，皆緣近世之人，溺於酒色，沉於思慾，脾腎兩虧，陰液枯涸，不能上滋心肺，以致火炎肺萎，柔金遭尅，遂現損症，施治大法，宜仿喻氏清躁救肺湯之意，清火勢以減金刑，滋陰液以潤肺燥，水火交濟，子母相生，庶幾有一線生機也，是法君太谿補水中之土，潤燥而生金，臣魚際瀉金中之火，逐邪而扶正，理腎者兼理色慾，清肺者亦清酒傷，絲絲入扣，宜其累奏奇功也。

（二十五）天柱大杼二穴

東垣曰，五臟氣亂於頭者，取之天柱大杼，不補不瀉，以導氣而已，旨哉斯言，夫膀胱者，州都之官，氣化所出，故統周身之陽氣，而名太陽經也，且五臟之俞穴，皆在於背，是五臟之氣，又皆通於太陽也，若夫氣亂於頭者，則頭暈目眩者有之，頭冒者有之，頭中鳴者亦有之。治者當然以導氣下行爲定律，今考天柱大杼二穴，皆屬足太陽經，而大杼更爲督脈別絡，手足太陽少陽之會，其能調理氣道可知，至云不補不瀉者，蓋又以氣旣亂矣，補之瀉之，皆足以益其亂，故不必燥之渦急，但覓得其頭緒，徐徐導之，使循太陽經而下，則無紊亂之弊矣，再如風寒客於太陽之經，頭項脊背強痛，是法亦所當用，惟邪之所在，勢不得不行瀉性，以舒經散邪也。

（二十六）巨骨二穴

巨骨屬手陽明大腸經，穴在肩端兩叉骨罅中，刺之居高臨下，宛如左右各樹一鎮壓物然，且其性沉降，大能開胸鎭逆，宣肺利氣，舉反胸中瘀滯及一切上逆之邪，均能推之使下，故爲定喘之無上妙法，他如咳逆上氣肝火上冲嘔血吐血等症，亦能挫其上逆之勢，急切收效也。

（二十七）兪府雲門二穴

咳嗽喘息，本至普通之症，而施治每多不效，何也，一言以蔽之，要皆未澈底認識其標本原因也，夫咳嗽喘息，固是肺病，然而近因也，標病也，其根本原因，固不在肺，而在腎也，以腎司收納，衝脈又交乎腎經，至胸中而散，若下元空虛，收納失司，則濁陰之氣，隨衝脈上逆入胸。鼓動肺葉，故咳嗽而喘息也，今人不問來源，只知治肺，一味宣散清利，輕者或可取效一時，重則不啻隔靴搔癢，毫無所覺，良以肺部未遑廓清，而衝氣已復上逆，前仆後繼，倘夢想咳止嗽寧喘定耶，余取此法，君俞府以降衝氣之逆，理腎氣之源，佐雲門以開胸順氣，導痰理肺，標本兼施，則諸症悉愈矣，亦有陰火隨衝脈上逆，以致胸中結悶煩熱嗆咳者，此法亦有奇效，是又在學者之遴選耳。

（二十八）氣海關元　中極子宮

方書求嗣之方，不勝枚舉，而有應不應者，何也，蓋未得其癥結所在故耳，經云，女子二七，天癸至，任脈通，太衝脈盛，月事以時下，男子二八，腎氣盛，天癸至，精神溢瀉，又云，陰陽和，故有子，夫惟其陰陽和始能有子，惟其女子月事以時下，男子精氣溢瀉，陰陽斯之謂和，否則陰陽既不和，則子嗣又烏從而得哉，是以求嗣之道，男子首在調精，女子首在經行，在男子有淫慾過度，陰精虧竭，稀薄散淡者，亦有先天不足，腎氣不充，精不注射者，在女子則月經不調之外，更有子宮寒冷，胞門閉塞者，凡此等等，皆無成孕之可能，求嗣之士，可知着眼所在矣，余於男子之陽不和者，取氣海以振陽氣，取關元以滋陰精，蓋以氣海為男子生氣之海，關元為三陰任脈之會，藏精之所也，其於女子之陰不和者，則取中極以調經，取子宮以開胞，蓋又以中極亦為三陰任脈之會，胞宮之門戶也，子宮二穴，在中極旁三寸，位居小腹，正當胞宮之處，胞宮今亦名子宮，此穴此名，其義可知，補之者，正所以煖胞開胞，俾其直接受孕也，育嗣之穴，固不止此，然苟能於此法此理融會貫通之，則求嗣之道，思過半矣。

（二十九）合谷三陰交

二穴安胎墮胎之理，已詳於針灸大成中，故不再贅，茲所欲言者，不過引伸其義而已，夫三陰交補脾養血，固爲妊娠要穴，然其安胎之力，尤賴乎合谷之清熱也，何言之，觀乎徐靈胎先生之言曰，婦人懷孕中一點眞陽，日吸母血以養，故陽日旺而陰日衰，凡半產滑胎，皆火盛陰衰不能全其形體故也，又讀天士先生胎得凉而安一語，益信其眞，故昔賢安胎，皆主黄芩以清熱也，脾主後天生化，故又佐白朮以補脾而養胎也，再參之是法，合谷亦猶黄芩也，三陰交亦猶白朮也，白朮慮其燥，而黄芩適以平之，三陰交慮其溫，而合谷亦適以和之，是法與是方吻合者如此，且三陰交爲三陰之會，中寓肝陰腎陽，能溫補而又能滋潤者也，余常借用是法，取合谷以清上中之熱，取三陰交以滋中下之陰，故凡陽亢陰虧上熱下寒者，皆其宜也。

（三十）少商商陽合谷（刺出血）

此三穴醫家多取以爲喉科之主法，以其清肺瀉熱也，余因推廣其用，以爲兒科之主，以小兒稟質純陽，內熱最盛，肺爲嬌臟，首當其衝，且小兒衛氣未充，感邪尤易，肺合皮毛，故見病輒多咳嗽喘逆發熱，由是觀之，余主此法，不無相當理由也，惟加減之法，他書未詳，茲特分別述之，夫咽喉見症，固由內熱蟠結，然熱有臟腑之殊，輕重之別，取之必絲絲入扣，方能有效，今是法僅瀉太陰陽明之熱，爲力有限，故必再取關衝，少衝中衝少澤等穴配之，以竟全功，至於小兒外感時邪，兼停食積滯以致吐瀉者，加四縫四穴，復痛者加隱白厲兌大敦，熱甚喘逆煩燥者，配酌加少衝中衝少澤之熱極生風，驚癎瘈瘲，目直色青，或角弓反張者，可再取手足諸井十宣穴應之，若邪熾病危，險象叢生，諸治不效者，則必及水溝風府百會前頂素髎瘈脉湧泉崐崙身柱命門等穴盡取之，庶幾能挽回一二也，猶有進者，此法不特爲兒科之主，卽成人內熱外感見症，先刺之出血，重者亦可見效，輕者能使立愈，余經此有素，裨益殊多也。

（三十一）曲澤委中

二穴皆大經動脈所在，故能出血，爲霍亂吐瀉之妙法，其出血之能力，非只放出暑濕風熱毒穢而已，他如暴絕厥逆陰陽氣不相接續等閉症，亦有起死回生之功，蓋邪之卒中於人也，內外爲之閉絕，有如河道爲淤泥阻塞，則水無去路，上下斷隔，苟決以出口，則河流通行，淤塞自去也，且曲澤通於心，有清煩熱滌邪穢之力，故凡心亂神昏，皆其所宜，委中位於下，有祛風濕解暑穢清血毒之功，故善治瀉痢，而花柳惡瘡之未潰者，刺之血出卽消，尤其特效也，惟金鑑針科以曲澤誤爲尺澤，未免差之毫釐，謬以千里，以尺澤旣無大經可以出血，亦無清心安神之可能也，甚有更誤爲曲池者，尤屬風馬牛之不相及，宜其傳爲笑柄也，至於加減之法，亦當審愼，如霍亂嘔吐不止者，可加金津玉液少商商陽合谷，心煩亂者，再加中衝少衝百會，不瀉痢者，去委中，如刺之後，腹痛吐痢仍不止者，可再取中脘天樞三里，留針以繼之，始克竟其全功也。

（配穴概論終）

孔穴學講義

中州楊醫亞編纂
北平中國針灸學術研究所印行

第一章　總論

孔穴學者，爲日本文部省經穴調查會審定之經穴也，日本大正二年，文部省經穴調查會旣立，爰命醫學博士三宅秀，醫學博士理學博士大澤岳太郎；醫學博士文學博士富士川游，富岡兵吉，町田則文、吉田弘道諸士爲經穴調查會委員，以專其責，閱時六載，始克完成，其審查之結果，於經穴六百六十穴之中，除删去身體局部無關重要之穴外，得下記之一百二十穴，諸穴之中，除頭部正中線、腹部正中線，及背部正中線外，於身體左右所存在之孔穴合算之，得一百二十一穴，比右經穴幾少去三分之二。

從來取穴，雖有折量分寸法，而其說未能劃一，故用解剖學上之位置，俾讀者得知孔穴準確之部位。

本講義所示横經、在大人以術者之指爲標準，在小兒則以被術者，（卽小兒自身）之指爲標準，孔穴學之名稱，以歷史上關係，經富士川氏涉獵古針灸科諸書而定，其部位經大澤氏由於解剖學的觀察，而愼加訂定，復經吉田富岡二氏針灸屍體，指示其部位而加確定，以爲標準。

第二章　穴名及部位

第一節　頭部　顏面部　頸部

（一）頭部正中線

自眉間中央後方起點，向後方走正中，至項部之線，凡六穴。

神庭　眉間上方四指橫徑（此穴在眉間正中之上，相當於髮際部）

顖會　神庭直上，一指半橫徑，大顖門部，（此穴在前頭骨與左右顱頂骨前上隅之縫合部，卽前頭顖門）

百會　旋毛之中陷，連於左右顱頂結節線之中央部，此穴自頭蓋正中線與左右顱頂結節，引橫線。而相當於十字紋之部）。

後頂　自百會後方約一指半橫徑，自外後頭結節約三指橫徑部（此穴在顱頂骨後上隅之縫合部，卽後頭顖門）

腦戶　外後頭結節之直上部，百會後四指半橫徑部。

瘂門　自外後頭結節下方二指橫徑部，（此穴相當於項部之正中髮際）

（二）頭部第一側線

自上眼窩孔起點，離正中線之外方二指橫徑，於正中線並行，至後方之線，凡四穴。

曲差　神庭之外方二指橫徑部，（此穴當眼之瞳孔上方，相當於髮際部）

承光　曲差之後方二指半橫徑部，（此穴相當於冠處縫合部，前頭顖門之外側，）

通天　承光之後方二指横徑部，（此穴相當於百會之外側二指横徑）

天柱　當瘂門之外方二指横徑部，僧帽筋健之外側（此穴相當於後頸部之髮際，僧帽筋健之外側）

（三）頭部第二側線

自顳顬線之起始部起點，離正中線之外方四指横徑，於第一側線並行，至後方之線，凡五穴

臨泣　神庭外方四指横徑部

正營　臨泣後方指横徑部（此穴相當於冠處縫合之外部）

承靈　正營後方一指半横徑部（此穴相當於顱頂結節部）

腦空　承靈後方五指横徑部（此穴當乳嘴突起之上方，相當於顱頂結節與外後頭結節之中間）

風池　腦空之後方髮際，陷中，相於於僧帽筋與胸鎖乳嘴筋之間。

（四）額部凡二穴

攢竹　眉毛內端之下方，正中線之外方一指横徑部

陽白　眉毛中央之上方一指横徑部

（五）顳顬部凡二穴

頭維　顳顬窩之前上部，神庭之外方約四指半横徑部（此穴為顳顬窩之前上部，相當於髮際）

曲鬢　顳骨弓上方約一指横徑之凹陷部（此穴顳顬骨弓之上方，相當於髮際）

絲竹空　眉毛外端凹陷部

（六）顱頂部凡二穴

率谷　顱頂結節下方一指橫徑部

竅陰　乳嘴突起基底之後方部

（七）耳前部凡二穴

上關　顴骨弓之上際部

聽會　耳珠下，少前方之凹陷部

（八）耳下部凡一穴

翳風　耳垂與乳嘴突起間之凹陷部

（九）顏方部凡九穴

迎香　鼻翼之旁凹陷部，（此穴爲鼻唇溝之上部）

四方　下眼窩線之下方一指橫徑部

巨髎　鼻孔之外方約一指橫徑部，（此穴第一小血齒齦部）

地倉　口角之外方半指橫徑部

下關　顴骨弓之下方，下顎關節前方之凹陷部

頰車　下顎骨隅之後端部

大迎　下部骨隅之前方約一指横徑部
顴髎　顴骨之下線部（此穴相當於顴骨結節之下線，）
水溝　鼻柱之下，人中。

（十）頸部凡二穴

天鼎　前頸下，喉頭結節外方，至胸鎖乳嘴筋前線部。（此穴爲上頸三角部，相當於胸鎖乳嘴筋前線之中部。）
天突　胸骨頸狀截痕直上部（此穴相當於胸骨上窩之中央部）

第二節　胸部　腹部

（一）胸部副胸骨線

離胸骨正中線當副骨綫，凡六穴
俞府　第一肋間，胸骨外方部
彧中　第二肋間，胸骨外方部
神藏　第三肋間，胸骨外方部
靈墟　第四肋間，胸骨外方部
神封　第五肋間，胸骨外方部
步廊　第六肋間，胸骨外方部

（二）胸部乳線凡五穴

氣戶　第一肋間，乳線部

庫房　第二肋間，乳線部

屋翳　第三肋間，乳線部

膺窗　第四肋間，乳線部

乳根　第五肋間，乳線部

（三）胸部前腋窩線

中府　庫房之外方二指橫徑部（此穴爲前腋窩線之上部，相當於第二肋間）

（四）腹部正中線

自鳩尾起點，下行正中，至恥骨縫際部之線，凡七穴。

鳩尾　胸骨下端下方一指橫徑部（此穴相當於心窩之中央部）

巨闕　鳩尾之下方約二指橫徑部

上脘　巨闕之下方約一指橫徑部

中脘　上脘之下上脘約一指橫徑部

腱里　中脘之下約一指橫徑部

下脘　腱里之下方約一指橫徑部

關元　臍之下方約三指横徑部

（五）腹部第一側線

離鳩尾之外方半指横徑，于正中線並行，至下方之線，凡八穴

幽門　巨闕下方半指横徑部

通谷　幽門下方一指横徑部

陰都　通谷下方一指横徑部

石關　陰都下方一指横徑部

商曲　石關下方一指横徑部

肓俞　商曲下方一指横徑部

四滿　肓俞下方一指横徑部

大赫　四滿下方二指横徑部

（六）腹部第二側線

離第一側之外方二指横徑，於肋骨下緣起點於第一側線並行下方之線，凡八穴

不容　幽門外方二指横徑部（此穴相當於第八肋軟骨附着部之下。）

承滿　不容下方一指横徑部

梁門　承滿下方一指横徑部

關門　梁門下方一指橫徑部
太乙　關門下方一指橫徑部
天樞　太乙下方一指橫徑部(此穴與臍並行)
外陵　天樞下方一指橫徑部
水道　外陵下方三指橫徑部

第三節　側腹部

(一)側腹部凡六穴

腹哀　季肋部，相當於乳線。(此穴在乳線，當第肋軟骨附着部之下。，於正中線之鳩尾與臍之中間並行)
大橫　腹哀下方三指橫徑臍之外方，(此穴當第九肋軟筋之下方，與臍幷行)
腹結　大橫下方約二指橫徑部(此穴當第九肋軟骨附着部之下方，與腸骨節並行)
衝門　腸骨前上棘之內下方五指橫徑部(此穴當九肋軟骨之下方，相當於腸骨前上棘之內下方，陰股皺襞之外端，)
脇髎　第十一肋骨端之下方部
五樞　脇髎下方約五指橫徑部，(此穴當第十一肋骨前端之下方，相當於腸骨前上棘之上部)

第四節　背部

（一）背部正中線

自第七頸椎棘狀突起起點，下行至尾閭骨尖端之線，凡四穴）

大椎　第七頸椎棘狀突起起部此穴相當於第七頸椎棘狀突起與第一胸椎狀棘突起之間）

身柱　第三胸椎棘狀突起之下方部（此穴相當於第三與第四胸椎棘狀突起之間）

命門　第二腰椎棘狀突起之下方（此穴相當於第二與第三腰椎棘狀突起之間）

長強　尾閭骨尖端部

（二）背部側線

離正中線之外方二指橫徑，於正中線并行至下方之綫，凡十三穴）

大杼　第一胸椎棘狀突起與第二胸椎棘狀突起之間外方，約二指橫徑部

肺俞　第三胸椎棘狀突起與第四胸椎棘狀突起之間外方，約二指橫徑部

心俞　第五胸椎棘狀突起與第六胸椎棘狀突起之間外方，約二指橫徑部

膈俞　第七胸椎棘狀突起與第八胸椎棘狀突起之間外方，約二指橫徑部

肝俞　第九胸椎棘狀突起與第十胸椎棘狀突起之間外方，約二指橫徑部

胃俞　第十二胸椎棘狀突起與第一腰椎棘狀突起之間外方，約二指橫徑部

腎俞　第二腰椎棘狀突起與第三腰椎棘狀突起之間外方，約二指橫徑部

大腸俞　第五腰椎棘狀突起下外方約二指橫徑部

白環俞　尾閭骨之側方部

上髎　腸骨後上棘之下方部（此穴相當於第一後薦骨孔，）

中髎　上髎之下方一指橫徑部（此穴相當於第二後薦骨孔，）

次髎　中髎下方一指橫徑部（此穴相當於第三後薦骨孔，）

下髎　次髎下方一指橫徑部（此穴相當於第四後薦骨孔，）

第五節　肩胛部　上肢部

（一）肩胛部凡二穴

曲垣　肩胛骨棘狀突起根之上部中央

肩外　肩胛骨內側，第一胸椎與第二胸椎間之外方部，（此穴接近於肩胛骨上內隅）

（二）上肢部凡十三穴

消濼　在上膊外面之中央，三角筋停止部少後下方，

清冷淵　肘之上方二指橫徑部（此穴爲上膊之後側，相當于尺骨鶯嘴突起上方二指橫徑部）

四瀆　肘之下方五指橫徑，尺骨外側部，（此穴爲前膊之後側，鶯嘴突起之下方二指橫徑部，相當于尺骨外側）

天井　尺骨上端之上方一指橫徑部，（此部爲上膊之後側，相當於鶯嘴突起之上方一指橫徑部，）

俠白　上膊內面，尺澤之上方五指橫徑部、此穴相當於上膊前面之中央

尺澤　肘關節前面，肘窩內側部，

曲池　上膊骨外上髁之直前部（此穴曲肘，相當手肘窩橫皺之外端，）

三里　曲池之下方二指橫徑部（此穴爲前膊骨側之上部，自肘窩橫皺相當於下方二指徑部）

肩髃　肩峯突起之肘外方部，上膊上凹陷之所，（此穴爲上膊外側之上部，相當於肩峯突之下端，）

肩貞　肩峯突起之後外下方部，（此穴爲上膊後側之上部相當於肩峯突之後外方，二指橫徑）

支溝　腕關節之背側，上方三指橫徑部

合谷　第一掌骨與第二掌骨之部，（此穴相當起於手背之第一與第二掌骨之間）

陽池　腕關節背面部（此穴相當於腕關節背面之中央部，）

第六節　下肢部凡十一穴

陰廉　鼠蹊溝之中央部

環跳　大轉子之前方

承扶　臀部下溝中央部（臀皺襞）

中瀆　大腿骨外上髁上方五指橫徑部

陽陵泉　膝之下一指橫徑部，（此穴爲下腿外側之上部，當膝蓋骨之下方，相當於腓骨小頭之

前際）

三里　膝之下方三指横徑部，（此穴爲下腿前側之上部，相當於膝蓋骨之下方，脛骨結節之外部，）

陰陵泉　脛骨關節踝後緣之直下部，（此穴爲下腿内側之上部，相當於脛骨内關節後緣之直下部，）

飛陽　足之外踝上方七指横徑部，腓骨之後側，

三陰交　足之内踝上方三指横徑部，

懸鐘　足之外踝上方三指横徑部

水泉　足之内踝後下方一指横徑部

本講義中各穴之適應症均詳百二十孔穴掛圖中，學者可詳細閲之可也。

（孔穴學講義終）

近世針灸學全書

（配穴概論）（孔穴學）

全一冊

中華民國二十六年十月一日第一版
中華民國三十六年十月十日第四版

編纂者 中州楊醫亞中醫師
發行者 國醫砥柱月刊社
印刷者 國醫砥柱月刊社印刷部
總發行所 國醫砥柱月刊社發行部
社址：北平宣外米市胡同乙52號
分發行所 重慶中西醫藥圖書社
上海千頃堂書局

本社社長楊醫亞編著　最便利。最正確。最經濟。針灸醫師必備的

——袖珍針灸經穴便覽——

內容計分十四經概觀表、曲骨法曲尺對照表，人身度量標準，十二經概觀表，奇經概觀表十二經之經過、五臟六腑之象，（例如肺象，首列肺之位置，氣血，解剖，作用，肺經變動及所生病，肺經穴感應疾病等，各臟腑均如此詳述）十四經各論，每一穴之位置，骨，筋，血管，神經，適症等均略述之，並附特效阿是穴、十四經要穴之功用，禁針穴，禁灸穴，誤針補救法，暈針須知等，其本如日記本之大小可裝入袋中，極便携帶，精雅美觀，實乃針灸醫師不可離身之寶也，每本一萬六千元，社員九扣，掛號寄費五千元。

國醫砥柱總社經售

精繪 **針灸經穴掛圖**

研究針灸者閱之可矯正過去之弊！

未學習針灸者閱之可辨穴用針治病！

精繪針灸經穴掛圖，全套共分爲四幅，用八十磅厚道林紙彩色五種印行，共用五套彩版，圖形像逼如活，所點各穴異常精晰準確，較任何掛圖均爲精美，故其精彩美觀，尤適合懸掛書齋之用，該圖實爲研究針灸者不可缺少唯一之掛圖也，全套四幅，定價六萬元，航掛八千元。

精製 **標準醫用毫針**

製造精細　便於消毒　質耐堅用

市上所售醫針，因製法不精，率多粗糙，而不耐用，更使患者感覺痛苦，令人視爲畏途，此針係經專家遵古煉製 用科學方法製造，針體精細，便於施術，奏效敏捷，且病者毫不感覺痛苦，遠非市上售者所能比，每套計一寸一寸半，二寸二寸半，三寸大小五種共針十五支，外附大小三稜針二支，每套售價爲二萬元寄費一千五百元，社員九折，若一次購十套以上者可按八折計算之（毫針計分粗條細條兩種故購針時請注明要何種針）國醫砥柱社總售

《配穴概论讲义》《孔穴学讲义》合刊

提　要

一、作者小传

该书著者不详。

二、版本说明

该书由民国时期刊行的《配穴概论讲义》《孔穴学讲义》合订而成。该书与《近世针灸学全书·配穴概论、孔穴学》的排版略有不同，但内容极相似，疑二者为中国针灸学术研究所不同时期的授课讲义。

三、内容与特色

《配穴概论讲义》首页记载了配穴的概念。全书主要介绍了“大椎、曲池、合谷”“合谷、复溜”“曲池、合谷”等穴位组合的功能主治及配穴，对临床颇有指导意义。

《孔穴学讲义》第一章为总论，介绍孔穴学之由来。该书所讲之孔穴为“日本文部省经穴调查会审定之经穴”。该书用解剖学知识对腧穴位置进行描述，可使读者得知孔穴的准确位置。第二章介绍穴名及部位，按人体部位，分为头部、颜面部、颈部，胸部、腹部，侧腹部，背部，肩胛部、上肢部，下肢部6节，并通过将各部人为划分成若干纵线来介绍人体穴位的定位，只述每穴的位置。

现将该书特色介绍如下。

（一）重视配穴，实用性强

《配穴概论讲义》阐述了配穴的重要性，认为某穴的作用与另一穴之作用相互佐使，可产生更好的疗效。如果不懂临证配穴，犹如癫马乱跑，不仅不能治病，还会导致变生他病。该书介绍了31组穴位组合的功能主治，并指出了在治疗某些不同兼病时应选用的配穴。该书言简意赅，通俗易懂，便于现代读者学习，对临床辨证选穴具有指导意义。

（二）去经留穴，化繁为简

《孔穴学讲义》中的孔穴不是所有腧穴的统称，而是特指“日本文部省经穴调查会”审定的120个腧穴。对于孔穴的定位，《孔穴学讲义》对经络不着毫墨，主要从解剖部位进行论述。“同身寸”在成人以术者之指为标准，在小儿则以被术者之指为标准，此间差异，值得进一步探究。

中國針灸學術研究所

針灸函授

第四五種　全一集

配穴概論
孔穴學
講義合刊

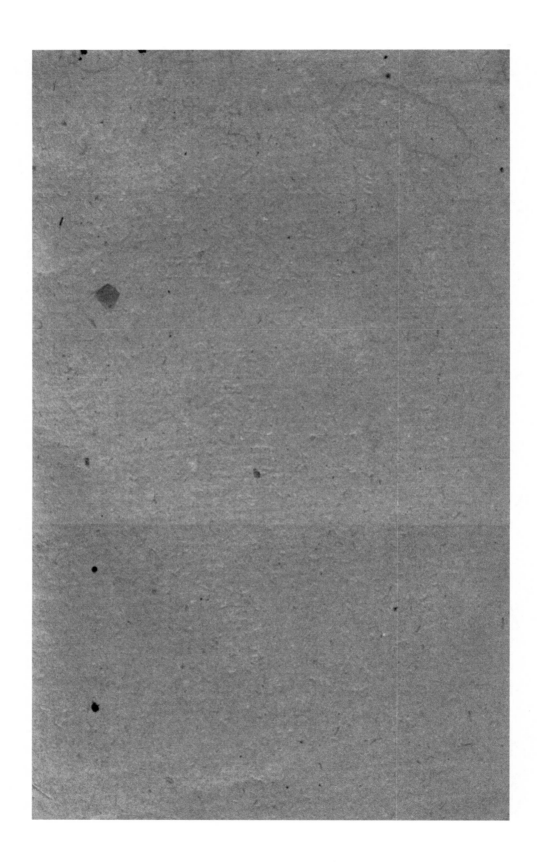

配穴概論講義

中州楊醫亞編輯
北京國醫砥柱總社印行

配穴—配穴云者，乃某穴之特性，與某穴之特性，互相佐使，而成特效之功用，猶之用葯，某葯為君，某葯為臣，相得益彰也，故研究針灸學者，不知穴之配合，猶之瞎馬亂跑，不獨不能治病，且有使病機變生他種危險之狀態，不觀市醫乎，往往使病者得無窮之危機，此未得師傳也，爰特編述，以與諸君研討也。

（一）大椎曲池合谷

大椎手足三陽督脈之會，純陽主表，故凡外感六淫之在於表者，皆能疏解也，佐以曲池合谷者，以陽從陽，助大椎而斡旋營衛，清裏以達表也，審其身熱自汗，則瀉大椎以解肌，無汗惡寒，則補大椎以發表，或先補而後瀉，或先瀉而後補，神而明之，存乎其人矣，至于外感變症，至繁且雜，兼他症者，尤必兼而治之，是以邪在於經，頭項强痛者，則加風池，（逐風府），熱甚而心煩溺赤者，則加內關，譫語便燥胃家實者，則加豐隆，三里，脇痛嘔吐見少陽症者，則加支溝陽陵泉，氣逆喘嗽，則加魚際，傷風鼻塞，則加上星，又若瘧疾之病，雖有表裏陰陽之別，而其寒往熱來，無不關乎營衛，故是法亦能兼治，再如骨蒸潮熱盜汗等症，雖係陰虛勞損之候，但採用此法，亦大有養陰清熱之功，誰謂個中無活潑潑天機耶。

（二）合谷復溜

二穴止汗發汗，書有明文，針家皆知之，而其所以能止汗發汗之理，則多未知也，試申言之，夫止汗補復溜者，以復溜屬腎，能溫腎中之陽，升膀胱之氣，使達于周身而外衛自實也，瀉合谷者，卽所以清氣分之熱，熱解則汗自止矣，發汗補合谷者，則以合谷屬陽，清輕走表故能發表托邪，隨汗出而解也，佐以瀉復溜者，疏外圍之陽，而成其開皮毛之作用也，至若陽虛之自汗，陰虛之盜汗，固與外邪有別，而合谷復溜亦能止之者，蓋又以復溜，匪特能溫腎中之陽，亦且以滋腎中之陰也，尤有進者，寒飲喘逆水腫等症，余推詳其理，借以復溜以振陽行水，合谷以利氣降逆，頗有奇效，可見此中變化無窮，學者當隅反之。

（三）曲池合谷

二穴屬手陽明經，主氣，曲池走而不守，合谷升而能散，二穴相合，清熱散風，為清理上焦之妙法，以清輕之氣上浮故也，頭者諸陽之會也，耳目口鼻咽喉者，清竅也，故稟清陽之氣者，皆能上走頭面諸竅也，以合谷之輕，載曲池之走，上升於頭面諸竅，而實行其清散作用，故能揚蕩一切邪穢，消弭一切隱礙也，雖然二穴之上行也，漫無定所，苟欲其專達某處，勢必再取某穴以為嚮導，則其徑捷，其力專，其收效也亦速，故頭痛頭暈，取風池頭維，目赤目翳，加絲竹睛明，鼻痔鼻淵，配迎香禾髎，耳鳴耳聾，還聽會翳風，口臭舌裂，水溝勞宮，咽腫喉痺，魚際頰車，齦腫齒痛，則有下關，口眼喎斜，則參地倉，君臣合力，標本兼施，何患疾之不瘳也乎。

（四）水溝風府

風者，百病之長也，若善行而數變，金匱曰，邪入於臟，舌即難言口吐涎，蓋腎脉挾舌本，脾脉絡舌本散舌下，心之別路亦繫舌本，故風邪中於此三臟，則令人舌強難言，口吐涎而神昏不省也，又三陽之經并絡入頷頰挾於口，今諸陽為風寒所客，故經急而口噤不開也，是法補水溝以開關解噤，通陽安神，瀉風府搜舌本之風，舒三陽之經，凡一切卒中急症，邪關不開，不省人事，施之關竅立開，隨即甦醒，語言自和，轉危為安，誠針科之首選，起死回生之寶筏也，他如口眼喎斜，偏枯不遂等症，雖有中經中絡之別，然異流同源，亦其所宜焉。

（五）肩髃曲池

二穴皆屬手陽明大腸經，大腸為肺之腑，故是法有調理肺氣之特效，尤妙在肩髃似針，有舒通之象，而曲池更走而不守，擅能宣氣行血，搜風逐邪，二者相配，眞可謂之珠聯璧合，舉凡一切經絡客邪氣血阻滯之病，無不能舒暢而調和之，而尤以中風偏枯諸痺七氣等症爲對工，所謂一通百通也，昔仲景有云，客氣邪風，中人多死，預料此法風行後，其或能減少客氣邪風中人之死率歟。

（六）環跳陽陵泉

二穴皆屬足少陽胆經，厥性舒通宣散，善能理氣調血驅風祛濕，且陽陵泉又爲筋之所會，尤有舒筋利節之功，故凡中風偏枯不遂諸痺不仁，以及癱瘓筋攣腰痛痿躄等症，皆其傑奏，余嘗以環跳擬肩髃，陽陵擬曲池，以彼此上下相應，形性相仿，而功效又雷同者也。

（七）曲池委中下廉

痺者風寒濕三邪合而爲病也，風氣勝者爲行痺，以風性游走也，寒氣勝者爲痛痺，以寒性凝結也，濕氣勝者，爲着痺，以濕性重著也，主以是法者，曲池搜風以行濕，委中疎風以利濕，下廉通陽以滲濕，其寒氣勝者則補瀉兼行，散寒祛風而燥濕，兼以各舒其經，各通其絡，邪去而經絡亦通，何痺之有哉。

（八）曲池陽陵泉

曲池居于肘內，陽陵泉居于膝下，同爲大關節要，曲池行氣血通經絡，陽陵泉疏經利節，皆具有宣通下降之功，以之配合，相德益彰，百症賦列其治半身不遂，是舉其要，餘如癱瘓歷節諸痺等症，可一望而知矣，且也，二穴尤有降濁瀉火之功，曲池清肺走表，陽陵泉瀉肝胆平裏，今因推廣其用，凡肝肺抑鬱胸脇作痛或熱結腸胃腹脹便濁等等，借其清利疏泄之力，靡不獲效，由是可見穴法之妙，全在善用者之配合也。

（九）曲池三陰交

一陰一陽，恰相配偶，曲池性游走通導，擅能清熱搜風，三陰交乃三陰之會，爲肝脾腎三經之樞紐，亦即血科之主穴，二者相合曲池入三陰之分，故能清血中之熱，搜血中之風，而療自行血自行矣，是以諸般腫痛，得之而腫消痛止，花柳毒瘡，得之而毒消瘡平，餘如風温諸痺腰痛脚氣癧瘓，以及婦女崩帶癥瘕經閉等症，尤能著手成春也。

（十）三里三陰交

三里升陽益胃，三陰交滋陰健脾，陰陽相配，爲脾胃虛寒氣血虧薄之主法，虛損門所不可少者也，亦有胃濁脾弱陽亢陰虧者，則補陰之中，勢必兼行清導，補三陰交瀉三里是也，更有陽虛氣乏，風温客邪成痺腿脂麻木疼痛者，則一以振陽氣，一以和陰血，合而舒經利痺其功效尤卓著者也。

（十一）陽陵泉三里

陽陵泉爲胆經之關鍵，三里爲胃府之樞紐，二穴相合，瀉陽陵泉以肅清淨之府，平肝火之橫，降上逆之勢，輸胆汁入胃，從木疎土而完成其中精之府之吏能也，再瀉三里以導胃中之濁，通胃之陽，于是清陽得升，濁陰得降，凡木土不和之病，如中消停痰吞酸口苦泄瀉嘔吐等症，得之自然煙消瓦解，而飲食亦因之暢和矣，且陽陵泉爲筋之所會，大有舒筋利節搜風祛濕之特力，三里亦有通陽活血燥濕散寒之功能，更進而治諸痺膝痛筋攣歷節痿躄脚氣等症，亦未始非針法之妙用也。

（十二）四關

四關者，合谷太衝四穴也，經外奇穴，以之名關，蓋有精義存焉，夫合谷原穴也，太衝亦原穴也，以形勢言，合谷位於合歧之間，而太衝亦位於兩歧之間，是二者相同之處也，再以性質言，合谷屬陽主氣，而太衝則屬陰主血，是又二者同中之異也，然二者之同，正所以成其虎口衝要之名，二者之異，亦正所以竟其斬關破巢之功，規其開闔節以搜風理痺，行氣血以通經行瘀，及乎配豐隆陽陵泉以墜痰瀉火而治癲狂，配百會神門以鎮頂安神而療五癇，是明體矣。

（十三）豐隆陽陵泉

二穴爲通大便之主法，何以言之，夫豐隆爲足陽明胃經之絡脉，别走太陰，其性通降，從陽明以下行也，得太陰濕土以潤下也，陽陵泉性亦沉降，斜針向下透三里，從木以疎土也，余嘗以是法擬承氣，有承氣之功，而不若承氣之猛峻，其治癲狂等症，非但瀉其實，亦且折其痰也。

（十四）氣海天樞

氣海者，氣血之會，呼吸之根，藏精之所，生氣之海，下焦至要之穴也，補之益臟，實回生氣，温下元，振腎陽，有如釜底添薪，故能蒸發膀胱之水，使化氣上騰，而布於周身也，天樞乃大腸之募，胃經之穴，其分理水穀糟粕，清導一切濁滯實有特效，以之與氣海相配，取氣海振下焦之陽，以散群陰，取天樞調腸胃之氣，以利運行，故擅治腹寒疝瘕賁豚脱陽失精，陰縮厥逆脹滿疼痛氣喘，小便不利，婦女轉胞崩帶，月事不調等症，爲虛勞羸瘦積寒痼冷之首法，轉較諸天雄散腎氣丸等方，且猶過之無不及也。

（十五）中脘三里

經云，陽明之上，燥氣治之，燥者陽明之本氣也，胃腑稟此燥氣，故能消腐水穀，若此燥氣不足，則水穀停矣，太過則又爲中消噎膈等症，燥氣之關乎胃者如此，是法專理胃腑，兼治腹中一切疾病，君以中脘者，以中爲之腑之會，胃之募也，臣以三里者，正所以應中脘而安胃也，審其胃中虛寒，飯食不下，脹痛積聚，或停痰蓄飲者，則補中脘卽所以壯胃氣散寒邪也，瀉三里者，引胃氣下行，降濁導滯，而襄助中脘以利運行也，其或胃腑燥化太過，消穀引飲嘔吐反胃者，則中脘亦可酌瀉也，至於霍亂爲病，總由夏秋之時，飲食不節，暑濕汚穢擾亂中宮，以致清濁不分，陰陽混淆，上吐下瀉，腹中疞痛而揮霍變亂，治之先刺出惡血以去著穢，然後補中脘以升清，瀉三里以降濁，中氣調暢，陰陽接續，斯愈矣，再者胃病而兼有其他症候者，兼治必須加減，如下完虛寒補氣海，上焦鬱勞瀉通谷，臟氣微補章門，腸中滯瀉天樞，或取上脘，或取三里等是也。

（十六）合谷三里

二穴皆屬陽明，一手一足，上下相應，合谷爲大腸經原穴，能升能降，能宣能通，三里爲土眞土，補之益氣升消，瀉之通降濁，二穴相合，腸胃幷調，若清陽下陷胃氣虛弱納穀不暢者，則補三里瀉合谷以升下陷之陽，俾胃氣充而食自進，若濕熱壅塞濁滯中宮，或蓄食停飲而痞脹噯噦者，則瀉三里引合谷下行以導濁降逆，斯中宮利而氣自暢矣，昔賢調理中宮，以宣通爲胃腑立法，信不誣也。

（十七）三里二穴

五臟六腑，皆賴胃氣以爲營養，有胃氣則死，蓋以胃爲後天之本，水穀之海，主消納者也，胃氣盛則納穀自暢，營養自周，否則臟腑失養而生氣絕矣，夫胃者戊土也，三里者合土也，是三里爲土中眞土，胃之樞紐，後天精華之所根也，秦承祖云諸病皆治，蓋又以胃爲五臟六腑之海也，余取之以壯人身之元陽，補臟腑之虧損，凡寒氣積聚之癥瘕，皆得而溫之化之，濕濁彌漫之腫脹，亦得而燥之消之，至其升清降濁之功，導痰行滯之力補中升陽等方，不能擅美於前也。

（十八）勞宮三里

勞宮屬心包絡，性清善降，功能理勞役氣滯，開七情鬱結，尤擅清胸膈之熱，導火腑下行之路，與三里相合，大瀉心胃之火，挫上逆之熱，凡結胸痞悶嘔吐乾噦噫氣呑酸煩倦嗜臥等症，無不爽若桴鼓，用針者其勿忽諸。

（十九）三陰交二穴

李東垣治病以脾胃爲主，宗之者頗不乏人，惟立方皆升提辛燥，與陰虛體質大相違背，自唐容川氏滋脾陰說唱與以來，深得醫林多數人之信仰，蓋脾陽虛陷，運化失司，誠宜益氣升陽，若脾陰枯槁，津液不行者，則溫燥之法，斷斷乎不可嘗試，而當滋陰潤燥者也，考三陰交爲肝脾腎三經之交會，故其補脾之中，間接可補肝陰腎陽，是三陰交獨有氣血兩補之功，不特爲女科之主穴，亦且爲內傷虛勞雜病門中之要法也，其治腹痛瀉痢癥瘕轉胞崩帶經閉絕嗣等症，較之理中建中八珍腎氣等方，實不可同日而語也。

△（二十）隱白二穴

脾主運化，全賴陽氣爲之旋轉，苟脾陽不運，則腹脹瀉泄倦怠少氣崩帶等症作矣，東垣立補中調中升陽等方，卽本此意，余取隱白，將復如是，緣隱白爲太陰之根，補之大益脾氣，升舉下陷之陽，溫散沉痼之寒，直如流取中州之主帥，內傷虛勞門中之良相，所謂扶中央卽可固四維也。

△（二十一）大敦二穴

肝主筋，前陰爲宗筋所聚，而足厥陰之經，又環陰器抵小腹，故諸疝皆屬於肝，大敦爲肝經井穴，余取其直接舒筋調肝祛邪，寒則補之，熱則瀉之，兼風濕者加曲池委中，寒甚卵縮引小腹痛者加隱白，見效後再取三陰交太衝行間中封蠡溝曲泉諸穴繼之，卽可痊愈，又若婦女寒瘕下墜，痛引小腹陰挺，陰痛等症，與男子諸疝無異，故此法亦爲對症，學者其細參可也

△（二十二）大椎內關

夫飲水邪也，水停於胸膈之間，氣道壅塞，則作喘咳嗽吐逆等症，然水何以能停也，是又當責之於三焦，經云，三焦者，決瀆之官，水道出焉，蓋三焦卽人身之油膜，水之道路，全在油膜之中，人飲之水，由三焦而下膀胱，則決瀆通暢，水自無停留之患，如三焦之油膜不利，於是水道閉塞，氣化不行，而飲症作矣，此法大椎爲督脈手足巨陰之會，余取之以調太陽

之氣，氣行則水自利也，內關爲手厥陰心主之絡，別走少陽三焦，余取之宜心陽以退其羣陰，利油膜以通其淤塞，則決瀆暢而飲症自蠲矣，是說本自內經，參之唐氏，又與仲景青龍苓桂諸方吻合，其亦愚者之千慮一得歟。

（二十三）內關三陰交

內關手厥陰心之絡，別走少陽三焦，能清心胸鬱熱，使從水道下行，配以三陰交滋陰養血交濟坎離，爲陰虛勞損之要法，蓋下焦之陰精一虧，則上焦陽獨亢，而骨蒸盜汗咳嗽失血夢遺經閉等症作矣，內關清上，三陰交滋下，一以和陽，一以固陰，陰陽和合，斯可滋生化育矣。

（二十四）魚際太谿

虛勞之病，現咳嗽吐血骨蒸潮熱者，十居七八，皆緣近世之人，溺於酒色，沉於思慾，脾腎兩虧，陰液枯涸，不能上滋心肺，以致火炎肺萎，柔金遭尅，遂現損症，施治大法，宜仿喻氏清燥救肺湯之意，清火勢以減金刑，滋陰液以潤肺燥，水火交濟，子母相生，庶幾有一線生機也，是法君太谿補水中之土，潤燥而生金，臣魚際瀉金中之火，逐邪而扶正，理腎者兼理色慾，清肺者亦清酒傷，絲絲入扣，宜其果奏奇功也。

（二十五）天柱大杼二穴

東垣曰，五臟氣亂於頭者，取之天柱大杼，不補不瀉，以導氣而已，旨哉斯言，夫膀胱者，州都之官，氣化所出，故統周身之陽氣，而名太陽經也，且五臟之俞穴，皆在於背，是五臟之氣，又皆通於太陽也，若夫氣亂於頭者，則頭暈目眩者有之，頭冒者有之，頭中鳴者亦有之，治者當然以導氣下行爲定律，今考天柱大杼二穴，皆屬足太陽經，而大杼更爲督脈別絡，手足太陽少陽之會，其能調理氣道可知，至云不補不瀉者，蓋又以氣旣亂矣，補之瀉之，皆足以益其亂，故不必躁之過急，但覓得其頭緒，徐徐導之，使循太陽經而下，則無紊亂之弊矣，再如風寒客於太陽之經，頭項脊背强痛，是法亦所當用，惟邪之所在，勢不得不行瀉性，以舒經散邪也。

（二十六）巨骨二穴

巨骨屬手陽明大腸經，穴在肩端兩叉骨罅中，刺之居高臨下，宛如左右各樹一鎮壓物然，且其性沉降，大能開胸鎮逆，宣肺利氣，舉凡胸中瘀滯及一切上逆之邪，均能推之使下，故爲定喘之無上妙法，他如咳逆上氣肝火上沖嘔血吐血等症，亦能挫其上逆之勢，急切收效也。

（二十七）俞府雲門二穴

咳嗽喘息，本至普通之症，而施治每多不效，何也，一言以蔽之，要皆未徹底認識其標本原因也，夫咳嗽喘息，固是肺病，然而近因也，標病也，其根本原因，固不在肺，而在腎也，以腎司收納，衝脉又交乎腎經，至胸中而散，若下元空虛，收納失司，則濁陰之氣，隨衝脉上逆入胸，鼓動肺葉，故咳嗽而喘息也，今人不問來源，只知治肺，一味宣散清利，輕者或可取效一時，重則不啻隔靴搔癢，毫無所覺，良以肺部未遑廓清，而衝氣已復上逆，前仆後繼，尚夢想咳止嗽寧喘定耶，余取此法，君俞府以降衝氣之逆，理腎氣之源，佐雲門以開胸順氣，導痰理肺，標本兼施，則諸症悉愈矣，亦有陰火隨衝脉上逆，以致胸中結悶煩熱嗆咳者，此法亦有奇效，是又在學者之遴選耳。

（二十八）氣海關元中極子宮

方書求嗣之方，不勝枚舉，而有應不應者，何也，蓋未得其癥結所在故耳，經云，女子二七，天癸至，任脉通，太衝脉盛，月事以時下，男子二八，腎氣盛，天癸至，精氣溢瀉，又云，陰陽和，故有子，夫惟其陰陽和始能有子，惟其女子月事以時下，男子精氣溢瀉，陰陽斯之謂和，否則陰陽既不和，則子嗣又烏從而得哉，是以求嗣之道，男子首在調精，女子首在經行，在男子有淫慾過度，陰精虧竭，稀薄散淡者，亦有先天不足，腎氣不充，精不注射者、，在女子則月經不調之外，更有子宮寒冷，胞門閉塞者，凡此等等，皆無成孕之可能，求嗣士，可知着眼所在矣，余於男子之陽不和者，取氣海以振陽氣，取關元以滋陰精，蓋以氣海爲男子生氣之海，關元爲三陰任脉之會，藏精之所也，其於女子之陰不和者，則取中極以調經，取子宮以開胞，蓋又以中極亦爲三陰任脉之會，胞宮之門戶也，子宮二穴，在中極旁三寸，位居小腹，正當胞宮之處，胞宮今亦名子宮，此穴此名，其義可知，補之者，正所以煖胞開胞，俾其直接受孕也，育嗣之穴，固不止此，然苟能於此法此理融會貫通之，則求嗣之道，思過半矣。

（二十九）合谷三陰交

二穴安胎墮胎之理，已詳於針灸大成中，故不再贅，兹所欲言者，不過引伸其義而已，夫三陰交補脾養血，固爲妊娠要穴，然其安胎之力，尤賴乎合谷之清熱也，何言之，觀乎徐靈胎先生之言曰，婦人懷孕中一點眞陽，日吸母血以養，故陽日旺而陰日衰，凡半產滑胎，皆火盛陰衰不能全其形體故也，又讀葉天士先生胎得凉而安一語，益信其眞，故昔賢安胎，皆主黄芩以清熱也，脾主後天生化，故又佐白朮以補脾而養胎也，再參之是法，合谷亦猶黄芩也，三陰交亦猶白朮也，白朮慮其燥，而黄芩適以平之，三陰交慮其溫，而合谷亦適以和之，是法與是方吻合者如此，且三陰交爲三陰之會，中寓肝陰腎陽，能溫補而又能滋潤者也，余當倍借用是法，取合谷以清上中之熱，取三陰交以滋中下之陰，故凡陽亢陰虧上熱下寒者，皆其宜也。

（三十）少商商陽合谷（刺出血）

此三穴醫家多取以爲喉科之主法，以其清肺瀉熱也，余因推廣其用，以爲兒科之主，以小兒稟質純陽，內熱最盛，肺爲嬌臟，首當其衝，且小兒衛氣未充，感邪尤易，肺合皮毛，故見病輒多咳嗽喘逆發熱，由是觀之，余主此法，不無相當理由也，惟加減之法，他書未詳，兹特分別述之，夫咽喉見症，固由內熱蟠結，然熱有臟腑之殊，輕重之別，取之必絲絲入扣，方能有效，今是法僅瀉太陰陽明之熱，爲力有限，故必再取關衝，少衝中衝少澤等穴配之，以竟全功，至於小兒外感時邪，兼停食積滯以致吐瀉者，加四縫四穴，復痛者加隱白厲兌大敦，熱甚喘逆煩燥者，配酌加少衝中衝少澤之熱極生風，驚癇瘛瘲，目直色青，或角弓反張者，可再取手足諸井十宣穴瀝之，若邪熾病危，險象叢生，諸治不效者，則必及水溝風府百會前頂素髎瘛脈湧泉崐崙身柱命門等穴盡取之，，庶幾能挽回一二也，猶有進者，此法不特爲見科之主，即成人內熱外感見症，先刺之出血，重者亦可見效，輕者能使立愈，余經此有素，裨益殊多也。

（三十一）曲澤委中

二穴皆大經動脈所在，故能出血，爲霍亂吐瀉之妙法，其出血之能力，非只放出暑濕風熱毒穢而已，他如暴絕厥逆陰陽氣不相接續等閉症，亦有起死回生之功，蓋邪之卒中於人也，內外爲之閉絕，有如河道爲淤泥阻塞，則水無去路，上下斷隔，苟決以出口，則河流通行，淤塞自去也，且曲澤通於心，有清煩熱滌邪穢之力，故凡心亂神昏，皆其所宜，委中位於下，有袪風濕解暑穢清血毒之功，故善治瀉痢，而花柳惡瘡之未潰者，刺之血出即消，尤具特效也，惟金鑑針科以曲澤誤爲尺澤，未免差之毫釐，謬以千里，以尺澤既無大經可以出血，亦無清心安神之可能也，甚有更誤爲曲池者，尤屬風馬牛之不相及，宜其傳爲笑柄也，至於加減之法，亦當審慎，如霍亂嘔吐不止者，可加金津玉液少商商陽合谷，心煩亂者，再加中衝少衝百會，不瀉痢者，去委中，如刺之後，腹痛吐痢仍不止者，可再取中脘天樞三里留針以繼之，始克竟其全功也。

中國國醫專科函授學校招生

一、入學資格

不論男女，不限年齡，凡文理通達，能有閱讀能力有志醫學者，均可隨時入學。

二、報名手續

不拘時間，可隨時來函入學，務宜寫明本人姓名，性別，年歲，學歷，籍貫，職業，通信處，並連同費用一並寄來本校，當即發給收據註冊授課，無其他手續。

三、應繳費用

本校爲發揚中醫學術，救濟失學失業者起見，故免收學雜各費，只收講義印刷及郵寄費，應繳納費用如下：

華北日本滿洲一律一百元　華中華南一律五百元

四、報名處

北京宣外米市胡同四十五號國醫砥柱總社

孔穴學講義

中州楊醫亞編輯
北京國醫砥柱總社針灸部印行

第一章 總論

孔穴學者，爲日本文部省經穴調查會審定之經穴也，日本大正二年，文部省經穴調查會既立，爰命醫學博士三宅秀，醫學博士理學博士大澤岳太郎，醫學博士文學博士富士川游，富岡兵吉，町田則文，吉田弘道諸士爲經穴調查會委員，以專其責，閱時六載，始克完成，其審查之結果，于經穴六百六十穴之中，除刪去身體局部無關重要之穴外，得下記之一百二十穴。諸穴之中，除頭部正中線，腹部正中線，及背部正中線外，於身體左右所存在之孔穴合算之，得一百二十一穴，比古經穴幾少去三分之二。

從來取穴，雖有折量分寸法，而其說未能劃一，故用解剖學上之位置，俾讀者得知孔穴準確之部位。

本講義所示橫經，在大人以術者之指爲標準，在小兒則以被術者，（即小兒自身）之指爲標準，孔穴學之名稱，以歷史上關係，經富士川氏涉獵古針灸科諸書而定，其部位經大澤氏由於解剖學的觀察，而愼加訂定，復經吉田富岡二氏針灸屍體，指示其部位而加確定，以爲標準。

第二章 穴名及部位

第一節 頭部 顏面部 頸部

（一）頭部正中線

自眉間中央後方起點，向後方走正中，至項部之線，凡六穴

神庭　眉間上方四指横徑（此穴在眉間正中之上，相當于髮際部）

顖會　神庭直上，一指半横徑，大顖門部，（此穴在前頭骨與左右顱頂骨前上隅之縫合部，即前頭顖門）

百會　旋毛之中陷，達于左右顱頂結節綫之中央部，（此穴自頭蓋正中綫與左右顱頂結節，引横線，而相當于十字紋之部）。

後頂　自百會後方約一指半横徑，自外後頭結節約三指横徑部（此穴在顱頂骨後上隅之縫合部，即後頭顖門）

腦戶　外後頭結節之直上部，百會後四指半横徑部。

瘂門　自外後頭結節下方二指横徑部，（此穴相相當于項部之正中髮際）

（二）頭部第一側線

自上眼窩孔起點，離正中綫之外方二指横徑，於正中線幷行，至後方之線，凡四穴。

曲差　神庭之外方二指横徑部，（此穴當眼之瞳孔上方，相當于髮際部）

承光　曲差之後方二指半横徑部，（此穴相當于冠處縫合部，前頭顖門之外側，）

通天　承光之後方二指横徑部，（此穴相當于百會之外側二指横徑，）

天柱　當瘂門之外方二指横徑部，僧帽筋健之外側（此穴相當于後頸部之髮際，僧帽筋健之外側）

（三）頭部第二側線

自顳顬線之起始部起點，離正中線之外方四指横徑，於第一側線幷行，至後方之線，凡五穴

臨泣　神庭外方四指横徑部

正營　臨泣後方二指横徑部（此穴相當于冠處縫合之外部）

承靈 正營後方一指半橫徑部（此穴相當於顱頂結節部）

腦空 承靈後方五指橫徑部（此穴當乳嘴突起之上方，相當於顱頂結節與外後頭結節之中間）

風池 腦空之後方髮際，陷中，相於於僧帽筋與胸鎖乳嘴筋之間。

（四）額部凡二穴

攢竹 眉毛內端之下方，正中線之外方一指橫徑部

陽白 眉毛中央之上方一指橫徑部

（五）顳顬部凡二穴

頭維 顳顬窩之前上部，神庭之外方約四指半橫徑部，（此穴爲顳顬窩之前上部，相當於髮際）

曲鬢 顴骨弓上方約一指橫徑之凹陷部（此穴顳顬骨弓之上方，相當於髮際）

紫竹空 眉毛外端凹陷部

（六）顱頂部凡二穴

率谷 顱頂結節下方一指橫徑部

瘈陰 乳嘴突起基底之後方部

（七）耳前部凡二穴

上關 顴骨弓之上際部

聽會 耳珠下，少前方之凹陷部

（八）耳下部凡一穴

翳風 耳垂與乳嘴突起間之凹陷部

（九）顏面部凡九穴

迎香　鼻翼之旁凹陷部，（此穴爲鼻唇溝之上部）

四白　下眼窩線之下方一指橫徑部

巨髎　鼻孔之外方約一指橫徑部，（此穴第一小血齒齦部）

地倉　口角之外方半指橫徑部

下關　顴骨弓之下方，下顎關節前方之凹陷部

頰車　下顎骨隅之後端部

大迎　下部骨隅之前方約一指橫徑部

顴髎　顴骨之下線部（此穴相當於顴骨結節之下線，）

水溝　鼻柱之下，人中。

（十）頸部凡二穴

天鼎　前頸下，喉頭結節外方，至胸鎖乳嘴筋前線部，（此穴爲上頸三角部，相當於胸鎖乳嘴筋前線之中部，）

天突　胸骨頸狀截痕直上部（此穴相當於胸骨上窩之中央部）

第二節　胸部　腹部

（一）胸部副胸骨線

離胸骨正中線當副骨線，凡六穴

俞府　第一肋間，胸骨外方部

彧中　第二肋間，胸骨外方部

神藏　第三肋間，胸骨外方部

靈墟　第四肋間，胸骨外方部

神封　第五肋間，胸骨外方部

步廊　第六肋間，胸骨外方部

（二）胸部乳線凡五穴

氣戶　第一肋間，乳線部

庫房　第二肋間，乳線部

屋翳　第三肋間，乳線部

膺窗　第四肋間，乳線部

乳根　第五肋間，乳線部

（三）胸部前腋窩線

中府　庫房之外方二指橫徑部（此穴爲前腋窩線之上部，相當於第二肋間）

（四）腹部正中線

自鳩尾起點，下行正中，至恥骨縫際部之線，凡七穴。

鳩尾　胸骨下端下方一指橫徑部（此穴相當于心窩之中央部）

巨闕　鳩尾之下方約二指橫徑部

上脘　巨闕之下方約一指橫徑部

中脘　上脘之下方約一指橫徑部

腱里　中脘之下方約一指橫徑部

下脘　腱里之下方約一指橫徑部

關元　臍之下方約三指橫徑部

（五）腹部第一側線

離鳩尾之外方半指橫徑，于正中綫并行，至下方之線，凡八穴

幽門　巨闕下方半指橫徑部

通谷　幽門下方一指橫徑部

陰都　通谷下方一指橫徑部

石關　陰都下方一指橫徑部

商曲　石關下方一指橫徑部

盲兪　商曲下方一指橫徑部

四滿　盲兪下方一指橫徑部

大赫　四滿下方二指橫徑部

（六）腹部第二側綫

離第一側之外方二指橫徑，於肋骨下緣起點於第一側線幷行下方之綫，凡八穴

不容　幽門外方二指橫徑部（此穴相當於第八肋軟骨附着部之下方）

承滿　不容下方一指橫徑部

梁門　承滿下方一指橫徑部

關門　梁門下方一指橫徑部

太乙　關門下方一指橫徑部

天樞　太乙下方一指橫徑部（此穴與臍幷行）

外陵　天樞下方一指橫徑部

水道　外陵下方三指橫徑部

第三節　側腹部

（一）側腹部凡六穴

腹哀　季肋部，相當於乳綫部（此穴在乳綫，當第九肋軟骨附着部之下方，於正中綫之鳩尾與臍之中間幷行）

大橫　腹哀下方三指橫徑，臍之外方，（此穴當第九肋軟筋之下方，與臍并行）

腹結　大橫下方約二指橫徑部（此穴當第九肋軟骨附着部之下方，與腸骨節並行）

衝門　腸骨前上棘之內下方五指橫徑部（此穴當九肪軟骨之下方，相當於腸骨前上棘之內下方，陰股皺襞之外端，）

胳髎　第十一肋骨端之下方部

五樞　胳髎下方約五指橫徑部，（此穴當第十一肋骨前端之下方，相當於腸骨前上棘之上部）

第四節　背部

（一）背部正中線

自第七頸椎棘狀突起起點，下行至尾閭骨尖端之線，凡四穴）

大椎　第七頸椎棘狀突起部（此穴相當於第七頸椎棘狀突起與第一胸椎狀棘突起之間）

身柱　第三胸椎棘狀突起之下方部（此穴相當於第三與第四胸椎棘狀突起之間）

命門　第二腰椎棘狀突起之下方（此穴相當于第二與第三腰椎棘狀突起之間）

長强　尾閭骨尖端部

（二）背部側線

離正中線之外方二指橫徑，於正中線幷行至下方之線，凡十三穴）

大杼　第一胸椎棘狀突起與第二胸椎棘狀突起之間外方，約二指橫徑部

肺兪　第三胸椎棘狀突起與第四胸椎棘狀突起之間外方，約二指橫徑部

心兪　第五胸椎棘狀突起與第六胸椎棘狀突起之間外方，約二指橫徑部

膈兪　第七胸椎棘狀突起與第八胸椎棘狀突起之間外方，約二指橫徑部

肝兪　第九胸椎棘狀突起與義十胸椎棘狀突起之間外方，約二指橫徑部

胃兪　第十二胸椎棘狀突起與第一腰椎棘狀突起之間外方，約二指橫徑部

腎兪　第二腰椎棘狀突起與第三腰椎棘狀突起之間外方，約二指橫徑部

大腸兪　第五腰椎棘狀突起下外方約二指橫徑部

白環兪　尾閭骨之側方部

上髎　腸骨後上棘之下方部（此穴相當於第一後薦骨孔，）

中髎　上髎之下方一指橫徑部（此穴相當於第二後薦骨孔，）

次髎　中髎下方一指橫徑部（此穴相當於第三後薦骨孔，）

下髎　次髎下方一指橫徑部（此穴相當於第四後薦骨孔）

第五節　肩胛部　上肢部

（一）肩胛部凡二穴

曲垣　肩胛骨棘狀突起根之上部中央

肩外　肩胛骨內側，第一胸椎與第二胸椎間之外方部，（此穴接近於肩胛骨上內隅）

（二）上肢部凡十三穴

消濼　在上膊外面之中央，三角筋停止部少後下方，

清冷淵　肘之上方二指橫徑部（此穴爲上膊之後側，相當于尺骨鶯嘴突起上方二指橫徑部）

四瀆　肘之下方五指橫徑，尺骨外側部，（此穴爲前膊之後側，鶯嘴突起之下方二指橫徑部，相當于尺骨外側，）

天井　尺骨上端之上方一指橫徑部，（此部爲上膊之後側，相當於鶯嘴突起之上方一指橫徑部，）

俠白　上膊內面，尺澤之上方五指橫徑部，此穴相當於上膊前面之中央

尺澤　肘關節前面，肘窩內側部，

曲池　上膊骨外上髁之直前部（此穴曲肘，相當于肘窩橫皺之外端，）

三里　曲池之下方二指横徑部（此穴爲前膊骨側之上部，自肘窩横皺相當於下方二指徑部）

肩髃　肩峯突起之肘外方部，上膊上凹陷之所，（此穴爲上膊外側之上部，相當於肩峯突之下端，）

肩貞　肩峯突起之後外下方部，（此穴爲上膊後側之上部相當於肩峯突起之後外方，二指横徑，）

支溝　腕關節之背側，上方三指横徑部

合谷　第一掌骨與第二掌骨之部，（此穴相當起於手背之第一與第二掌骨之間）

陽池　腕關節背面部（此穴相當於腕關節背面之中央部，）

第六節　下肢部凡十一穴

陰廉　鼠蹊溝之中央部

環跳　大轉子之前方

承扶　臀部下溝中央部（臀皺襞）

中瀆　大腿骨外上髁上方五指横徑部

陽陵泉　膝之下方一指横徑部，（此穴爲下腿外側之上部，當膝蓋骨之下方，相當於腓骨小頭之前際）

三里　膝之下方三指横徑部，（此穴爲下腿前側之上部，相當於膝蓋骨之下方，脛骨結節之外部，）

陰陵泉　脛骨關節髁後緣之直下部，（此穴爲下腿內側之上部，相當於脛骨內關節後緣之直下部，）

飛陽　足之外踝上方七指横徑部，腓骨之後側，

三陰交　足之內踝上方三指横徑部，

懸鐘　足之外踝上方三指橫徑部

水泉　足之內踝後下方一指橫徑部

本講義中各穴之適應症均詳百二十孔穴掛圖中，學者可詳細閱之可也。

（孔穴學講義終）

新国医讲义教材·针科

提 要

一、作者小传

天津国医函授学院编。该学院由尉稼谦于民国十五年（1926）创办。

二、版本说明

《新国医讲义教材·针科》约成书于1937年，考《中国中医古籍总目》，该书存两目：一是1937年天津国医函授学院铅印本，《新国医讲义教材》13种（存9种），尉稼谦编，藏于山东中医药大学图书馆；二是1937年天津国医函授学院铅印本，《新国医讲义教材》14种，又名《天津国医函授学院讲义》，天津国医函授学院编，藏于中国中医科学院图书馆、北京中医药大学图书馆及上海中医药大学图书馆，并有残本藏于安徽省图书馆。据目前所见材料来看，两目分列了尉稼谦及天津国医函授学院的信息，应合为一目，是否存在再版重印尚待考证。该书收录的为第2个版本。

三、内容与特色

《新国医讲义教材·针科》为1937年位于天津英租界三十二号路义庆八号的天津国医函授学院印行的《新国医讲义教材》中的一部分。书中载录临床常用的114个重要穴位，涉及十二正经和任、督二脉，每个穴位均有定位、针刺深浅、适用范围和主治等内容的介绍，便于读者学习和掌握。

现将该书特色介绍如下。

（一）强调针刺的深浅与取穴因时变化

该书总论部分提及针刺穴位深浅应根据四时变化而改变。如春夏时期阳气在上，人气也在上，则当浅刺；秋冬时期阳气在下，人气也在下，则当深刺。春宜针荥，夏宜针输，秋宜针合，冬宜针井。经气伏于体内，则深刺；经气浮于体表，则浅刺。

（二）注重辨经取穴与因部取穴

该书强调要重视辨经取穴。如病在太阳者，则取太阳经的穴位进行治疗；病在阳明者，则取阳明经的穴位进行治疗。又如，经脉或虚或实，书中提示：对于虚者则补其母，实者则泻其子，不实不虚则以经取之。

该书还注重因部取穴，将人体分为上、中、下三部和前胸、后背，提出上部疾病应多取手阳明经之穴，中部疾病应多取足太阳经之穴，下部疾病应多取足厥阴经之穴，前胸病应多取足阳明经之穴，后背病应多取足太阳经之穴。

天津國醫函授學院編
新國醫講義教材

花柳科　解剖科　正骨科
按摩科　精神科　針科

合訂册

專發學員功課
非賣品

院址：天津英租界三十二號路義慶里八號

針科

總論

中國醫學自羲皇畫卦，洩造物之化機，姬伯演辭，闡發人天之秘奧，後人均根據此，而各抒心得，相與發明，由砭石而針灸，按摩湯液，不過古時人民野樸，文化不開，習尚簡單，是以砭石之鋒去治療疾病，考砭石即今所用的針灸也，可知針灸術爲吾國醫學之鼻祖，嗣後自漢張仲景著傷寒論，雜病論而用湯液因之世人見針灸術之難，經穴之不易明，即棄針灸而用湯液，使立起沉疴之針灸有退縮無進化，幾至絕滅之境，然總因操術簡單，經濟于世，功效偉大，使亡者得以存，危者得以安，故降至現在雖四五千年矣，而仍能衍一線之生命存在于世耳。

吾中醫學之根基在針灸之科，吾中醫學之精神，亦在針灸一科，以針灸最爲神速，凡湯液所不及者及應治一切病症如霍亂、急痧、疔毒、暴厥、臍風、腦溢血，哮喘、胃病、肺勞、等病，如針灸施之，其效應之如神，非西人所用之注射，所能夢見者也，昔扁鵲治虢太子之尸厥，取三陽五會之穴，是針也，用五分之熨，是用灸也，又狄梁公墜贅瘤于頃刻，乃針灸之極盛時代，由是觀之，針灸之術亦國醫獨有之神術，處今國民困窮財盡之時，以針灸治療疾病最合經濟之原則，望吾國醫士不可視其湮沒，要努力亟起提倡之，研究之，使針灸一術彌漫于各地，則將來必有放異彩于世界醫學中也。

針灸者，是使針之空氣與灸之火氣，由經穴中循而達漏源，以驅其邪，苦邪去則病自愈矣，不過病經若干穴，某穴主治某病，某穴宜深針，某穴宜淺針，又如春夏者陽氣在上，人氣亦在上，當淺刺之，秋冬者陽氣在下，人氣亦在下，當深刺之，又云刺營者無傷衛，刺衛者無傷營，春宜針滎，夏宜針俞，秋宜合，冬宜井，因人身之經氣，起伏之流行，實與四時氣候應，故用針之法，不得不以四時爲轉移，經氣伏者，刺之宜深，經氣浮者刺之宜淺，肉多處刺之亦深，肉少處刺之宜淺，某經病宜某經穴刺之，如病在太陽者，即取太陽經穴治之，病在陽明者，即取陽明經穴治之，病在少陽者，即取少陽經穴治之，其餘三陰經穴之治三陰亦如斯也，又如虛者補其母，實者瀉其子，當先補之，然後瀉之，不實不虛，以經取之，如肝實之病，用針瀉少陽胆火，胆爲肝之子，實則瀉其子，肝虛之病，用針補太陰脾土，脾爲肝之母，則補其母也，又順之病，以逆治之，逆之病，以順治之等等，依此類推，變化無窮，臨症之應用，只在隨病而取穴，施用合法，無不立起沉疴，應如桴鼓者也。

因部取穴，尤當注意也，人身上部病多取手陽明經，中部病多取足太陽經，下部病多取足厥陰經，前膺病，多取足陽明經，後背病，多取足太陽經。

針科重要穴道

1（上星） 在鼻上中央，入前髮際一寸，針三分，可治傷寒感冒，顏面充血，頭痛，前額神經痛。

2（顖會） 在上星之後一寸陷中，針二分，可治目眩，腦貧血性頭痛。

3（前頂） 在顖會後一寸五分，針二分，可治鼻膜炎，面部充血，腦充血。

4（百會） 在前頂後一寸五分，在頂之中央旋毛中，針三分，可治中風半身不遂。

5（攢竹） 在眉頭之陷凹中，針一分，可治目痛，視覺衰弱。

6（絲竹空）在眉毛稍外端陷中，針三分，可治顏面神經麻痺，眼斜，眼吊。

7（會聽）在耳珠微前陷中，張口得之，針三分，可治耳聾，耳鳴。

8（聽宮）在耳前小尖瓣下角面之中央，針三分，可治耳加答兒。

9（耳門）在耳前肉峯下缺口外，針三分，可治齒痛，耳瘡。

10（翳風）在耳根後距耳約五分之陷凹處，按之通耳中，針三分，可治暴啞，瘰癧。

11（水溝）在鼻下溝之正中，俗稱人中，針三分，可治中風卒倒，口眼喎斜。

12（承漿）在下唇之下中央，陷中，針三分，可治齒神經痛，顏面浮腫。

13（睛明）在目內眥角外一分，宛宛中，針一分半，可治目翳，網膜炎。

14（迎香）在眼下一寸五分及鼻窪外五分，針二分，可治急性鼻加答兒，鼻孔閉塞。

15（地倉）在口吻之旁四分，針三分，可治牙關不開，失音不語。

16（瞳子髎）在目外眥之旁五分，針三分，可治目痛，淚出。

17（頰車）在耳下一寸左右，曲頰上端近前陷中，針三分，可治全身不遂，口眼歪斜。

18（廉泉）在頷下，結喉之上，中央陷中，針三分，可治氣管枝炎，喘息。

19（天突）在甲狀骨下二寸，陷中，針二分，可治扁桃腺炎，咽喉加答兒。

20（中庭）在膻中一寸六分，針三分，可治肺充血，食道狹窄。

21(乳根) 在乳之下一寸六分，針三分，可治乳腺炎，乳癰。

22(中府) 在乳頭往上數至第三肋間，有動脈應手者是，針五分，可治肺急咳嗽。

23(巨闕) 在臍上六寸，針六分，可治胸滿氣痛，胃病。

24(上脘) 在臍上五寸，針八分，可治霍亂翻胃，嘔吐，腹膜腸炎。

25(中脘) 在臍上四寸，針八分，可治消化不良，慢性胃加答兒。

26(建里) 在臍上三寸，針五分，可治水腫病。

27(下脘) 在臍上二寸，針八分，可治胃痙攣，腸加答兒。

28(陰交) 在臍下一寸，針八分，可治月經不順，子宮內膜炎。

29(氣海) 在臍下一寸五分，針一寸，可治諸寒症，婦女赤白帶。

30(石門) 在臍下二寸，針六分，可治腹脹堅硬，水腫支滿。

31(關元) 在臍下三寸，針八分，可治積冷諸虛百損，遺精白濁。

32(天樞) 在臍旁二寸，針五分，可治慢性胃腸病。

33(水道) 在天樞下三寸，針三分，可治膀胱加答兒，睪丸炎。

34(歸來) 在水道下一寸，針五分，可治陰莖神經痛，婦女經閉。

35(氣衝) 在歸來下一寸，針七分，可治陰萎，子宮寒冷。

36（期門）在臍上六寸旁開三寸半，上直兩乳，針四分，可治傷寒，泄瀉。

37（章門）在臍旁季肋之處，肘尖盡處，針六分，可治兩肋積氣如卵石，膨脹腸鳴。

38（帶脈）在臍旁八寸半，針八分，可治婦人小腹痛，裏急後重。

39（大椎）在第一胸椎之上，陷中，針五分，可治瀉胸中熱，及諸熱氣。

40（陶道）在第一胸椎之下，垂頭取之，針五分，可治間歇熱，肺勞。

41（身柱）在第三胸椎之下，針三分，可治腰背痛，癲癇狂走。

42（靈台）在第六胸椎之下，針三分，可治氣喘不能臥，風冷久咳。

43（至陽）在第七胸椎之下，針五分，可治氣喘，腰背神經痛。

44（大杼）在第一胸椎之下，旁開一寸五分，陶道之旁，針三分，可治傷寒汗不出，項筋收縮。

45（風門）在第二胸椎下旁開一寸五分，針五分，可治瀉一身熱氣，氣喘。

46（肺俞）在第三胸椎之下，旁開一寸五分，身柱之旁，針三分，可治瀉五臟之熱，肺結核。

47（心俞）在第五胸椎之下，旁開一寸五分，神道之旁，針五分，可治心內膜炎，胃出血。

48（膈俞）在第七胸椎之下，旁開一寸五分，至陽之旁，針三分，可治心臟內外膜炎，心臟肥大。

49（肝俞）在第九胸椎之下，旁開寸半，針三分，可治瀉五臟之熱，肋間神經痛。

50（胆俞）在第十胸椎之下，旁開一寸五分，針三分，可治發熱，惡寒，頭痛。

51(脾俞)在第十一胸椎之下，旁開一寸五分，針三分，可治瀉五臟之熱，胃痙攣。

52(胃俞)在第十二胸椎之下，旁開一寸五分，針三分，可治胃癌，胃加答兒。

53(膏肓)在第四胸椎之下，去脊三寸針三分，可治百病，肺結核。

54(命門)在第十四椎之下，平臍，針三分，可治腎虛腰痛，赤白帶下。

55(陽關)在第十六椎之下，針五分，可治膝關節炎，不可屈伸。

56(腰俞)在尾閭骨之上部，二十一椎之下，針三分，可治腰背神經痛，不得俯仰。

57(長強)在尾閭骨端五分之處，肛門之上，針三分，可治腰脊强急不可俯仰。

58(三焦俞)在第一腰椎下(十三椎)去脊一寸五分，針五分，可治胃痙攣，食欲減退。

59(腎俞)在第二腰椎下(十四椎)去脊一寸五分，與臍平，針三分，可治瀉五臟之熱，虛瘵羸瘦。

60(大腸俞)在第四腰椎之下，(第十六椎)去脊一寸五分，針三分，可治脊柱筋痙攣，腰椎神經痛。

61(小腸俞)在荐骨上部(十八椎之下)去脊一寸五分，針三分，可治腸加答兒，腸疝痛。

62(膀胱俞)在第十九椎下，去脊一寸五分，針三分，可治膀胱加答兒，遺尿。

63(白環俞)在第二十一椎之下，去脊一寸五分，針三分，可治荐骨神經痛及痙攣，肛門諸筋痙攣。

64(志室)在第十四椎之下，去脊三寸，腎俞之旁一寸五分，針五分，可治夢遺失精，陰具神經病。

65(上髎)在第十八椎下，去脊一寸，針三分，可治便秘，尿閉，嘔吐。

66(次髎)在第十九椎下，去脊一寸少，針三分，可治便秘，尿閉，嘔吐。

67(中髎)在二十椎之下，去脊一寸少，針三分，可治便秘，尿閉，嘔吐。

68(下髎)在第二十一椎之下，俠脊陷中，針六分，可治便秘，尿閉，子宮內膜炎。

69(會陰)在尾閭骨下部之旁側，相去五分，陷中，針四分，可更腸加答兒，腸出血。

70(肩井)在肩上陷中，針四分，可治腰痛，頸項部痙攣。

71(巨骨)在肩端之上，鎖骨與肩胛骨之間，陷中，針三分，可治小兒搐搦，下齒神經痛。

72(肩髃)在肩尖下寸許，罅陷中，舉臂有空陷，針六分，可治中風，偏風，半身不遂。

73(尺澤)在肘中約紋之上，屈肘筋骨罅陷中，針三分，可治肺結核，咯血。

74(列缺)在腕側一寸五分，以兩手之大食二指之虎口交叉，食指盡處，筋骨罅中，針二分，可治偏風，口眼喎斜。

75(經渠)在腕後五分，寸口脈中，針二分至三分，可治傷寒熱病汗不出。

76(太淵)在寸口前橫紋上，陷中，針二分，可治偏正頭痛，肘痛。

77(少商)在大指之內側，去爪甲二三分，針一分，可治小兒乳蛾，急慢驚風。

78(曲澤)在肘內廉下之陷凹中，尺澤之內側，針三分，可治心臟炎，氣管枝加答兒。

79(郄門)在掌後五寸，針五分，可治胃出血，衄血。

80(間使)在掌後正中線三寸，針三分，可治傷寒結胸，心臟炎。

81（內關）在掌後正中線二寸，針五分，可治一切胃病，心臟炎。

82（大陵）在掌後兩筋間横紋中，針三分，可治心臟炎，心外膜炎。

83（勞宮）在掌心，以中指無名指屈拳掌中，在二指之尖之間，針二分，可治血壓亢進，血管硬化。

84（中衝）在中指之端，去爪甲約二分，針二分，可治熱病汗不出，頭痛如破。

85（少海）在肘內廉去肘端五分，陷中，針三分，可治癲癇羊鳴，嘔吐涎沫。

86（靈道）在腕側後一寸五分，針三分，可治心內膜炎，心痛。

87（通里）在腕側後一寸，針三分，可治頭痛，眩暈。

88（陰郄）在掌後五分，針三分，可治心痛，盜汗。

89（神門）在掌後豆骨之端，陷中，針三分，可治癲癇，癡呆。

90（少府）在小指本節後骨縫陷中，針二分，可治偏墜，小便不利。

91（少衝）在小指之內側，去爪甲約二分，針一分，可治熱病後衰弱。

92（曲池）在肘外上膊骨下端之小頭，與橈骨上端小頭之關節部，針五分，可治上膊神經痛，肩胛神經痛。

93（太谿）在內踝後，跟骨上，動脈陷中，針三分，可治熱病汗不出，四肢厥冷。

94（然谷）在內踝前之高骨下，針三分，可治瀉腎臟之熱，咽喉炎。

95（湧泉）在足心陷中，針三分，可治尸厥面黑，喘嗽有血。

96（環跳）在大轉子中，並兩足而立，腰下部有凹陷處是也，針一寸二分，可治坐骨神經痛、冷風濕痺不仁。

97（風市）在膝上外廉兩筋中，針五分，可治腿膝無力，脚氣。

98（陽陵泉）在膝下一寸外尖骨前之陷凹處，針六分，可治傷風半身不遂，足膝冷痺不仁。
99（陽輔）在外踝之上四寸，針三分，可治腰痛，膝關節炎。
100（懸鐘）在外踝上三寸，針五分，可治脚氣，肋膜炎。
101（丘墟）在外踝下微前陷中，針五分，可治肋膜炎，呼吸困難。
102（竅陰）在第四趾外側爪甲角，針一分，可治肋膜炎，心臟肥大。
103（陰市）在膝上三寸，針三分，可治腰部大腿部膝蓋部冷却及麻痺。
104（足三里）在膝下三寸，去胻骨體前緣一寸，針五分，可治瀉胃中之熱，消化不良。
105（豐隆）在外踝上八寸，針三分，可治肋膜炎，肝臟炎。
106（衝陽）在內庭之上五寸，足部最高之處，針三分，可治偏風面腫，顏面神經麻痺。
107（內庭）在次趾中趾之間脚叉縫盡處之陷凹中，針二分，可治經痛，胃痛。
108（厲兌）在足次趾外側爪甲角約二分，針一分，可治肝臟炎，消化不良。
109（委中）在當膝膕窩之正中，針一寸五分，可治瀉四肢之熱，大風眉髮脫落。
110（承山）在委中下八寸，針七分，可治限局性痙攣，痔疾。
111（崑崙）在外踝後五分，陷中，針三分，可治頭痛，暈眩。
112（申脈）在外踝下五分，陷中，針三分，可治頭痛，暈眩。
113（金門）在申脈之前一寸少，骨下陷中，針三分，可治霍亂轉筋，尸厥，癲癇。
114（至陰）在小趾外側去爪甲約二分，針一分，可治婦人橫產手先出，符藥不效。

（針科終）

天津私立益三针灸传习所讲义

提 要

一、作者小传

苏益三，生平不详。

二、版本说明

该书系天津私立益三针灸传习所讲义，出版年份不详，残册。据1941年《复兴中医》第二卷第五期中江静波的《天津市中医调查录》记载，益三针灸传习所的所长名为苏益三，该传习所所授课程包括《黄帝内经》、《难经》、《脉经》、药物、瘟病、杂病、诊断、行针、辨气、点穴、经络循行、脏腑构造等。

三、内容与特色

《天津私立益三针灸传习所讲义》，现存一册41筒页（全书为三册）。此一册为残本，从第六十四课到第九十八课，共35课，现存内容以讲述十二经脉和奇经八脉为主。第六十四课讲述五脏、六腑、脏腑十二经穴起止歌；第六十五课讲述肺经，包括经穴歌、经络循行歌、经络循行经文、经文集注等内容。第六十六课讲述肺经十一穴，包括定位、刺灸法。之后的经脉与奇经八脉均按上述体例编写。第六十七、六十八课讲述大肠经；第六十九、七十课讲述胃经；第七十一、七十二课讲述脾经；第七十三、七十四课讲述心经；第七十五、七十六课讲述小肠经；第七十七、七十八课讲述膀胱经；第七十九、八十课讲述肾经；第八十一、八十二课讲述心包经；第八十三、八十四课讲述三焦经；第八十五、八十六课讲述胆经；第八十七、八十八课讲述肝经；第八十九、九十课讲述任脉；第九十一、九十二课讲述督脉；第九十三课讲述冲脉；第九十四课讲述带脉；第九十五课讲述阳跷脉；第九十六课讲述阴跷脉；第九十七课讲述阳维脉；第九十八课讲述阴维脉。

现将该书特色介绍如下。

（一）详述经络，重视经典

该书分类论述五脏六腑的概念、形态、结构、功能，以及脏腑十二经穴的起止。第六十五课至第九十二课按十二经脉气血流注、任督脉的顺序介绍十二经脉和任督二脉，先对应摘录《黄帝内经》经文，论述脏腑与五味、五行、季节、阴阳、体液、五声、五音的关系，以及其华、其充、其窍，再详列经穴歌、经络循行歌，摘录经络循行经文，并附经文集注。在论述腧穴时，详列经穴定位、针刺深度、艾灸壮数，以及禁针和禁灸情况。第九十三课至九十八课论述冲脉、带脉、阴跷脉、阳跷脉、阴维脉、阳维脉的循行、功能、穴名歌，摘录经络循行经文，并附经文集注。

（二）内容丰富，通俗易懂

从残本内容来看，该版本的内容以经络为主，一是论述经络与脏腑关系、经络循行、经络功能，二是论述经穴定位、针刺深浅、艾灸用量、禁针和禁灸情况。总体来说，该书汇集各家经典，并附自家见解，内容全面，通俗易懂。但是，与现在的针灸学教材相比较可以发现，该书中有些禁针或禁灸的穴位在如今的应用中是可以针刺或艾灸的，如肺经的天府，该书中强调禁灸，现在则不将此穴作为禁灸穴。

另外，从主体内容上看，该书与《私立叔平针灸学社讲义》的经脉内容基本一致，二书作者或存在师承关系。

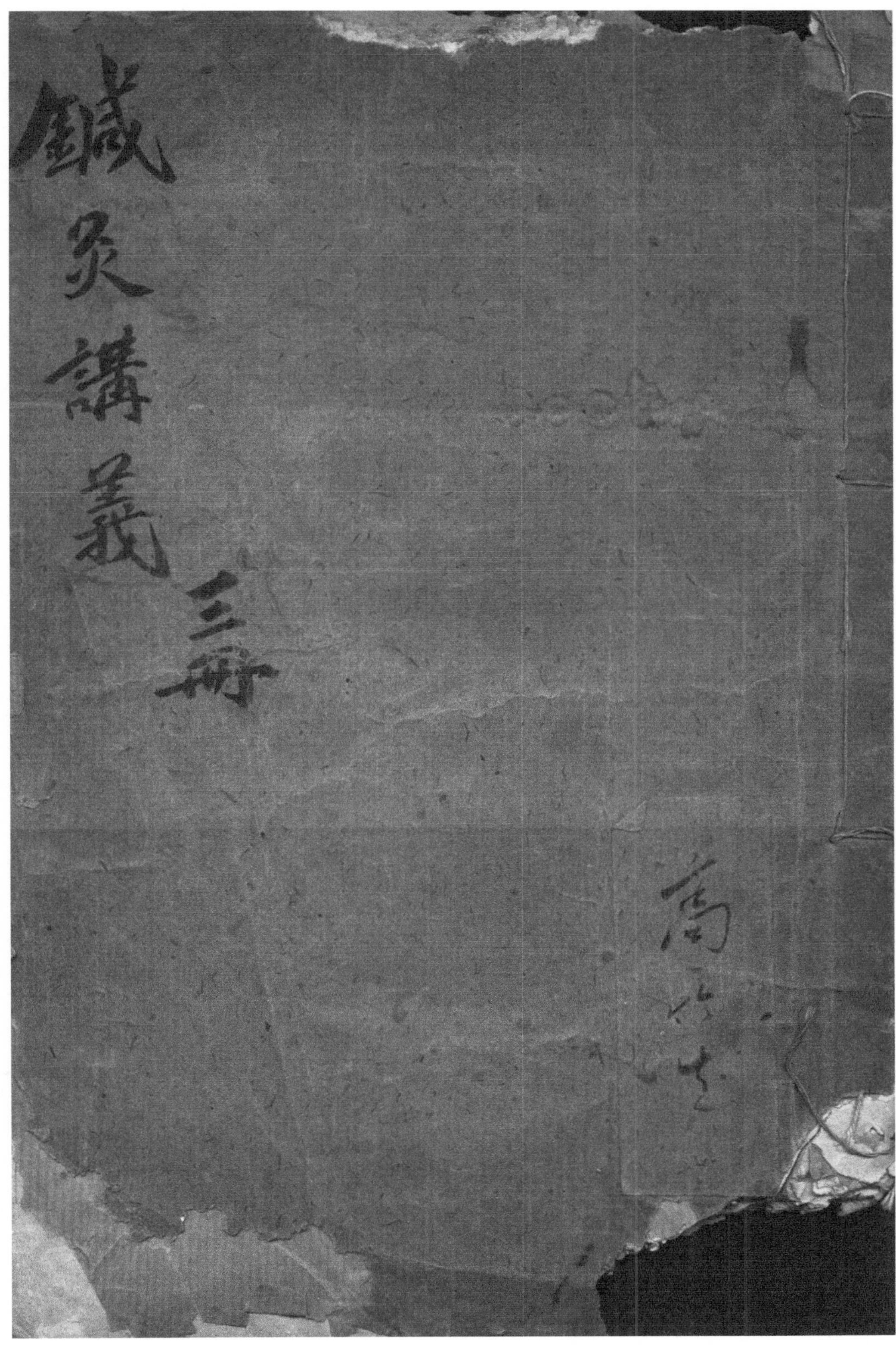
鍼灸講義
三冊

第六十四課 五臟 六腑

臟者藏也、心藏神、肺藏魄、肝藏魂、脾藏意與智、腎藏精與志、故為五臟、

腑者府也、胆胃大腸小腸三焦膀胱、受五臟濁氣、名傳化之府、故為六腑

五臟藏精而不洩、故滿而不實、六腑輸洩而不藏、故實而不滿、如水穀入口則胃實而腸虛、食下則腸實而胃虛、故曰實而不滿、

肺重三斤三兩、六葉兩耳、四垂如蓋、附脊第三椎、中有二十四孔、行列分佈諸臟清濁之氣、故為五臟華蓋云、

心重十二兩、七孔、形如未敷蓮花、居肺下鬲上、附脊第五椎、

心包絡在心下橫膜之上、豎膜之下、與橫膜相粘而黃、脂漫裹者、心也、外有細筋膜如絲、與心肺相連者、包絡也、

三焦者，水穀之道路，氣之所終始也，上焦在心下胃上，其治在膻中，直兩乳間陷中者，中焦在胃中脘，當臍上四寸，其治在臍傍，下焦當膀胱上際，其治在臍下一寸，

肝重二斤四兩，左三葉右四葉，其治在左，其臟在右脇右腎之前，并附脊第九椎

胆在肝之短葉間，重三兩三銖，包精汁三合

膈膜前齊鳩尾，後齊十一椎，周圍着脊，以遮隔濁氣，不使上薰，

脾重二斤三兩，廣三寸，長五寸，附脊十一椎

胃重二斤一兩，大一尺五寸，徑五寸

小腸重二斤十四兩，長三丈二尺，左回疊積十六曲，小腸上口，即胃之下口，在臍上二寸，復下一寸水分穴，為小腸下口，至是而泌別清濁，水液入膀胱，滓穢入大腸，

大腸重二斤十二兩，長三丈一尺，廣四寸，右回疊十六曲，當臍中心，大腸

上口即小腸下口也、

腎有兩枚重一斤一兩狀如石卵色黃紫當腎下兩旁入脊膂附有十四椎前與臍平、

膀胱重九兩二銖廣九寸居腎下之前大腸之側膀胱上際即小腸下口水液由是滲入焉、

脊骨二十一節取穴之法以平肩為大椎即百勞穴也、

臟腑十二經穴起止歌

肺經少商中府起。大腸商陽迎香止。足胃頭維厲兌闹。脾部隱白大包是。心主極泉少衝來。小腸少澤聽宮去。膀胱睛明至陰終。腎經湧泉俞府位。心包天池中衝隨。三焦關衝耳門繼。胆家童子髎竅陰。厥肝大敦期门至。十二經穴終始歌。學者銘於肺腑記。

第六十五課　手太陰肺經

內經曰肺者相傳之官治節出焉

肺者氣之本魄之處也、其華在毛其充在皮為陰中之太陰、通於秋氣、西方白色入通於肺、開竅於鼻、藏精於肺、故病在背、其味辛、其類金其畜馬其穀稻其應四時上為太白星、是以知病之在皮毛也、其數九其音商、其臭腥、其液涕、其聲哭、

經穴歌

手太陰肺十一穴。中府雲門天府訣。俠白尺澤孔最存。列缺經渠太淵涉。魚際少商如韭葉。左右二十二穴

經絡循行歌

手太陰肺中焦起。下絡大腸胃口行。上膈屬肺從肺系。橫從腋下臑内縈。前於心與心包脈。下肘循臂骨上廉。遂入寸口上魚際。大指内側爪甲根。支絡還從腕後出。接次指交陽明经。此经多氣而少血。是動則為喘滿嗽。膨膨肺脹缺盆痛。兩手交瞀為臂厥。肺所主病為嗽上氣。喘渴煩心胸滿結。臑臂之内前廉痛。為厥或為掌中热。

肩背痛是氣有餘。小便數欠或汗出。氣虛亦痛溺色变。少氣不足以息

經絡循行經文

肺手太陰之脉起於中焦。下絡大腸還循胃口。上膈屬肺。從肺係橫出腋下。循臑內行少陰心主之前。下肘中循臂內上骨下廉入寸口上魚際循魚際出大指之端。其支者從腕後直出次指內廉出其端。

經文集註

肺脉起於中焦之胃脘。下絡大腸。還循胃口而復上膈入肺。橫出腋下之中府。雲門下循臑內歷天府侠白行於少陰心主之前。下肘抵尺澤。循臂骨之下廉。歷孔最列缺入寸口之經渠太淵。以上魚際循魚際。出大指端之少商。其旁而支行者。從列缺分行於腕後。循合谷上行於食指之端。以交於手陽明大腸經之商陽。

第六十六課 手太陰肺經十一穴

中府 在周帯上二寸、少外開三分、去中行六寸、鍼三分留五呼、灸三壯五壯、

雲門　在巨骨穴下四寸[illegible]內傍氣户上二寸[illegible]璣旁六寸大些二鍼三分灸五壯鍼太深令人逆息

天府　距腋下三寸在臂上前廉直对尺澤相距七寸半、鍼四分留三呼禁灸灸之令人氣逆

侠白　在尺澤上五寸大些鍼四分灸五壯、

尺澤　在肘中約紋上、屈肘横纹陷中動脉應手鍼三分灸三壯、

孔最　在腕上七寸尺澤下三寸半鍼三分留三呼灸五壯、

列缺、在腕後一寸五分行向[illegible]鍼二分灸三壯慎酒麪生冷等物

經渠　在腕後五分居寸[illegible]針三分禁灸灸則傷人神明、

太淵　在寸口前横紋上與經渠甚近鍼二分灸三壯

魚際　在太淵上一寸少大指本節後內側陷中夲者根也乃掌內肉中骨節非手指外節鍼二分灸三壯

少商　在大指外側去爪甲角如韭葉鍼一分留三呼五吸宜用三稜針

刺微出血泻諸臓之熱不宜灸甲乙经云灸一壮一云三壮忌生冷

第六十七課 手陽明大腸经

内経云大腸者傳道之官變化出焉又云大腸為白腸

经穴歌

手陽明穴起商陽。二間三間合谷藏。陽谿偏歴温溜長。下廉上廉手三里。曲池肘髎五里近。臂臑肩髃巨骨當。天鼎扶突禾髎接。鼻旁五分號迎香。左右四十穴

经絡循行歌

手陽明经大腸脉。次指内側起商陽。循指上廉出合谷。兩指兩筋中間行。循臂入肘行臑外。肩髃前廉柱骨旁。會此下入缺盆內。絡肺下膈屬大腸。支從缺盆上入頸。斜貫兩頰下齒當。挾口人中交左右。上挾鼻孔尽迎香。此经血盛氣亦盛。是動齒痛頸亦腫。是主津液病所生。目黄口乾。鼽衄動。喉痺痛在肩前臑。大指次指痛不用。

經絡循行經文

大腸手陽明之脈。起於大指次指之端內側循指上廉。出合谷兩骨之間上入兩筋之中。循臂上廉入肘外廉上循臑外前廉上肩出髃骨之前廉上出於柱骨之會上。下入缺盆絡肺下膈。屬大腸其支者從缺盆上頸貫頰入下齒中。還出挾口交人中左之右右之左上挾鼻孔。

經文集註

大腸手陽明之脈。受手太陽之交。起於次指商陽井穴循二間三間之上廉。出兩骨間之合谷穴。上入兩筋間之陽谿。循臂上廉之偏歷溫溜下廉上廉三里。入肘外廉之曲池。上行臑外之前廉歷肘髎五里。以上肩之肩髃。骨之前廉循巨骨上行。出於柱骨之會上。下入缺盆絡肺下膈。屬於大腸。其支行者從缺盆上頸循天鼎扶突。上貫於頰入下齒縫中之內。還出挾口。以交於人中。左脈往右。右脈往左。上頰鼻孔。循禾髎迎香而終。以交於足陽明胃經也。經也。手陽明注上於此自山根交承泣而接之陽明

第六十八課　手陽明大腸經　共二十穴

商陽　在手食指内側，去爪甲角如韭葉，針一分，留一呼，灸三壯。

二間　在食指本節前，第三節後紋頭陷中，針三分，留六呼，灸三壯。

三間　在食指本節後陷中，去二間一寸，針三分，留三呼，灸三壯。

合谷　在手大指次指岐骨間陷中，動脈應手，針三分，留六呼，灸三壯。

陽谿　在手腕横紋上側兩筋間陷中，直合谷，針三分，留七呼，灸三壯。

偏歷　在腕後三寸，針三分，留七呼，灸三壯。

溫溜　在腕後五寸，針三分，留三呼，灸三壯。

下廉　在腕後六寸，行微向外，曲池下四寸，針五分，留五呼，灸三壯。

上廉　在腕後七寸，曲池下三寸，三里下一寸，微外些，針五分，灸五壯。

三里　在曲池下二寸，腕後八寸，針三分，灸三壯。

曲池　在肘外側横紋頭，針七分，留七呼，灸三壯，一云百壯。

肘髎　在曲池上外斜一寸，横直天井，針三分，灸三壯。

五里　在肘上三寸行向裏大脉中央禁針灸三壯一日十壯、

臂臑　臂外側肩髃下三寸針三分灸三壯明堂禁針灸七壯一曰百壯

肩髃　在肩端高骨下陷中舉臂有空針六分留七呼灸三壯、

巨骨　在肩髃上大骨叉前陷中針一寸五分灸三壯五壯一百禁針、

天鼎　頸筋下肩井內一寸四分針三分灸三壯、

扶突　人迎後寸半距天鼎前一寸二分針四分灸三壯甲乙经曰針三分、

禾髎　直對鼻孔下俠水溝旁五分針三分灸三壯、

迎香　鼻窪紋中針三分禁灸

第六十九課　足陽明胃经

内经曰、胃者倉廩之官五味出焉、又曰胃為黄腸、五味入口藏於胃以養五臟之氣胃者水穀之海、六腑之大原也是以五臟六腑之氣味皆出於胃

经穴歌

四十五穴足陽明頭維下関頬車停承泣四白巨髎经地倉大迎對人迎水突氣舍連缺盆氣户庫房屋翳屯膺窗乳中延乳根不容承滿梁門起關门太乙滑肉門天樞外陵大巨存水道歸來氣衝次髀關伏兔走陰市梁丘犢鼻足三里上巨虛連條口位下巨虛跳上豐隆解谿衝陽陷谷中内庭厲兑经穴终左右九十穴

经络循行歌

足陽明胃鼻頞起下循鼻外入上齒環唇挾口交承漿頤後大迎頬車裏耳前髮際至額顱支循喉嚨缺盆入下膈屬胃络脾宫直者下乳侠臍中支起胃口循腹裏下行直合氣街逢遂由髀關下膝臏循胫足跗中指通支從中指入大指厲兑之穴经盡矣此经多氣復多血振寒呻吟而顔黑病至惡見火與人忌闻木聲心惕惕閉户塞牖欲獨處甚則登高棄衣走賁響腹脹為骭厥狂瘧温淫及汗出鼽衄口喎并唇胗頸腫喉痺腹水腫膺乳膝臏股伏兔骭外足跗

上背痛、氣盛熱、在身以前有餘消穀溺黃、甚不足身以前皆寒、胃中寒而腹脹壅、

经络循行经文

胃足陽明之脉起於鼻交頞中旁、納太陽之脉下循鼻外、入上齒中還出挾口、環唇下交承漿卻循頤後下廉出大迎循頰車上耳前過客主人循髮際至額顱、其支者從大迎前下人迎循喉嚨入缺盆、下膈屬胃絡脾、其直者從缺盆下乳內廉下挾臍入氣街中、其支者起胃下口循腹裏下至氣街中、而合以下髀關抵伏兔下入膝臏中、下循胻外廉、下足跗入中指內間其支者下膝三寸、而別以下入中指外間、其支者別跗上入大指間出其端

经文集註

足陽明受手陽明之交、起於鼻之兩旁迎香穴上行而左右相交於頞中、過睛明之分、下循鼻外、歷承泣四白巨髎入上齒中還出挾口兩吻

地倉環繞唇下左右相交於承漿、卻循頤後下廉出大迎、循頰車上耳前、歷下關、過客主人、循髮際行懸厘、頷厭之分、經頭維會於額顱之神庭、其支別者、從大迎前下人迎、循喉嚨、歷水突、氣舍、入缺盆、行足少陰俞府之外、下膈當上脘、中脘之分、屬胃絡脾、其直行者、從缺盆而下、下乳內廉、循氣戶、庫房、屋翳、膺窗、乳中、乳根、不容、承滿、梁門、關門、太乙、滑肉門、挾臍、歷天樞、外陵、大巨、水道、歸來諸穴、而入氣街中、其支者、自屬胃處、起胃下口、循腹裏、過足少陰肓俞之外、本經之裏、下至氣街中、與前之入氣衝者合、既相合於氣街中、乃下髀關、抵伏兔、歷陰市、梁丘、下入膝臏中、經犢鼻、下循足面、由足跗之衝陽、陷谷、入中指外間之內庭、至厲兌穴而終也、其絡脈之支別者、自膝下三寸循三里穴之外、別下歷上廉、條口、下廉、豐隆、解谿、衝陽、陷谷、以至內庭、厲兌而合也、又其支者、別跗上衝陽穴、別行入大指間、出足厥陰行間穴之外、循大指下、出其端、以交於太陰也、

第七十課　足陽明胃經　共四十五穴

頭維　在額角入髮際夾本神旁一寸五分、神庭旁四寸五分、直率谷微高些、針三分沒皮下向、禁灸、

下關　在客主人下聽宮上耳前動脈、針三分、留七呼、灸三壯、

頰車　在耳下八分、曲頰端近前陷中、針三分、灸三壯、一曰灸七壯至七七壯、炷如小麥、

承泣　在目下七分、上直瞳子、針三分、禁灸、一曰禁不宜針、

四白　在目下一寸、直瞳子、針三分、禁灸、甲乙經曰灸七壯、一曰下針宜慎、若深即令人目烏色、

巨髎　夾鼻孔旁七分、直瞳子、針三分、灸七壯、

地倉　夾口吻旁四分、針三分、留五呼、灸七壯、或二七壯、重者七七壯、病左治右、病右治左、艾炷宜小、如麁麥、若過大口反喎、卻灸承漿即愈、

大迎　在曲頷前一寸三分居顴下人迎上針三分留七呼灸三壯

人迎　在頸下夾結喉旁一寸五分大迎下水突上大動脈應手、禁灸氣府論註曰、針四分過則殺人也

水突　在頸大筋前直人迎下夾氣舍上內貼氣喉、針三分灸三壯、

氣舍　在頸大筋前直人迎下針三分灸五壯

缺盆　在結喉旁橫骨陷者中對乳氣舍在裏近喉缺盆在外針三分留七呼灸三壯、針太深令人逆息、孕婦禁針、

氣戶　在橫骨下夾俞府、兩旁各二寸去中行四寸陷中仰而取之針三分、

庫房　在氣戶下一寸六分去中行四寸陷中仰而取之針三分、灸五壯、

屋翳　在庫房下一寸六分去中行四寸陷中仰而取之針三分灸五壯、

膺窗　在屋翳下一寸六分、巨骨四寸八分去中行四寸、陷中仰而取之、針四分

乳中　當乳頭正中微針禁灸、

乳根　在乳中下一寸六分去中行四寸陷中仰而取之針三分、灸三壯五壯、

不容　在幽門旁一寸五分去中行二寸對巨闕針五分灸五壯、

承滿　在不容下去中行二寸對上脘、針三分灸五壯又針八分　甲乙经云

梁門　在承滿下去中行二寸、對中脘針三分灸五壯、又針八分　甲乙经作孚　婦禁灸

關門　在梁門下去中行二寸、对建里、針八分灸五壯、一云五分三壯、

太乙　在關門下去中行二寸对下脘、針八分灸五壯一云五分三壯、

滑肉門　在太乙下去中行二寸、對水分、針八分灸五壯、一云五分三壯、

天樞　在夾臍旁二寸、去肓俞一寸五分偪中針五分留七呼灸五壯、拔

華云百壯、又千金魂魄之舍、

外陵　在天樞下去中行二寸對陰交針三分灸五壯又甲乙経作針八分、

大巨　在外陵下去中行二寸、對石門針五分灸五壯甲乙經針八分、

水道　在大巨下三寸去中行二寸針五分灸五壯、一曰針八分半

歸来　在水道下二寸去中行二寸針八分灸五壯、一曰針二分半

氣衝　在歸来下鼠鼷上一寸動脉應手、宛宛中去中行二寸横骨

在内氣衝在外，冲門又名氣冲，蕎中樞橫骨微下些，冲門[illegible]
關元上直府舍，下直髀，針三分，留七呼，灸七壯，甲乙經灸之不幸
使人不得息，一云禁不可針艾炷如大麥。

髀關　在膝上伏兔後斜行向裏去膝一尺二寸，鍼六分，灸三壯。

伏兔　在膝上六寸起肉間，正跪坐取之，針五分，狂邪鬼說，灸五十壯至百壯

陰市　在膝上三寸，伏兔下陷中，拜而取之，鍼三分，留七呼，灸三壯，治腰疼

梁丘　在膝上二寸兩筋間，針三分，灸三壯。

犢鼻　在膝髕下，行骨上，骨解大筋陷中，形如牛鼻，針六分，灸三壯，一
曰針三分（鍼禁論）云針膝髕出液為跛，故針此穴不可忽也

三里　在膝眼下三寸，胻骨外廉大筋內宛宛中，坐而豎膝低跗取之
極重按之則跗上動脈止矣，鍼八分，留七呼，灸三壯，亦可灸千壯。

上巨虛　在三里下三寸兩筋骨陷中，舉足取之，針三分，灸三壯，亦可灸千壯。

條口　在三里下五寸，下廉上一寸，舉足取之，針五分，灸三壯。

下巨虚　在上廉下三寸两筋骨陷中蹲地举足取之針三分灸三壮

豐隆　在下廉下後斜對絶骨之中、鍼五分灸三壮、

解谿　在衝陽後一寸足腕上繫鞋帶處陷中鍼五分、留五呼、灸三壮

衝陽　在足跗上五寸正中、行高骨间動脉去陷谷二寸鍼三分、留十呼、灸三壮（鍼禁論）云鍼跗上中大脉（即衝陽脉）血出不止者死即此穴也、

陷谷　在足面上去内庭二寸足大指次指本節後陷中針五分、留七呼、灸三壮亦曰針三分（按足跗穴淺（可鍼三分深則無益））

内庭　在足次指中指之间、脚丫縫盡處針三分、留十呼、灸三壮、

厲兑　在足次指外側端去爪甲如韭葉、鍼一分留一呼灸一壮、

第七十一課　足太陰脾经

内经曰脾者諫議之官智周出焉

脾者倉廪之本榮之居也其華在唇四白其充在肌至陰之類通於土氣孤藏以灌四旁脾主四肢為胃行津液、

中央土色入通於脾開竅於口藏精於脾故病在舌本其味甘其類土其畜牛其穀稷其應四時上為鎮星是以知病之在肉也其音宮其數五其臭香其液涎在聲為歌

經穴歌

二十一穴脾中州。隱白在足大指頭。大都太白公孫盛。商丘三陰交可求。漏谷地機陰陵泉。血海箕門衝門開。府舍腹結大橫排。腹哀食竇連天谿。胸鄉周榮大包隨。

經絡循行歌

太陰脾起足大指。循指內側白肉際。過核骨後內踝前。上腨循脛膝股裏。股內前廉入腹中。屬脾絡胃上膈通。挾咽連舌散舌下。支者從胃注心宮。此經血少而氣多。是動即病舌本強。食則嘔出胃脘疼。心中喜噫而腹脹。得後與氣快然衰。脾病身重不能搖。瘕泄水閉及黃疸。煩心心疼食難消。強立股膝內多腫。不能臥因胃不和。

经络循行经文

脾足太陰之脈起於大(足)指之端循指內側白肉際過核骨後上內踝前廉上端內循行骨後交出厥陰之前上循膝股內前廉入腹屬脾絡胃上膈挾咽連舌本散舌下其支者復從胃別上膈注心中

经文集註

足太陰脾脈起於大指之端隱白穴受足陽明之交循大指內側白肉際太都穴過核骨後歷太白公孫商丘上內踝前廉之三陰交又上腨內循胻骨後之內側漏谷上行二寸交出足厥陰之前至地機陰陵泉上循膝股之前廉血海箕門迤邐入腹经衝門府舍中極關元復循腹結大橫會下脘歷腹哀過日月期門之分循本经之裏下至中脘之際以屬脾絡胃又由腹哀上膈循食竇天谿胸鄉周榮曲折向下至大包穴又自大包外曲向上會中府上行人迎之裏挾喉嚨連舌本散舌下而終其支行者由腹哀別行再從胃部中脘穴之外上膈註於膻中之裏心之分以交於手少陰心经也

第七十二課　足太陰脾经考正穴法　共二十一穴

隱白　在足大指内側端去爪甲角如韭葉鍼二分留三呼灸三壮

大都　在足大指内側第二節後本節前骨縫白肉際陷中居孫揚前鍼三分留七呼灸三壮

太白　大指後孫揚正中赤白肉際陷中針三分留七呼灸三壮

公孫　在足大指後孫揚傍脚邊陷中針四分留七呼灸三壮

商丘　在内踝正下微前針三分留七呼灸三壮

三陰交　在内踝上除踝三寸針三分留七呼灸三壮妊娠禁針

漏谷　在内踝上六寸骨下陷中針三分留七呼灸三壮

地機　在膝下五寸内側骨下陷中針三分灸五壮

陰陵泉　在膝下内輔骨下陷中與陽陵泉相對去膝横閒一寸大針五分留七呼灸三壮

血海　在膝臏上二寸内廉白肉際陷中針五分灸五壮

箕門　在魚腹上越兩筋間陰股內廉動脈應手針三分留六呼灸三壯

衝門　上去大横五寸横骨兩端去中行三寸半横直関元上直府舍下

下直髀関針七分灸五壯

府舍　在腹結下三寸去腹中行三寸半横直氣海針七分灸五壯

腹結　在大横下一寸八分去腹中行三寸半横直臍針七分灸五壯

大横　在腹結上一寸八分横直水分下脘之中針七分灸五壯

腹哀　在日月下一寸半去腹中行三寸半横直中脘針三分灸五壯

食竇　在天谿下一寸六分自中庭外横開五寸半微上些中間有牛節

針四分灸五壯

天谿　直乳頭後二寸針四分灸五壯

胸鄉　在周榮下一寸六分針四分灸五壯

周榮　在中府下一寸六分針四分灸五壯

大包　在淵腋下三寸横直日月針三分灸三壯

第七十三課　手少陰心经

内经曰心者君主之官神明出焉

心者生之本、神之變也、其華在面、其充在血脉、為陽中之太陽通於夏氣、南方赤色入通於心開竅於舌、藏精於心故病在五臟、其味苦其類火、其畜羊、其穀黍其應四時、上為熒惑星、是以知病之在脉也、其音徵其數七、其臭焦、其液汗、其聲為笑、

经穴歌

九穴午時手少陰、極泉青靈少海深、靈道通里陰郄邃、神門少府少衝尋。

经絡循行歌

手少陰心起心经、下膈直絡小腸承、支者挾咽繫目系、直者心系上肺騰、下腋循臑後廉出、太陰心主之後行、下肘循臂抵掌後、銳骨之端小指停、此经少血而多氣、是動咽乾心痛應、目黃脇痛渴欲飲、

臂臑内之痛掌熱蒸、

經絡循行經文

心手少陰之脉起於心中出屬心系下膈絡小腸其支者從心系上挾咽繫目系其直行者復從心系卻上肺下出腋下循臑內後廉行太陰心主之後下肘內廉循臂內後廉抵掌後銳骨之端入掌內後廉循小指之內出其端、

經文集註

手少陰心經之脉起於心、循任脉之外、屬心系下膈、當臍上二寸之分、絡小腸其支行者、復從心系、直上至肺臟之分、出循腋下、抵極泉、自極泉下循臑內後廉、行手太陰心主兩筋之後、歷青靈穴、下肘內廉、抵少海、手腕下踝為兌骨、自少海而下循臂內後廉、歷靈道通里至掌後銳骨之端、經陰郄神門、入合手內廉、至少府、循小指端之少衝而終、以交於手太陽也、滑氏曰心為君主尊於他臟故其交經受授、不假支另也、

滑氏

滑壽字伯仁又號攖寧生元時襄城人

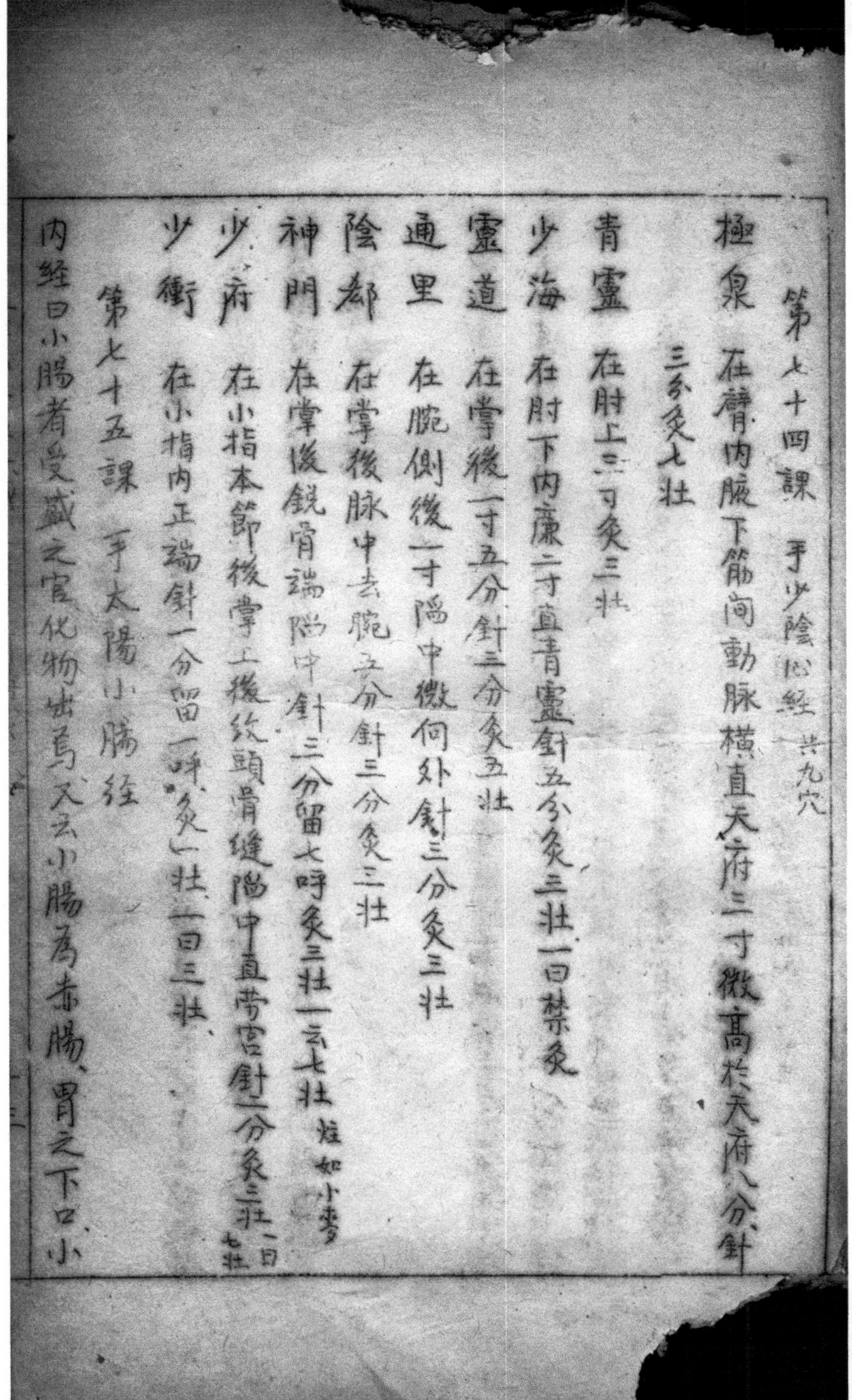

第七十四課 手少陰心經 共九穴

極泉 在臂內腋下筋間動脈橫直天府三寸微高於天府八分針三分灸七壯

青靈 在肘上三寸灸三壯

少海 在肘下內廉二寸直青靈針五分灸三壯一曰禁灸

靈道 在掌後一寸五分針三分灸五壯

通里 在腕側後一寸陷中微向外針三分灸三壯

陰郄 在掌後脈中去腕五分針三分灸三壯

神門 在掌後銳骨端陷中針三分留七呼灸三壯一云七壯 炷如小麥

少府 在小指本節後掌上後紋頭骨縫陷中直勞宮針二分灸三壯一曰七壯

少衝 在小指內正端針一分留一呼灸一壯一曰三壯

第七十五課 手太陽小腸經

內經曰小腸者受盛之官化物出焉又云小腸為赤腸胃之下口小

腸之上口也在臍上二寸水穀扵是分焉大腸上口小腸之下口也至是而泌別清濁水液滲入膀胱滓穢流入大腸

经穴歌

手太陽穴一十九少澤前谷後谿藪腕骨陽谷養老繩支正小海外輔肘肩貞臑俞接天宗髎外秉風曲垣首肩外俞連肩中俞天窗乃與天容偶銳骨之端上顴髎聽宮耳前珠上走左右三十八穴

经絡循行歌

手太陽经小腸脈小指之端起少澤循手上腕出踝中上臂骨出肘內側兩筋之間臑後廉出肩解而繞肩胛交肩之上入缺盆直絡心中循嗌咽下膈抵胃屬小腸支從缺盆上頸頰至目銳眥入耳中支者別頰復上䪼抵鼻至扵目內眥絡顴交足太陽接嗌痛頷腫頭難回肩似拔兮臑似折耳聾目黃腫頰間是所生病為主液頸頷肩臑肘臂痛此经少氣而多血

经絡循行经文

小腸手太陽之脉、起於小指之端、循手外側上腕、出踝中、直上循臂骨下廉、出肘内側兩骨之間、上循臑外後廉、出肩解、繞肩胛、交肩上、入缺盆、向腋絡心、循咽下膈、抵胃、屬小腸、其支者、從缺盆、貫頸、上頰、至目銳眥、卻入耳中、其支者、別循頰上䪼、抵鼻、至目内眥、斜絡於顴、

經文集註

小腸手太陽經、起於小指少澤穴、手少陰心經之交也、由是循外側之前谷、後谿、上腕出踝中、歷腕骨、陽谷、養老穴、直上循臂骨下廉支正、出肘内側兩筋之間、歷小海穴、上循臑外廉、行手陽明少陽之外、上肩、循肩貞、臑俞、天宗、秉風、曲垣、肩外俞、肩中俞諸穴、乃上會大椎、左右相交於兩肩之上、自交肩上入缺盆、循肩向腋下、行當膻中之分、絡心、循胃系、下膈、過上脘、抵胃、下行任脉之外、當臍上二寸之分、屬小腸、其支行者、從缺盆、循頸之天窗、天容、上頰、抵顴髎、上至目銳眥、過童子髎、卻入耳中、循聽宮而終、其支別有、別循頰上䪼、抵鼻、至目内眥睛明穴、以斜絡於顴、而交於足太陽也、

第七十六課　手太陽小腸经　共十九穴

少澤　在手小指外側去爪甲角如韭葉針一分留二呼灸一壯

前谷　在手小指外側第二節紋頭針一分留三呼灸三壯

後谿　在手小指外側第三節紋頭針一分留二呼灸一壯一云三壯

腕骨　在手掌後横紋頭針二分留三呼灸三壯、

陽谷　在腕骨後一寸二分踝骨下後些針二分留三呼灸三壯、

養老　去陽谷一寸二分行向外針三分灸三壯、

支正　在腕后五寸陷中　去養老一寸七分針三分留七呼灸三壯、

小海　在肘後横去肘寸半針二分留七呼灸五壯七壯、

肩貞　在直巨骨下相去六寸去脊横開八寸少之下直腕縫針五分灸三壯

臑俞　在肩貞上二寸外開八分針八分灸三壯

天宗　在肩貞上二寸七分横往内開一寸針五分留六呼灸三壯

秉風　在臑俞上直对相去一寸五分針五分灸三壯、

曲垣　在下距天宗一寸五分上距肩井三寸少在二穴之中微向外些針五分
灸三壯甲乙經曰十壯、
肩外腧　在橫直陶道四寸七分微高些針六分灸三壯
肩中腧　在肩外腧上五分針三分留七呼灸十壯甲乙經作三壯
天窗　在直耳下二寸許針三分灸三壯甲乙經作針六分又結喉旁三寸許微高
天容　在頰車向前二寸大些針一分灸三壯
顴髎　直童子髎二寸少在顴骨下針二分禁灸
聽宮　在耳前肉峯內面針三分灸三壯、

第七十七課　足太陽膀胱經

內經曰膀胱者州都之官津液藏焉氣化則能出矣、又曰膀胱為黑腸、諸書辨膀胱不一、有云有上口無下口有云上下皆有口或云有小竅注泄、皆非也、惟有下口以出溺、上皆由泌別滲入膀胱、其所以入也出也、由於氣之施也、在上之氣不施、則注入大腸而為泄、在下之氣不施、則急脹澀澁、苦不出而為淋、

經穴歌

足太陽經六十七、睛明目内紅肉藏、攢竹眉沖與曲差、五處上寸半承光、通天絡却玉枕昂、天柱後際大筋外、大杼背部第二行、風門肺俞厥陰四、心俞督俞膈俞强、肝胆脾胃俱挨次、三焦腎氣海大腸、關元小腸到膀胱、中膂白環仔細量、自從大杼至白環、各各節外寸半長、上髎次髎中復下、一空二空腰髁當、會陽陰尾骨外取、附分俠脊第三行、魄户膏肓與神堂、譩譆膈關魂門九、陽綱意舍仍胃倉、肓門志室胞肓續、二十椎下秩邊場、承扶臀横紋中央、殷門浮郄到委陽、委中合陽承筋是、承山飛揚踝跗陽、崑崙仆參連申脉、金門京骨束骨忙、通谷至陰小指旁、共一百卅四穴

經絡循行歌

足太陽經膀胱脉、目内眥上額交巔、支者從巔入耳上角、直者從巔絡腦間、還出下項循肩髆、挾脊抵腰循膂旋、絡腎正屬膀胱府、一支貫臀

入膕傳、一支從髆别貫胛、挾脊循髀合膕行、貫腨出踝循京骨、小指外側至陰全、此經少氣而多血、頭痛脊痛腰如折、目似脫兮項似拔、膕如結兮腨如裂、痔瘧狂癲疾並生、鼽衄目黃、而淚出、顖項背腰尻膕腨病、若動時病皆徹、

經絡循行經文

足太陽之脈、起於目內眥、上額交巔上、其支行者、從巔至耳上角、其直者從巔入絡腦、還出别下項、循肩髆內、挾脊抵腰中、入循膂、絡腎屬膀胱、其支者、從腰中下會於後陰、下貫臀入膕中、其支者、從髆內左右别下貫胛、挾脊內、過髀樞、循髀外後廉、下合膕中、以下貫腨內、出外踝之後、循京骨至小指外側端、

經文集註

足太陽膀胱經之脈起於目內眥睛明穴手太陽之交也、上額循攢竹過眉冲歷曲差五處承光過百會左右相交通天其支行者從巔之百會抵耳上角過足少陽之曲鬢率谷天冲浮白竅陰完骨等六穴所以

散養於筋脉也其直行者由通天絡却玉枕入絡腦復出下項以抵天柱而下過大椎陶道卻循肩髆內挾脊兩旁相去各一寸半下行歷大杼風門肺俞厥陰俞心俞督俞膈俞肝俞胆俞脾俞胃俞三焦俞腎俞大腸俞小腸俞膀胱俞中膂俞白環俞由是抵腰中入循膂絡腎下屬膀胱其支別者從腰中循腰髖下挾脊歷上髎中髎次髎下髎會陽下貫臀至承扶歷殷門入膕中之委中穴其支別者為挾脊兩旁第三行相去各三寸半之諸穴自天柱而下從髆內左右別行下貫胛膂歷附分魄戶膏肓神堂譩譆膈關魂門陽綱意舍胃倉肓門志室胞肓秩邊下歷尻臀過髀樞又循髀樞之裏承扶之外一寸五分之間而下歷浮郄委陽二穴與前之入膕者相合下行循合陽下貫腨內歷承筋承山飛揚附陽出外踝後之崑崙僕參申脈金门循京骨束骨通谷至小指外側之至陰以交於足少陰腎经也、

第七十八課 足太陽膀胱经 共六十七穴

睛明　在目内眥外一分宛宛中針五分留六呼

攢竹　在眉頭陷中針一分留六呼可用細三稜針出血泄热氣眼自明

眉衝　直攢竹上入髮際針三分禁灸

曲差　距神庭旁一寸五分針二分灸三壮

五處　在曲差後五分針三分留七呼灸三壮

承光　在五處後一寸五分針三分禁灸

通天　在百會旁一寸五分針三分留七呼灸三壮

絡卻　在通天後一寸五分針三分留五呼

玉枕　在絡卻後一寸五分針三分留三呼一曰禁針

天柱　在頭腦後大筋外髮際内五分陷中針五分禁灸

大杼　在一椎下節旁一寸五分由脊中取旁開二寸針三分灸十四壮

風門　在二椎下脊中旁二寸針五分留七呼灸五壮

肺俞　在三椎下去脊二寸針三分留七呼灸三壮過深針中肺三日死

厥陰俞　在四椎下去脊二寸正坐取之針三分灸七壯

心　俞　在五椎下去脊二寸正坐取之針三分留七呼

督　俞　在六椎下同上針五分灸二十七壯

膈　俞　在七椎下同上針三分留七呼灸三壯一云可灸百壯

肝　俞　在九椎下同上針三分留六呼灸三壯(素问曰)針中肝五日死

膽　俞　在十椎下同上針五分留七呼灸三壯素问曰針中胆一日半死

脾　俞　在十一椎下同上針三分留七呼灸三壯素问曰針中脾十日死

胃　俞　在十二椎下同上鍼三分留七呼灸三壯一曰随年壯

三焦俞　在十三椎下同上鍼五分灸三壯五壯

腎　俞　在十四椎下同上鍼三分留七呼灸三壯或灸年壯針中腎六日死、

氣海俞　在十五椎下同上鍼五分灸二十一壯

大腸俞　在十六椎下去脊中二寸伏而取之鍼三分留六呼灸三壯

關元俞　在十七椎下同上針五分灸二十七壯

小腸俞　在十八椎下同上伏取針三分留六呼灸三壯
膀胱俞　在十九椎下同上伏取針三分留六呼灸七壯
中膂俞　在二十椎下同上夾脊起肉間伏取針三分留六呼灸七壯
白環俞　在二十一椎下同上伏取鍼五分灸三壯得氣則泄泄後多補禁灸
上髎　平胷元俞內收五分十七椎下節外針五分灸二十一壯
次髎　平小腸俞內收五分節外針五分灸二十一壯
中髎　平膀胱俞內收五分節外針五分灸二十一壯
下髎　平中膂俞內收五分節外針五分灸二十一壯
會陽　長强外開二寸針五分灸七壯
附分　在二椎下去脊中三寸正坐取之針三分灸五壯
魄户　在三椎下去脊三寸半針五分灸五壯可灸百壯
膏肓　在四椎下去脊三寸半取法先令病人正坐微曲脊伸兩手以臂

著膝前令正直勿令動搖乃從胛骨上角摸索至胛骨下頭其間當有

四肋三間依胛骨之際容側指許按其中空處自覺牽引肩

中是其穴也灸七七壯至百壯針五分灸後再灸足三里以引下之

神堂 在五椎下去脊三寸半針三分灸五壯

譩譆 在肩膊內廉六椎下去脊三寸半正坐取之針六分留七呼灸二七壯

鬲關 在七椎下去脊中三寸半陷中正坐開肩取之針五分灸五壯

魂門 在九椎下去脊中三寸半陷中正坐取之針五分灸三壯

陽綱 在十椎下去脊三寸半陷中正坐取之針五分灸三壯七壯

意舍 在十一椎下去脊三寸半正坐取之針五分灸二七壯

胃倉 在十二椎下去脊三寸半正坐取之針五分灸二七壯

肓門 在十三椎下去脊三寸半正坐取之鍼五分灸二七壯

志室 在十四椎下去脊三寸半陷中正坐取之針五分灸七壯

肥肓　在十九椎下去脊三寸半陷中伏取之針五分灸七壯

秩邊　在二十椎下去脊三寸半陷中伏取之針五分灸七壯

承扶　在尻臂下股陰上紋中針七分留五呼灸三壯

殷門　在承扶下五寸三分針七分留七呼灸三壯

浮郄　在殷門下一寸針五分灸三壯

委陽　平委中外兩筋中針七分留五呼灸三壯

委中　在膕中央約紋動脈陷中伏卧取之鍼五分留七呼禁灸

合陽　在委中下四寸大些針六分灸五壯

承筋　在承山上一寸禁針灸針承山時慎勿誤針此穴恐有危險

承山　在委中下八寸半針七分灸五七壯然灸不及針

飛揚　在外踝上七寸針八分灸十四壯

附陽　在崑崙上三寸針八分留七呼灸七壯

崑崙 在足外踝後[illegible]細動脈應手針五分灸三壯

僕參 在崑崙下一寸脚根邊上針三分留七呼灸七壯

申脉 在脚骨拐下金門後針三分留七呼灸三壯

金門 在外踝正下坵墟後針三分灸七壯

京骨 在申脉前三寸針三分留七呼灸七壯

束骨 在京骨前五寸小指外側大孤拐後針三分留三呼灸三壯

通谷 在小指外側本節前孤拐前脚邊紋頭針二分留五呼灸三壯

至陰 在足小指外側去爪甲角如韭葉針一分留五呼灸五壯

第七十九課 足少陰腎経

内経曰腎者作強之官伎巧出焉、腎者主蟄、封藏之本精之處也、其華在髮、其充在骨、為陰中之太陰、通於冬氣、北方黑色入通於腎開竅於耳藏精於腎故病在谿其味鹹其類水其畜彘其穀豆其應四時上為辰星是以知病之在骨也其音羽其數六其臭腐其液唾在聲為呻

經穴歌 左右五十四穴

足少陰穴二十七。湧泉然谷太谿溢。大鐘水泉通照海。復溜交信築賓寬。陰谷膝内跗骨後。已上從足走至膝。橫骨大赫連氣穴。四滿中注肓俞臍。商曲石關陰都寫。通谷幽門寸半闢。折量腹上分十一。步郎神封膺靈墟。神藏彧中俞府畢。

經絡循行歌

足腎經脈屬少陰、斜從小指趨足心、出於然谷循内踝、入根上腨膕内尋、上股後廉直貫脊、屬腎下絡膀胱求、直者從腎貫肝膈、入肺挾舌循喉嚨、支者從肺絡心上、注於胸交手厥陰、此經多氣而少血、是動病飢不欲食、咳唾有血、喝喝而喘、目䀮䀮、心懸、坐起輒善恐如人將捕之、咽腫舌乾兼口熱、上氣心痛、或心煩、黄疸、腸澼、及痿厥、脊股後廉之内痛、嗜卧足下熱而痛、切

經絡循行經文

足少陰之脉、起於小指之下、斜趨足心、出然谷之下、循内踝之後、别入跟中、以上腨内、出膕内廉、上股内後廉、貫脊屬腎、絡膀胱、其直者、從腎上貫肝膈、入肺中、循喉嚨、挾舌本、支者、從肺出絡心、注胸中、

經文集註

足少陰腎之經、起於足小指之下、斜趨足心之湧泉、轉出内踝前、起大骨下之然谷、循内踝下照海、行入内踝後之太谿、下水泉、過跟中之大鍾、上循内踝、行厥陰太陰兩經之後、經本經復溜交信穴、過脾經之三陰交、上腨内、循築賓、出膕内廉、抵陰谷、上股内後廉、貫脊會督脉之長強、还出於前、循橫骨大赫氣穴四滿中注肓俞、當肓俞之所、臍之左右屬腎、

足少陰腎经故其脉属腎下臍過任脉之関元、中極而絡膀胱、膀胱為腎之雄故脉絡膀胱其直行者、従肓俞属腎處、上行循商曲石関陰都通谷諸穴、貫肝上循幽門上膈、歴部郎入肺中、循神封靈墟、神藏彧中俞府、而上循喉嚨、並人迎挟舌本而終絡、其支者、自神藏別出繞心、注心中之膻中、以交于手厥陰心胞絡経也、

第八十課　足少陰腎经　共二十七穴

湧泉　在足心陥中屈指卷指宛宛中、鍼三分留三呼灸三壮

然谷　在公孫後一寸針三分留三呼灸三壮一曰針不宜見血

太谿　在足内踝後五分針三分留七呼灸三壮

大鐘　在照海後一寸半針二分留三呼灸三壮、

照海　在内踝下一寸針四分留六呼灸三壮一曰針三分灸七壮

水泉　在内踝下微後直太谿下針四分灸五壮

復溜　在交信後五分與交信並排針三分留三呼灸五壯七壯

交信　在三陰交下一寸後開些針四分留五呼灸三壯

築賓　在三陰交直上二寸後開一寸二分針三分灸五壯

陰谷　在曲泉後橫直一寸半微下些針四分留七呼灸三壯

橫骨　在赫下一寸肓俞下五寸去中行五分針五分灸三壯五壯甲乙經云一寸

大赫　在氣穴下一寸去中行五分針三分灸五壯千金云三十壯甲乙經作針一寸

氣穴　在四滿下一寸去中行五分針三分灸五壯甲乙經作針一寸

四滿　在中注下一寸去中行五分針三分灸三壯甲乙經云針一寸千金云灸百壯

中注　在肓俞下一寸去中行五分針一寸灸五壯一云針五分

肓俞　在商曲下一寸半直臍傍相去五分針一寸灸五壯一云針五分

商曲　在石關下二寸去中行五分針一寸灸五壯一云針五分

石關　在陰都下二寸少去中行五分針一寸灸三壯一云針五分

陰都　在通谷下二寸少去中行五分針三分灸三壯甲乙經曰針一寸

通谷　在幽門下二寸少去中行五分針五分灸五壯

幽門　在巨闕傍各五分針五分灸五壯

步廊　在中庭傍二寸針三分灸五壯

神封　在步廊上二寸少去中行二寸針三分灸五壯

靈墟　在神封上二寸少去中行二寸針三分灸五壯

神藏　在靈墟上二寸少去中行二寸針三分灸五壯

彧中　在神藏上二寸少去中行二寸針四分灸五壯

俞府　在彧中上二寸少去中行二寸針三分灸五壯

第八十一課　手厥陰心包絡經

滑氏曰、手厥陰心主又曰心包絡何也曰君火以名相火以位手厥陰代君火行事、以用而言故曰手心主以經而言曰心包絡、一經而二名實相火也、

经穴歌　共左右十八穴

九穴心包手厥陰、天池天泉曲澤深、郄門間使内関对、大陵勞宫中衝侵、

经絡循行歌

手厥陰经心主標、心包下膈絡三焦、起自胸中支出脇、下腋三寸循臑迢、太陰少陰中間走、入肘下臂兩筋超、行掌心從中指出、支從小指次指交、是经少氣原多血、是動則病手心热、一是主脉所生病者、掌热心煩心痛掣、

经絡循行经文

手厥陰心主之脉、起于胸中、出屬心包、下膈、歷絡三焦、其支者、循胸出脅、下腋三寸、上抵腋下、下循臑内、行太陰少陰之間、入肘中、下臂、行兩筋之間、入掌中、循指、出其端、其支別者、掌中循小指次指出其端、

经文集註

手厥陰心包絡之脉、起于胸中、心主者心之所主也、包絡為心之府故名、出屬心下之包絡、受足少

陰之交也、由是下膈、歷絡三焦、（三焦為腸之雄、故心包絡脉、歷絡三焦之经、諸经者無歷字、此獨有之、達上中下也）歷者謂三焦、各有部署、在胃脘上中下之間、其脉分絡于焦也、其支者、自屬心胞上、循胸出脇下腋三寸天池穴、上行抵腋下、下循臑内之天泉、以界手太陰肺经、手少陰心经兩经之中間、（太陰行臑之前、少陰行臑之後、而心主行其中也）入肘中之曲澤穴、又由肘中下臂兩筋之間、循郄門、間使、内關、大陵、入掌中勞宮、循中指出其端之中冲穴、其支行者、自勞宮別循無名指出其端、而交于手少陽三焦也、

第八十二課　手厥陰心包絡

天池　在乳後一寸下五分針三分灸三壯

天泉　在臂内極泉直下一寸大些針六分灸三壯一曰針二分

曲澤　在臂内廉橫紋正中居手太陰尺澤之後針三分留七呼灸三壯

郄門　在掌後去腕五寸針三分灸五壯

間使　在掌後三寸針三分留七呼灸五壯

内関 在掌後去腕二寸兩筋間與外関相對針五分灸五壯
大陵 在掌後正横紋陷中針三分留七呼灸三壯
勞宮 在掌心屈中指無名指取之居中是穴針二分灸三壯
中衝 在手中指端去爪甲如韭葉針一分留三呼灸一壯

第八十三課 手少陽三焦经

内经曰三焦者决瀆之官水道出焉、又云上焦如霧、中焦如漚、下焦如瀆、人心湛寂欲想不興則精氣散在三焦榮華百脉及其想念一起慾火熾然翕撮三焦精氣流溢并於命門輸瀉而去故號此腑為三焦

经穴歌

二十三穴手少陽、関衝液門中渚旁、陽池外関支溝正、會宗三陽四瀆長、天井清冷渊消濼、臑會肩髎天髎堂、天牖翳風瘈脉青、顱息

角孫絲竹張禾髎耳門聽有常　左右四十六穴

經絡循行歌

手少陽經三焦脉　起手小指次指間　循腕出臂之兩骨　貫肘循臑外上肩　交出足少陽之後　入缺盆布膻中　傳散絡心包而下　膈循屬三焦　表裏聯支從膻中缺盆出　上項出耳上角　出頰以出下頰而至䪼　支從耳後入耳緣　出走耳前交兩頰至目銳眥　胆經連　是經少血還多氣　耳聾嗌痛及喉痺　氣所生病汗多出　頰腫痛及目銳眥　耳後[illegible]臑肘臂外皆痛　廢及小次指

經絡循行經文

手少陽之脉　起於小指次指之端　上出兩指之間　循手表腕　出臂外兩骨之間　上貫肘　循臑外上肩　而交出足少陽之後　入缺盆　交膻中　散絡心包　下膈　循屬三焦　其支者　從膻中上出缺盆　上項　挾耳後　出耳上角　以屈下頰至䪼　其支者　從耳後入耳中　出走耳前　過客主人　交頰至目銳眥而終

经文集註

手少陽三焦經之脉起於小指次指之端關衝穴上屈歷液門中渚四指之間循手表腕之陽池出臂外兩骨之間至天井穴從天井上行循臂臑之外歷清冷淵消濼行手太陽之裏手陽明之外上肩循臑會肩髎交出足少陽之後、足少陽在手少陽之後上肩而手少陽復在其後過秉風肩井下入缺盆復由足陽明之外而會於膻中之上焦散布絡繞於心包絡心包絡為三焦之雌故三焦亦絡心包也乃下膈入絡膀胱以約下焦附右腎而生所謂偏屬三焦者手少陽為三焦之經故其脉偏屬三焦、其支行者從膻中而上出缺盆之外上項過大椎循天牖上耳後經翳風瘈脉顱息直上出耳上角至角孫過懸厘頷厭及過陽白睛明屈曲下頰至䪼會顴髎之分其又支行者從耳後翳風穴入耳中過聽宮歷耳門禾髎卻出至目銳眥會童子髎循絲竹空而交於足少陽膽經也、

第八十四課　手少陽三焦經考正穴法

關衝　在手無名指外側去爪甲角如韭葉　針一分留三呼灸三壯

液門　在手小指次指根间合缝纹頭針三分留二呼灸三壮

中渚　在手無名指與小指本節後骨陷中針二分留三呼灸三壮

陽池　在手表腕上陷中自本節後骨直對腕中針二分留六呼灸三壮

外關　在陽池後二寸兩筋间陷中針三分留七呼灸三壮

支溝　在陽池後三寸針二分留七呼灸七壮

會宗　平支溝向外一寸禁針可灸三壮

三陽絡　陽池後四寸對支溝禁針可灸三壮

四瀆　陽池後五寸禁針可灸三壮

天井　以手摸肩大臂湾上一寸二大骨陷中針八分灸十四壮

清冷淵　在肘後寸半距天井一寸針三分灸三壮

消濼　在臂臑上二寸後開一寸針五分灸五壮

臑會　在消濼上二寸微前針五分灸五壮

肩髎　在肩髃後肩端陷中針七分灸七壮

天髎　在肩井内一寸後開八分肩外俞上一寸針八分灸三壮

天牖　在風池下一寸微外些針一分留七呼不宜補及灸化之令人面腫

翳風　在耳根下八分[illegible]一分七壮

瘈脉　在翳風上一寸稍近耳根針一分灸三壮

顱息　在瘈脉上一寸大些針一分灸三壮（以上翳風瘈脉顱息三穴禁出血）

角孫　在客主人上一寸針三分灸三壮

耳門　在耳前肉峯下缺口外針三分留三呼灸三壮

和髎　在眉直後髮際針三分灸三壮（灸甚傷目）

絲竹空　在眉尾直對陷中鍼五分留三呼禁灸

第八十五課　足少陽膽經

内经曰膽者中正之官决断出焉凡十一经皆取决於膽也膽為青腸

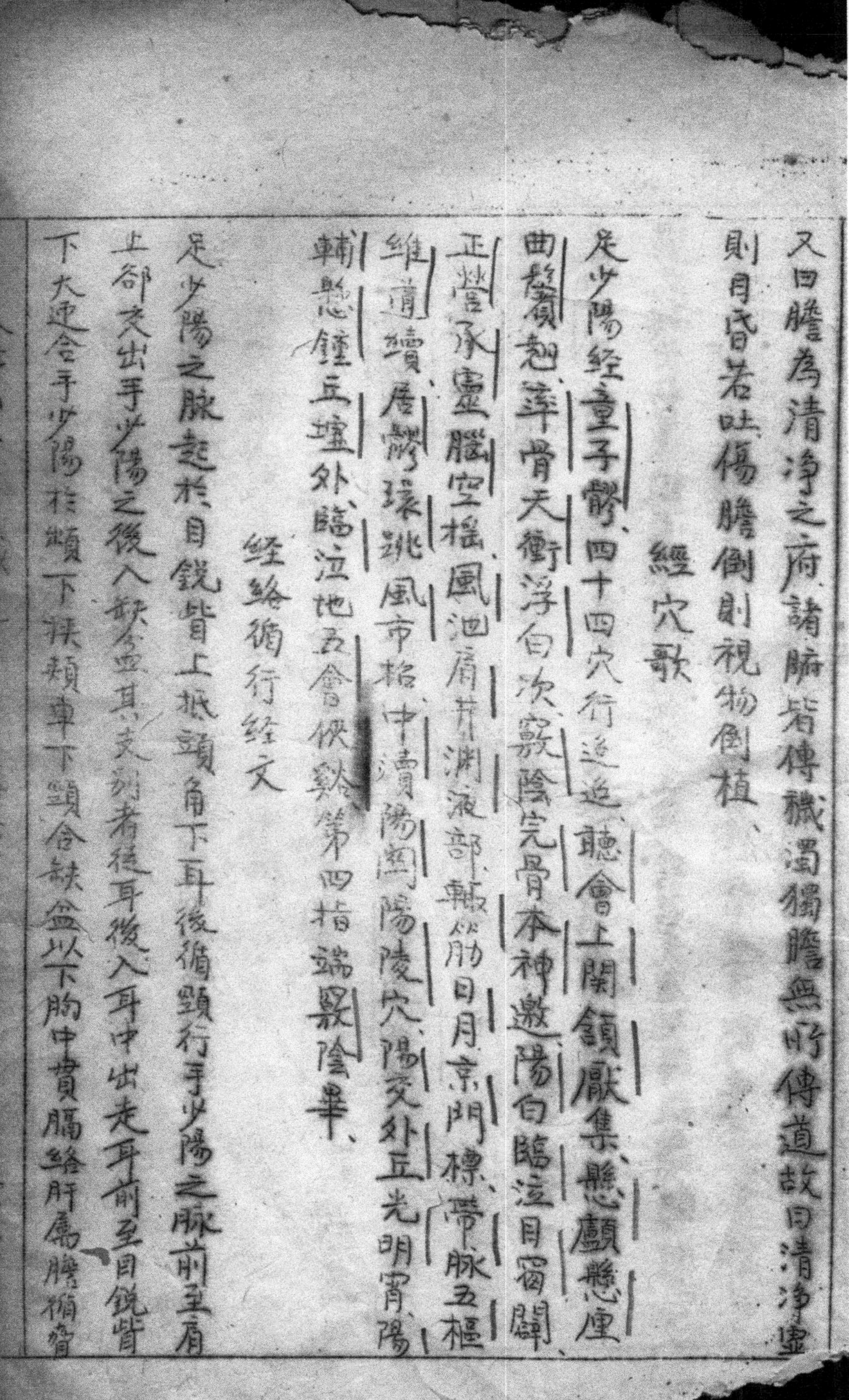

又曰膽為清淨之府、諸腑皆傳穢濁、獨膽無所傳道、故曰清淨處、則目昏若吐、傷膽倒則視物倒植、

經穴歌

足少陽經瞳子髎、四十四穴行迢迢、聽會上關頷厭集、懸顱懸厘曲鬢翹、率谷天衝浮白次、竅陰完骨本神邀、陽白臨泣目窗闢、正營承靈腦空搖、風池肩井淵液部、輒筋日月京門標、帶脈五樞維道續、居髎環跳風市招、中瀆陽關陽陵穴、陽交外丘光明宵、陽輔懸鐘丘墟外、臨泣地五會俠谿、第四指端竅陰畢、

經絡循行經文

足少陽之脉起於目銳眥、上抵頭角、下耳後、循頸行手少陽之脉前、至肩上、卻交出手少陽之後、入缺盆、其支別者、從耳後入耳中、出走耳前、至目銳眥下大迎、合手少陽於䪼、下挾頰車、下頸合缺盆、以下胸中、貫膈絡肝屬膽、循脅

裏出氣街繞毛際橫入髀厭中其支者從缺盆下腋循胸中過季脅下合髀厭中以下循髀陽出膝外廉下外輔骨之前直下抵絶骨之端下出外踝之前循足附上出小指次指之端其支者從附上入大指骨内出其端還貫爪甲出三毛、

經文集註

足少陽膽經之脉、起於目銳眥之童子髎、由聽會過客主人上抵頭角循頷厭下懸顱懸釐由懸釐上循耳上髮際至曲鬢率谷外折下耳後循天衝浮白竅陰完骨又自完骨外折循本神過曲差下至陽白會睛明上行循臨泣目窻正營承靈腦空風池至頸過天牖行手少陽之脉前下至肩上循肩井卻左右交出手少陽之後、足少陽行頸行手少陽之前至肩上手少陽從在足少陽之前、過大椎大杼秉風當秉風前入缺盆之外其支者從耳後顳顬間過翳風之分入耳中過聽宮復自聽宮至目銳眥童子髎之分其支者別自目外童子髎、而下大迎合手少陽於䪼、而當顴髎之分下臨頰車下

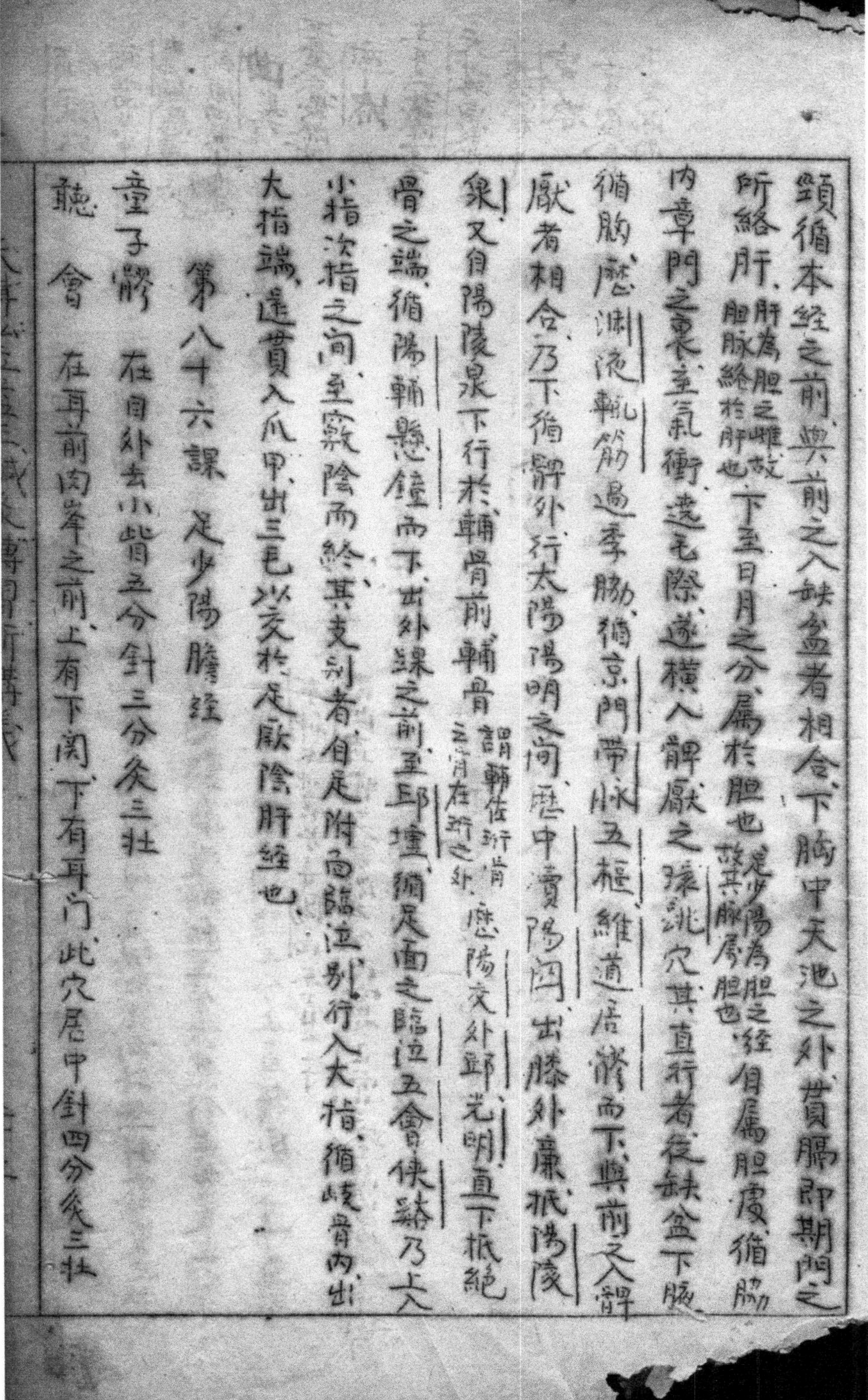

頸循本經之前與前之入缺盆者相合下腋中天池之外貫膈即期門之所絡肝（肝為胆之雌故胆脉絡於肝也）下至日月之分屬於胆也（足少陽為胆之經故其脉屬胆也）自屬胆處循脇內章門之裏至氣衝遶毛際遂橫入髀厭之環跳穴其直行者從缺盆下腋循脇歷淵液輒筋過季脇循京門帶脉五樞維道居髎而下與前之入髀厭者相合乃下循髀外行太陽陽明之間歷中瀆陽關出膝外廉抵陽陵泉又自陽陵泉下行於輔骨前輔骨（謂輔佐䯒骨之骨在䯒之外）歷陽交外丘光明直下抵絕骨之端循陽輔懸鐘而下出外踝之前至丘墟循足面之臨泣五會俠谿乃上入小指次指之間至竅陰而終其支別者自足附面臨泣別行入大指循歧骨內出大指端還貫入爪甲出三毛以交於足厥陰肝經也

第八十六課 足少陽膽經

童子髎 在目外去小眥五分針三分灸三壯

聽會 在耳前陷中之前上有下關下有耳门此穴居中針四分灸三壯

頷厭穴 在顳顬維曲鬢中
懸顱懸釐二穴 在頷厭曲鬢中排勻
曲鬢 在耳上入髮際一寸
率谷 在耳上入髮際一寸半
天衝浮白竅陰 在率谷完骨二穴中
完骨 在耳後入骨下髮際內

客主人　在下關上五分針一分留三呼灸三壯甲乙經曰針太深令人耳無聞

頷厭　在懸顱上五分與風池上下相對有二寸風池微向外些針三分灸三壯

懸顱　與竅陰並竅陰在前懸顱在後相距三分大些針三分灸三壯

懸釐　與完骨並完骨在前懸釐在後相距三分上直頷厭一寸下直風池一寸針三分灸三壯

本神 在神庭旁三寸　陽白 在眉上一寸　臨泣 直瞳子入髮際五分　目窗 正營 二穴在臨泣承靈之中排勻

曲鬢　在耳上入髮際一寸微後些直顱息針三分灸三壯

率谷　在耳上直入髮際一寸高於曲鬢相距八分針三分灸三壯

天衝　在頷厭上四分橫直浮白針三分灸三壯

浮白　在耳上輪根入髮際一寸橫直天衝針三分灸三壯

竅陰　在浮白下一寸瘈脈後八分微上處髮際下針三分灸三壯

完骨　在竅陰下七分髮際中針三分留七呼灸三壯

本神　在臨泣旁一寸入髮際五分針三分灸七壯

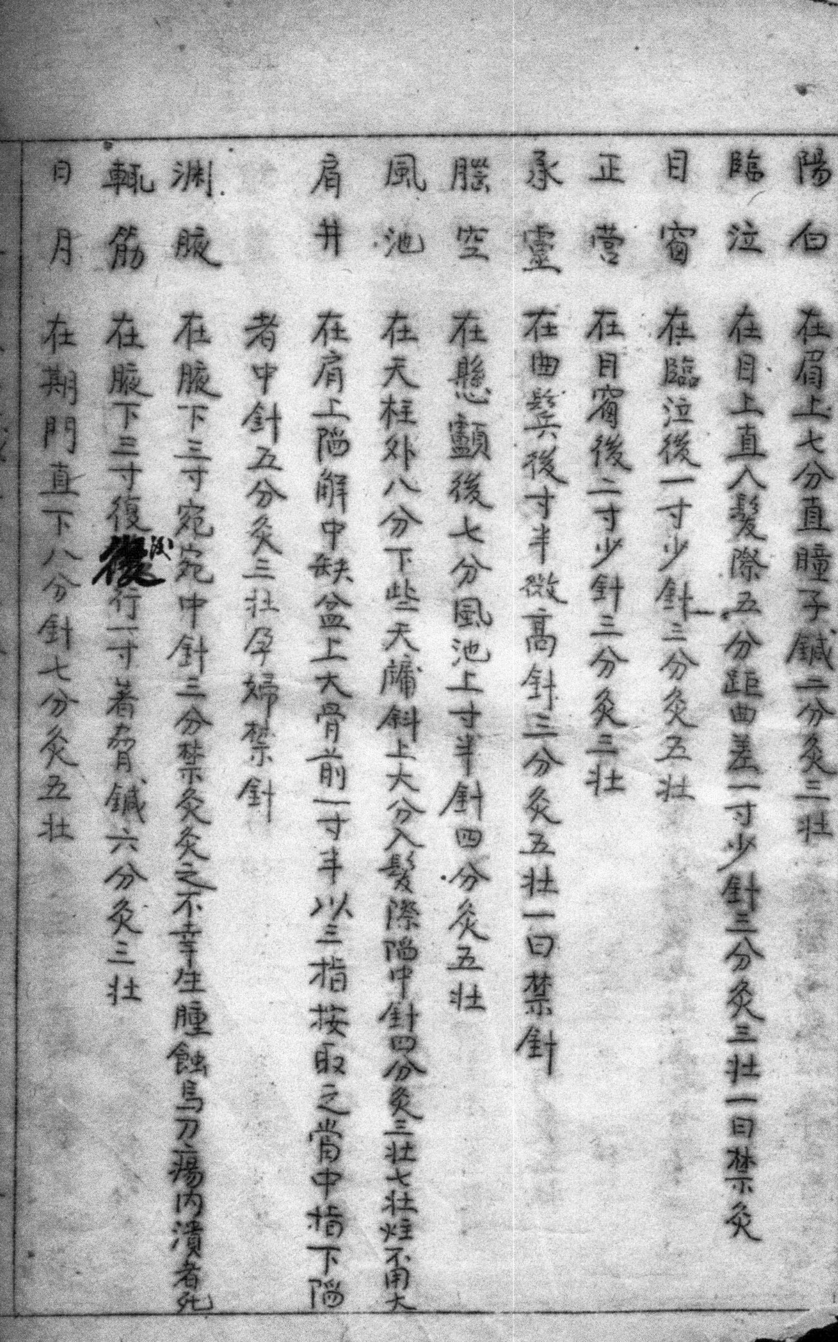

陽白　在眉上七分直瞳子鍼二分灸三壯

臨泣　在目上直入髮際五分距曲差一寸少針三分灸三壯一曰禁灸

目窗　在臨泣後一寸少針三分灸五壯

正營　在目窗後二寸少針三分灸三壯

承靈　在曲鬓後寸半微高針三分灸五壯一曰禁針

腦空　在懸顱後七分風池上寸半針四分灸五壯

風池　在天柱外八分下些天牖斜上大分入髮際陷中針四分灸三壯七壯炷不用大

肩井　在肩上陷解中缺盆上大骨前一寸半以三指按取之當中指下陷者中針五分灸三壯孕婦禁針

淵腋　在腋下三寸宛宛中針三分禁灸灸之不幸生腫蝕馬刀瘍內潰者死

輒筋　在腋下三寸復後行一寸著脅鍼六分灸三壯

日月　在期門直下八分針七分灸五壯

京門　直對章門外開二寸針三分留七呼灸三壯一云針八分

帶脉　在京門直下二寸鍼六分灸五壯

五樞　在帶脉直下二寸鍼一寸灸五壯

維道　對章門直下七寸針八分灸三壯

居髎　在維道下二寸後開五分環跳前橫直環跳相去三寸微高些針八分

環跳　在髀樞中側卧伸下足屈上足取之有大空鍼一寸留十呼灸三壯

風市　在中瀆上寸許針五分灸三壯

中瀆　在髀骨外膝上五寸分肉間陷中鍼五分留七呼灸五壯

陽關　在膝眼旁一寸針五分禁灸

陽陵泉　在三里上六分橫開二寸針六分留十呼灸七壯至七七壯

陽交　在外踝上七寸針六分留七呼灸三壯

外丘　在外踝上七寸與陽交在一處外丘在前陽交在後外丘高三分針三分灸三壯

光明　在懸鐘上一寸八分針六分留七呼灸五壯

陽輔　在光明懸鐘二穴之中微倚外鍼三分留七呼灸三壯

懸鐘　在足外踝上三寸當骨尖前動脉中鍼六分留七呼灸五壯

丘墟　在足外踝下微前陷中鍼五分留七呼灸三壯

臨泣　距俠谿一寸六分距地五會一寸針二分留五呼灸三壯

地五會　俠谿後一寸針一分禁灸甲乙經曰灸之令人瘦不出三年死

俠谿　在足小指次指間合縫紋頭岐骨間針三分留三呼灸三壯

竅陰　在足小指次指外側去爪甲如韭葉針一分留三呼灸三壯

第八十七課　足厥陰肝經

內經曰肝者將軍之官謀慮出焉、肝者罷極之本魂之居也其華在爪其充在筋以生血氣為陽中之少陽通於春氣

東方青色入通於肝開竅於目藏精於肝故病發驚駭其味酸其類草

木其畜鷄其穀麥其應四時上爲歲星是以知病之在筋也其音角其數八其臭臊其液泣在聲爲呼

经穴歌

一十三穴足厥陰、大敦行間太衝侵、中封蠡溝中都近、膝關曲泉陰包臨、五里陰廉羊矢穴、章門常對期門深、共二十六穴

經絡循行经文

足厥陰之脉起於大指叢毛之際、上循足跗上廉出內踝一寸、上踝八寸、交出太陰之後、上膕內廉循股陰入毛中、環陰器抵少腹挾胃屬肝絡胆上貫膈布脇肋循喉嚨之後、入頏顙連目係出額與督脉會於巔其支者、從目系下頰裏環唇內、其支者復從肝別貫膈上注肺中、

经文集註

足厥陰肝之经、起於足大指叢毛之大敦、循足附上廉、歷行間太衝、抵

内踝前一寸之中封，自中封上踝過三陰交，歷蠡溝中都，復上一寸，交出太陰之後，（足厥陰经行足太陰之前，上踝八寸，而厥陰復太陰之後也）上膕内廉，至膝関曲泉，循股内之陰包，五里，陰廉，遂當冲门府舍之分，入毛際中，左右相環遶陰器，抵小腹，而上会曲骨中極関元，復循章門至期門之所，挾胃属肝（足厥陰為胆之雌，故其脉属於肝）下日月之分，絡於胆也（胆者肝之雄，故肝脉络於胆）又自期門上貫膈，行食竇之外，大包之内，散布脇肋，上雲门淵液之間，人迎之外，循喉嚨之後，上出頏顙，行大迎地倉四白陽白之外，連目系，上出額，行臨泣之裏，與督脉相會於巔頂之百会。其支行者，從目系下行任脉之外，本经之裏，下頬裏，交環於唇之内。其又支者，從期门属肝處，別貫膈，行食竇之外，本经之裏，上注肺，下行至中脘之分，以交於手太陰肺经也。（十二经一周已尽）

第八十八課　足厥陰肝经考正穴法

大敦　在足大指爪甲根後四分，節前，針二分，留十呼，灸三壮

天津私立益三針灸傳習所講義　三十

行間　大指次指合縫後五分針三分留十呼灸三壯

太衝　在行間後寸半横距陷谷一寸少針三分留十呼灸三壯

中封　在内踝前一寸微下些針四分留七呼灸三壯千金云五十壯

蠡溝　在内踝前上五寸針二分留三呼灸三壯

中都　在蠡溝上二寸半針三分留六呼灸五壯

膝関　在犢鼻下二寸二分向裏横開寸半下直中都相距五寸　針四分灸三壯

曲泉　在横紋頭鍼六分留七呼灸三壯

陰包　在股内廉膝上三寸横直陰市針六分灸七壯

五里　横直髀関針六分灸五壯

陰廉　五里上一寸針八分留三呼灸三壯

羊矢　一名急脈在曲骨旁三寸禁針可灸五壯

章门　平下脘外開六寸妙手針二寸灸七壯

期门　平巨闕外開四寸五分妙手針五分灸七壯

第八十九課　奇經八脈之[illegible]任脈

前胸中行之大脈也此經不取井滎俞經合也脈起中極之下以上毛際循腹裏上關元至喉嚨屬陰脈之海以人之脈絡周流於諸陰之分譬猶水也而任脈則為之總会故名曰陰脈之海焉用鍼用藥當分男女婦女月事多主衝任是任之為言妊也乃婦人生養之本調攝之源督則由會陰而行背任則由會陰而行腹人身之有任督猶天地之有子午也人身之任督以腹背言天地之子午以南北言可以分可以合者也分之以見陰陽之不離合之以見渾淪之無間一而二二而一也盖明任督以保其身亦猶明君能愛民以安其國也民弊國亡任衰身謝此至理也此脈於胃脘之上中下三部刺之最多也

任脈經穴歌

任脈三八起陰會曲骨中極關元銳石門氣海陰交仍神闕水分下脘

配建里中上脘相連巨闕鳩尾蔽骨下守庭膻中慕玉堂紫宮華蓋璇璣衣天突結喉是廉泉唇下宛宛承漿舍

經絡循行經文

素問骨空論曰任脈者起於中極之下以上毛際循腹裏上關元至咽喉上頤循面入目

靈樞五音五味篇曰衝脈任脈皆起於胞中上循背裏為經絡之海其浮而外者循腹上行會於咽喉別而絡口唇

經文集註

任脈者起於中極之下中極者穴名也在少腹巨毛處之上毛際也中極之下謂曲骨之下會陰穴也以上毛際循腹裏上關元者謂從會陰循內上行會於衝脈為經絡之海也其浮而外者循腹上行應本經中行諸穴至於咽喉別絡口唇至於承漿而終上頤循面入目至睛明

者，謂不直交督脉，由足陽明承泣穴，上頤循面，入目内眥之足太陽睛明穴，始交於督脉，總為陰脉之海也。

第九十課 任脉考正穴法

會陰 在大便前小便後兩陰間正中針二寸留三呼灸三壯一曰禁針

曲骨 在横骨上中極下一寸毛際陷中動脉針一寸五分留七呼灸三壯

中極 在臍下四寸針八分留十呼灸三壯一曰可灸百壯孕婦不可灸

關元 在臍下三寸針八分留七呼灸七壯甲乙經云針二寸婦人針之無子

石門 在臍下二寸針六分留七呼灸五壯婦人禁針犯之終身絕孕

氣海 在臍下一寸半宛宛中針八分灸五壯孕婦不可灸

陰交 在臍下一寸針八分灸五壯一曰灸百壯孕婦不可灸

神闕 在當臍中灸三壯禁針針之令人惡瘍潰失死不治

水分 在臍上一寸下脘下一寸禁針灸五壯甲乙經曰針一分孕婦不可灸

下脘　在建里下一寸臍上二寸針八分灸五壯孕婦不可灸

建里　在臍上三寸中脘下一寸針五分留十呼灸五壯一云宜針不宜灸孕婦忌之

中脘　在臍上四寸上脘下一寸針八分灸七壯孕婦不可灸

上脘　在臍上五寸巨闕下一寸半去蔽骨三寸針八分灸五壯孕婦忌灸

巨闕　在鳩尾下一寸針六分留七呼灸七壯

鳩尾　在臆前蔽骨下五分無蔽骨者從岐骨際下行一寸禁針灸

一云可針三分灸三壯此穴大難下針非甚妙高手不可輕針也

中庭　在膻中下一寸六分陷下仰而取之針三分灸五壯

膻中　在玉堂下一寸六分橫兩乳孔間仰卧取之禁針灸

玉堂　在紫宮下一寸六分陷中仰而取之針三分灸五壯

紫宮　在華蓋下一寸六分陷中仰而取之針三分灸五壯

華蓋　在璇璣下一寸六分陷中仰而取之針三分灸五壯

璇璣　在天突下一寸陷中仰而取之針三分灸五壯

天突　在結喉下三寸宛宛中針五分留三呼灸三壯甲乙經低頭取之針一寸

廉泉　在頷下結喉上中央舌本下仰而取之針三分留三呼灸三壯

承漿　在頤前下唇稜下陷中針二分留五呼灸三壯

第九十一課　督脉

此脉不取井滎俞原經合也、脉起下極之腧、並於脊裏、上至風府、入腦上巔、循額至鼻柱、屬陽脉之海、以人之脉絡、周流於諸陽之分、譬之猶水也、而督脉則為之都綱、故名曰海焉、用藥難拘定法、針灸貴察病源、

督脉經穴歌

督脉中行二十七、長強腰俞陽關密、命門懸樞接脊中、筋縮至陽靈臺逸、神道身柱陶道長、大椎平肩二十一、啞門風府腦戶深、强間後頂百會率、前頂顖會上星圓、神庭素髎水溝窟、兌端開口唇

中央斷交唇內任督畢、

經絡循行歌

督病少腹衝心痛，不得前後衝疝攻、其在女子為不孕，嗌乾遺溺及痔癃、任病男疝女瘕帶、衝病裏急氣逆衝、

督起小腹骨中央，入繫廷孔絡陰器、會篡至後別繞臀，與巨陽絡少陰比、上股貫脊屬腎行、上同太陽起內眥，上額交巔絡腦間，下項循肩仍挾脊、抵腰絡腎循男莖，下篡亦與女子類，又從少腹貫臍中、貫心入喉頤及唇，上繫目下中央際，此為並任亦同衝，大抵三脈同一本、靈素言之每錯綜、

經絡循行文

督脈者，起於下極之俞，並於脊裏，上至風府，入腦上巔，循額至鼻柱，屬陽脈之海也、

素問骨空論曰、督脉者、起於少腹以下骨中央、女子入繫廷孔、其孔溺孔之端也、其絡循陰器、合篡間、繞篡後、別繞臀至少陰與巨陽中絡者合、少陰上股內後廉、貫脊屬腎、與太陽起於目內眥、上額交巔上、入絡腦、還出別下項、循肩髆內、挾脊抵腰中、入循膂絡腎、其男子循莖下至篡與女子等、其少腹直上者、貫臍中央、上貫心入喉、上頤環唇、上系兩目之下中央、

經文集註

督脉者、起於少腹下中央、謂男女少腹以下橫骨中央、即女子入繫廷孔之端、男子陰器合篡間也、男子陰莖盡處、精室孔溺孔、合併一路合篡處也、即女子胞孔溺孔合併之處、廷孔之端、即下文曰與女子等也（女子溺孔在前陰中橫骨之下孔、之上際、謂之端、乃督脉外陽之所、雖言女子並男子溺孔、亦橫骨下之中央、為宗筋所滋故不見耳）其絡循陰器、合篡間、繞篡後、是為本絡、外合太陽中絡也、別絡繞臀、是為別絡、內並少陰腹

裏也、故经曰、至少陰與巨陽、中絡者合也、至少陰者循行上股内後廉也與任脉上會於関元、貫脊屬腎、是少陰之脉、上股内後廉、是太陽之脉外行者、遶髀樞、中行者挟脊貫臀、故此督脉之别、繞臀、至少陰之分、與巨陽中絡者、合少陰之脉、並行而貫屬腎也、挟脊上行、與衝脉会於腹氣之街、故经曰、自少腹上貫臍中央、上貫心入喉、上頤環唇、内行至督脉断交、而繞外行、故系两目之下中央、循行目内眥、会於太陽、故经曰、與太陽起於目内眥、上額交巅上、入絡脳、还脳還出、别下項、循肩膊内、挟脊抵腰中、入循膂絡腎、後会於少陰、此督脉之循行也

第九十二課 督脉考正穴法

長强 在脊骶骨端伏地取之

腰俞 在二十一椎節下間宛宛中、針二分、留七呼、灸五壮、一曰針五分、灸七七壮

陽関 在十六椎節下間伏而取之、針五分、灸三壮

命门 在十四椎節下間伏而取之、針五分、灸三壮、一曰針三分、灸二七壮

懸樞　在十三椎節下伏而取之針三分灸三壯五壯

脊中　在十一椎節下間伏而取之針五分禁灸灸則令人僂

中樞　在第十椎節下間俛而取之針五分禁灸灸之令人腰背傴僂

筋縮　在九椎節下間俛而取之針五分灸三壯五壯

至陽　在七椎節下間俛而取之針五分灸三壯

靈台　在六椎節下間俛而取之針三分灸三壯甲乙経無此穴出氣府論註

神道　在五椎節下間俛而取之針五分留五呼灸五壯

身柱　在三椎節下間俛而取之針五分留五呼灸五壯

陶道　在一椎節下間俛而取之針五分灸五壯一曰針三分

大椎　在第一椎上陷者中針五分留五呼灸五壯大椎為骨會骨病可灸

瘂門　在項後入髮際五分宛宛中仰頭取之針二分不可深禁灸灸之令人瘂

風府　在項後入髮際一寸大筋內宛宛中針三分留三呼禁灸灸之令人瘖

腦户　在枕骨下強間後一寸五分入髮際三寸禁針灸針中腦户入腦立死

強間　在後頂後一寸五分針二分灸五壯一曰禁灸

後頂　在百會後一寸五分枕骨上針二分灸五壯

百會　在前頂後一寸五分頂中央容豆許直兩耳尖針五分灸五壯

前頂　在顖会後一寸五分骨陷中針二分灸五壯一曰灸七七壯

顖會　在上星後一寸陷中針二分灸五壯一曰灸二七壯至七七壯

上星　在鼻上入髮際一寸陷中可容豆許針三分留六呼灸五壯

神庭　直鼻上入髮際五分髮高者際邊是穴針一分

素髎　在鼻準頭針一分禁灸

水溝　即人中針三分留六呼得氣即泄灸三壯

兑端　在上唇端赤白肉際針二分留六呼灸三壯

齗交　在唇內上齒縫中針三分

第九十三課　衝脉

衝脉者與任脉皆起於胞中上循脊裏為經絡之海其浮而外者循腹上行會於咽喉別而絡唇口故曰衝脉者起於氣衝並足少陰經也

經絡循行歌

衝起氣衝並少陰、挾臍上行胸中至、衝為五臟六腑海、五臟六腑所禀氣
上滲諸陽灌諸精、從下衝上取茲義、亦有並腎下行者、注少陰絡氣衝出陰
股內廉入膕中、伏行骭骨內踝際、下滲三陰灌諸絡、以溫肌肉至跗指、

穴名歌

衝脉並於足少陰、巨闕之旁為幽門、通谷陰都石門穴、
商曲肓俞中注分、四滿氣穴與大赫、橫骨之下毛際存
逆氣裏急是其病、難經說並足陽明、

經絡循行經文

素問骨空論曰、衝脉者起於氣街、並於少陰之經挾臍上行至胸中而散。靈樞衛氣篇曰、請言氣街、胸氣有街、腹氣有街、頭氣有街、故氣在頭上者止之於腦、氣在胸者、止之膺與背俞、氣在腹者、止之背俞與衝脉、在臍之左右之動脉者、氣在經者、止之氣街與承山踝止、

經文集註

衝脉者、起於氣衝、是起於腹氣之街也、名曰氣街者、是謂氣所行之街也、一身之大氣積於胸中者、有先天之真氣、是所受者、即人之腎間動氣也、有後天之宗氣、是水穀所化者即人之胃氣也、此所謂起於腹氣之街者、是謂胃中穀氣也、並於少陰者、是並於腎間動氣也、其氣真与穀氣相並挾臍二行、至胸中而散、是謂大氣至胸中分布五臟六腑、諸經而充身者也、靈樞順逆肥瘦篇曰衝脉者五臟六腑之海也、皆陰氣焉、靈樞動俞篇又曰、衝脉者十二經之海也、與少陰之大絡起於、

腎下出於氣街也、靈樞五音五味篇又曰衝脈任脈皆起於胞中者、即此之起於腎下之謂也、而謂起於腎下者、即並於少陰之經、腎經動氣上行也、素問骨空論曰衝脈起於氣街者、即此出於氣街之謂也、又曰起、而曰出者、謂穀氣由陽明胃經出而會氣街也、

第九十四課　帶脈

帶脈者、起於季脇、迴身一周、其為病也、腹滿、腰疼溶溶如坐水中、其脈氣所發、正名帶脈、以其迴身一周如帶也、交與足少陽、會於帶脈五樞維道、此帶脈所發凡六穴、

穴名歌

帶脈起於季肋尖、迴身一週如帶然、其為病也腹脹滿、溶溶如坐水中間、與足少陽三穴會、帶脈五樞維道全、

經絡循行經文

靈樞經脉別篇曰、足少陰上至膕中、別走太陽而合、上至腎、當十四椎出屬帶脉、

難經二十八難曰、帶脉者起於季脇、廻身一週、

經文集註

帶脉本由足少陰經之脉、上至膕中、別走太陽而合腎、當十四椎出屬帶脉、故起於季脇、繞身一週行也、

經文集註

帶脉本由足少陰經之脉、上至膕中、別走太陽而合腎、當十四椎出屬帶脉、故起於季脇、繞身一週行也、

第九十五課 陽蹻脉

陽蹻者起於跟中、循外踝上行入風池、其為病也、令人陰緩而陽急、兩足蹻脉、本太陽之別、合於太陽、蹻脉長八尺、所發之穴生於申脉、本於僕

參郄於附陽與足少陽會於居髎又與手陽明會於肩髃及巨骨又與手太陽陽維會於臑俞又與手足陽明會於地倉及巨髎又與任脈之陽明會於承泣凡挾行共二十穴

穴名歌

陽蹻脈起於跟中、僕參申脈坿陽同、地倉巨髎上承泣、居髎巨骨與肩髃、陽維小陽臑俞會、陰緩陽急病之宗

分寸歌

陽蹻脈起足太陽、申脈外踝五分藏、僕參後繞跟骨下、附陽外踝三寸鄉、居髎監骨上陷取、肩髃一穴肩尖當、肩上之行名巨骨、肩胛之上臑俞坊、口吻旁四分地倉位、鼻旁八分巨髎疆、目下七分是承泣、目內眥外睛明昂

經絡循行經文

靈樞經脉度篇曰、蹻脉者少陰之別、起於然骨之後、上內踝之上直上循陰股入陰、上循腹裏、上入缺盆、上出人迎之前、入頄屬目內眥合於太陽陽蹻而上行、氣並相還、則為濡目、目氣不榮則目不能合、難經二十八難曰、陽蹻脉者、起於跟中、循外踝、上行入風池、陰蹻脉者、亦起於跟中、循內踝上行至咽喉、交貫衝脉、

經文集註

陽蹻之脉、起於足跟之中、上合三陽外踝上行、從脇少陽居髎之穴、上循肩入頸、頰陽明之肩髃、承泣等穴、屬目內眥、而合太陽也、

第九十六課 陰蹻脉

陰蹻者亦起於跟中、循內踝上行至咽喉、交貫衝脉、其為病也令人陽緩而陰急、故曰蹻脉者、少陰之別、起於然谷之後、上內踝之上、直入陰股、循陰股入陰、上循胸裏、入缺盆、上出人迎之前、入鼻屬目內眥、合於太陽

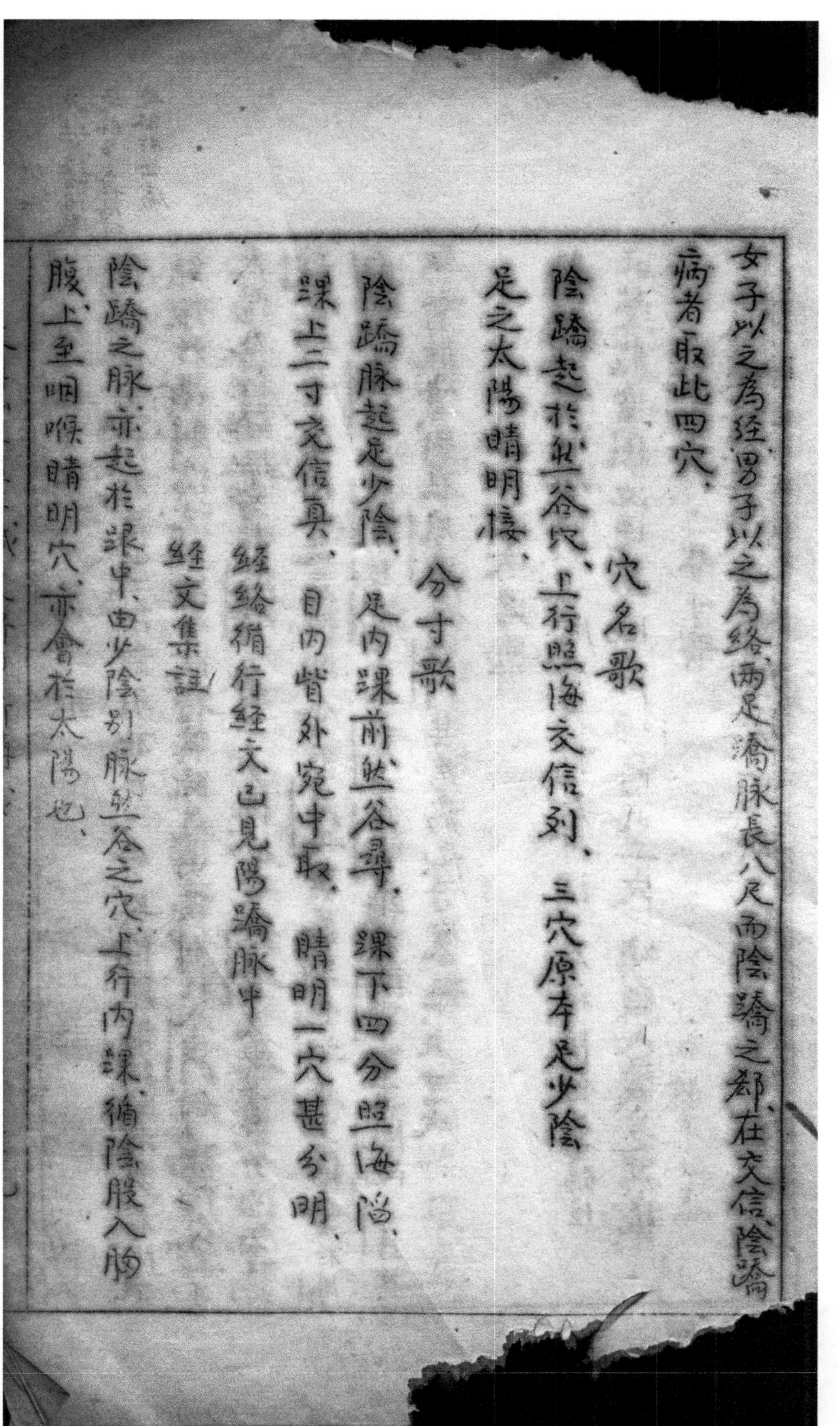

女子以之为经，男子以之为络，两足跷脉长八尺，而阴跷之郄，在交信，阴跷病者取此四穴。

穴名歌

阴跷起于然谷穴，上行照海交信列，三穴原本足少阴，足之太阳睛明接。

分寸歌

阴跷脉起足少阴，足内踝前然谷寻，踝下四分照海陷，踝上二寸交信真，目内眥外宛中取，睛明一穴甚分明。

经络循行经文已见阳跷脉中

经文集注

阴跷之脉亦起于跟中，由少阴别脉然谷之穴，上行内踝，循阴股入胸腹，上至咽喉睛明穴，亦会于太阳也。

陽維脈
為維護諸陽脈之脈多会於陽經之脈於会處

第九十七課　陽維脈

陽維脈者、維於陽、其脈起於諸陽之會、與陰維皆維絡於身、若陽不能維於陽、則溶溶不能自收持、其脈氣所發、別於金门、郄於陽交、與手太陽及陽蹻脈會於臑俞、又與手少陽会於臑會、又與手足少陽会於天髎、又與手足少陽、足陽明會於肩井、其在頭也、與足少陽會於陽白、上於本神及臨泣、目窗、上至正營、承靈、循於腦空、下至風池、日月、其與督脈會、則在風府及啞门、其為病也、苦寒熱、凡廿二穴

穴名歌

陽維脈起於金門、臑俞天髎肩井深、本神陽白並臨泣、正營腦空風池匝、風府啞门此二穴　項後入髮是其根、

分寸歌

陽維脈起足太陽、外踝一寸金门藏　踝上七寸陽交位、

肩後胛上臑俞當、天髎穴在缺盆上、肩上陷中肩井鄉、本神入髮四分許、眉上一寸陽白詳、入髮五分臨泣穴、上行一寸正營塲、枕骨之下腦空位、風池耳後陷中藏、項後入髮啞門穴、入髮一寸風池疆、

經絡循行經文

難經二十八難曰、陽維陰維者、維絡於身、溢畜不能環流灌溢諸經者也、故陽維起於諸陽之會、陰維起於諸陰交也、

經文集註

陽維脉起於諸陽之會、其脉發於足太陽金門穴、在足外踝下一寸五分、上外踝七寸、會足少陽於陽交、為陽維之郄、循膝外廉、上髀厭、抵小腹側、會足少陰於居髎、循脇肋、上肘上、會手陽明、足太陽於臂臑、過肩前、與手少陽會於臑會、天髎、却會手足少陽、足陽明於肩井

入肩後、會於少陽陽交、於臑俞上循耳、會於手足少陽於風池、出腦空、承靈、目窗、臨泣、下額、與手足少陽陽明五脉會於陽白、循頭入耳、上至本神而止。

第九十八課　陰維脉

陰維脉者、維於陰、其脉起於諸陰之交、若陰不能維於陰、則悵然失志、其脉氣所發、陰維之郄、名曰築賓、與足太陰會於腹哀、大横、又與足太陰厥陰會於府舍、期門、與任脉會於天突、廉泉、其為病也、苦心痛、

穴名歌

陰維之穴起築賓、府舍大横腹哀循、期門天突廉泉下

此是陰維脉維陰、

分寸歌

陰維脉起足少陰、内踝之後尋築賓、少腹之下称府舍、

大横平臍是穴名、此穴去中四寸半、行至乳下腹哀明、

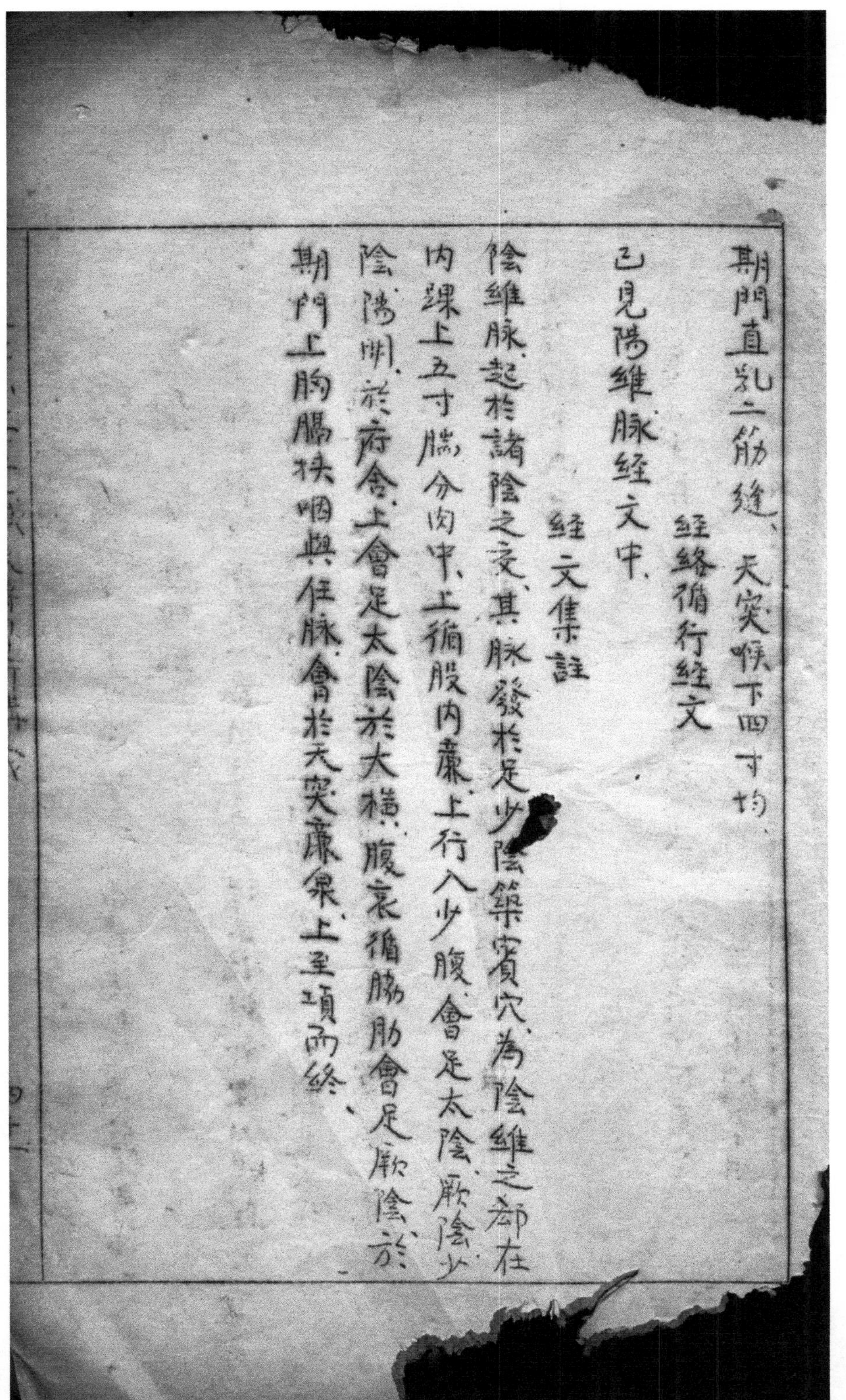

期門直乳二筋縫、天突喉下四寸均、

經絡循行經文

已見陽維脉經文中、

經文集註

陰維脉、起於諸陰之交、其脉發於足少陰築賓穴、爲陰維之郄在內踝上五寸腨分肉中、上循股內廉、上行入少腹、會足太陰、厥陰少陰陽明、於府舍、上會足太陰於大橫、腹哀循脇肋會足厥陰於期門上胸膈挾咽與任脉、會於天突廉泉、上至頂而終、

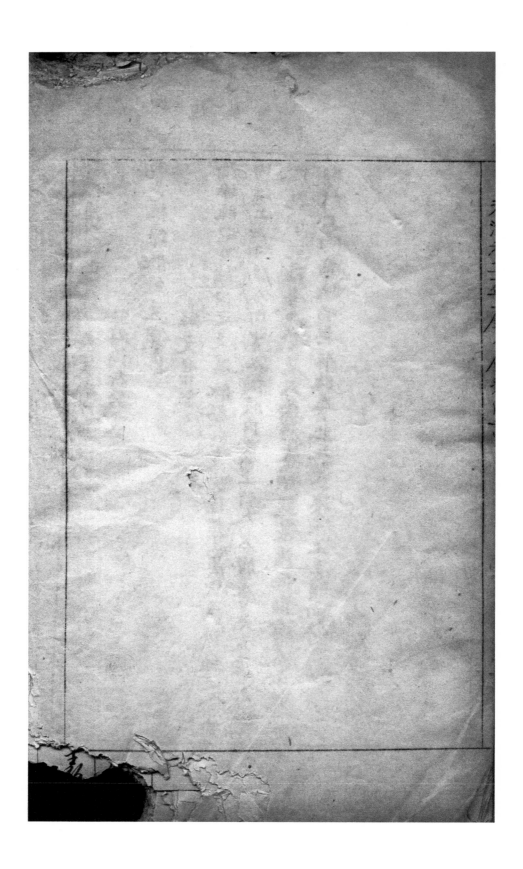

私立叔平针灸学社讲义

提　要

一、作者小传

白叔平，河北安新人，曾创办针灸学社。民国时期，白叔平的弟子中以杨云亭为佼佼者，叔平怜云亭之聪敏，便将其留于身边，协助自己开办叔平针灸学社。该学社举办二期之后，白叔平病故。云亭继其师业。叔平针灸学社于民国三十年（1941）更名为“济南市私立云亭针灸医学社”。

二、版本说明

《私立叔平针灸学社讲义》由山东滨州书友提供，考民国时期的山东针灸办学情况，推测该书应为白叔平办学时期的针灸讲义。

三、内容与特色

《私立叔平针灸学社讲义》现残存一册，首绘脏腑图及所属十二经脉图。全书主要讲述十二经脉和奇经八脉，首论五脏、六腑、脏腑十二经穴起止歌，然后分别介绍十二正经和奇经八脉的经穴歌、经络循行歌、经络循行经文、经文集注等，末附寸关尺图及寸关尺分配脏腑诊候图。从内容上看，该书与《天津私立益三针灸传习所讲义》极其相似，二书都是残存第六十四课至第九十八课内容，《私立叔平针灸学社讲义》仅前后略多一部分内容，二书作者或存在师承关系。

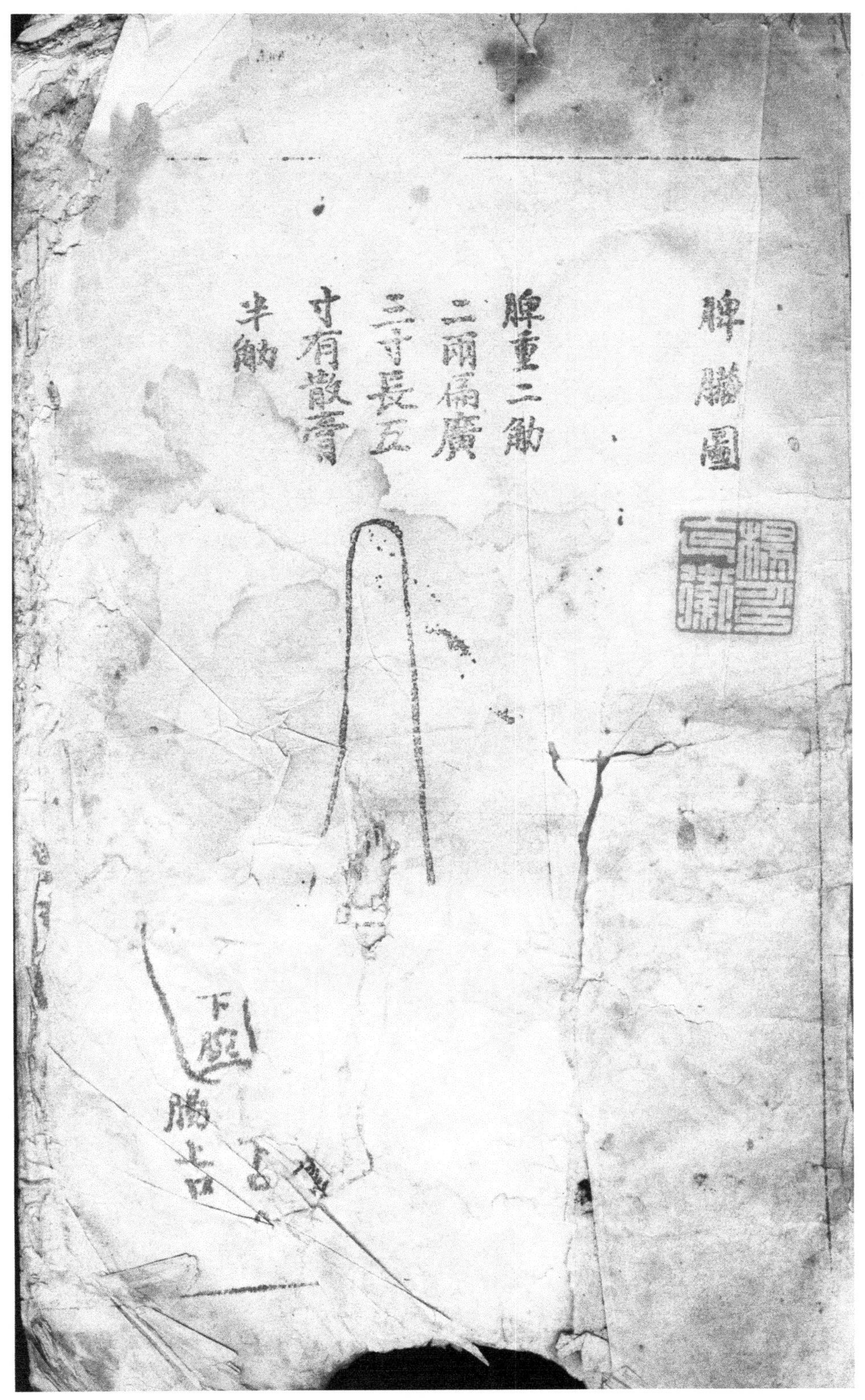
脾臟圖
脾重二觔
二兩扁廣
三寸長五
寸有散膏
半觔

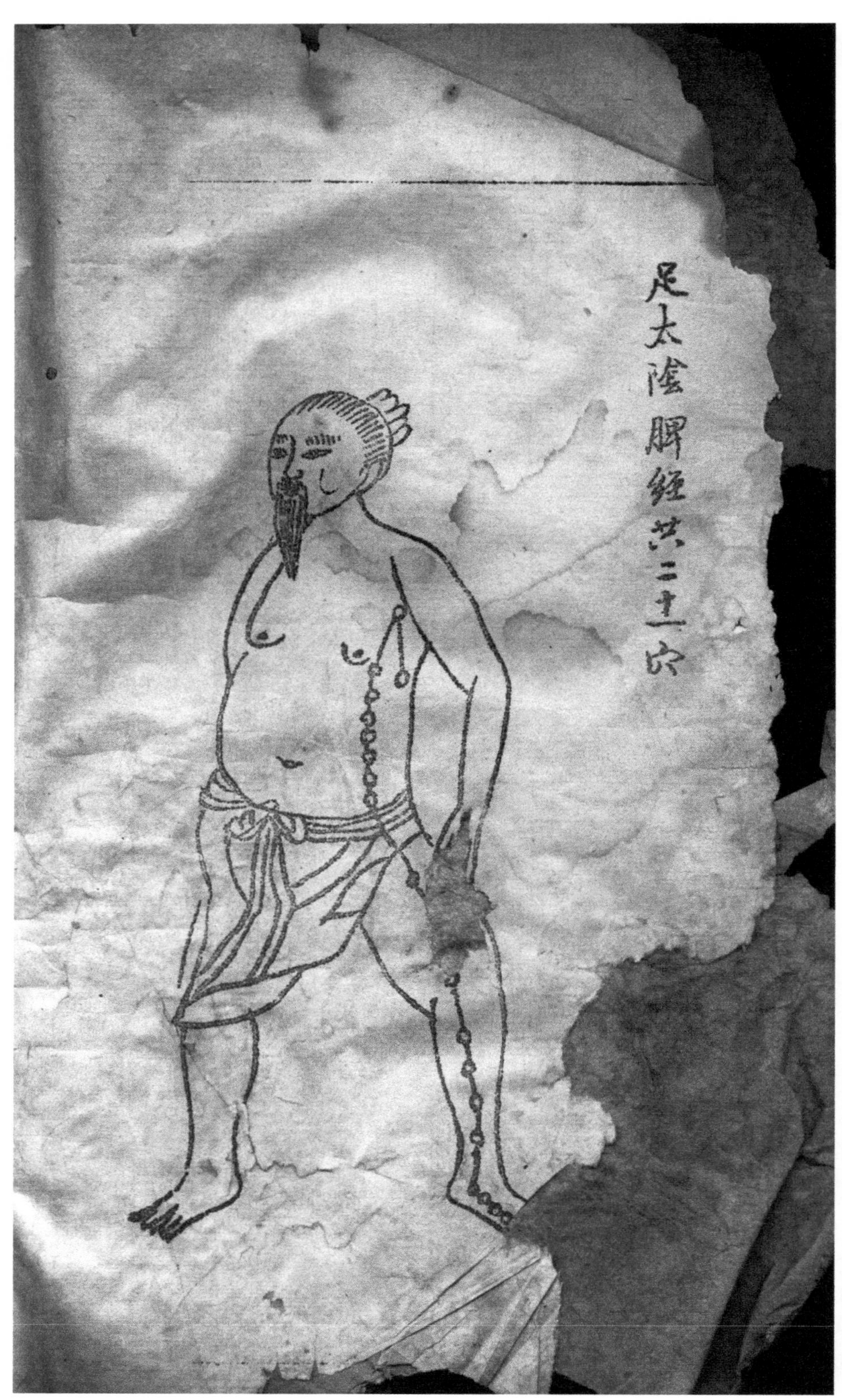
足太陰脾經共二十一穴

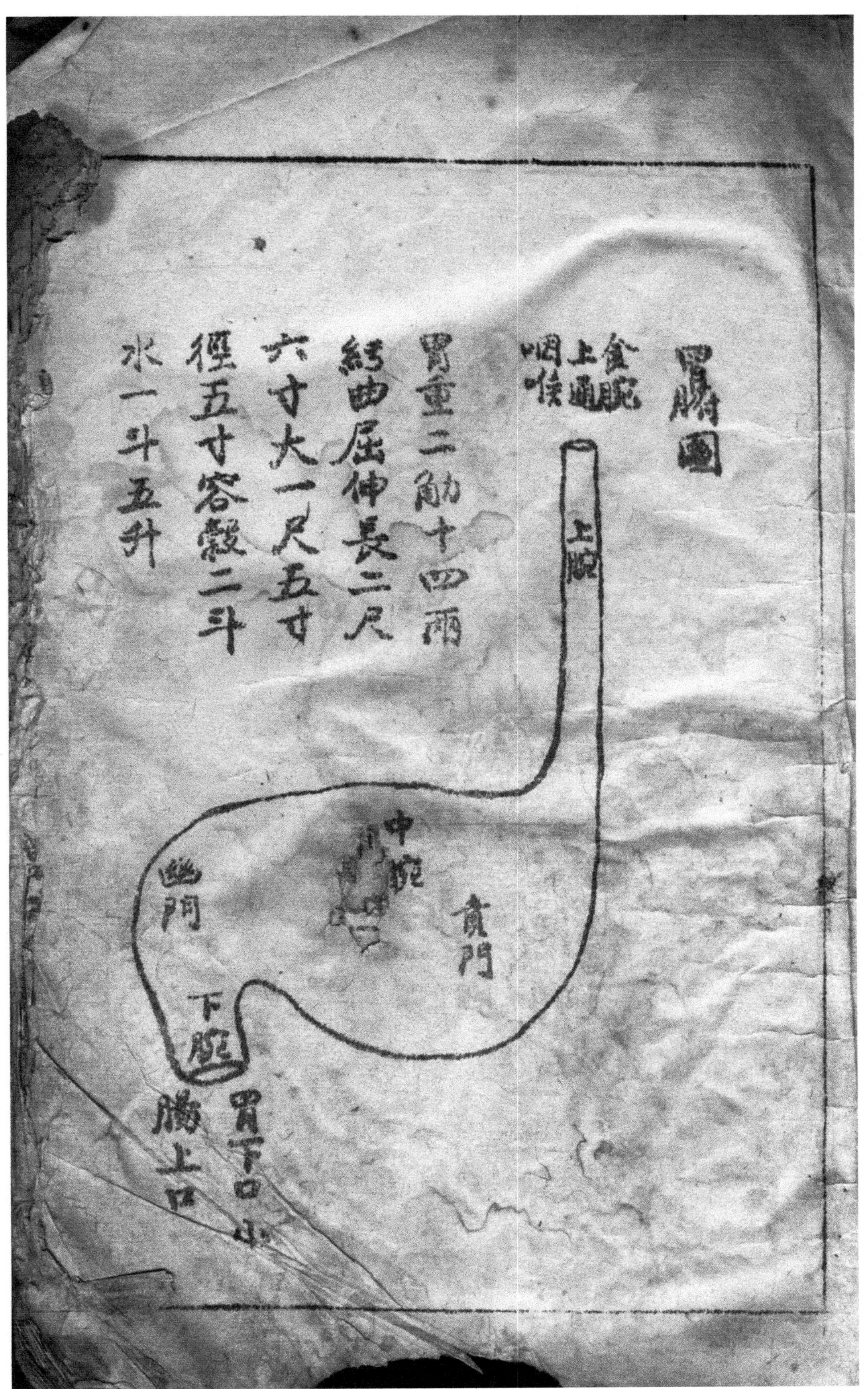
胃腑圖
食脘上通咽喉
胃重二觔十四兩
紆曲屈伸長二尺
六寸大一尺五寸
徑五寸容穀二斗
水一斗五升
上脘
中脘
幽門
賁門
下脘
胃下口小
腸上口

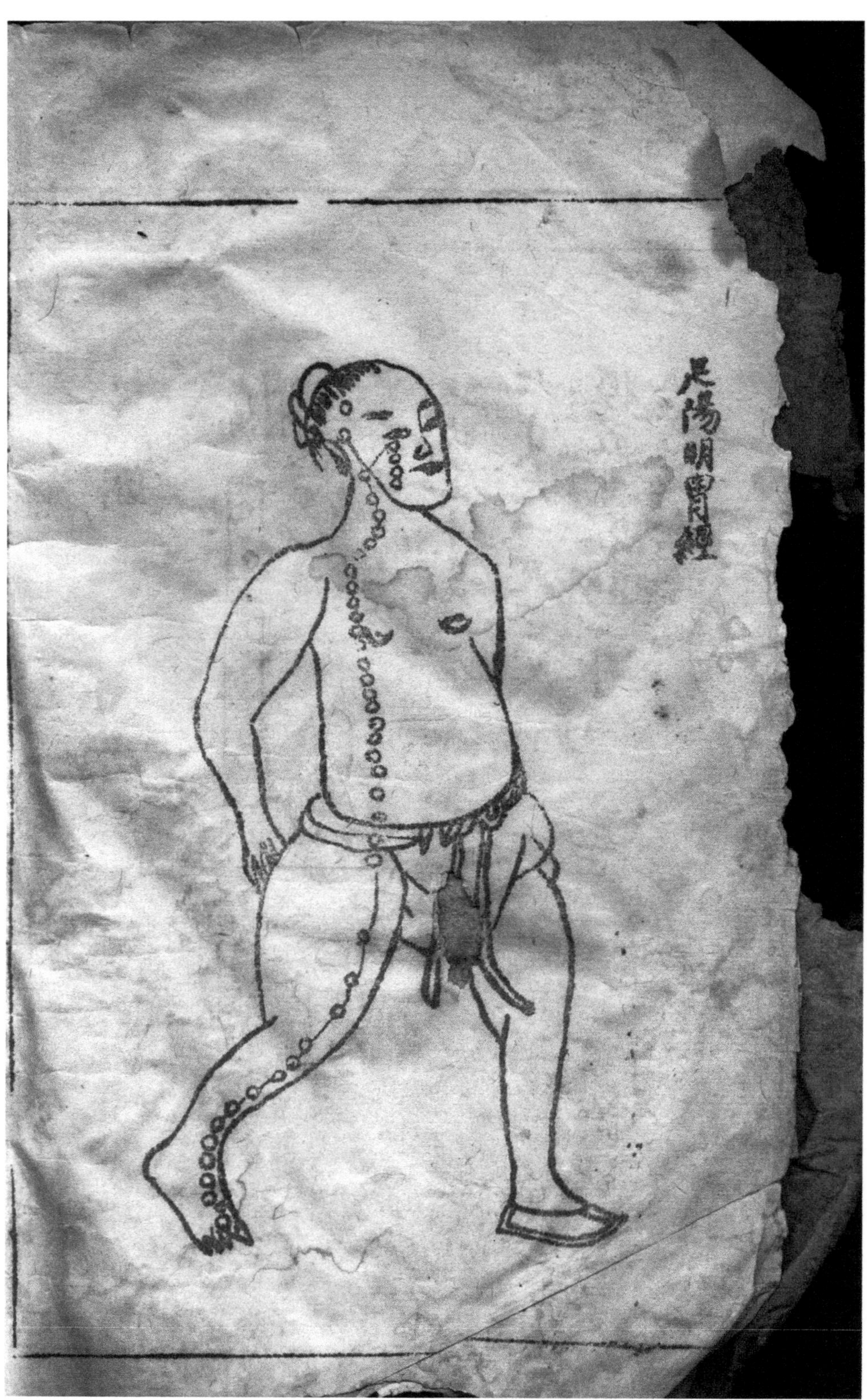
足陽明胃經

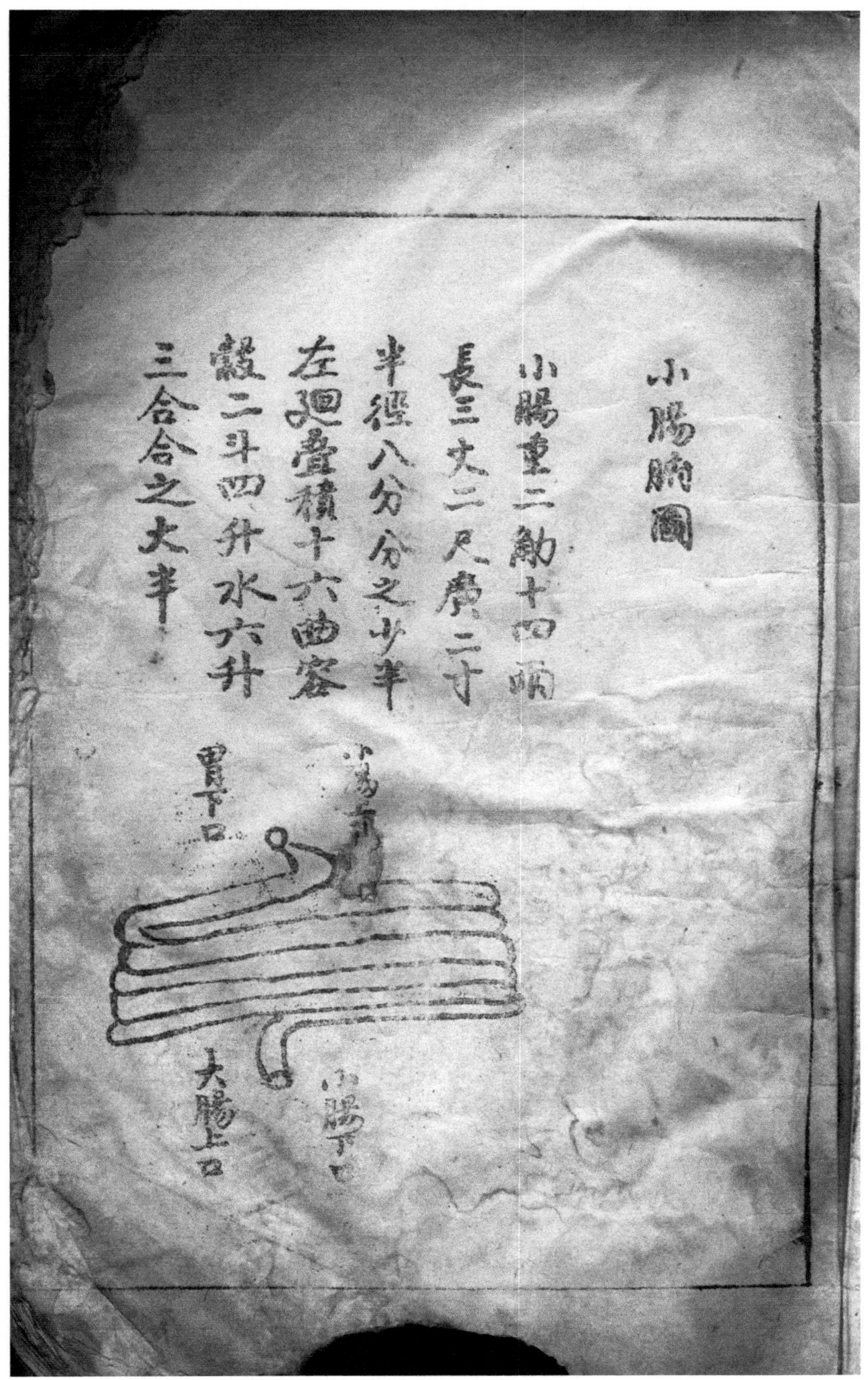

小腸腑圖

小腸重二觔十四兩長三丈二尺廣二寸半徑八分分之少半左迴疊積十六曲容穀二斗四升水六升三合合之大半

手太陽小腸經

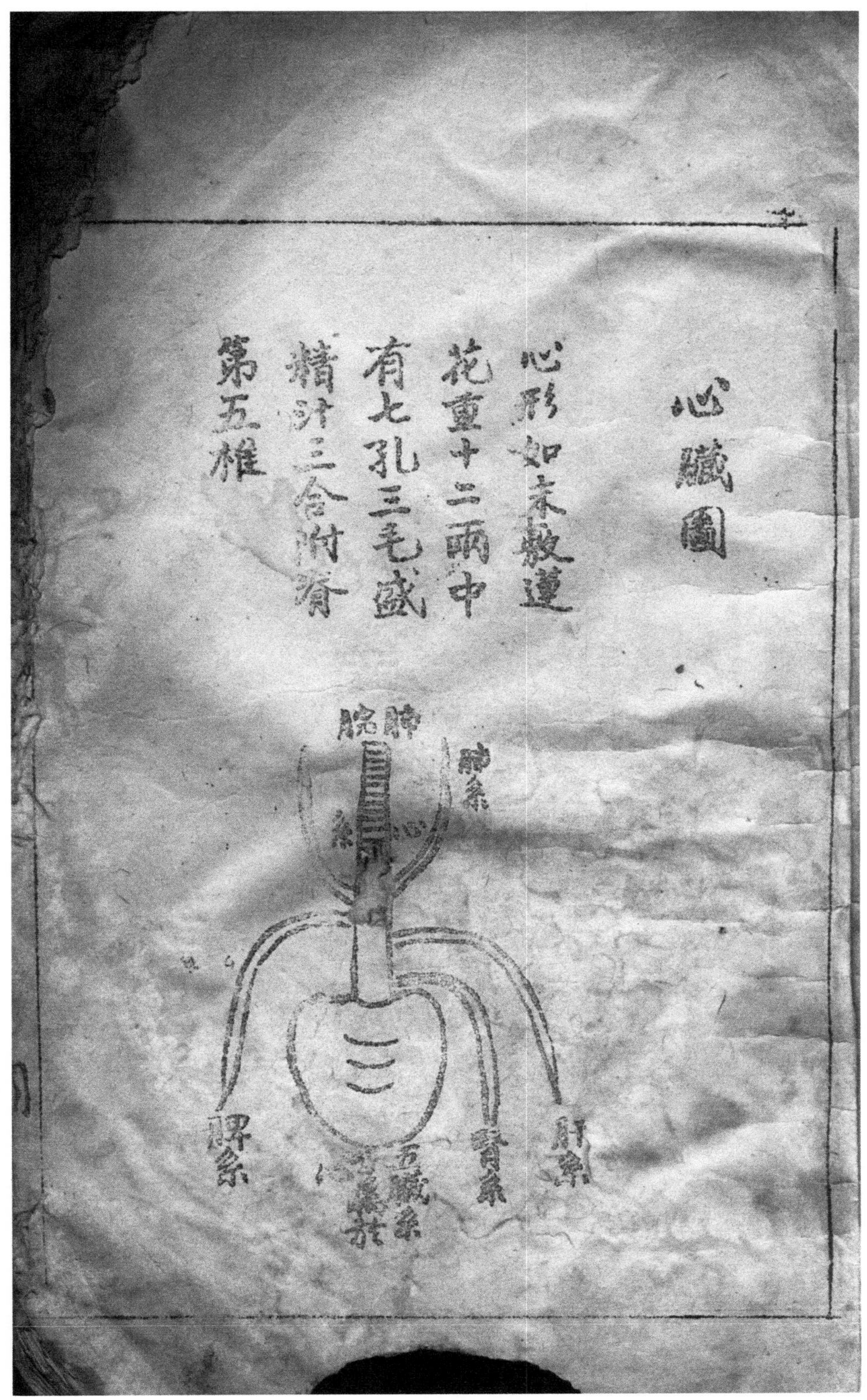

心臟圖

心形如未敷蓮花重十二兩中有七孔三毛盛精汁三合附脊第五椎

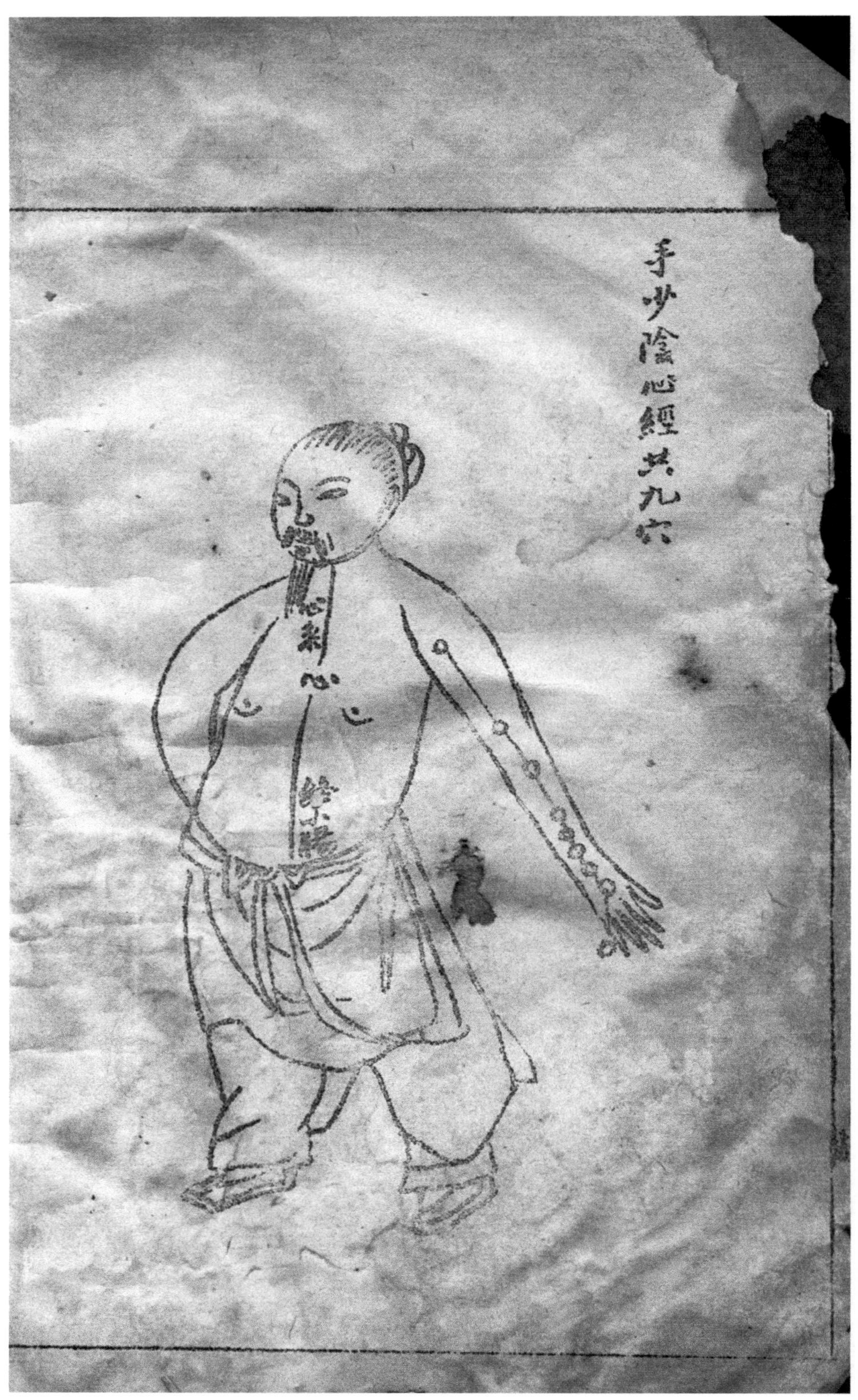
手少陰心經共九穴
心系
心

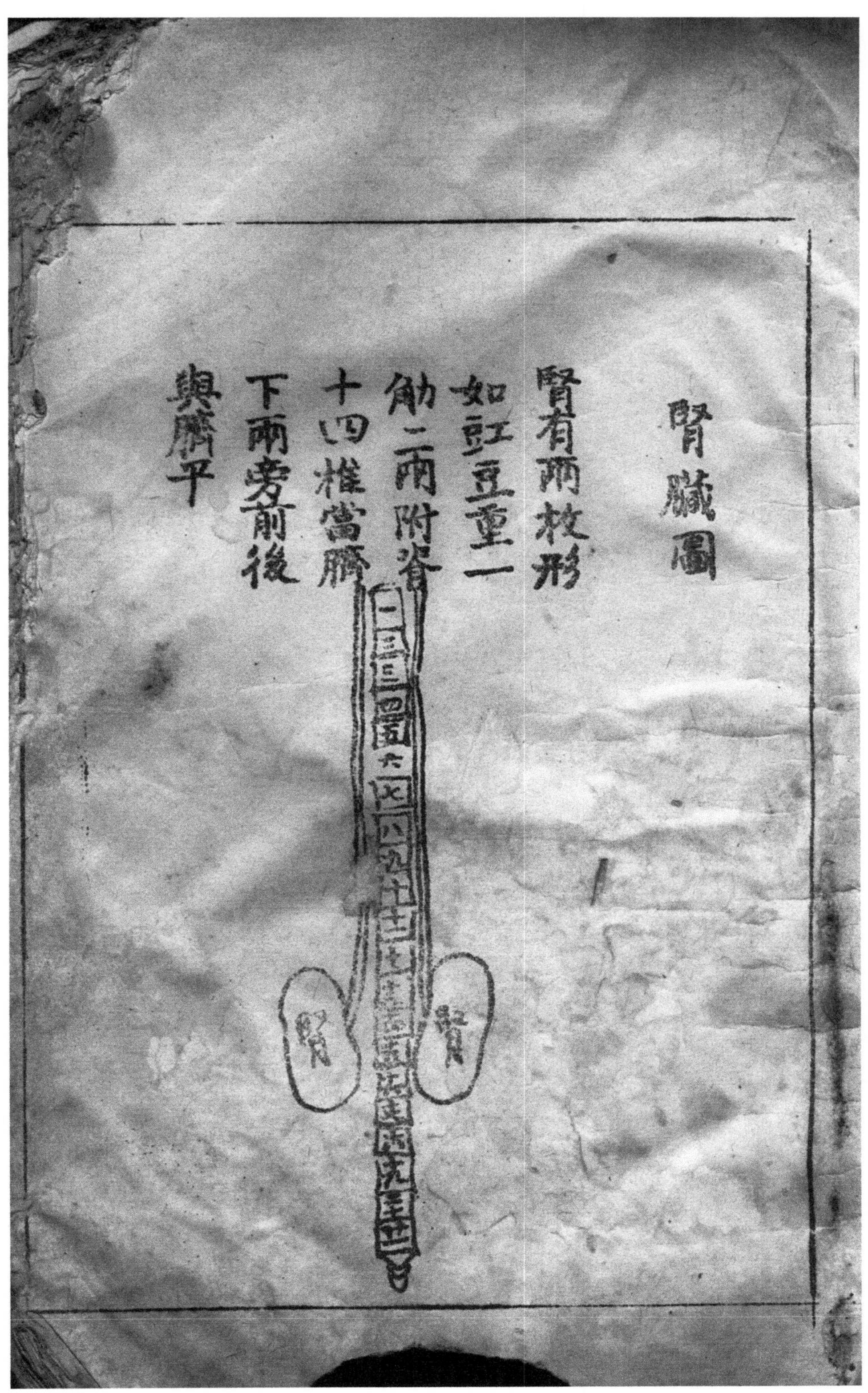
腎臟圖
腎有兩枚形
如豇豆重一
觔二兩附脊
十四椎當臍
下兩旁前後
與臍平
腎
腎

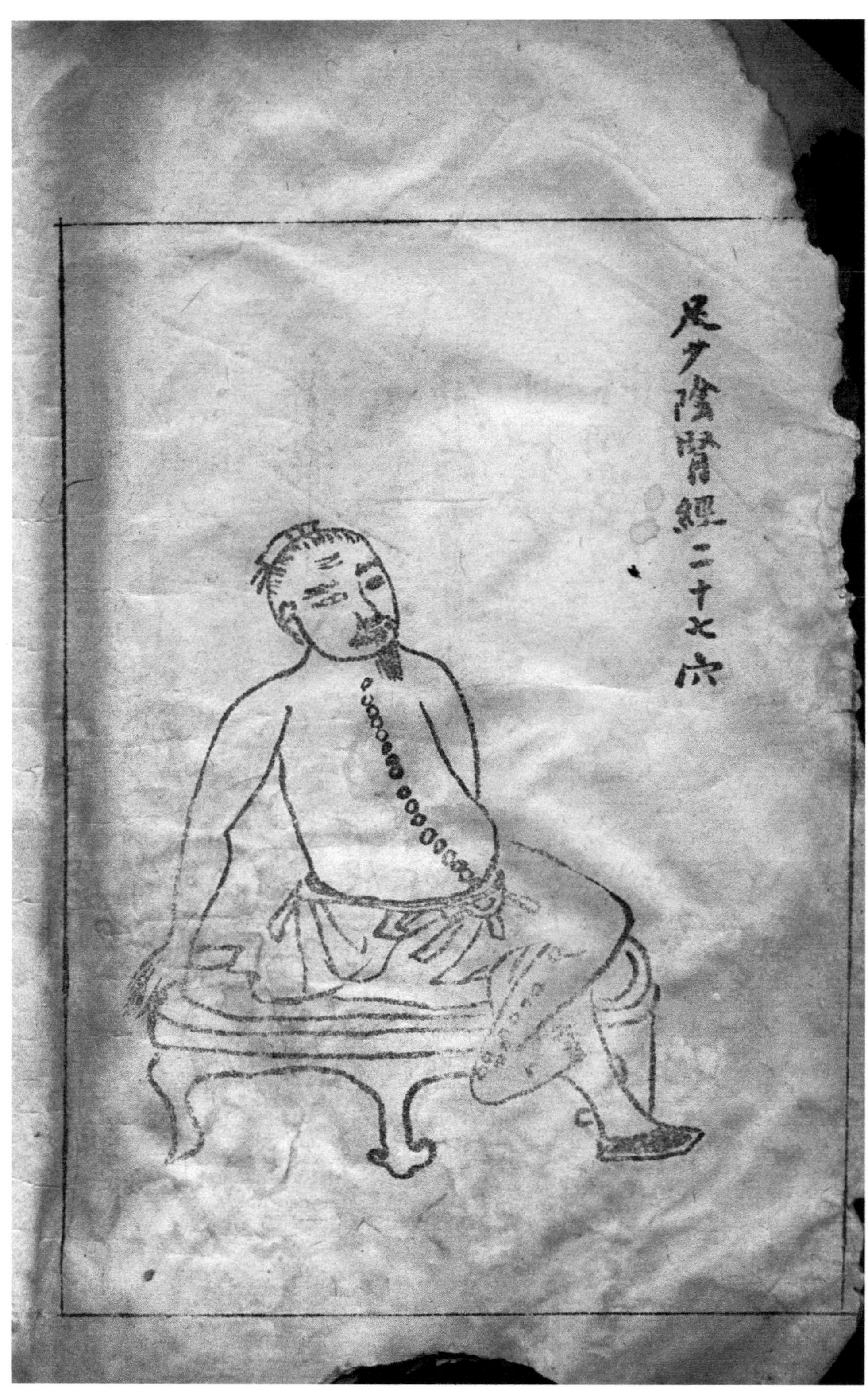
足少陰腎經二十七穴

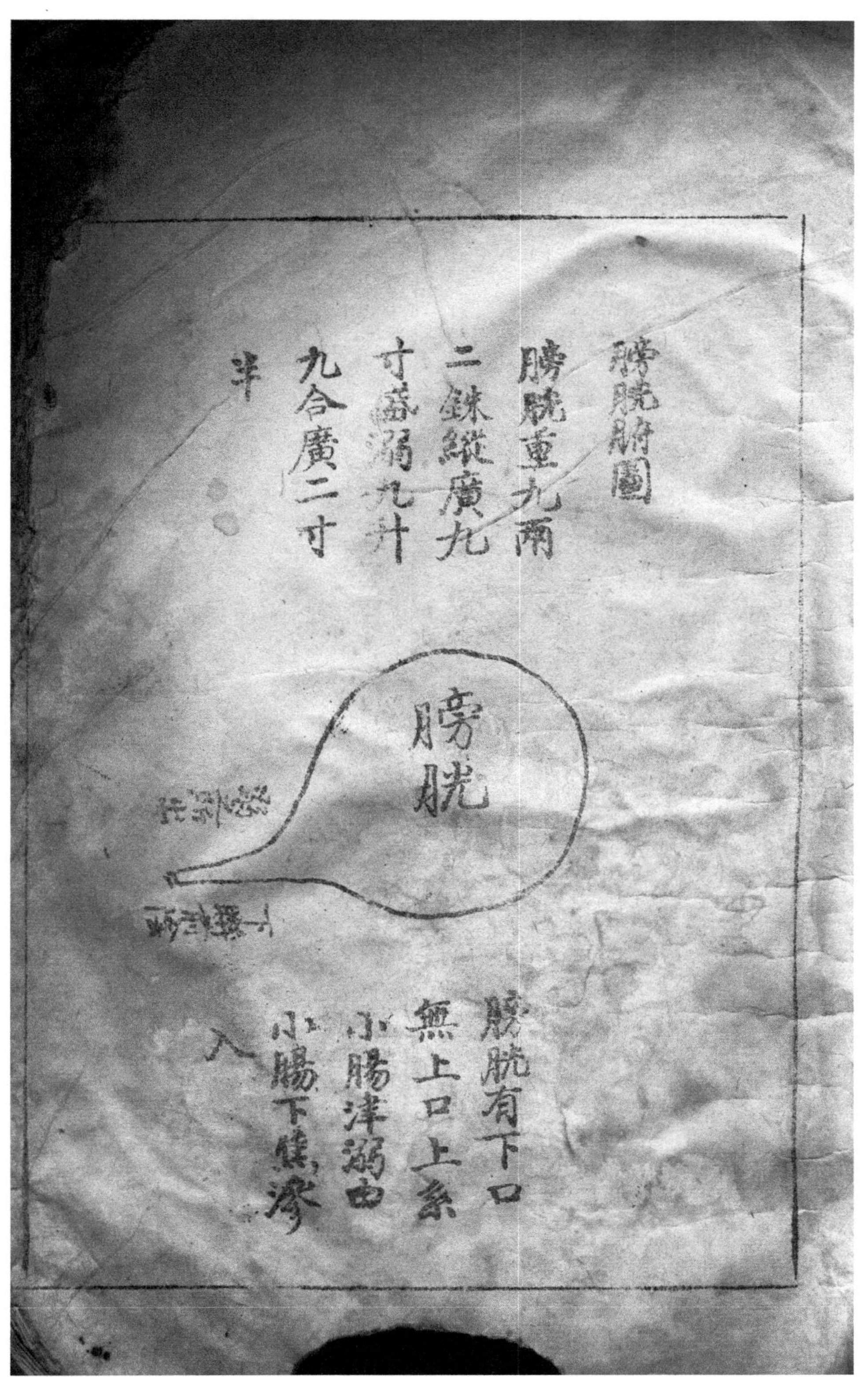

膀胱腑圖

膀胱重九兩二銖縱廣九寸盛溺九升九合廣二寸半

膀胱有下口無上口上系小腸津溺由小腸下焦滲入

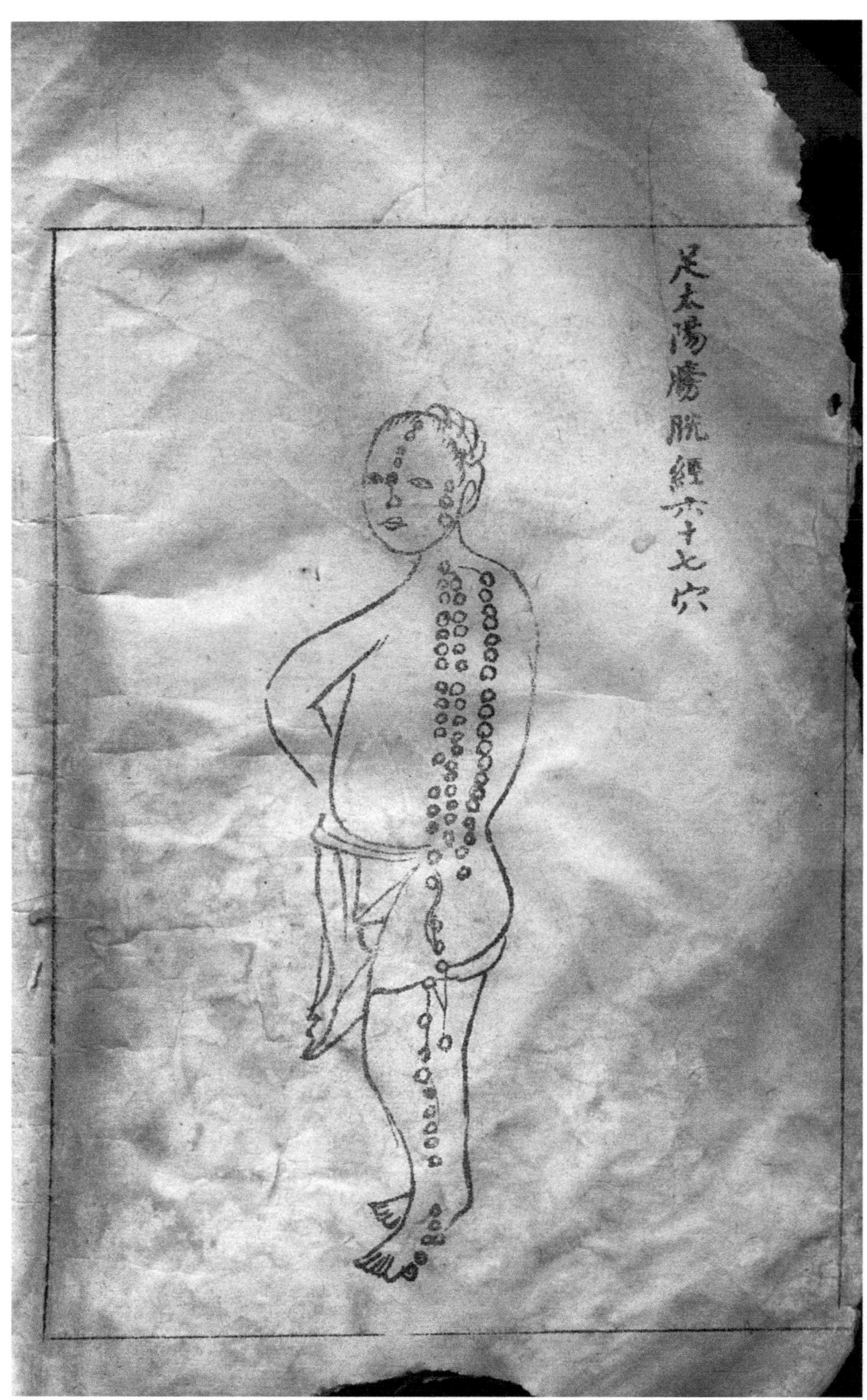
足太陽膀胱經六十七穴

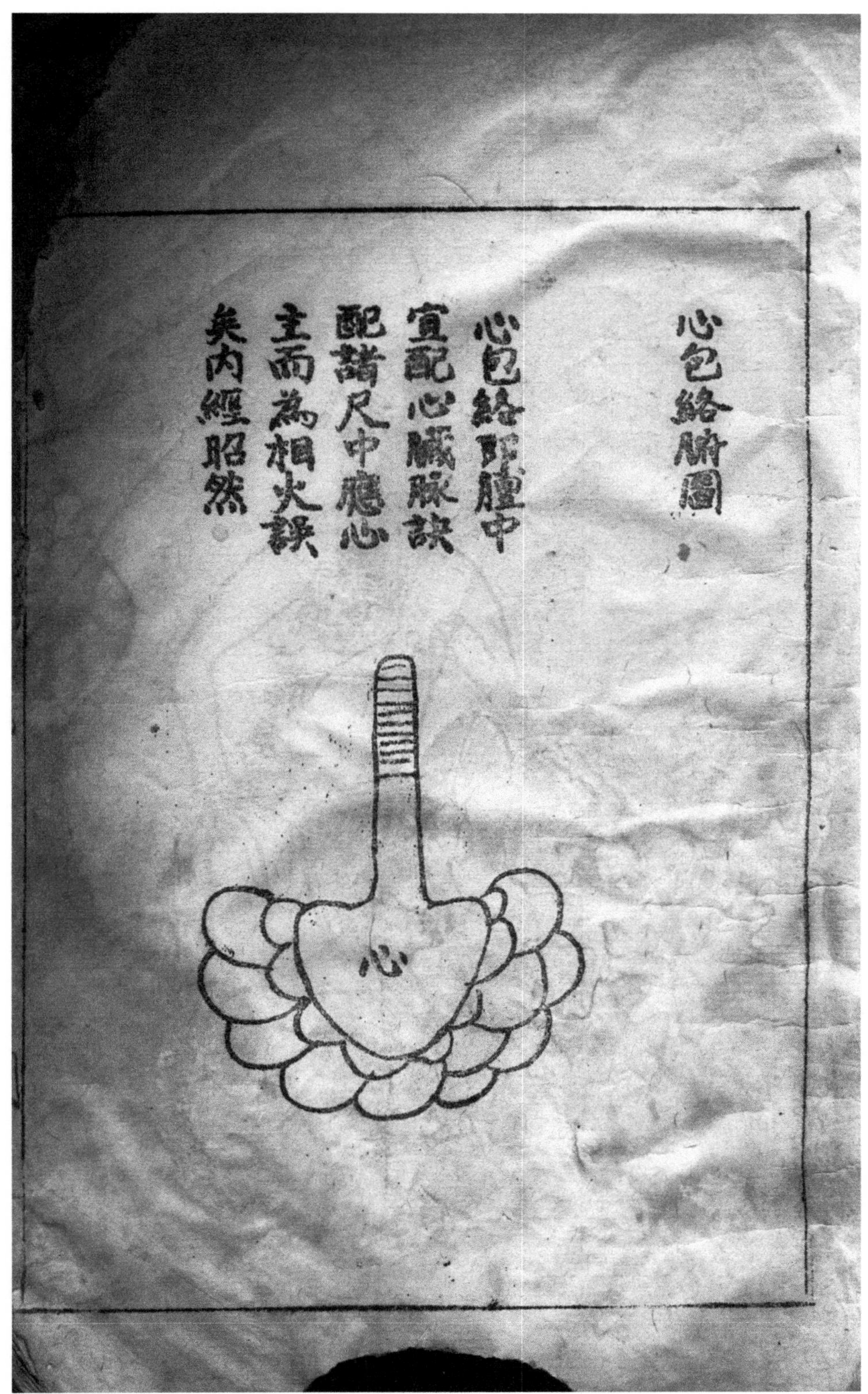

心包絡腑圖

心包絡即膻中宜配心臟脉訣配諸尺中總心主而為相火誤矣內經昭然

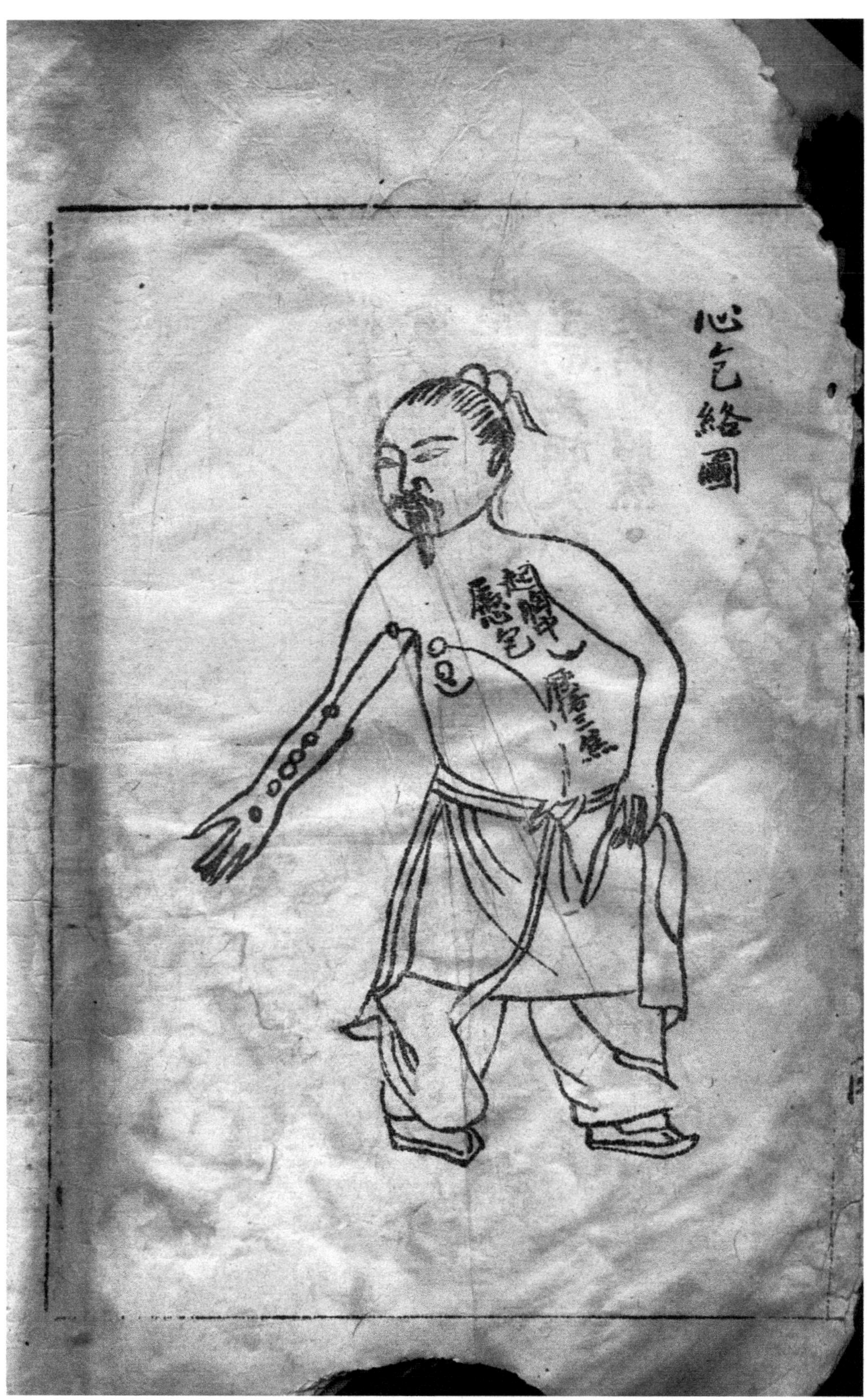
心包絡圖
起胸中
屬心包
歷三焦

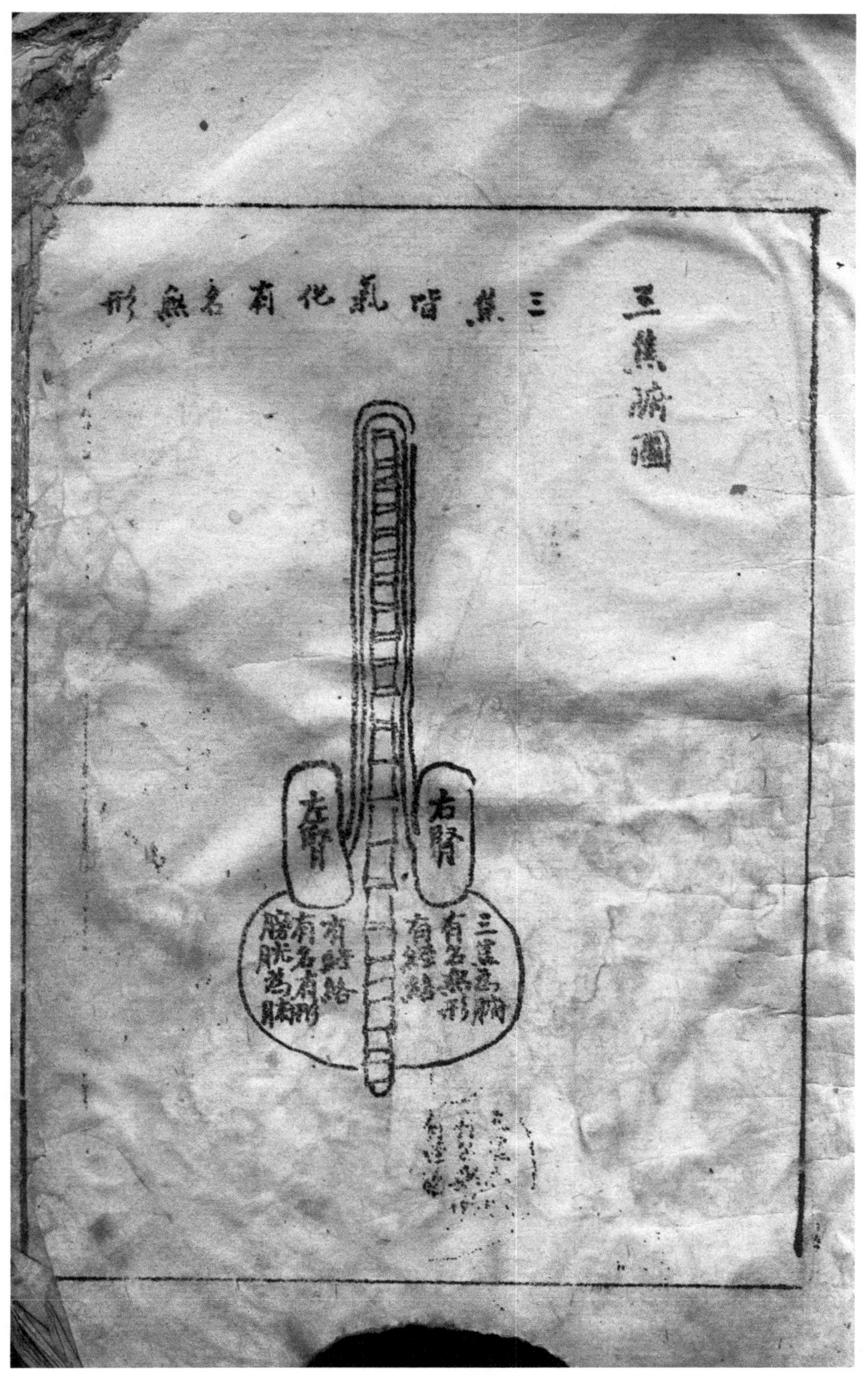
三焦腑圖
三焦皆氣化有名無形
左腎
右腎
三焦為腑
有名無形
有經絡
有經絡
有名有形
膀胱為腑

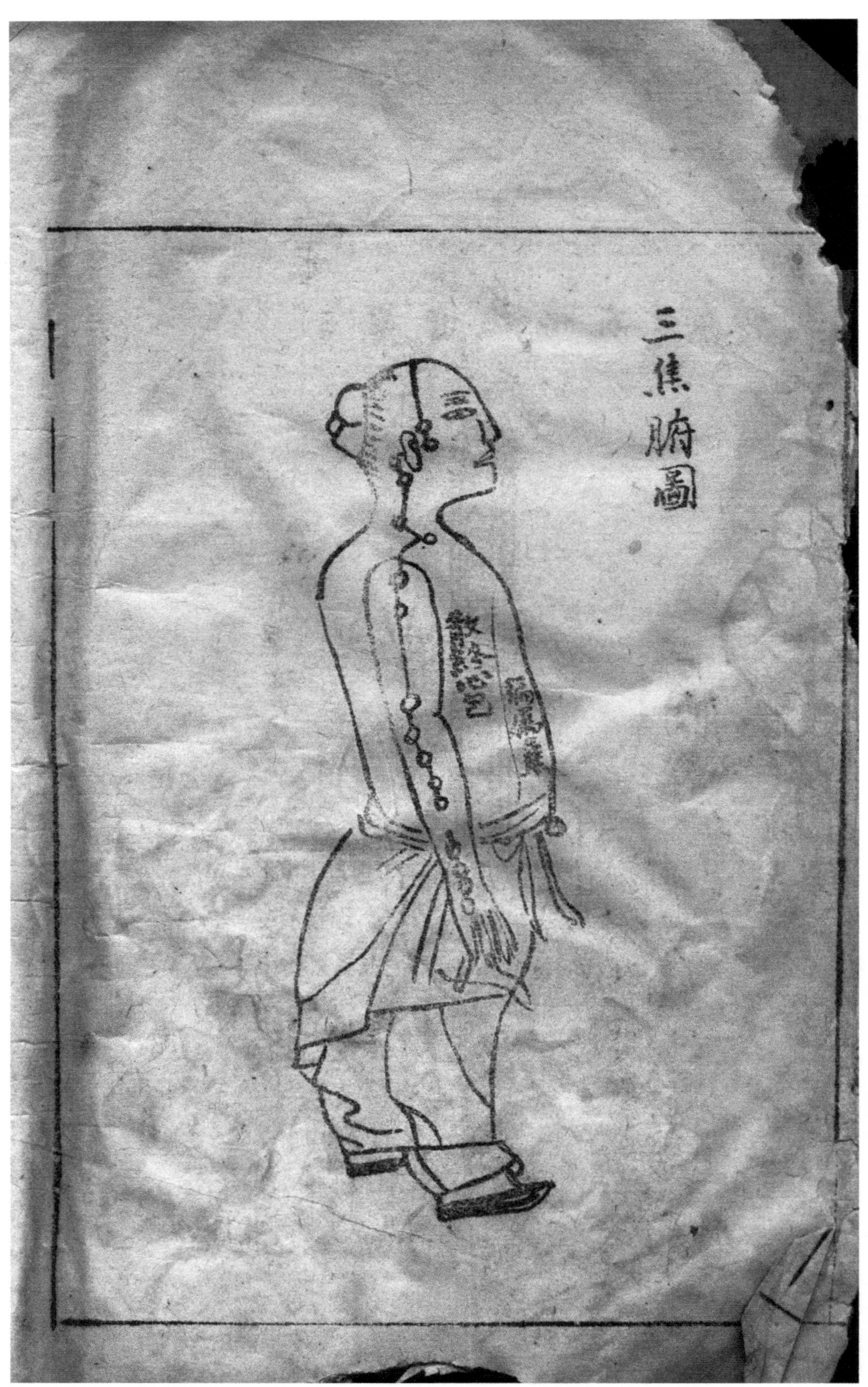
三焦腑圖

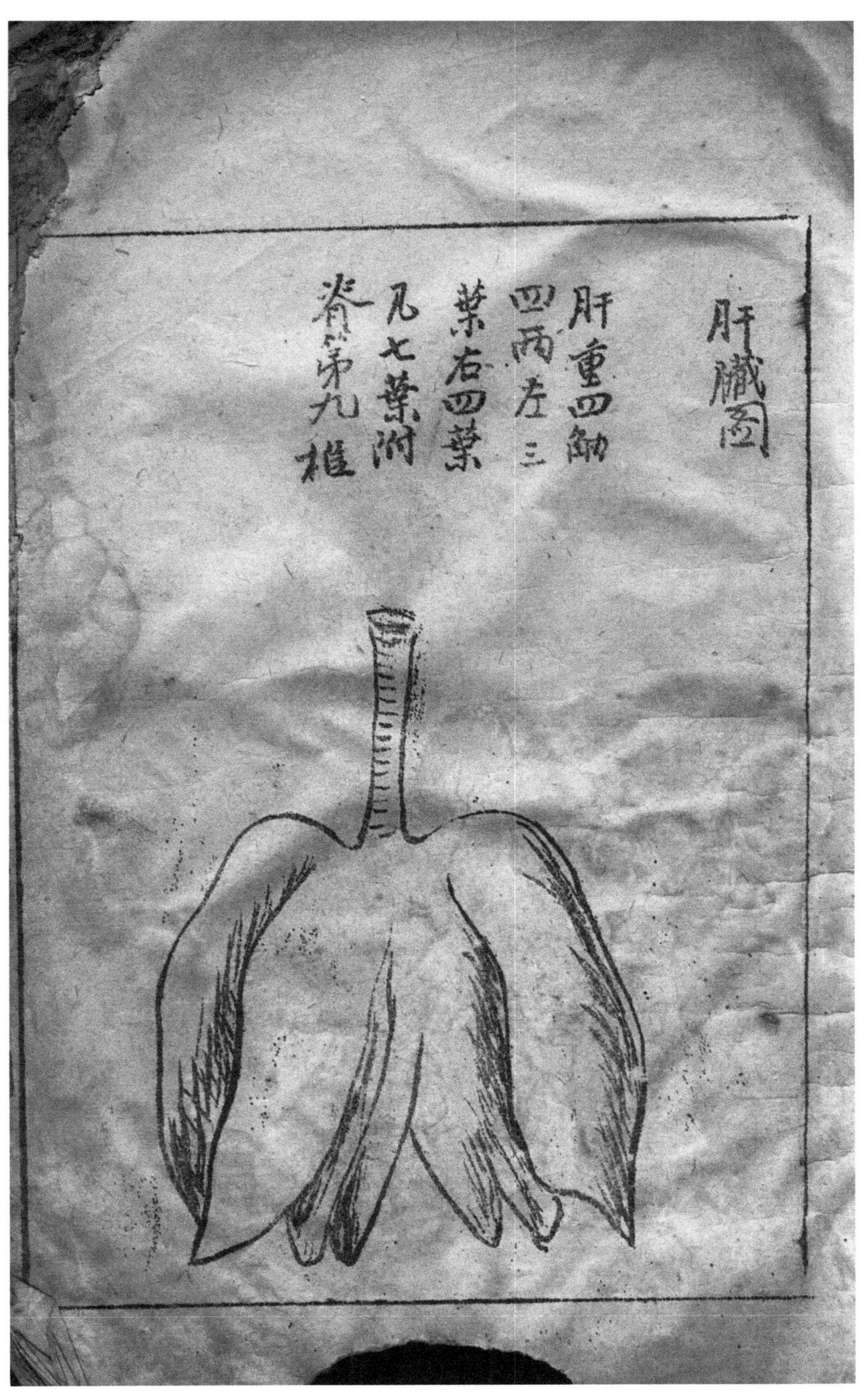
肝臟圖
肝重四觔四兩左三葉右四葉凡七葉附脊第九椎

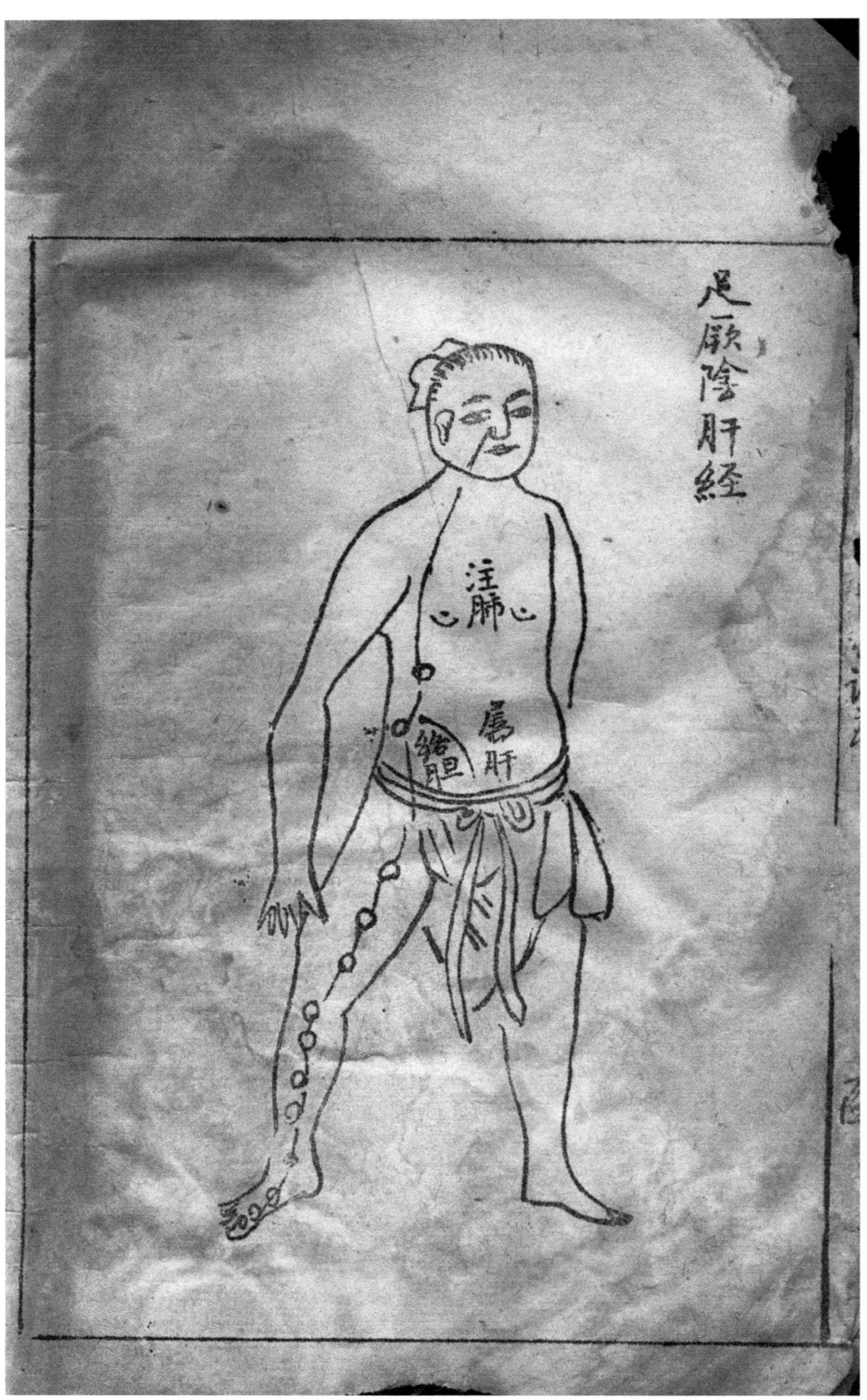
足厥陰肝經
注肺
屬肝
絡胆

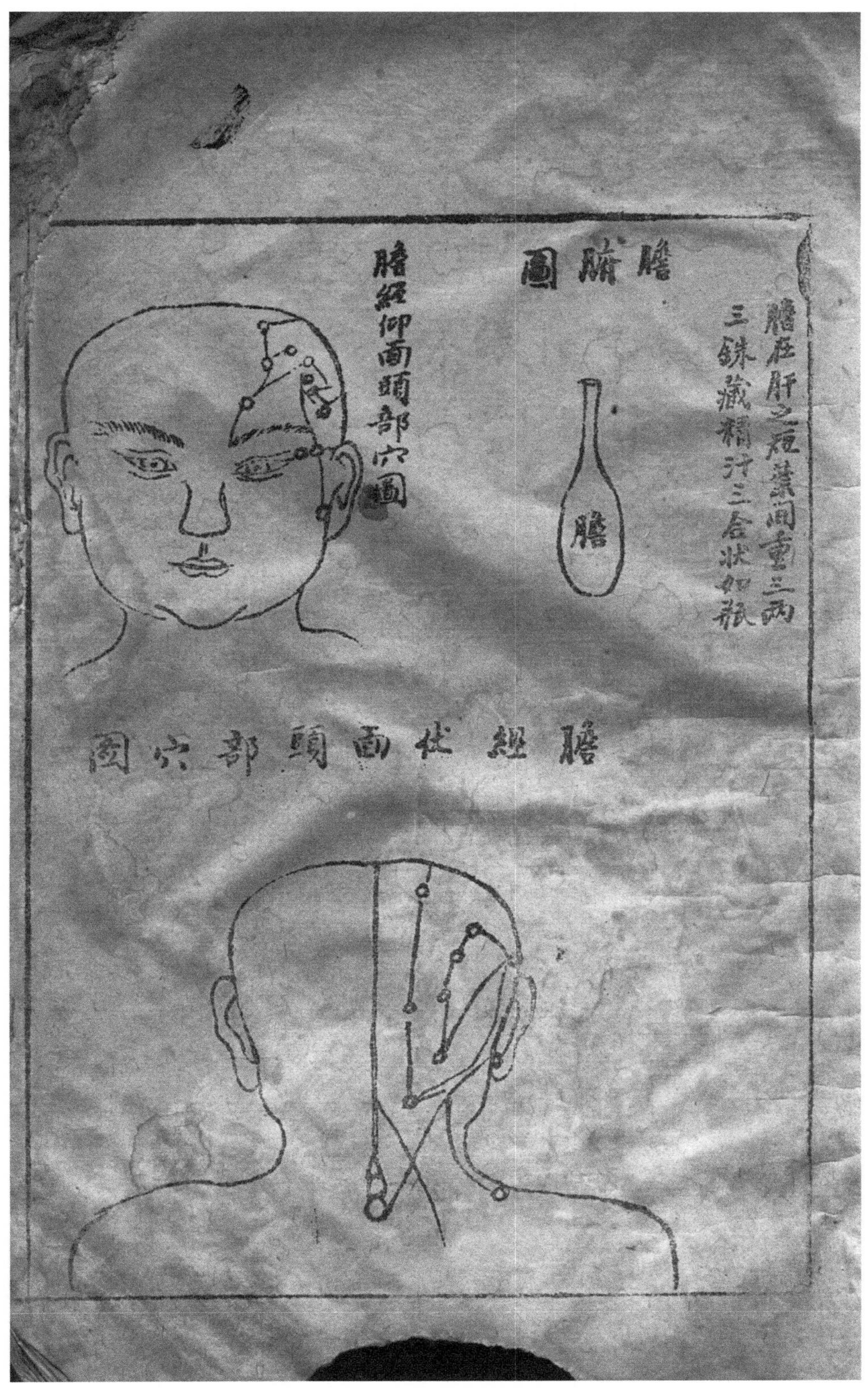
膽腑圖
膽在肝之短葉間重三兩三銖藏精汁三合狀如瓶
膽
膽經仰面頭部穴圖
膽經伏面頭部穴圖

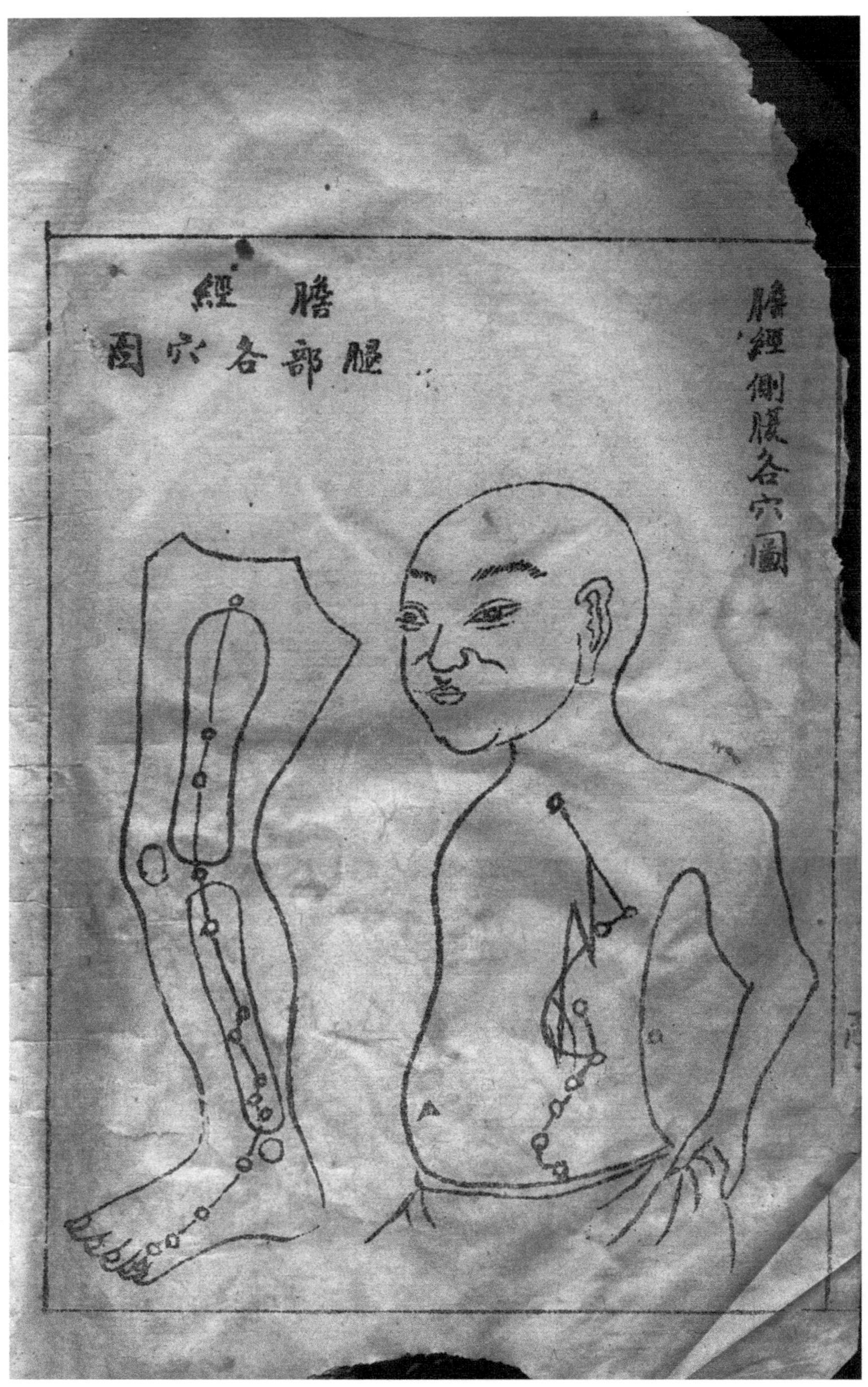
膽經
腿部各穴圖
膽經側腹各穴圖

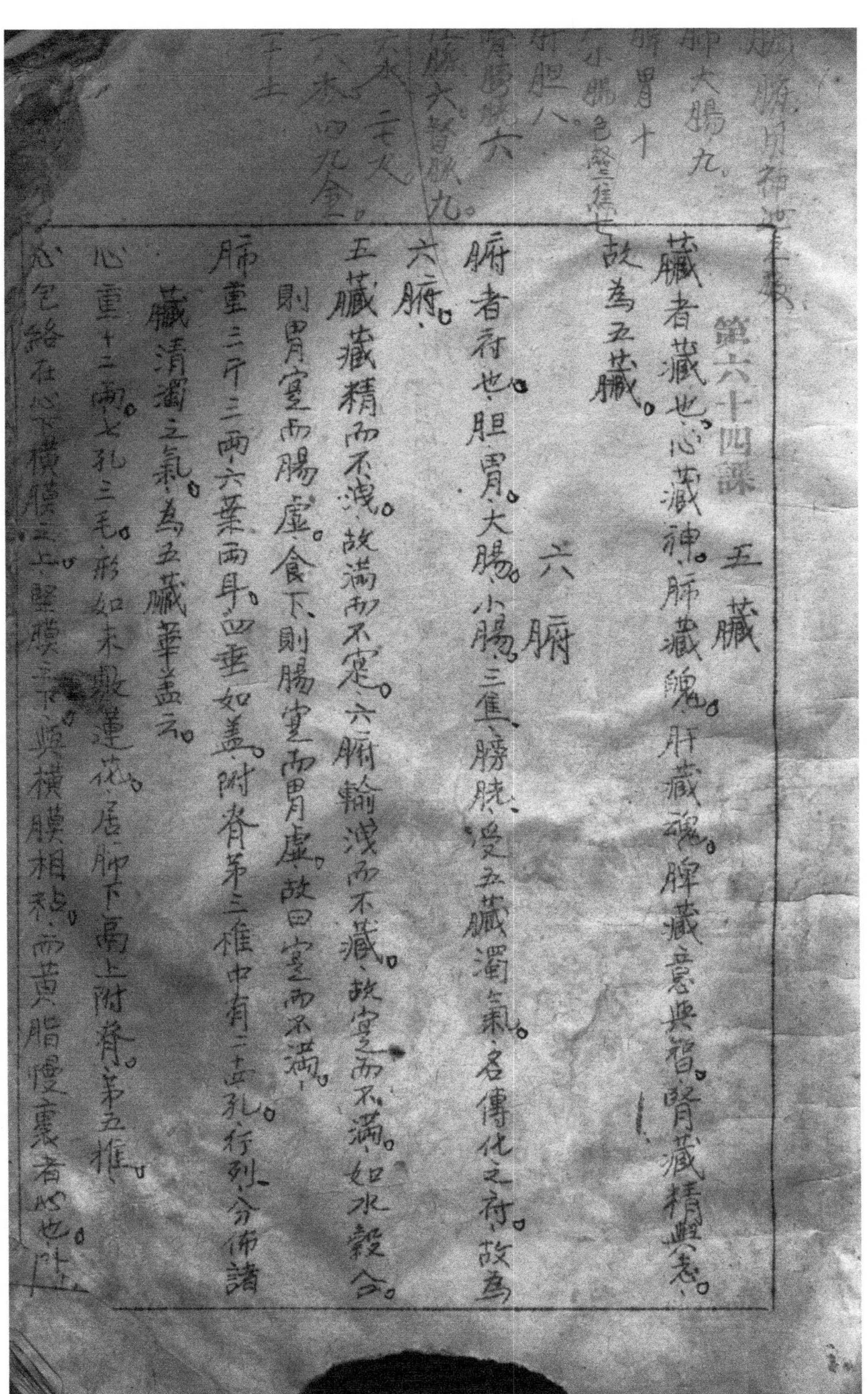

肺大腸九。脾胃十 肝胆八。腎膀胱六

第六十四課 五藏 六腑

臟者藏也。心藏神。肺藏魄。肝藏魂。脾藏意與智。腎藏精與志。故為五藏。

腑者府也。胆、胃、大腸、小腸、三焦、膀胱，是五藏濁氣，名傳化之府。故為六腑。

五臟藏精而不瀉。故滿而不實。六腑輸瀉而不藏。故實而不滿。如水穀入則胃實而腸虛。食下則腸實而胃虛。故曰實而不滿。

肺重三斤三兩，六葉兩耳，四垂如蓋，附脊第三椎，中有二十四孔，行列分佈諸臟清濁之氣，為五臟華蓋云。

心重十二兩，七孔三毛，形如未敷蓮花，居肺下鬲上，附脊第五椎。

心包絡在心下橫膜之上，豎膜之下，與橫膜相粘，而黃脂慢裹者心也。

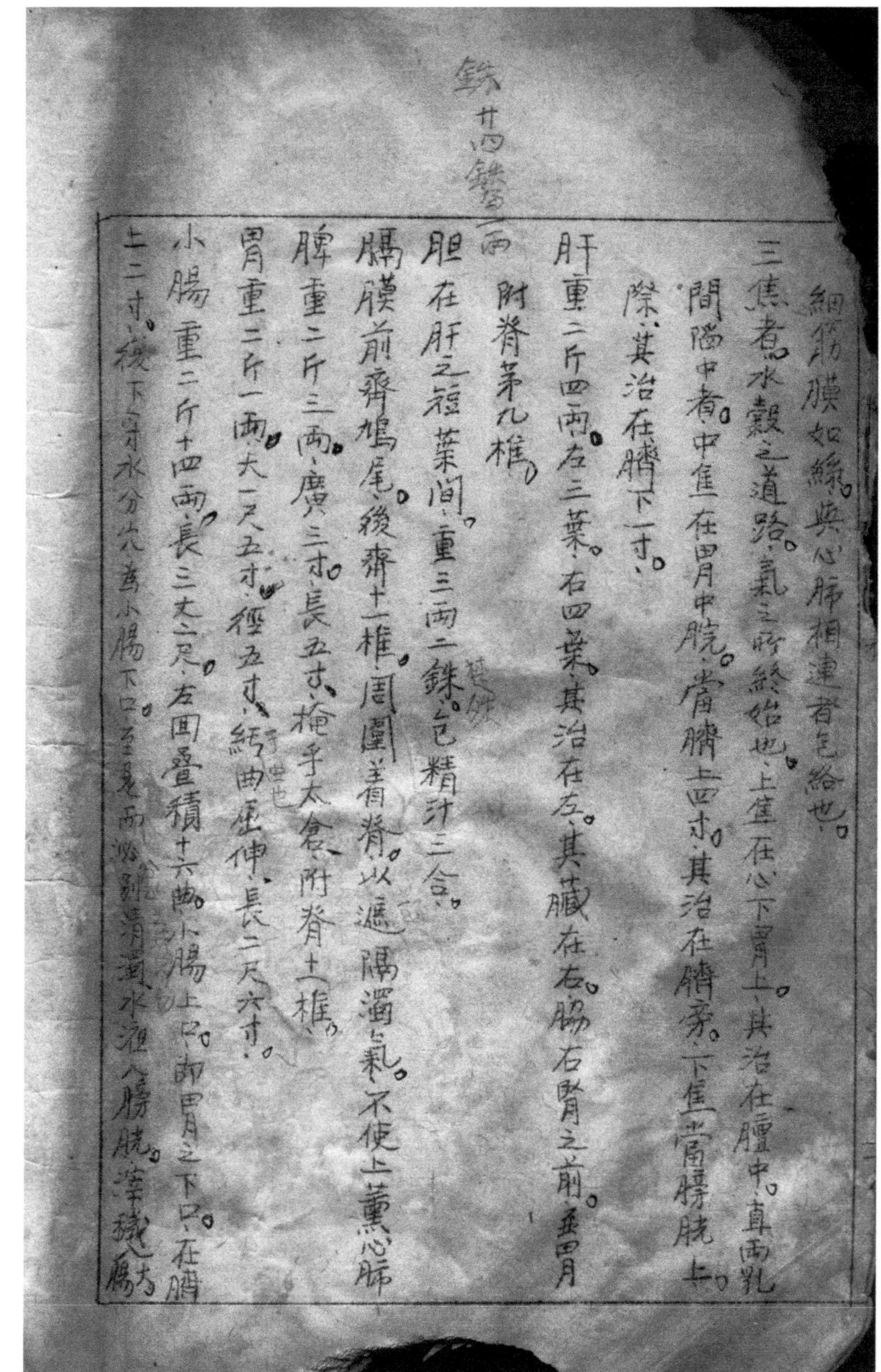

銖 廿四銖為一兩

細筋膜如絲。與心肺相連者包絡也。

三焦者。水穀之道路。氣之所終始也。上焦在心下胃上。其治在膻中。直兩乳間陷中者。中焦在胃中脘。當臍上四寸。其治在臍旁。下焦當膀胱上際。其治在臍下一寸。

肝重二斤四兩。左三葉。右四葉。其治在左。其藏在右。脇右腎之前。並胃附脊第九椎。

胆在肝之短葉間。重三兩二銖。包精汁三合。

膈膜前齊鳩尾。後齊十一椎。周圍着脊。以遮隔濁氣。不使上薰心肺

脾重二斤三兩。廣三寸。長五寸。掩乎太倉。附脊十一椎。

胃重二斤一兩。大一尺五寸。徑五寸。紆曲屈伸。長二尺六寸。

小腸重二斤十四兩。長三丈二尺。左回疊積十六曲。小腸上口。即胃之下口。在臍上二寸。複下一寸水分穴為小腸下口。至是而泌別清濁。水液入膀胱。滓穢入大腸

大腸重二斤十二兩，長二丈一尺，廣四寸，右回疊十六曲。當臍中心大腸上口，即小腸下口也。

腎有兩枚，重一斤一兩，狀如石卵，色黃紫，當腎下兩旁，入脊膂，附脊十四椎，前與臍平。

膀胱重九兩二銖，廣九寸，居腎下之前，大腸之側，膀胱上際即小腸下口，水液由是滲入焉。

脊骨二十一節。取穴之法，以平肩為大椎，即百勞穴也。

臟腑十二經穴起止歌

肺經少商中府起，大腸商陽迎香止，足胃頭維厲兌闌，脾部隱白大包足。心主極泉少衝來，小腸少澤聽宮去。膀胱睛明至陰終，腎經湧泉俞府位。心包天池中衝隨，三焦關衝耳門繼。胆家童子髎竅陰，厥肝大敦期门至。十二經穴始終

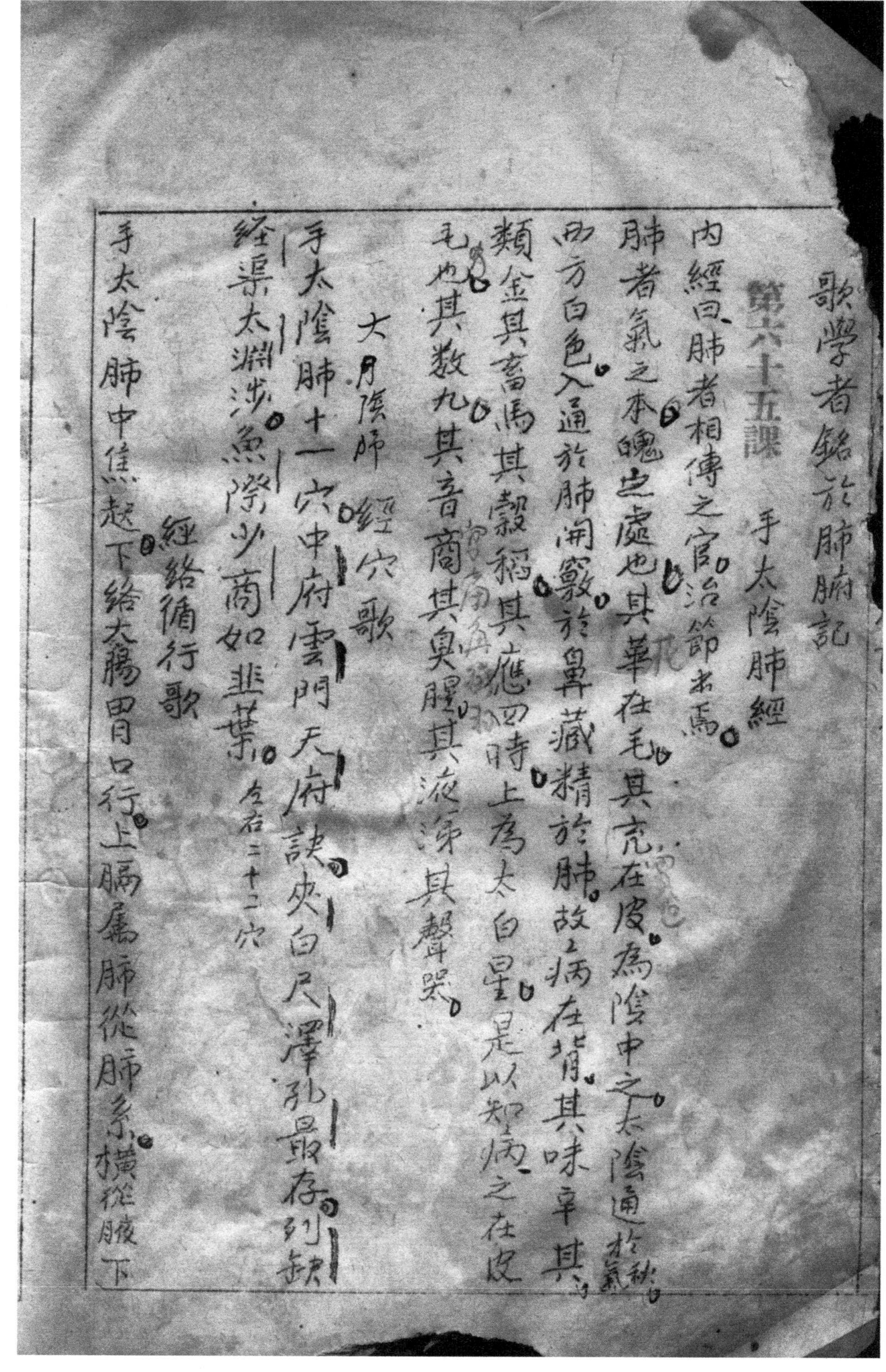

歌學者銘於肺腑記

第六十五課　手太陰肺經

內經曰肺者相傳之官治節出焉

肺者氣之本魄之處也其華在毛其充在皮為陰中之太陰通於秋氣

西方白色入通於肺開竅於鼻藏精於肺故病在背其味辛其

類金其畜馬其穀稻其應四時上為太白星是以知病之在皮

毛也其數九其音商其臭腥其液涕其聲哭

太陰肺經穴歌

手太陰肺十一穴中府雲門天府訣俠白尺澤孔最存列缺

經渠太淵涉魚際少商如韭葉　左右二十二穴

經絡循行歌

手太陰肺中焦起下絡大腸胃口行上膈屬肺從肺系橫從腋下

臑内蒙前於心與心包脈。下肘循臂骨上廉。遂入寸口上魚際。大指內側爪甲根。支絡還從腕後出。按次指交陽明經。此經多氣而少血。是動則為喘滿欬。膨膨肺脹缺盆痛。兩手交瞀為臂厥。肺所主病欬上氣喘渴煩心胸滿結。臑臂之內前廉痛。為厥或為掌中熱。肩背痛是氣有餘。小便數欠或汗出。氣虛亦痛溺色變。少氣不足以報息。

經絡循行经文

肺手太陰之脈起於中焦。下絡大腸還循胃口。上膈屬肺。從肺係橫出腋下。循臑內行少陰心主之前下肘。中循臂內上骨下廉入寸口。上魚循魚際。出大指之端。其支者從腕後。直出次指內廉出其端。

経文集註

肺脈起於中焦之胃脘。下絡大腸。還循胃口而復上膈入肺。横出腋下之中府雲門。下循臑內歷天府俠白。行於少陰心主之前。下肘抵尺

澤。循臂骨之下廉。歷孔最、列缺、入寸口之经渠、太渊。以上鱼循鱼際

際。出大指端之少商。其旁而支行者。從列缺分行於腕後。循合谷上行

於食指之端。以交於手陽明大腸經之商陽

第六十六課　手太陰肺經十一穴

中府　在周榮上二寸、少外開三分、去中行六寸、鍼三分留五呼、灸三壯五壯

雲門　在巨骨穴下四寸、微向内横氣戶二寸旋璣旁、六寸大些、鍼三分灸

五壯、鍼太深令人逆息（甲乙）灸五十壯（千金）

天府　距腋下三寸、在臂上前廉、直對尺澤相距七寸半、鍼四分留

三呼、禁灸、灸之令人氣逆

俠白　在尺澤上五寸大些、鍼四分留三呼、灸五壯、

尺澤　在肘中約紋上、屈肘横紋筋骨罅中動脈應手厥陰前直

寸口、鍼三分、留三呼、灸三壯五壯、甄權云不宜灸

孔最　在腕上七寸、尺澤下三寸半、鍼三分留三呼、灸五壯。

列缺　在腕後一寸五分行向外、鍼二分留三呼、灸三壯、慎酒麵生冷等物、

經渠　在腕後五分、居寸脈上、鍼三分留三呼、禁灸、灸則傷人神明。

太淵　在寸口前横紋上、與經渠甚近、鍼二分留二呼、灸三壯。

魚際　在太淵上一寸少、大指本節後内側陷中、本者根也、乃掌高肉中骨節、非手指外節、鍼二分留三呼、灸三壯。

少商　在大指外側、去爪甲角如韭葉、鍼一分留三呼五吸、宜用三稜針刺微出血、洩諸臟之熱、不宜灸、甲乙經云灸一壯、一云三壯、忌生冷。

大指次指因
痛甚

内経曰大腸者傳道之官变化出焉 又云大腸爲白腸

手陽明大腸経穴歌

手陽明穴起商陽○二間三間合谷藏○陽谿偏歷温溜長○下廉
上廉手三里○曲池肘髎五里近○臂臑肩髃巨骨當○天鼎扶突
禾髎接○鼻旁五分號迎香○左右四十穴（腸音長 髃音容）

經絡循行歌

手陽明経大腸脈。次指内側起商陽。循指上廉出合谷。兩指兩筋中間
行。循臂入肘行臑外。肩髃前廉柱骨旁。會此下入缺盆内。絡肺下
膈屬大腸。支從缺盆上入頸。斜貫兩頰下齒當。挾口人中交左右。上
挾鼻孔盡迎香。此経血盛氣亦盛。是動齒痛頸亦腫。是主津液病所生。
目黄口乾。鼽衄動。喉痺痛在肩前臑。大指次指痛不用。

經絡循行経文

大腸手陽明之脈。起於大指次指之端内側。循指上廉。出合谷兩骨之間。上

上入兩筋之中。循臂上廉入肘外廉上循臑外前廉上肩出髃骨之前廉、上出於柱骨之會上。下入缺盆、絡肺下膈、屬大腸、其支者從缺盆上頸、貫頰入下齒中。還出挾口交人中、左之右、右之左、上挾鼻孔。

經文集註

大腸手陽明之脈。受手太陰之交。起於次指商陽井穴。循二間、三間之上廉。出兩骨間之合谷穴。上入兩筋間之陽谿。循臂上廉之偏歷。溫溜。下廉上廉三里。入肘外廉之曲池。上行臑外之前廉。歷肘髎五里。以上肩之肩髃。骨之前廉循巨骨上行。出於柱骨之會。上。下入缺盆。絡肺下膈。屬於大腸。其支行者。從缺盆上頸。循天鼎扶突。上貫於頰。入下齒縫中之內。還出挾口。以交於人中。左脈在右。右脈在左。上挾鼻孔。循禾髎。迎香。而終。以交於足陽明胃經也。手陽明經止於此、自此根交、承泣而接足陽明經也。

第六十六課 手陽明大腸經 共二十穴

商陽　在手食指内側去爪角如韭葉、針一分留一呼、灸三壯。

二間　在食指本節前、第三節後紋頭陷中、針三分留六呼、灸三

三間　在食指本節後陷中、去二間一寸、針三分留三呼、灸三壯。

合谷　在手大指次指岐骨間陷中動脈應手、針三分留六呼、灸三壯

陽谿　在手腕横紋上側兩筋間陷中直合谷、針三分留七呼、灸三壯。

偏歷　在腕後三寸、針三分留七呼、灸三壯。

温溜　在腕後五寸、針三分留三呼、灸三壯。

下廉　在腕後六寸行微向外曲池下四寸、針五分留五呼、灸三壯。

上廉　在腕後七寸曲池下三寸三里下一寸微外些、針五分、灸五壯。

三里　在曲池下二寸、腕後八寸、針三分灸三壯。

曲池　在肘外側横紋頭、針七分留七呼、灸三壯、一云百壯。

肘髎　在曲池上外斜一寸横直天井、針三分灸三壯。

五里　在肘上三寸行向裏大脈中央禁針灸三壯一曰十壯

臂臑　臂外側肩髃下三寸鍼三分灸三壯明堂禁針灸七壯一曰百壯

肩髃　在肩端高骨下罅陷中舉臂有空針六分留六呼灸三壯至七壯以瘥為度

巨骨　在肩髃上大骨尖前陷中針一寸五分灸三壯五壯一曰禁針

天鼎　頸筋下肩井内一寸四分針三分灸三壯

扶突　人迎後寸半距天鼎前一寸二分鍼四分灸三壯甲乙經曰針三分

禾髎　直對鼻孔下俠水溝旁五分針三分灸三壯

迎香　鼻窪紋中針三分禁灸

第六十九課　足陽明胃經

内經曰胃者倉廩之宫五味出焉又曰胃為黄腸

五味入口藏於胃以養五臟氣胃者水穀之海、六腑之大原也候大指間

六腑之氣味皆出於胃

經穴歌

四十五穴足陽明頭維下關頰車停承泣四白巨髎經地倉大迎對人迎水突氣舍連缺盆氣戶庫房屋翳屯膺窗乳中延乳根不容承滿梁门起關门太乙滑肉门天樞外陵大巨存水道歸來氣衝次髀關伏兔走陰市梁丘犢鼻足三里上巨虛連條口位下巨虛跳上丰隆解谿衝陽陷谷中內庭厲兑经穴終 左右九十穴

经络循行歌

足陽明胃鼻頞起下循鼻外入上齒環唇挾口交承漿頤後大迎頰車裏耳前髮際至額顱支循喉嚨缺盆入下膈屬胃絡脾宮直者下乳俠臍中支起胃口循腹裏下行直合氣衝逢遂由髀關下膝臏循脛足跗中指通支從中指入大指厲兑之穴经盡矣此经多氣

復多與振寒呻欠面顔黑，病至惡見火與人，忌聞木声，心惕惕，閉户塞牖欲獨處，甚則登高棄衣走，賁響腹脹，爲骭厥，狂瘧温淫及汗出，鼽衄，口喎，并唇胗（口傍之瘡曰胗），頸腫，喉痺，腹水腫，膺乳、膝臏、股伏兔、骭外、足跗上皆痛，氣盛熱在身以前，有餘消穀溺黄甚，不足身以前皆寒，胃中寒而腹脹滿。

經絡循行經文

胃足陽明之脉，起於鼻交頞中，旁約太陽之脉，下循鼻外，入上齒中，還出挾口環唇，下交承漿，卻循頤後下廉，出大迎，循頰車，上耳前，過客主人，循髮際，至額顱；其支者，從大迎前下人迎，循喉嚨，入缺盆，下膈，屬胃，絡脾；其直者，從缺盆下乳内廉，下挾臍，入氣街中；其支者，起胃下口，循腹裏，下至氣街中而合，以下髀關，抵伏兔，下入膝臏中，下循胻外廉，下足跗，入中指内間；其支者，下膝三寸而别，以下入中指外間；其支者，别附上，入大指間出其端。

經文集註

足陽明受手陽明之交、起於鼻之兩旁迎香穴、上行而左右相交於頞中、過睛明之分、下循鼻外、歷承泣、四白、巨髎、入上齒中、還出挾口兩吻地倉、環繞唇下、左右相交於承漿、卻循頤後下廉、出大迎、循頰車、上耳前、歷下關、過客主人、循髮際、行懸釐、頷厭之分、經頭維、會於額顱之神庭、其支別者、從大迎前下人迎、循喉嚨、歷水突、氣舍、入缺盆、行足少陰俞府之外、下膈、當上脘中脘之分、屬胃絡脾、其直行者、從缺盆而下、下乳內廉、循氣戶、庫房、屋翳、膺窗、乳中、乳根、不容、承滿、梁門、關門、太乙、滑肉門、挾臍、歷天樞、外陵、大巨、水道、歸來、諸穴而入氣街中、其支者、自屬胃處、起胃下口、循腹裏、過足少陰肓俞之外、本經之裏、下至氣街中、與前之入氣街者合、既相合於氣街中、乃下髀關、抵伏兔、陰市、梁邱，下入膝臏中，経犢鼻，下循足面，曰足跗之衝陽、陷谷，入中指外間之内庭，至厲兑穴而終也。其絡脈之支別者，自膝下三寸，循三里穴之外，別下歷上廉、條口、下廉、豐隆、解谿、衝陽、陷谷，以至内庭、厲兑而合也。又其支者，別跗上衝陽穴，別行入大指間，出足厥陰行間穴之外，循大指下出其端，以交於太陰也。

第七十課 足陽明胃経 共四十五穴

頭維 在額角入髮際，夾本神旁一寸五分，神庭旁四寸五分，直[illegible]微高些，針三分，沿皮下向，禁不灸。

下関 在客主人下，聽會上，耳前動脈，鍼三分，留七呼，灸三壯。

頰車 在耳下八分，曲頰端近前陷中，針三分，灸三壯，一曰灸七壯至七七壯，炷如小麥。

承泣 在目下七分，上直瞳子，針三分，禁灸，一曰禁不宜針

四白　在目下一寸，直瞳子，針三分，禁灸。甲乙經曰：灸七壯。一曰下
針宜慎，若深即令人目烏色

巨髎　夹鼻孔旁七分，直瞳子，針三分，灸七壯

地倉　夹口吻旁四分，針三分，留五呼，灸七壯或二七壯，重者七七
壯。病左治右，病右治左，炷宜小，如麤釵脚。若過大，口
反喎，卻灸承漿即愈

大迎　在曲頷前一寸三分，居頰下人迎上，針三分，留七呼，灸三壯

人迎　在頸下夾結喉旁一寸五分，大迎下水突上大動脈應手，禁灸。氣府論註曰：針四分，過深則殺

水突　在頸大筋前，直人迎下，夾氣舍上，内貼氣喉，針三分，灸三壯

氣舍　在頸大筋前，直人迎下，針三分，灸五壯

缺盆　在結喉旁橫骨陷者中，對乳，氣舍在裏，近喉缺盆
在外，針三分，留七呼，灸三壯，針太深令人逆息，孕婦禁針

氣戶　在橫骨下，夹俞府兩旁各二寸，去中行四寸，陷中，仰而取之，針

三分灸三壯五壯、

庫房　在氣户下一寸六分去中行四寸陷中仰而取之針三分灸三壯五壯

屋翳　在庫房下一寸六分去中行四寸陷中仰而取之針三分灸五壯

膺窗　在屋翳下一寸六分巨骨四寸八分去中行四寸陷中仰而取之針四分灸五壯、

乳中　當乳頭正中微針禁灸、

乳根　在乳中下一寸六分去中行四寸陷中仰而取之針三分灸三壯五壯

不容　在幽門旁一寸五分去中行二寸對巨闕針五分灸五壯、

承滿　在不容下去中行二寸對上脘針三分灸五壯又針八分甲乙經云

梁門　在承滿下去中行二寸對中脘針三分灸五壯又針八分甲乙經作孕婦禁灸、

關門　在梁門下去中行二寸對建里針八分灸五壯上云五分三壯、

太乙 在關門下去中行二寸，對下脘，針八分，灸五壯，一云五分三壯。

滑肉門 在太乙下去中行二寸，對水分，針八分，灸五壯，一云五分三壯。

天樞 在夾臍旁二寸，去肓俞一寸五分，隔中，針五分，留七呼，灸五壯，按萃云百壯，又千金魂魄之舍。

外陵 在天樞下去中行二寸，對陰交，針三分，灸五壯，又甲乙經作針八分。

大巨 在外陵下去中行二寸，對石門，針五分，灸五壯，甲乙經針八分。

水道 在大巨下三寸，去中行二寸，針一寸五分，灸五壯，一曰針八分半。

歸來 在水道下二寸，去中行二寸，針八分，灸五壯，一曰針二分半。

氣衝 在歸來下鼠鼷上一寸動脈應手，宛宛中，去中行二寸，橫骨在内，氣衝在外，冲門又外，氣冲齊中樞橫骨微下些，冲門齊関元上，直府舍下，直髀，針三分，留七呼，灸七壯，甲乙經灸之不幸使人不得息，一云禁不可針，艾炷如大麥。

髀關　在膝上伏兔後斜行向裏去膝一尺二寸鍼六分灸三壯

伏兔　在膝上六寸起肉間正跪坐取之針五分狂邪鬼魂灸五十壯至百壯

陰市　在膝上三寸伏兔下陷中拜而取之鍼三分留七呼灸三壯治腰疼

梁丘　在膝上二寸兩筋間鍼三分灸三壯

犢鼻　在膝髕下䯒骨上骨解大筋陷中形如牛鼻鍼六分灸三壯一曰鍼三分（鍼禁論）云針膝髕出液為跛故鍼此穴亦可忽也

三里　在膝眼下三寸䯒骨外廉大筋内宛宛中坐而竪膝低跗取之極重按之則跗上動脉止矣鍼八分留七呼灸三壯亦可灸年壯

上巨虛　在三里下三寸兩筋骨陷中舉足取之鍼三分灸三壯亦可灸年壯

下巨虛　在上廉下三寸兩筋骨陷中蹲地舉足取之鍼三分灸三壯

豐隆　在下廉下微後斜對絕骨之中鍼五分灸三壯

條口　在三里下五寸下廉上一寸舉足取之針五分灸三壯

解谿 在衝陽後一寸足腕上繫鞋帶處陷中鍼五分留五呼灸三壯

衝陽 在足跗上五寸正中行高骨間動脈去陷谷三寸鍼三分留十呼灸三壯

（鍼禁論）云鍼跗上中大脈（即衝陽穴）血出不止者死即此穴也

陷谷 在足面上去內庭二寸足大指次指本節後陷中鍼五分留七呼

灸三壯 亦曰針三分（按足跗穴淺可鍼三分深則無益）

內庭 在足次指中指之間腳丫紋盡處鍼三分留十呼灸三壯

厲兌 在足次指外側端去爪甲如韭葉鍼一分留一呼灸一壯

第七十一課 足太陰脾經

內經曰脾者諫議之官智周出焉

脾者倉廩之本營之居也其華在唇四白其充在肌至陰之類通於土

氣孤藏以灌四旁脾主四肢為胃行津液

中央土色入通於脾開竅於口藏精於脾故病在舌本其味甘其

類土其畜牛其穀稷其應四時上為鎮星是以知病之在肉也其音宮其數五其臭香其液涎在聲為歌

經穴歌

二十一穴脾中州。隱白在足大指頭。大都太白公孫盛。商丘三陰交可求。漏谷地機陰陵泉。血海箕門衝門開。府舍腹結大橫排。腹哀食竇連天谿。胸鄉周榮大包隨。

經絡循行歌

太陰脾起足大指。循指內側白肉際。過核骨後內踝前。上腨循脛膝股裏。股內前廉入腹中。屬脾絡胃上膈通。挾咽連舌散舌下。支者從胃注心宮。此經血少而氣旺。是動即病舌本強。食則嘔出胃脘疼。心中善噫而腹脹。得後與氣快然衰。脾病身重不能搖。瘕泄水閉及黃疸。煩心心疼食難消。強立股膝內多腫。不能臥因胃不和。

經絡循行經文

脾足太陰之脈起於大指之端循指內側白肉際過核骨後上內踝前廉上端內循行骨後交出厥陰之前上循膝股內前廉入腹屬脾絡胃上膈挾咽連舌本散舌下其支者復從胃別上膈注心中

經文集註

足太陰脾脈起於大指之端隱白穴受足陽明之交循大指內側白肉際大都穴過核骨後歷太白公孫商丘上內踝前廉之三陰交又上腨內循胻骨後之內側漏谷穴上行二寸交出足厥陰之前至地機陰陵泉上循膝股之前廉血海箕門迤邐入腹經衝門府舍中極關元復循腹結大橫會下脘歷腹哀過日月期門之分循本經之裏下至中脘之際以屬脾絡胃又由腹哀上膈循食竇天谿胸鄉周榮由折向下至大包穴又自大包外曲向上會中府上行人迎之裏挾喉連舌本散舌下

而終其支行者由腹哀别行再從胃部中脘穴之外上膈註於膻中之裏心之分以交於手少陰心經也

第七十二課 足太陰脾經考正穴法共二十一穴

隱白 在足大指内側端去爪甲角如韭葉鍼一分留三呼灸三壯

大都 在足大指内側第二節後本節前骨縫白肉際陷中居孤拐前鍼三分留七呼灸三壯

太白 大指後孤拐正中赤白肉際陷中針三分留七呼灸三壯

公孫 在足大指後孤拐傍腳邊陷中針四分留七呼灸三壯

商丘 在内踝正下微前針三分留七呼灸三壯

三陰交 在内踝上除踝三寸針三分留七呼灸三壯妊娠禁針

漏谷 在内踝上六寸骨下陷中針三分留七呼灸三壯

地機 在膝下五寸内側骨下陷中針三分灸五壯

用掌心试膝
蓋以大指指
去血海穴寸
去大横下五寸
大横 冲门之南[illegible]
平臍外開对半
去期穴下三寸
天谿下[illegible]

陰陵泉 在膝下内輔骨下陷中與陽陵泉相對去膝橫閒一寸大針五分留七呼灸三壯

血海 在膝臏上一寸内廉白肉際陷中針五分灸五壯

箕門 在魚腹上越兩筋間陰股内廉動脉應手針三分留六呼灸三壯

衝門 上去大橫五寸橫骨兩端去中行三寸半橫直関元上直府舍下下直髀関針七分灸五壯

府舍 在腹結下三寸去腹中行三寸半橫直氣海針七分灸五壯

腹結 在大橫下一寸八分去腹中行三寸半橫直臍針七分灸五壯

大橫 在腹結上一寸八分橫直水分下脘之中鍼七分灸五壯

腹哀 在日月下一寸半去腹中行三寸半橫直中脘針三分灸五壯

食竇 在天谿下一寸八分自中庭外橫開五寸半微上此二中間有步廊針四分灸五壯

与乳後平開二寸

天谿　直乳頭後二寸針四分灸五壯

胸鄉　在周榮下一寸六分針四分灸五壯

周榮　在中府下一寸六分針四分灸五壯

大包　在淵腋下三寸橫直日月針三分灸三壯

第七十三課　手少陰心經

内經曰心者君主之官神明出焉

心者生之本。神之變也。其華在面。其充在血脈。為陽中之太陽通於夏氣○南方赤色入通於心開竅於舌藏精於心故病在五臟其味苦其類火其畜羊其穀黍其應四時上為熒惑星是以知病之在脈也其音徵其數七。其臭焦其液汗其聲為笑

經穴歌

九穴午時手少陰。極泉青靈少海深。靈道通里陰郄邃
神門少府少衝尋。

經絡循行歌

手少陰心起心經。下膈直絡小腸承。支者挾咽繫目系。直者心系上肺
騰。下腋循臑後廉出。太陰心主之後行。下肘循臂抵掌後。銳骨之端
小指停。此經少血而多氣。是動咽乾心痛應。目黄脇痛渴欲飲臂
臑内痛掌熱蒸。

經絡循行經文

心手少陰之脉起於心中出屬心系下膈絡小腸其支者從心系上挾咽
繫目系其直行者復從心系卻上肺下出腋下循臑内後廉行太陰
心主之後下肘内廉循臂内後廉抵掌後銳骨之端入掌内後廉
循小指之内出其端

經文集註

手少陰心経之脉。起於心。循任脉之外。屬心系下膈。當臍上二寸之分。絡小腸。其支行者。復從心系。直上至肺臟之分。出循腋下。抵極泉。自極泉。下循臑内後廉。行手太陰心主。兩筋之後。歷青靈穴。下肘内廉。抵少海。手腕下踝為兑骨。自少海而下循臂内後廉。歷靈道通里。至掌後銳骨之端。經陰郄神門。入合手内廉。至少府。循小指端之少衝而終。以交於手太陽也。 滑氏曰心為君主。尊於他藏。故其交経受授。不假支别也。

第七十四課 手少陰心經 共九穴

極泉 在臂内腋下筋間動脉橫直天府三寸微高於天府八分。針三分灸七壯。

青靈 在肘上三寸灸三壯

少海 在肘下内廉二寸直青靈針五分灸三壯一曰禁灸

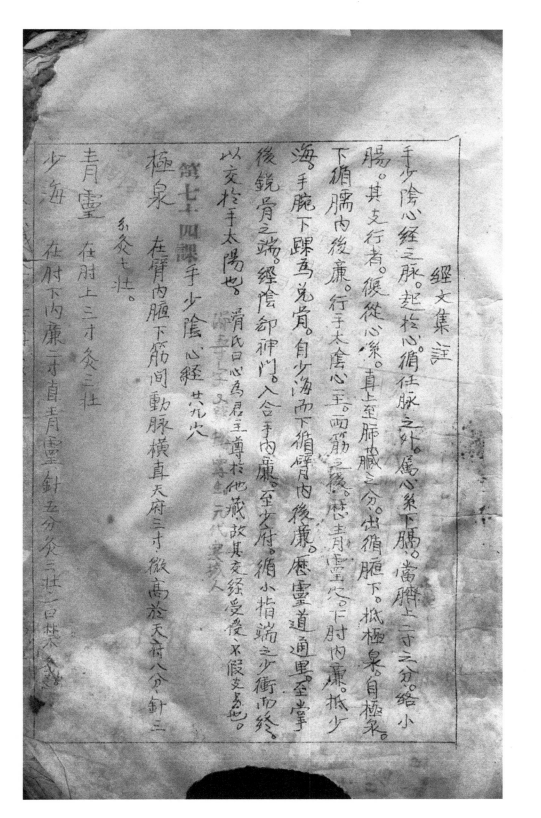

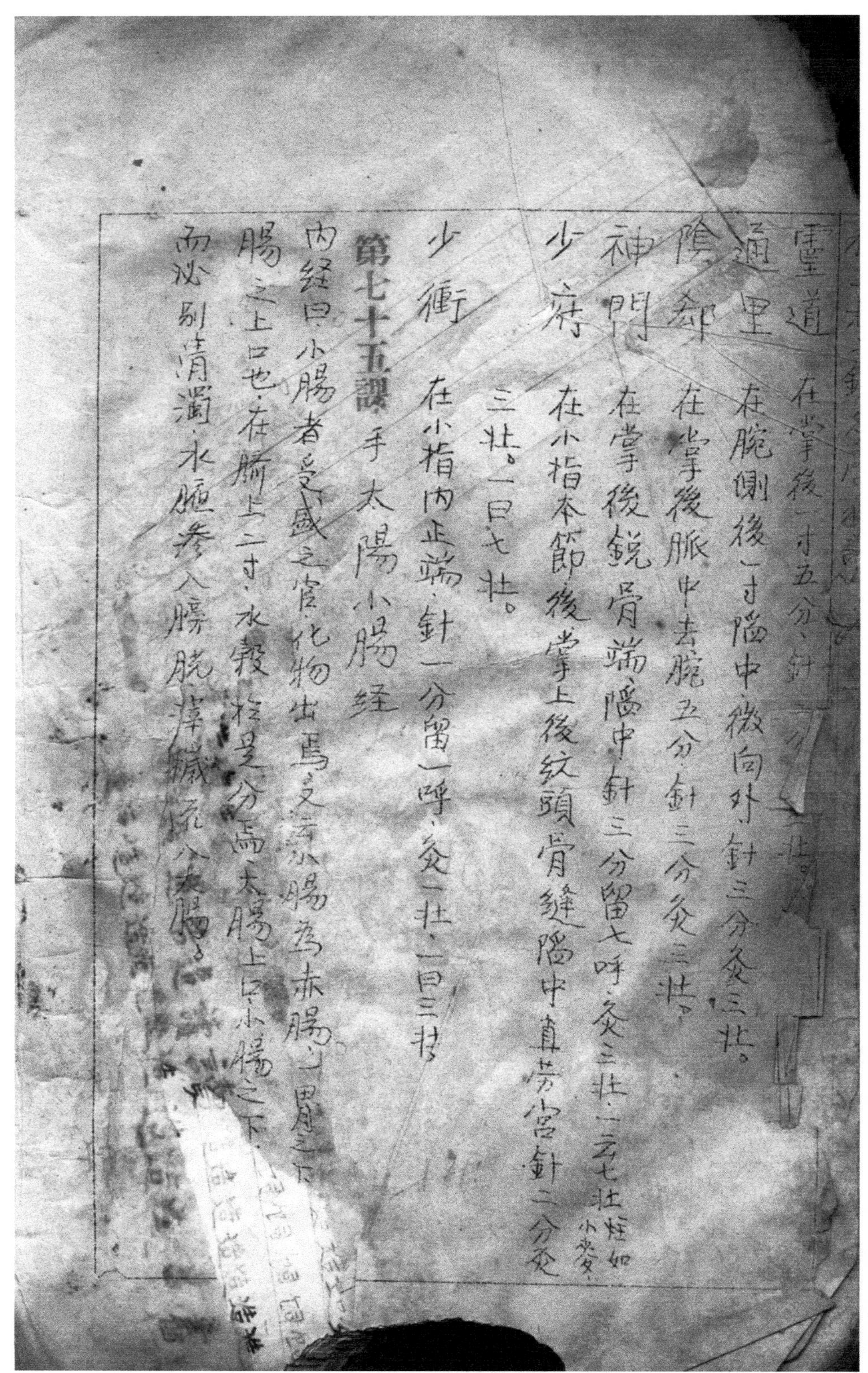

靈道　在掌後一寸五分、針三分……壯

通里　在腕側後一寸陷中微向外針三分灸三壯。

陰郄　在掌後脈中去腕五分、針三分灸三壯。

神門　在掌後銳骨端陷中針三分留七呼、灸三壯、一云七壯炷如小麥。

少府　在小指本節後掌上後紋頭骨縫陷中直勞宮針二分灸三壯。一曰七壯。

少衝　在小指内正端、針一分留一呼、灸一壯、一曰三壯

第七十五課　手太陽小腸经

内经曰小腸者受盛之官化物出焉。又云小腸為赤腸。上胃之下腸之上口也。在臍上二寸、水穀於是分焉。大腸上口小腸之下而泌別清濁。水液滲入膀胱、滓穢流入大腸。

手太陽小腸経穴歌

手太陽穴一十九。少澤前谷後谿藪。腕骨陽谷養老繩。支正小海外輔肘。肩貞臑俞接天宗。髎外秉風曲垣首。肩外俞連肩中俞天窗乃與天容偶。銳骨之端上顴髎。聽宮耳前珠上走。左右三十八穴

経絡循行歌

手太陽経小腸脉。小指之端起少澤。循手上腕出踝中。上臂骨出肘内側。兩筋之間臑後廉。出肩解而繞肩胛。交肩之上入缺盆。直絡心中循嗌咽。下膈抵胃屬小腸。支從缺盆上頸頰。至目銳眥入耳中。支者別頰復上䪼。抵鼻至於目内眥。絡顴交足太陽接。嗌痛頷腫頭難回。肩似拔兮臑似折。耳聾目黃腫頰間。是所生病爲主治。頸頷肩臑肘臂痛。此経少氣而多血。

（註）䪼 音拙 又音出

经络循行经文

小腸手太陽之脈。起於小指之端。循手外側上腕。出踝中。直上循臂骨下廉。出肘內側兩骨之間。上循臑外後廉。出肩解。繞肩胛。交肩上入缺盆。向腋絡心。循咽下膈。抵胃。屬小腸。其支者。從缺盆。貫頸上頰。至目銳眥。卻入耳中。其支者。別循頰上䪼。抵鼻。至目內眥。斜絡於顴。

经文集註

小腸手太陽经。起於小指少澤穴。手少陰心经之交也。由是循外側之前谷後谿。上腕出踝中。歷腕骨陽谷、養老穴。直上循臂骨下廉支正。出肘內側兩筋之間。歷小海穴上循臑外廉。行手陽明少陽之外。上肩循肩貞臑俞。天宗、秉風、曲垣、肩外俞、肩中俞、諸穴。乃上會大椎左右相交於兩肩之上。自交肩上入缺盆。循肩向腋下。行當膻中之分絡心。

循胃系下膈。過上腕抵胃。下行任脉之外。當臍上二寸之分。屬小腸。其支行者。從缺盆。循頸之天窗。天容上頰抵顴髎。上至目銳眥。過瞳子髎。卻入耳中。循聽宮而終。其支別者。別循頰上䪼。抵鼻。至目内眥睛明穴。以斜絡於顴。而交於足太陽也。目下為䪼。目内角為内眥。顴即顴髎穴

手太陽自此。交目内眥而接足太陽也。

第七十六課　手太陽小腸經考正穴法

少澤　在手小指外側去爪甲角如韭葉。針一分留二呼灸一壯

前谷　在手小指外側第二節紋頭。針一分留三呼灸三壯

後谿　在手小指外側第三節紋頭。針一分留二呼灸一壯一云三壯

腕骨　在手掌後横紋頭。針二分留三呼灸三壯

陽谷　去腕骨一寸二分。踝骨下微後些。針二分留三呼灸三壯

養老　去陽谷一寸二分。行向外。針三分灸三壯

支正　去養老一寸七分。針三分留七呼灸三壯

小海　在肘後横去肘寸半針二分留七呼灸五壮七壮

肩貞　在肩巨骨下相去六寸去脊横開八寸少下肩腽縫針五分灸三壮

臑俞　在肩貞上一寸外開八分針八分灸三壮

天宗　在肩貞上一寸七分横往内開一寸針五分留六呼灸三壮

秉風　在臑俞上直對相去一寸五分針五分灸三壮

曲垣　在下距天宗一寸五分上距肩井三寸少在二穴之中微向外些針五分灸三壮甲乙経曰十壮

肩外腧　在横直陶道四寸七分微高些針六分灸三壮

肩中腧　在肩外腧上五分針三分留七呼灸十壮甲乙経作三壮

天窗　在直耳下二寸針三分灸三壮甲乙経作針六分

天容　在頬車向後二寸大些針一分灸三壮

顴髎　直瞳子髎二寸少在顴骨下針二分禁灸

聽宮 在耳前肉峯內面針三分灸三壯

第七十七課 足太陽膀胱经

內經曰。膀胱者州都之官。津液藏焉。氣化則能出矣。又曰膀胱為黑腸。諸書辨膀胱不一。有云有上口無下口。有云上下皆有口。或云有小竅注洩。皆非也。惟有下口以出溺。上皆由泌別滲入膀胱。其所以入也出也。由於氣之施也。在上之氣不施。則注入大腸而為泄。在下之氣不施。則急脹滿澀。苦不出而為淋。

經次歌

足太陽經六十七。睛明目內紅肉藏。攢竹眉沖與曲差。五處上寸半承光。通天絡却玉枕昂。天柱後際大筋外。大杼背部第二行。風門肺俞厥陰四。心俞督俞膈俞強。肝胆脾胃俱挨次。三焦腎氣海大腸。關元小腸到膀胱。中膂白環仔細量。自從大杼至白環。各各節外寸半長〇上髎次髎中復下〇一空二空腰髁當〇會陽陰尾骨外髎附分俠脊第三行〇魄户膏肓與神堂〇譩譆膈關魂門九〇陽綱意舍仍胃倉〇肓門志室胞肓續〇二十椎下秩邊場〇承扶臀横纹中央〇殷門浮郄到委陽〇委中合陽承筋是〇承山飛揚踝跗陽〇崑崙僕參連申脉〇金门京骨束骨忙〇通谷至陰小指旁〇共一百卅四穴

經絡循行歌

足太陽經膀胱脈〇目内眥上額交巔〇支者從巔入耳上角〇直者從巔絡腦間〇還出下項循肩膊〇挾脊抵腰循膂旋〇絡腎正屬膀胱府〇一支貫臀入膕傳〇一支從髆别貫胛〇挾脊循髀合膕行〇貫腨出踝循京骨〇小指外側至陰全〇此經少氣而多血〇頭痛脊痛腰如折〇目似脱兮項似拔〇膕如結兮腨如裂〇痔瘧狂癲疾并生〇鼽衄目黄而淚出〇顖項背腰尻膕腨〇病若動時病皆徹

經絡循行經文

足太陽之脈。起於目内眥。上額交巔上。其支行者。從巔至耳上角。其直者。從巔入絡腦。還出別下項。循肩髆内。挾脊抵腰中。入循膂。絡腎屬膀胱。其支者。從腰中下會於後陰。下貫臀入膕中。其支者。從髆内左右別下。貫胛挾脊内。過髀樞。循髀外後廉。下合膕中。以下貫腨内。出外踝足後。循京骨。至小指外側端。

畫忠山水

經文集註

足太陽膀胱經之脉起於目内眥睛明穴手太陽之交也上額循攢竹過眉冲歷曲差五處承光過百會左右相交通天其支行者從巔之百會抵耳上角過足少陽之曲鬢率谷天冲浮白竅陰完骨等六穴所以散養於筋脉也其直行者由通天絡却玉枕入絡腦後出下項以抵天柱又由天柱而下過大椎陶道却循肩髆内挾脊兩旁相去各一

寸半下行歷大杼風門肺俞厥陰俞心俞督俞膈俞肝俞胆俞脾俞胃俞三焦俞腎俞大腸俞小腸俞膀胱俞中膂俞白環俞由是抵腰中入循膂絡腎下屬膀胱其支別者從腰中循腰髖下挾脊歷上髎中髎次髎下髎會陽下貫臀至承扶歷殷門入膕中之委中穴其支別者為挾脊兩旁第三行相去各三寸半之諸穴自天柱而下從膊內左右別行下貫胛膂歷附分魄戶膏肓神堂譩譆膈關魂門陽綱意舍胃倉肓門志室胞肓秩邊下歷尻臀過髀樞又循髀樞之裏承扶之外一寸五分之間而下歷浮郄委陽二穴與前之入膕者相合下行循合陽下貫腨內歷承筋承山飛揚附陽出外踝後之崑崙僕參申脈金門循京骨束骨通谷至小指外側之至陰以交於足少陰腎經也

第七十八課　足太陽膀胱經考正穴法

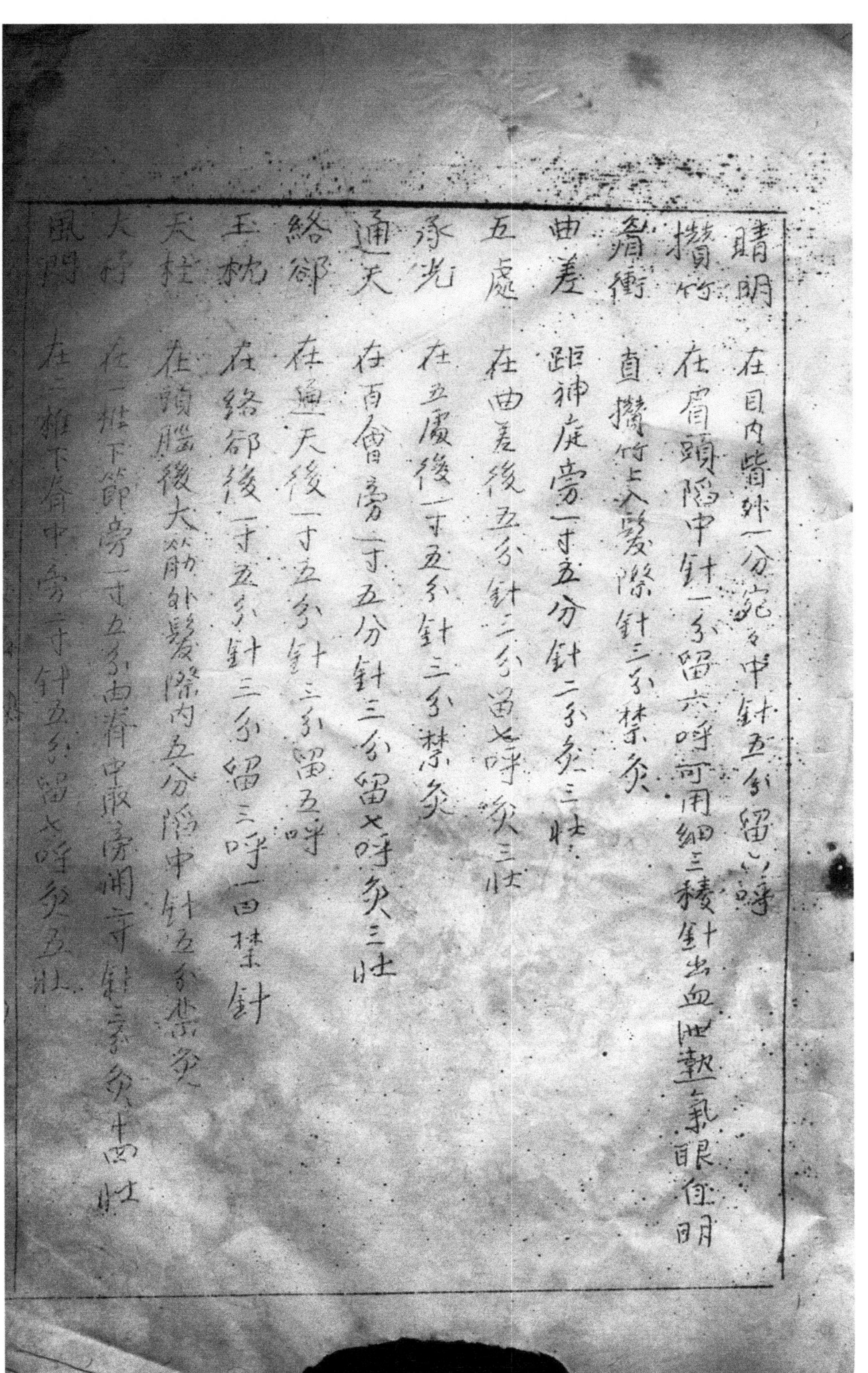

睛明　在目内眥外一分宛宛中針五分留六呼

攢竹　在眉頭陷中針一分留六呼可用細三稜針出血泄熱氣眼自明

眉衝　直攢竹上入髮際針三分禁灸

曲差　距神庭旁一寸五分針二分灸三壯

五處　在曲差後五分針二分留七呼灸三壯

承光　在五處後一寸五分針三分禁灸

通天　在百會旁一寸五分針三分留七呼灸三壯

絡卻　在通天後一寸五分針三分留五呼

玉枕　在絡卻後一寸五分針三分留三呼一曰禁針

天柱　在頸腦後太筋外髮際內五分陷中針五分禁灸

大杼　在一椎下節旁一寸五分由脊中取旁開二寸針三分灸十四壯

風門　在二椎下脊中旁一寸針五分留七呼灸五壯

肺俞 在三椎下去脊二寸 針三分留七呼 灸三壯 西深針中肺三日死

厥陰俞 在四椎下去脊二寸正坐取之 針三分 灸七壯

心俞 在五椎下去脊二寸正坐取之 針三分留七呼

督俞 在六椎下同上 針五分 灸二十七壯

膈俞 在七椎下同上 針三分留七呼 灸三壯 一云可灸百壯

肝俞 在九椎下同上 針三分留六呼 灸三壯 素問曰針中肝五日死

膽俞 在十椎下同上 針五分留七呼 灸三壯 素問曰針中胆一日半死

脾俞 在十一椎下同上 針三分留七呼 灸三壯 素問曰針中脾十日死

胃俞 在十二椎下同上 鍼三分留七呼 灸三壯 一曰隨年壯

三焦俞 在十三椎下同上 鍼五分 灸三壯五壯

腎俞 在十四椎下同上 鍼三分留七呼 灸三壯 或灸年壯 針中腎六日死

氣海俞 在十五椎下同上 鍼五分 灸二十一壯

大腸俞 在十六椎下去脊中二寸伏而取之鍼三分留六呼灸三壯
關元俞 在十七椎下同上針五分灸二七壯
小腸俞 在十八椎下同上伏取針三分留六呼灸三壯
膀胱俞 在十九椎下同上伏取針三分留六呼灸七壯
中膂俞 在二十椎下同上夾脊起肉間伏取針三分留六呼灸七壯
白環俞 在二十一椎下同上伏取鍼五分灸三壯得氣則泄々後多補禁灸
上髎 平關元俞內收五分十七椎下節外針五分灸二十一壯
次髎 平小腸俞內收五分節外針五分灸二十一壯
中髎 平膀胱俞內收五分節外針五分灸二十一壯
下髎 平中膂俞內收五分節外針五分灸二十一壯
會陽 長強外開二寸針五分灸七壯
附分 在二椎下去脊中三寸正坐取之針三分灸五壯

魄戶　在三椎下去脊三寸半針五分灸五壯可灸百壯

膏肓　在四椎下去脊三寸半　○取法先令病人正坐微曲脊伸兩手以臂着膝前令正直勿令動搖乃從胛骨上角摸索至胛骨下頭其間當有四肋三間依胛骨之際容側指許按其中空處自覺牽引肩中是其穴也灸七七壯至百壯針五分灸後再灸足三里以引下之

神堂　在五椎下去脊三寸半針三分灸五壯

譩譆　在肩髆內廉六椎下去脊三寸半正坐取之針六分留七呼灸二七壯

鬲關　在七椎下去脊中三寸半陷中正坐開肩取之針五分灸五壯

魂門　在九椎下去脊中三寸半陷中正坐取之針五分灸三壯

陽綱　在十椎下去脊三寸半陷中正坐取之針五分灸三壯七壯

意舍　在十一椎下去脊三寸半正坐取之針五分灸二七壯

胃倉　在十二椎下去脊三寸半正坐取之針五分灸二七壯

一

肓門　在十三椎下去脊三寸半正坐取之鍼五分灸二七壯
志室　在十四椎下去脊三寸半陷中正坐取之針五分灸七壯
胞肓　在十九椎下去脊三寸半陷中伏取之針五分灸七壯
秩邊　在二十椎下去脊三寸半陷中伏取之針五分灸七壯
承扶　在尻臀下股陰上約紋中針七分留五呼灸三壯
殷門　在承扶下五寸三分針七分留七呼灸三壯
浮郄　在殷門下一寸針五分灸三壯
委陽　平委中外兩筋中針七分留五呼灸三壯
委中　在膕中央約紋動脈陷中伏卧取之鍼五分留七呼禁灸
合陽　在委中下四寸大些針六分灸五壯
承筋　在承山上一寸禁針灸針承山時慎勿誤針此穴恐有危險
承山　在委中下八寸半針七分灸至七七壯些灸不及針

飛陽　外踝上七寸針八分灸十四壯

附陽　在崑崙上三寸針八分留七呼灸七壯

崑崙　在足外踝後五分跟骨上陷中細動脈應手針五分灸三壯

僕參　在崑崙下一寸腳根白邊上針三分留七呼灸七壯

申脈　在腳骨拐下金門後針三分留七呼灸三壯

金門　在外踝正下坵墟後針三分灸七壯

京骨　在申脈前三寸針三分留七呼灸七壯

束骨　在京骨前二寸小指外側大孤拐後針三分留三呼灸三壯

通谷　在小指外側本節前孤拐前腳邊紋頭針二分留五呼灸三壯

至陰　在足小指外側去爪甲角如韭葉針一分留五呼灸五壯

第七十九課　足少陰腎經

內經曰腎者作強之官伎巧出焉

腎者主蟄，封藏之本，精之處也，其華在髮，其充在骨，為陰中之太陰，通於冬氣。

北方黑色，入通於腎，開竅於耳，藏精於腎，故病在谿，其味鹹，其類水，其畜彘，其穀豆，其應四時，上為辰星，是以知病之在骨也，其音羽，其數六，其臭腐，其液唾，在声為呻

經穴詞　左右五十四穴

足少陰穴二十七○湧泉然谷太谿溢○大鍾水泉通照海○復溜交信築賓寔○陰谷膝內附骨後○已上從足走至膝○橫骨大赫連氣穴○四滿中注肓俞臍○商曲石關陰都密○通谷幽門寸半闢○折量腹上分十一○步廊神封膺靈墟○神藏彧中俞府畢○

經絡循行詞

足腎經脈屬少陰○斜從小指趨足心○出於然谷循內踝○入跟上腨

膕內尋。上股後廉直貫脊。屬腎下絡膀胱深。直者從腎貫肝膈。入肺挾舌循喉嚨。支者從肺絡心上。注於胸交手厥陰。此經多氣而少血。是動病飢不欲食。欬唾有血喝喝喘。目䀮心懸坐起輒。善恐如人將之。咽腫舌乾兼口熱。上氣心痛或心煩。黃疸腸澼及痿厥。脊股後廉之內痛。嗜臥足下熱痛切。

經絡循行經文

足少陰之脈起於小指之下斜。趨足心出然谷之下。循內踝之後。別入跟中。以上腨內。出膕內廉。上股內後廉貫脊屬腎 絡膀胱、其直者從腎上貫肝膈、入肺中循喉嚨、挾舌本、支者從肺出絡心注胸中。

經文集註

足少陰腎之經、起於足小指之下。斜趨足心之湧泉轉出內踝前。起大骨下之然谷。循內踝下照海。行入內踝後之太谿。下水泉過跟中之大鍾上循内踝。行厥阴太阴两经之後。经本经復溜交信穴。過脾经之三阴交。上腨内循築賓。出膕内廉抵阴谷、上股内後廉。貫脊。會於督脉之長強。還出於前。循横骨、大赫、氣穴、四满、中注、肓俞、當肓俞之所，臍之左右屬腎。足少阴腎经故其脉屬腎。下臍過任脉之関元。中極而絡膀胱。膀胱為腎之雄故脉絡膀胱。

其直行者，從肓俞屬腎處。上行循商曲。石関、阴都、通谷諸穴，貫肝上循幽门上膈。歷歩郎、入肺中。循神封、靈墟。神藏、彧中、俞府、而上循喉嚨。並人迎挾舌本而終絡。其支者。自神藏別出繞心。註心中之膻中。以交于手厥阴心胞絡经也。

第八十課　足少阴腎 共二七穴

湧泉　在足心陷中、屈指卷指宛宛中鍼三分留三呼灸三壮

然谷　在公孫後一寸針三分留三呼灸三壮一曰針不宜見血

太谿　在足内踝後五分針三分留七呼、灸三壮

太鍾　在照海後一寸半針二分留三呼、灸三壯。

照海　在内踝下一寸針四分留六呼灸三壯一曰針三分灸七壯

水泉　在内踝下微後直太谿下針四分灸五壯

復溜　在交信後五分與交信並排針三分留三呼灸五壯七壯

交信　在三陰交下一寸後開些針四分留五呼灸三壯

築賓　在三陰交直上二寸後開一寸二分針三分灸五壯、

陰谷　在曲泉後橫直一寸半微下些針四分留七呼灸三壯

橫骨　在赫下一寸、肓俞下五寸去中行五分針五分灸三壯、五壯甲乙經曰針一寸

大赫　在氣穴下一寸去中行五分針三分灸五壯　千金云、三十壯、甲乙經作針一寸

氣穴　在四滿下一寸去中行五分針三分灸五分甲乙經作針一寸

四满 在中注下一寸去中行五分針三分灸三壮甲乙経云針一寸千金云灸百壮、

中注 在肓俞下一寸去中行五分針一寸灸五壮一云針五分、

肓俞 在商曲下一寸半直臍傍相去五分針一寸灸五壮一云針五分

商曲 在石関下二寸去中行五分針一寸灸五壮一云針五分

石関 在陰都下二寸少去中行五分針一寸灸三壮一云針五分

陰都 在通谷下二寸少去中行五分針三分灸三壮甲乙経曰針一寸千金云灸隨年壮、

通谷 在幽門下二寸少去中行五分針五分灸五壮

幽門 在巨闕傍各五分針五分灸五壮

步廊 在中庭傍二寸針三分灸五壮

神封 在步廊上二寸少去中行二寸針三分灸五壮

靈墟　在神封上二寸少去中行二寸針三分灸五壯

神藏　在靈墟上一寸少去中行二寸針三分灸五壯

彧中　在神藏上二寸少去中行二寸針四分灸五壯

俞府　在彧中上二寸少去中行二寸針三分灸五壯

第八十一課　手厥陰心包絡經

滑氏曰、手厥陰心主、又曰心包絡、何也、曰君火以名、相火以位、手厥陰代君火行事、以用而言、故曰手心主、以經而言、曰心包絡、一經而二名、寔相火也。

經穴詞　共左右十八穴

九穴心包手厥陰，天池天泉曲澤深。郄門間使內關對。大陵勞宮中衝侵。

經絡循行詞

手厥陰經心主標。心包下膈絡三焦。起自胸中支出脇。下腋三寸循臑迢太陰少陰中間走。入肘下臂兩筋超。行掌心從中指出。支從小指次指交。是經少氣原多血。是動則病手心熱。是主脉所生病者。掌熱心煩心痛掣。

經絡循行經文

手厥陰心主之脈。起于胸中。出屬心包下膈。歷絡三焦。其支者循胸出脅下腋三寸上抵腋下。下循臑內行太陰少陰之間。入肘中下臂。行兩筋之間。入掌中循指。出其端。其支別者。掌中循小指次指出其端。

經文集註

手厥陰心包絡之脈。起于胸中。心主者心之所主也。包絡為心之府故名。出屬心下之包絡。受足少陰之交也。由是下膈。歷絡三焦。三焦為臟腑之雄。故心包絡脈。歷絡三焦之經。諸經皆無歷字。此獨有之，達上中下也。歷者謂三焦各有部署。在胃脘上中下之間。其脈分絡于焦也。其支者。自屬心脘上。循胸。出脅下腋三寸天池穴。上行抵腋下。下循臑內之天泉。

以界手太陰肺經。手少陰心經。兩經之中間。太陰行臑之前，少陰行臑之後，而心主行其中也入肘中之曲澤穴。又由肘中下臂兩筋之間。循郄門間使。内關大陵。入掌中勞宮。循中指出其端之中冲穴。其支別者。行者。自勞宮別循無名指。出其端。而交于手少陽三焦也。

第八十二課　手厥陰心包絡穴址

天池　在乳後一寸下五分針三分灸三壯

天泉　在臂内極泉直下一寸大些針六分灸三壯一日針二分

曲澤　在臂内廉横紋正中居手太陰尺澤之後針三分留七呼灸三壯

郄門　在掌後去腕五寸針三分灸五壯。

間使　在掌後三寸針三分留七呼灸五壯。

内關　在掌後去腕二寸兩筋間。與外關相對。針五分灸五壯

大陵　在掌後正横紋陷中針三分留七呼灸三壯。

勞宮　在掌心屈中指無名指取之居中是穴針二分灸三壯

中衝　在手中指端去爪甲如韭葉針一分留三呼灸一壯

第八十二課手少陽三焦經

内經曰三焦者決瀆之官水道出焉

又云上焦如霧中焦如漚下焦如瀆人心湛寂欲想不與則精氣散在三焦榮華百脈及其想念一起慾火熾然翕撮三焦精氣流溢並於命門輸瀉而去故號此府為三焦

經穴歌

二十三穴手少陽○關衝液門中渚旁○陽池外關支溝正○會宗三陽四瀆長○天井清冷淵消濼○臑會肩髎天髎堂○天牖翳風瘈脈青○顱息角孫絲竹張○禾髎耳門聽有常　左右四十六穴

經絡循行歌

手少陽經三焦脈。起手小指次指間。循腕出臂之兩骨。貫肘循臑外上肩。交出足少陽之後。入缺盆布膻中傳。散絡心包而下膈。循屬三焦表裏聯。支從膻中缺盆出。上項出耳上角巔。以出下頰而至䪼。支從耳後入耳緣。出走耳前交兩頰。至目銳眥膽經連。是經少血還多氣。耳聾嗌痛及喉痹。氣所生病汗多出。頰腫痛及目銳眥。耳後肩臑肘臂外。皆痛廢及小次指。

經絡循行經文

手少陽之脈起於小指次指之端。上出兩指之間、循手表腕出臂外兩骨之間、上貫肘循臑外上肩而交出足少陽之後、入缺盆交膻中散絡心包、下膈循屬三焦、其支者從膻中上出缺盆上項挾耳後、出耳上角以屈下頰至䪼。其支者從耳後入耳中出走耳前過客主人交頰至目銳眥。而終

經文集註

手少陽三焦經之脈起於小指次指之端關衝穴上屈歷液門中渚四指之間循手表腕之陽池出臂外兩骨之間至天井穴從天井上行循臂臑之外歷清冷淵消濼行手太陽之裏手陽明之外上肩循臑会肩髎交出足少陽之後（足少陽在手少陽之後上肩而手少陽復在其後）過秉風肩井下入缺盆復由足陽明之外而會於膻中之上焦散布絡繞於心包絡（心包絡為三焦之雌故三焦脈散絡心包也）乃下膈入絡膀胱以約下焦附右腎而生（所謂偏屬三焦者手少陽為三焦之經故其脈偏屬三焦）其支行者從膻中而上出缺盆之外上項過大椎循天牖上耳後經翳風瘈脈顱息直上出耳上角至角孫過懸厘頷厭及過陽白睛明屈曲耳頰至䪼會顴髎之分其支支行者從耳後翳風穴入耳中過聽宮歷耳門禾髎卻出至目銳眥合童子髎循絲竹空而交於足少陽膽經也

第八十四課 手少陽三焦經者正穴法

關衝　在手無名指外側去爪甲角如韭葉針一分留三呼灸三壯

液門　在手小指次指根間合縫紋頭針二分留二呼灸三壯

中渚　在手無名指與小指本節後骨陷中針二分留三呼灸三壯

陽池　在手表腕上陷中自本節後骨直對腕中針二分留六呼灸三壯

外關　在陽池後二寸兩筋間陷中針三分留七呼灸三壯

支溝　在陽池後三寸針二分留七呼灸七壯

會宗　平支溝向外一寸禁針可灸三壯

三陽絡　陽池後四寸對支溝禁針可灸三壯

四瀆　陽池後五寸禁針可灸三壯

天井　以手摸肩大臂灣上一寸二大骨陷中針八分灸十四壯

清冷淵　在肘後寸半距天井一寸針三分灸三壯

消濼　在臂臑上二寸後開一寸針五分灸五壯

臑會　在消濼上二寸微前針五分灸五壯

肩髎　在肩髃後肩端陷中針七分灸七壯

天髎　在肩井內一寸後開八分肩外俞上一寸針八分灸三壯

天牖　在風池下一寸微外些針一分留七呼不宜補及灸灸之令人面腫

翳風　在耳根下八分針三分灸七壯

瘈脈　在翳風上一寸稍近耳根針一分灸三壯

顱息　在瘈脈上一寸大些針一分灸三壯（以上翳風瘈脈顱息三穴禁出血）

角孫　在客主人上一寸針三分灸三壯

耳門　在耳前肉峯下缺口外針三分留三呼灸三壯

和髎　在眉直後髮際針三分灸三壯（灸甚傷目）

絲竹空　在眉尾直對陷中鍼五分留三呼禁灸

第八十五課　足少陽膽經

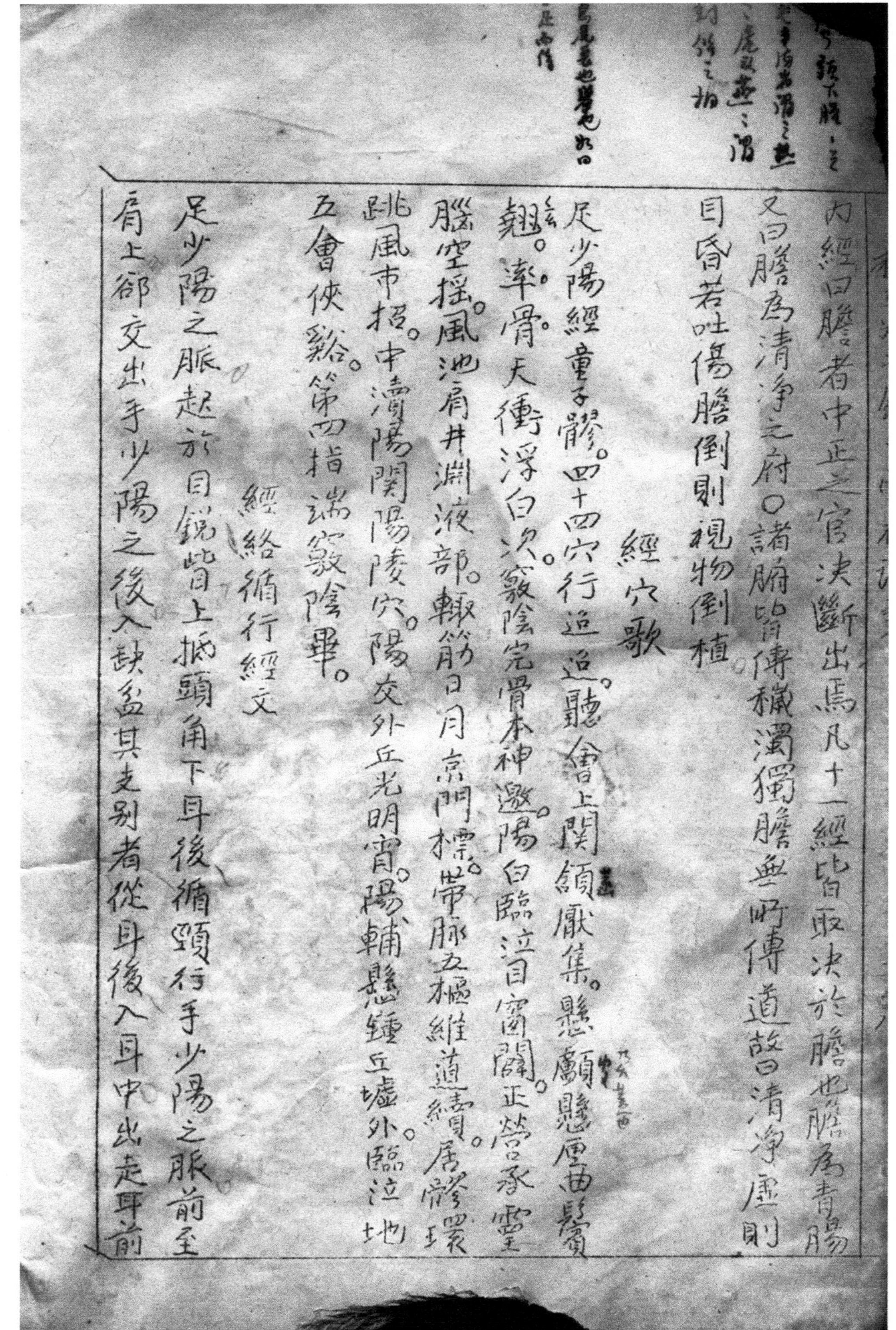

内經曰膽者中正之官決斷出焉凡十一經皆取決於膽也膽爲青腸

又曰膽爲清淨之府○諸腑皆傳穢濁獨膽無所傳道故曰清淨虛則

目昏若吐傷膽倒則視物倒植

經穴歌

足少陽經童子髎○四十四穴行迢迢○聽會上關頷厭集○懸顱懸釐曲鬢

翹○率谷天衝浮白次○竅陰完骨本神邀○陽白臨泣目窗闢○正營承靈

腦空搖○風池肩井淵液部○輒筋日月京門標○帶脈五樞維道續○居髎環

跳風市招○中瀆陽關陽陵穴○陽交外丘光明宵○陽輔懸鍾丘墟外○臨泣地

五會俠谿○第四指端竅陰畢○

經絡循行經文

足少陽之脈起於目銳眥上抵頭角下耳後循頸行手少陽之脈前至

肩上卻交出手少陽之後入缺盆其支別者從耳後入耳中出走耳前

至目銳眥下大迎合手少陽於䪼下挾頰車下頸合缺盆以下胸中貫膈絡肝屬膽循脅裏出氣街繞毛際橫入髀厭中其支者從缺盆下腋循胸中過季脅下合髀厭中以下循髀陽出膝外廉下外輔骨之前直下抵絕骨之端下出外踝之前循足跗上出小指次指之端其支者從跗上入大指骨內出其端還貫爪甲出三毛

經文集註

足少陽膽經之脈。起於目銳眥之童子髎。由聽會過客主人上。抵頭角。循頷厭。下懸顱懸釐。由懸釐上循耳上髮際。至曲鬢率谷。外折。下耳後。循天衝浮白。竅陰完骨。又自完骨外折。循本神過曲差。下至陽白會睛明。上行循臨泣目窗正營承靈腦空風池。至頸。過天牖。行手少陽之脈前。下至肩上。循肩井。郄左右交出手少陽之後。是足少陽行頭行手少陽之前。至肩上。手少陽復在足少陽之前。過大椎大杼。秉風。當秉風前。入缺盆之外。其支者從耳後顳顬間過翳風之分。入耳中過聽宮。後自聽宮至目銳眥、瞳子髎之分。其支者。別自目外瞳子髎。而下大迎。合手少陽於䪼。而當顴髎之分。下臨頰車。下頸循本經之前。與前之入缺盆者、相合。下胸中天池之外。貫膈即期門之所絡肝。（肝為胆之雌。故胆脉絡於肝也。）下至日月之分。屬於胆也。（足少陽為胆之經。故其脉屬胆也。）自屬胆處。循脇內章門之裏。至氣衝。遶毛際。遂橫入髀厭之環跳穴。其直行者。從缺盆下腋循胸。歷淵液、輒筋。過季脇。（脇骨曰肋。末處曰季脇。）循京門、帶脉。五樞、維道、居髎而下。與前之入髀厭者相合。乃下循髀外。行太陽、陽明之間。歷中瀆、陽關。出膝外廉。抵陽陵泉。又自陽陵泉。下行於輔骨前。輔骨。（謂輔佐䯒骨。二骨在䯒之外。）歷陽交、外邱、光明。直下抵絕骨之端。循陽輔、懸鐘、而下。出外踝之前。至邱墟。循足面之臨泣、五會、俠谿。乃上入小指次指之間。至竅陰而終。其支別者。自足跗面臨泣、別行入大指。循岐骨內出大指端。還貫入爪甲。出三毛以交於足厥陰肝經也。（足大指次指本節後。骨縫為岐骨。大指甲後二節間為三毛。）

第八十六課 足少陽胆經考正穴法

童子髎　在目外去小眥五分針三分灸三壯

聽會　在耳前肉峯之前上有下關下有耳門此穴居中針四分灸三壯。

客主人　在下關上五分針一分留三呼灸三壯甲乙經曰針太深令人耳無聞一曰禁針一曰針上關不得深下關不得久。

頷厭　在懸顱上五分與風池上下相對有二寸風池微向外些針三分留三呼灸三壯氣府論註曰針深令人耳無所聞

懸顱　與究陰並究陰在前懸顱在後相距三分大些針三分留三呼灸三壯

懸釐　與完骨並完骨在前懸釐在後相距三分上直頷厭一寸下直風池一寸針三分留七呼灸三壯

曲鬢　在耳上入髮際一寸微後些直顱息針三分灸三壯

率谷　在耳上直入髮際一寸高於曲鬢相距八分針三分灸三壯

天衝　在頷厭上四分横直浮白針三分灸三壯

浮白　在耳上輪根入髮際一寸横直天衝針三分灸三壯

竅陰　在浮白下一寸瘈脉後八分微上處髮際下針三分灸三壯

完骨　在竅陰下七分髮際中針三分留七呼灸三壯

本神　在臨泣旁一寸入髮際五分針三分灸七壯

陽白　在眉上七分直瞳子鍼三分灸三壯

臨泣　在目上直入髮際五分距曲差一寸少針三分灸三壯一曰禁灸

目窗　在臨泣後一寸少針三分灸五壯

正營　在目窗後二寸少針三分灸三壯

承靈　在曲鬢後寸半微高針三分灸五壯一曰禁針

腦空　在懸顱後七分風池上寸半針四分灸五壯

風池　在天柱外八分下些天牖斜上太分入髮際陷中針四分灸三壯七壯炷（不用大）

肩井　在肩上陷解中缺盆上大骨前一寸半以三指按取之當中指下陷者中針五分灸三壯孕婦禁針

淵腋　在腋下三寸宛宛中針三分禁灸灸之不幸生腫蝕馬刀瘍內潰者死

輒筋　在腋下三寸復前行一寸著脅鍼六分灸三壯

日月　在期門直下八分針七分灸五壯

京門　直對章門外開二寸針三分留七呼灸三壯一云針八分

帶脈　在京門直下二寸鍼六分灸五壯

五樞　在帶脈直下二寸鍼一寸灸五壯

維道　對章門直下七寸針八分灸三壯

居髎　在維道下二寸後開五分環跳前橫直環跳相去三寸微高些針八分灸三壯

環跳　在髀樞中側卧伸下足屈上足取之有大空鍼一寸留十呼灸三

市以手按
指盡處大
肌後長穴

壯甲乙经云留二十呼灸五十壯

中瀆　在髀骨外膝上五寸分肉間陷中鍼五分留七呼灸五壯

陽關　在膝眼旁一寸針五分禁灸

陽陵泉　在三里上六分横開二寸針六分留十呼灸七壯至七七壯

陽交　在外踝上七寸針六分留七呼灸三壯

外丘　在外踝上七寸與陽交在一處外丘在前陽交在後外丘高三分針三分灸三壯

光明　在懸鍾上二寸八分針六分留七呼灸五壯

陽輔　在光明懸鍾二穴之中微斜鍼三分留七呼灸三壯

懸鍾　在足外踝上三寸當骨尖前動脈中鍼六分留七呼灸五壯

丘墟　在足外踝下微前陷中鍼五分留七呼灸三壯

臨泣　距俠谿一寸六分距地五会一寸針二分留五呼灸三壯

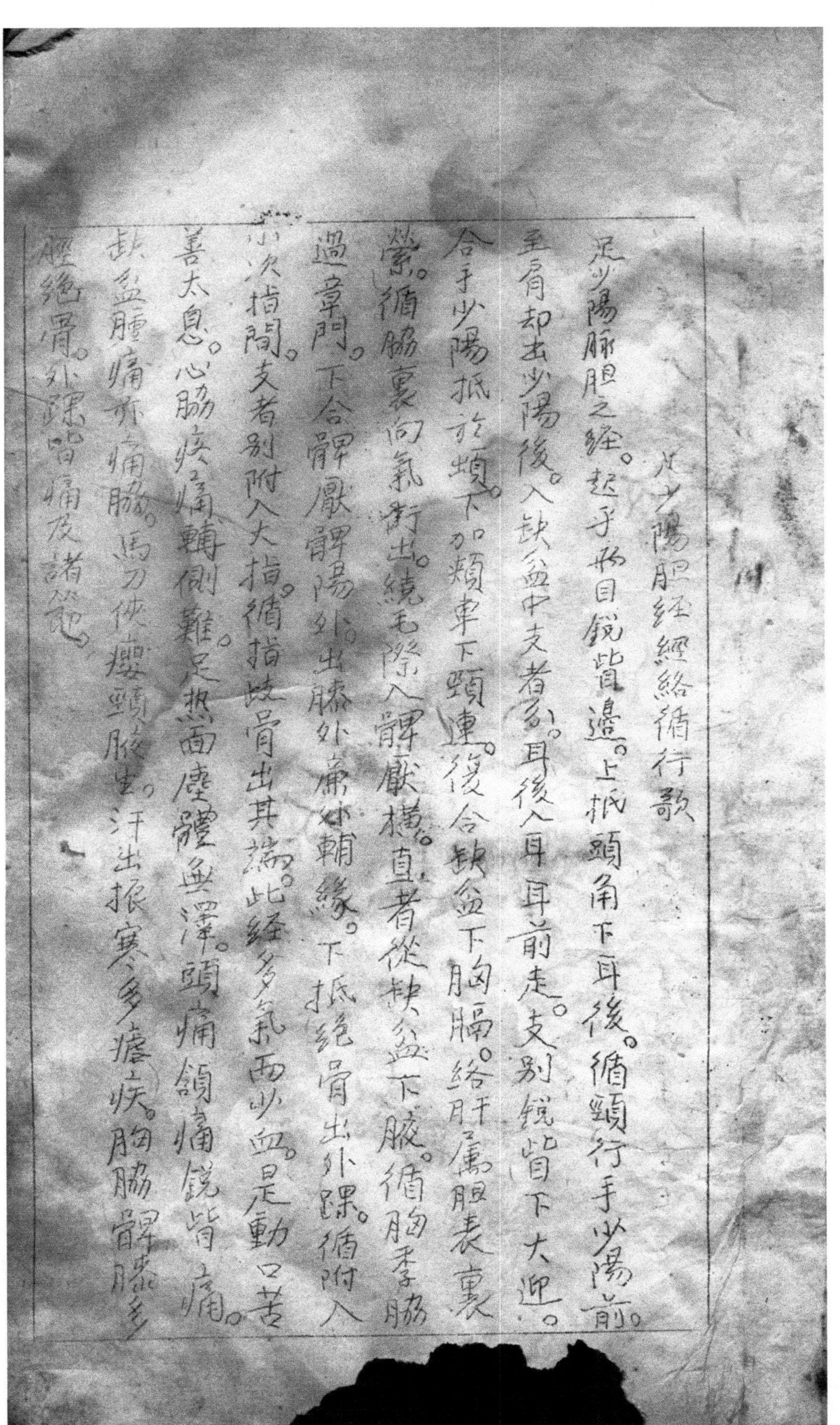

足少陽胆経經絡循行歌

足少陽脉胆之経。起于两目鋭眥邊。上抵頭角下耳後。循頸行手少陽前。至肩却出少陽後。入缺盆中支者分。耳後入耳耳前走。支別鋭眥下大迎。合手少陽抵於䪼。下加頰車下頸連。復合缺盆下胸膈。絡肝屬胆表裏縈。循脇裏向氣街出。繞毛際入髀厭横。直者從缺盆下腋。循胸季脇過章門。下合髀厭髀陽外。出膝外廉外輔緣。下抵絶骨出外踝。循附入小次指間。支者别附入大指。循指岐骨出其端。此経多氣而少血。是動口苦善太息。心脇疼痛轉側難。足热面塵體無澤。頭痛頷痛鋭眥痛。缺盆腫痛亦痛腋。馬刀俠瘿頸腋生。汗出振寒多瘧疾。胸脇髀膝彡脛絶骨。外踝皆痛及諸節。

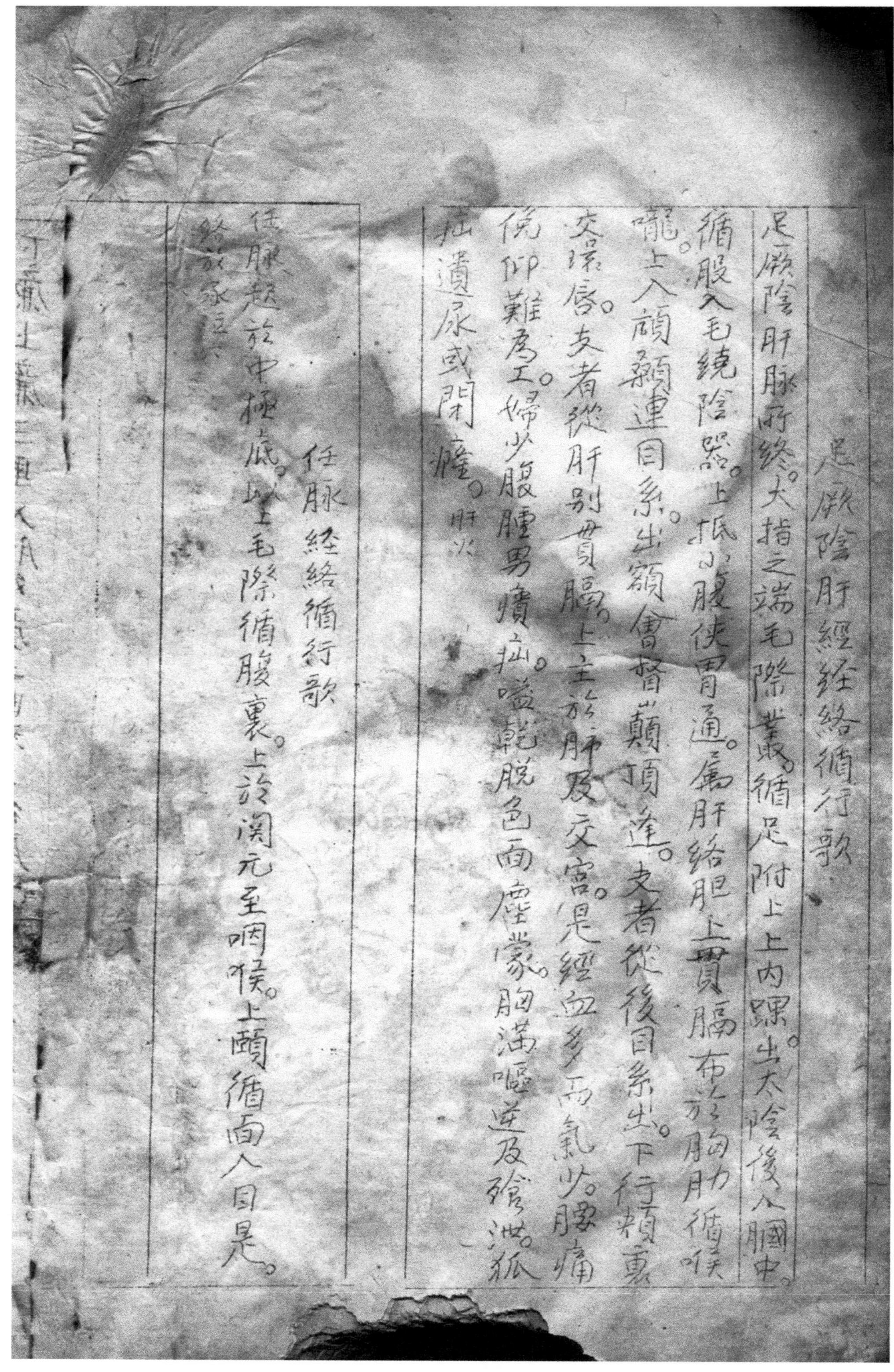

足厥陰肝經經絡循行歌

足厥陰肝脉所終。大指之端毛際叢。循足附上上内踝。出太陰後入膕中。循股入毛繞陰器。上抵小腹使胃通。屬肝絡胆上貫膈。布於脇肋循喉嚨。上入頏顙連目系。出額會督巔頂逢。支者從目系出下行頰裏交環唇。支者從肝别貫膈。上注於肺及交宫。是經血多而氣少。腰痛俛仰難爲工。婦少腹腫男癀疝。嗌乾脫色面塵蒙。胸滿嘔逆及飧泄。狐疝遺尿或閉癃。肝火

任脉經絡循行歌

任脉起於中極底。以上毛際循腹裏。上於關元至咽喉。上頤循面入目是。

絡於承泣

地五會　俠谿後一寸針一分禁灸甲乙经曰灸之令人瘦不出三年死

俠谿　在足小指次指間合縫紋頭岐骨間針三分留三呼灸三壯

竅陰　在足小指次指外側去爪甲如韭葉針一分留三呼灸三壯

第八十七課　足厥陰肝经

內經曰肝者將軍之官謀慮出焉

肝者罷極之本魂之居也其華在爪其充在筋以生血氣為陽中之少陽通於春氣

東方青色入通於肝開竅於目藏精於肝故病發驚駭其味酸其類草木其畜雞其穀麥其應四時上為歲星是以知病之在筋也其音角其數八其臭臊其液泣在声為呼

經穴歌

一十四穴足厥陰○大敦行間太衝侵○中封蠡溝中都近○膝關曲泉

陰包臨○五里陰廉羊矢穴○章門常對期门深○廿三共穴

經絡循行歌

足厥陰肝脉所終。大指之端毛際叢。循足跗上上内踝。出太陰後入膕中。循股入毛繞陰器。上抵小腹侠胃通。屬肝絡胆上貫膈。布於脇肋循喉嚨。上入頏顙連目係。出額会督頂巔逢。支者後從目係出。下行頰裏交環脣。支者從肝别貫膈。上注於肺及交宫。是经血多而氣少。腰痛俛仰難為工。婦少腹腫男㿗疝。嗌乾脱色面塵蒙。胸滿嘔逆及飧泄。狐疝遺尿或閉癃。

经絡循行经文

足厥陰之脉起於大指叢毛之際。上循足跗上廉出内踝一寸。上踝八寸。交出太陰之後。上膕内廉循股陰入毛中。環陰器抵少腹。挟胃屬肝。絡胆上貫膈。布脇肋循喉嚨之後。入頏顙連目係出額與督脈會於巔。其支者。從目系下頰裏。環唇內。其支者復從肝別貫膈。上注肺中。

經文集註

足厥陰肝之經。起於足大指、叢毛之大敦。（叢毛即三毛）循足跗上廉。歷行間太衝。抵內踝前一寸之中封。自中封上踝過三陰交。歷蠡溝中都。復上一寸。交出太陰之後。（足厥陰經、行足太陰之前上踝八寸。而厥陰復大陰之後也）上膕內廉。至膝關曲泉。循股內之陰包、五里陰廉。遂當衝門府舍之分。入毛際中。左右相環遶陰器。抵小腹而上會曲骨中極關元。復循章門至期門之所。挾胃屬肝。（足厥陰為膽之臟。故其脈屬於肝）下日月之分。絡於膽也。（膽者肝之腑。故肝脈絡於膽）又自期門上貫膈。行食竇之外。大包之內。散布脇肋。上雲門淵液之間。人迎之外。循喉嚨之後。上出頏顙（靈樞經曰頏顙者、分氣之泄也）行大迎、地倉四白陽白之外。連目係上出額。行臨泣之裏。與督脈相會於巔頂之百會。其支行者。從目系下行任脈之外。本經之裏。（下頰裏支環於唇之内。其又支者。從肝属肝處。别貫膈。行食竇之外。本経之裏。上注肺下。行至中脘之分。以交於手太陰肺経也。十二経一周已盡。

第八十八課 足厥陰肝経考正穴法

大敦 在足大指爪甲根後四分節前針二分留十呼灸三壯。

行間 大指次指合縫後五分、針三分留十呼灸三壯。

太衝 在行間後[illegible]横距陷各一寸半針三分留十呼灸三壯

中封 在内踝前一寸微下些針四分留七呼灸三壯千金云五十壯。

蠡溝 在内踝前上五寸針二分留三呼灸三壯

中都 在蠡溝上二寸半針三分留六呼灸五壯。

膝關 在犢鼻下一寸二分、向裏横開寸半下直中都相距五寸針四分灸三壯

曲泉 在横紋頭鍼六分、留七呼灸三壯

陰包　在股内廉膝上三寸，横直陰市，針六分，灸七壯

五里　横直髀關，鍼六分，灸五壯

陰濂　五里上一寸，針八分，留三呼，灸三壯

羊矢　一名急脈，在曲骨旁三寸，禁針，可灸五壯

章門　平下脘外開六寸，妙手針二寸，灸七壯

期門　平巨闕外開四寸五分，妙手針五分，灸七壯

第八十九課　奇經八脈之一　任脈

前胸中行之大脈也。此經不取井滎俞經合也。脈起中極之下，以上毛際，循腹裏上關元，至咽喉，屬陰脈之海。以人之脈絡周流於諸陰之分，譬猶水也，而任脈則為之總會，故名曰陰脈之海焉。用鍼用藥當分男女，婦女月事多主衝任，是任之為言妊也。乃婦人生養之本，調攝之源。督則由會陰而行背，任則由會陰而行腹。人身之有任督，猶天地之有子午也。

人身之任督以腹背言天地之子午以南北言可以分可以合者也分之以見陰陽之不離合之以見渾淪之無間一而二二而一也盖明任督以保其身亦猶明君能愛民以安其國也民斃國亡任衰身謝此至理也此脈於胃脘之上中下三部刺之最多也

任脈經穴歌

任脈三八起陰會。曲骨中極關元銳。石門氣海陰交仍。神闕水分下脘配。建里中上脘相連。巨闕鳩尾蔽骨下。中庭膻中慕玉堂。紫宮華盖璇璣夜。天突結喉是廉泉。唇下宛宛承漿舍

經絡循行經文

素問骨空論曰。任脈者起於中極之下。以上毛際。循腹裏。上關元。至咽喉上頤。循面入目。

靈樞五音味篇曰。衝脈任脈皆起於胞中。上循背裏。為經絡之海。

其浮而外者。循腹上行。会於咽喉。别而絡口唇。

经文集註

任脉者。起於中極之下。中極者穴名也。在少腹臣毛處之上毛際也。中極之下。謂曲骨之下会陰穴也。以上毛際。循腹裏上關元者。謂從会陰。循內上行。会於衝脈。為経絡之海也。其浮而外者。循腹上行。歷本経中行諸穴。至於咽喉。别絡口唇。至於承漿而終。上頤循面入目至睛明者。謂不直交督脈。由足陽明承泣穴。上頤循面。入目內眥之足太陽睛明穴。始交於督脈。總為陰脈之海也。

第九十課 任脈考正穴法

會陰 在大便前小便後兩陰間。正中針一寸。留三呼。灸三壯。一曰禁針。惟卒死者針一寸補之。溺死者令人倒馱出水。用針補之。尿屎出則活。餘不可針

曲骨　在横骨上中極下一寸毛際陷中動脈針一寸五分留七呼
　灸三壯一曰針八分灸七壯至七七壯
中極　在臍下四寸針八分留十呼灸三壯一曰可灸百壯至三百壯
　孕婦不可灸
關元　在臍下三寸針八分留七呼灸七壯甲乙經云針二寸氣府
　論註曰針一寸二分一曰可灸百壯至三百壯千金曰婦人針
　之則無子
石門　在臍下二寸針六分留七呼灸五壯一曰灸二七壯至百壯一云
　不宜多灸令人敗傷婦人禁針灸犯之終身絶孕
氣海　在臍下一寸半宛宛中針八分灸五壯甲乙經曰針一寸三分一曰
　灸百壯孕婦不可灸
陰交　在臍下一寸針八分灸五壯一曰灸百壯孕婦不可灸

神闕　在當臍中灸三壯禁針針之令人惡瘍潰失死不治一曰納
乾炒淨鹽滿臍上加厚薑一片蓋定灸百壯或以川椒代鹽亦妙
水分　在臍上一寸下脘一寸禁針灸五壯甲乙經曰針一寸孕婦不可灸
下脘　在建里下一寸臍上二寸針八分灸五壯一曰二七壯至百壯孕婦不可灸
建里　在臍上三寸中脘下一寸針五分留十呼灸五壯一云宜針不宜
灸孕婦尤忌之
中脘　在臍上四寸上脘下一寸針八分灸七壯一云二七壯至百壯孕婦
不可灸
上脘　在臍上五寸巨闕下一寸半去蔽骨三寸針八分留七呼灸五壯
千金云日灸二七壯至百壯三報之孕婦不可灸
巨闕　在鳩尾下一寸鍼六分留七呼灸七壯一曰針三分灸七七壯
鳩尾　在臆前蔽骨下五分無蔽骨者從歧骨際下行一寸禁針

搯穴如擒虎
刺入如繡花
左手重而徐入
不痛之因

灸一云可針三分灸三壯此穴大椎下針非甚妙高手不可輕針

中庭　在膻中下一寸六分陷下仰而取之針三分灸五壯

膻中　玉堂下一寸六分橫兩乳孔間仰臥取之禁針灸七壯針之不幸
令人夭甲乙經曰針三分

玉堂　在紫宮下一寸六分陷中仰而取之針三分灸五壯一云少灸

紫宮　在華蓋下一寸六分陷中仰而取之針三分灸五壯

華蓋　在璇璣下一寸六分陷中仰而取之針三分灸五壯

璇璣　在天突下一寸陷中仰而取之針三分灸五壯

天突　在結喉下三寸宛宛中針五分留三呼灸三壯甲乙經曰低頭取
之針入一寸

廉泉　在頷下結喉上中央舌本下仰而取之針三分留三呼灸三壯

承漿　在頤前下唇稜下陷中針二分留五呼灸三壯

第九十一課　督脈

此脈不取井荣俞原經合也。脈起下極之腧。並於脊裏。上至風府。入腦上巔。循額至鼻柱。属陽脈之海。以人之脈絡。周流於諸陽之分。譬猶水也。而督脈則為之都綱。故名曰海焉。用葯难拘定法。針灸貴察病源。

督脈经穴歌

督脈中行二十七。長強腰俞陽関密。命門懸樞接脊中。筋縮至陽灵臺逸。神道身柱陶道長。大椎平肩二十一。瘂門風府腦户深。強間後頂百会率。前頂顖会上星圓。神庭素髎水溝窟。兑端開口唇中央。齗交唇内任督畢。

經絡循行歌

督病少腹衝心痛。不得前後衝疝攻。其在女子為不孕。嗌乾遺溺及痔癃。任病男疝女瘕带。衝病裏急氣逆衝。
督起小腹骨中央。入係廷孔絡陰器。會篡至後別繞臀。與巨陽
絡少陽比。上股貫脊屬腎行。上同太陽起内眥。上額交巔絡腦
間。下項循肩仍挾脊。抵腰絡腎循男莖。下篡亦與女子類。從
少腹貫臍中。貫心入喉頤及唇。上繫目下中央際。此為並任亦同
衝。大抵三脈同一本。靈素言之每錯綜。

经絡循行文

督脈者。起於下極之俞。並於脊裏。上至風府。入腦上巔。循
額。至鼻柱。屬陽脈之海也。
素問骨空論曰。督脈者。起於少腹以下骨中央。女子入繫廷
孔。其孔溺孔之端也。其絡循陰器。合篡間。繞篡後。别繞臀。
至少陰與巨陽中絡者合。少陰上股内後廉。貫脊屬腎。與太

陽起於目內眥。上額交巔上。入絡腦。還出別下項。循肩膊內。挾脊抵腰中。入循膂絡腎。其男子循莖下至篡。與女子等。其少腹直上者。貫臍中央。上貫心入喉上頤環唇。上係兩目之下中央。

經文集註

督脈者起於少腹下中央。謂男女少腹以下橫骨之內中央。即女子入繫廷孔之端。男子陰器合篡間也。男子陰莖盡處精室孔溺孔。合併一絡合篡處也。即女子胞孔溺孔合併之處。廷孔之端。即下文曰與女子等也。(女子溺孔。在前陰中。橫骨之下孔。之上際。兩月之端。乃此國脈外陽之所。雖言女子。然男子溺孔。亦橫骨下之中央。為宗筋所涵。故不見耳。)其絡循陰器合篡間。繞篡後。是為本絡。外合太陽中絡也。別絡繞臀。是謂別絡。內並少陰股裏也。故經曰。至少陰與巨陽中絡者合也。至少陰者循行上股內後廉也。與任脈上會於關元。貫脊屬腎。足少陰之脈。上股內後廉。足太陽之脈外行者。過髀樞。中行者挾脊貫臀。故此督脈之別繞臀。至少陰之分。與巨陽中絡者。合少陰之脈。並行而貫屬腎也。挾腎上行。與沖脈會於腹氣之街。故經曰。自少腹。上貫臍中央。上貫心入喉。上頤環唇。內行至督脈齗交。而絡外行。繫兩目之下中央。循行目內眥。會於太陽。故經曰。與太陽起於目內眥。上額交巔上。入絡腦。還腦。過出別下項。循肩膊內。挾脊抵腰中。入循膂絡腎。復會於少陰此督脈之循行也。

第九十二課　督脈考正穴法

長強　在脊骶骨端伏地取之

腰俞　在二十一椎節下間宛宛中針二分留七呼灸五壯一日針五分灸七七壯

陽關　在十六椎節下間伏而取之針五分灸三壯

命門　在十四椎節下間伏而取之針五分灸三壯一曰針三分灸二七壯若年二十以上者灸恐絕子

懸樞 在十三椎節下伏而取之針三分灸三壯五壯、

脊中 在十一椎節下間伏而取之針五分禁灸灸則令人僂

中樞 在第十椎節下間俛而取之針五分禁灸灸之令人腰背傴僂、一傳此穴能退熱進飲食可灸三壯常用常效未見傴僂、

筋縮 在九椎節下間俛而取之針五分灸三壯五壯。

至陽 在七椎節下間而俛取之針五分灸三壯

靈台 在六椎節下間俛而取之針三分灸三壯甲乙经無此穴出氣府論註

神道 在五椎節下間俛而取之針五分留五呼灸五壯一曰可灸七七壯至百壯禁針

身柱 在三椎節下間俛而取之針五分留五呼灸五壯一曰灸七七壯

陶道 在一椎節下間俛而取之針五分灸五壯一曰針三分

大椎 在第一椎上陷者中針五分留五呼灸五壯一云以年為壯大椎為骨會骨病者可灸之

瘂門 在項後入髮際五分宛宛中仰頭取之針二分不可深禁灸灸之令人瘂

風府 在項後入髮際一寸大筋內宛宛中針三分留三呼禁灸灸之令人瘖

腦戶 在枕骨下強間後一寸五分入髮際二寸禁針灸針中腦戶入腦立死亦不可灸令人瘖

強間 在後項後一寸五分針二分灸五壯一曰禁灸

後頂 在百会後一寸五分枕骨上針二分灸五壯

百會 在前頂後一寸五分頂中央容豆許直兩耳尖針二分灸五壯甲乙經只針三分灸三壯一曰灸頭頂不得過七七壯

前頂 在囟会後一寸五分骨陷中針二分灸五壯一曰灸七七壯

囟會 在上星後一寸陷中針二分灸五壯一曰灸二七壯至七七壯

上星 在鼻上入髮際一寸陷者中可容豆針三分留六呼灸五壯一云宜三稜針出血以瀉諸陽熱氣

神庭　直鼻上入髮際五分　髮高者際邊是穴針一分亦曰禁針

素髎　在鼻準頭針一分禁灸

水溝　即人中針三分留六分得氣即瀉灸三壯

兌端　在上唇端赤白肉際針二分留六呼灸三壯

齗交　在唇内上齒縫中針三分

第九十三課　衝脈

衝脈者與任脈皆起於胞中上循脊裏為經絡之海其浮而外者循腹上行會於咽喉別而絡唇口故曰衝脈者起於氣衝並足少陰經也

經絡循行歌

衝起氣街並少陰。挾臍上行胸中至。衝為五臟六腑海。五臟六腑所禀氣。上滲諸陽灌諸精。從下衝上取茲義。亦有並腎下行者。注少陰絡氣街出。陰股内廉入膕中。伏行䯒骨内踝際。下滲三陰灌諸絡。以溫肌肉至跗指。

衝脉並於足少陰。

穴名歌

巨闕之旁為幽門。通谷陰都石門穴。商曲肓俞中注分。四滿氣穴與大赫。橫骨之下毛際存。逆氣裏急是其病。難經說並足陽明。

分寸歌

衝脈分寸同少陰。起於橫骨至幽門。上行每穴皆一寸。穴門中行各五分。

經絡循行经文

素問骨空論曰。衝脈者、起於氣衝。並於少陰之经挾臍上行至胸中而散、靈樞衛氣篇曰、請言氣街，胸氣有街腹氣有街、頭氣有街、故氣在頭上者、止之於腦、氣在胸者、止之膺

與背俞、氣在腹者止之背俞與衝脈、在臍之左右之動脈者、氣在經者、止之氣街與承山踝上、

經文集註

衝脈者、起於氣街、是起於腹氣之街也、名曰氣街者、是謂氣所行之街也、一身之大氣積於胸中者、有先天之真氣、是所受者、即人之腎間動氣也、有後天之宗氣、是水穀所化者即人之胃氣也、此所謂起於腹氣之街者、是謂胃中穀氣也、並於少陰者、是並於腎間動氣也、其真氣與穀氣相並挾、臍之行、至胸中而散、是謂大氣至胸中分布五臟六腑、諸經而充身者也、靈樞順逆肥瘦篇曰衝脈者五臟六腑之海也、皆陰氣焉、靈樞動俞篇又曰、衝脈者十二經之海也、與少陰之大絡起於腎下出於氣街也、靈樞五音五味篇又曰衝脈任脈皆起於胞中者、即此之起於腎下之謂也、而謂起於腎下

者、即並於少陰之経、腎経動氣上行也、素問骨空論曰、衝脉起於氣衝者、即此出於氣衝之謂也、又曰起、而曰出者、謂穀氣由陽明胃經出而會氣街也、

第九十四課　帶脈

帶脉者、起於季脇、迴身一周、其爲病也腹滿、腰溶溶如坐水中其脉氣所發正名帶脉以其迴身一周如帶也、交會足少陽、會於帶脉五樞維道此帶脉所發凡六穴

穴名歌

帶脉起於季肋夾。迴身一週如帶然。其爲之病也腹脹滿。溶溶如坐水中間。與足少陽二穴会。帶脉五樞維道全

分寸歌

帶脉部分足少陽。季肋寸八是其鄉。由帶三寸五樞穴。

過京五三維道當。

經絡循行經文

靈樞經脈別篇曰，足少陰上至膕中，別走太陽而合，上至腎，當十四椎出屬帶脈，

難經二十八難曰，帶脈者，起於季脇迴身一週

經文集註

帶脈，本由足少陰經之脈，上至膕中，別走太陽而合腎，當十四椎出屬帶脈，故起於季脇，繞身一週行也，

第九十五課　陽蹻脈

陽蹻者，起於跟中，循外踝上行，入風池，其爲病也，令人陰緩而陽急，兩足蹻脈，本太陽之別，合於太陽，蹻脈長八尺，所發之穴生於申脈，本於僕參，郄於附陽，與足少陽，會於居髎，又與手陽明會於肩髃，及巨骨，又與

又與手太陽陽維會於臑俞，又與手足陽明會於地倉及巨髎，又與任脉足陽明會於承泣，凡挾行共二十穴

穴名歌

陽蹻脉起於跟中。僕參申脉附陽同。地倉巨髎上承泣。
居髎巨骨與肩髃。陽維小腸臑俞會。陰緩陽急病之宗。

分寸歌

陽蹻脉起足太陽。申脉外踝五分藏。僕參後繞跟骨下。
附陽外踝三寸鄉。居髎監骨上陽取。肩髃一穴肩尖當。
肩上之行名巨骨。肩胛之上臑俞坊。口吻旁四分地倉位。
鼻旁八分巨髎疆。目下七分是承泣。目内眥外睛明昂。

經絡循行經文

靈樞經脉度篇曰，蹻脉者少陰之別，起於然骨之後，上内踝之上

直上循陰股入陰、上循腹裏、上入缺盆、上出人迎之前、入頄、屬目内眥、合於太陽、陽蹻而上行、氣並相還則為濡目、目氣不榮、則目不瞑、合、難經二十八難曰、陽蹻脈者、起於跟中、循外踝、上行入風池、陰蹻脈者、亦起於跟中、循内踝、上行至咽喉、交貫衝脈、

經文集註

陽蹻之脈、起於足跟之中、上合三陽外踝上行、從脇少陽居髎之穴、上循肩入頸頄、陽明之肩顒、承泣等穴、屬目内眥、而合太陽也、

第九十六課　陰蹻脈

陰蹻者、亦起於跟中、循内踝、上行至咽喉、交貫衝脈、其為之病也、令人陽緩而陰急、故曰蹻脈者、少陰之別、起於然谷之後、上内踝之上、直上陰股、循陰股入陰、上循胸裏、入缺盆、上出人迎之前、入鼻、屬目内眥、合於太陽、女子以之為經、男子以之為絡、兩足蹻脈、長八尺、而陰蹻之郄、在交信、陰蹻病者取此四穴

穴名歌

陰蹻起於然谷穴。上行照海交信列。三穴原本足少陰。足之太陽睛明接。

分寸歌

陰蹻脉起足少陰。足内踝前然谷尋。踝下四分照海陷。踝上二寸交信真。目内眥外宛中取。睛明一穴甚分明。

經絡循行經文已見陽蹻脉中

經文集註

陰蹻之脉、亦起於跟中、由少陰别脉然谷之穴、上行内踝、循陰股入胸腹、上至咽喉睛明穴、亦會於太陽也。

第九十七課 陽維脉

陽維脉者、維於陽、其脉起於諸陽之會、與陰維皆維絡於身若陽不能維於陽，則溶溶不能自收持，其脈氣所發，别於金門，郄於陽交，與手太陽及陽蹻脈會於臑俞，又與手少陽會於臑會，又與手足少陽會於天髎，又與手足少陽、足陽明會於肩井，其在頭也，與足少陽會於陽白，上於本神及臨泣、目窗，上至正營、承靈，循於腦空，下至風池、日月，其與督脈會，則在風府及瘂門，其爲病也苦寒熱。凡廿二穴

穴名歌

陽維脈起於金門。臑俞天髎肩井深。本神陽白並臨泣

正營腦空風池逢。風府啞門此二穴。項後入髮是其根。

分寸歌

陽維脈起足太陽。外踝一寸金門藏。踝上七寸陽交位。

肩後胛上臑俞當。天髎穴在缺盆上。肩上陷中肩井鄉。

本神入髮四分許。眉上一寸陽白詳。入髮五分臨泣穴。

上行一寸正營塲。枕骨之下腦空位。風池耳後陷中藏。
項後入髮啞門穴。入髮一寸風池纏。

經絡循行經文

難經二十八難曰、陽維陰維者維絡於身溢畜不能環流灌溢諸經者也、故陽維起於諸陽之會、陰維起於諸陰交也、

經文集註

陽維脈起於諸陽之會、其脈發於足太陽金門穴、在足外踝下一寸五分、上外踝七寸、會足少陽於陽交、爲陽維之郄、循膝外廉上髀厭抵小腹側、會足少陰於居髎、循脇肋上肘上、會手陽明、足太陽於臑臑過肩前、與手少陽會於臑會天髎、却會手足少陽足陽明於肩井入肩後、會於少陽陽交於臑俞、上循耳會於手足少陽於風池出腦空承靈目窗臨泣下額與手足少陽陽明五脈會於陽白循頭

入耳上至本神而止、

第九十八課　陰維脈

陰維脈者維於陰、其脈起於諸陰之交、若陰不能維於陰、則悵然失志、其脈氣所發、陰維之郄名曰築賓、與足太陰會於腹哀、大橫、又與足太陰陰會於府舍、期門、與任脈會於天突、廉泉、其為病也、若心痛、

穴名歌

陰維之穴起築賓。府舍大橫腹哀循。期門天突廉舌下。
此是陰維脈維陰。

分寸歌

陰維脈起足少陰。內踝之後尋築賓。少腹之下稱府舍。
大橫平臍是穴名。此穴去中四寸半。行至乳下腹哀明。
期門直乳二筋縫。天突喉下四寸均。

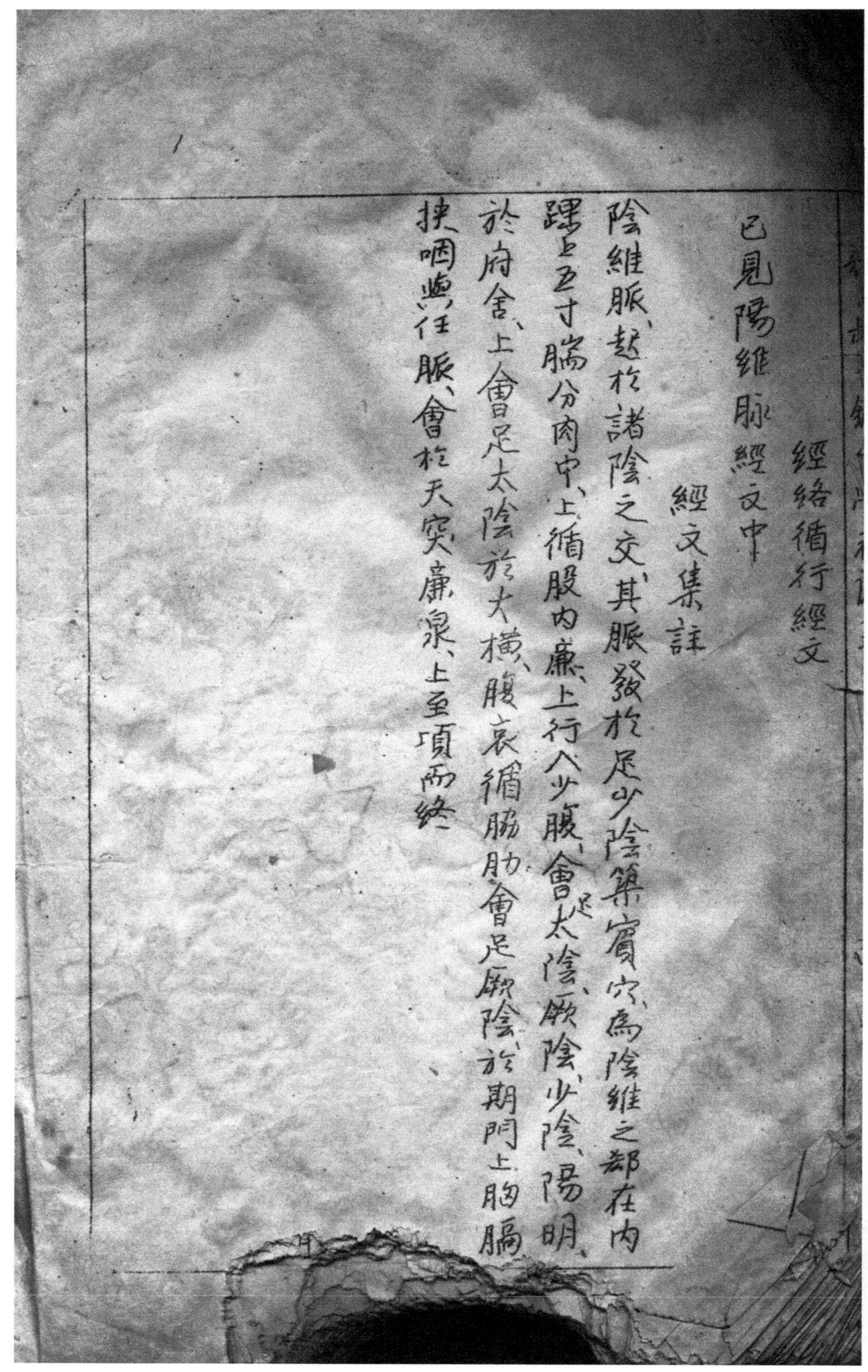

經絡循行經文

已見陽維脉經文中

經文集註

陰維脈、起於諸陰之交、其脈發於足少陰築賓穴、爲陰維之郄、在內踝上五寸腨分肉中、上循股內廉、上行入少腹、會足太陰、厥陰、少陰、陽明、於府舍、上會足太陰於大橫、腹哀、循脇肋會足厥陰於期門、上胸膈挾咽、與任脈、會於天突、廉泉、上至項而終、

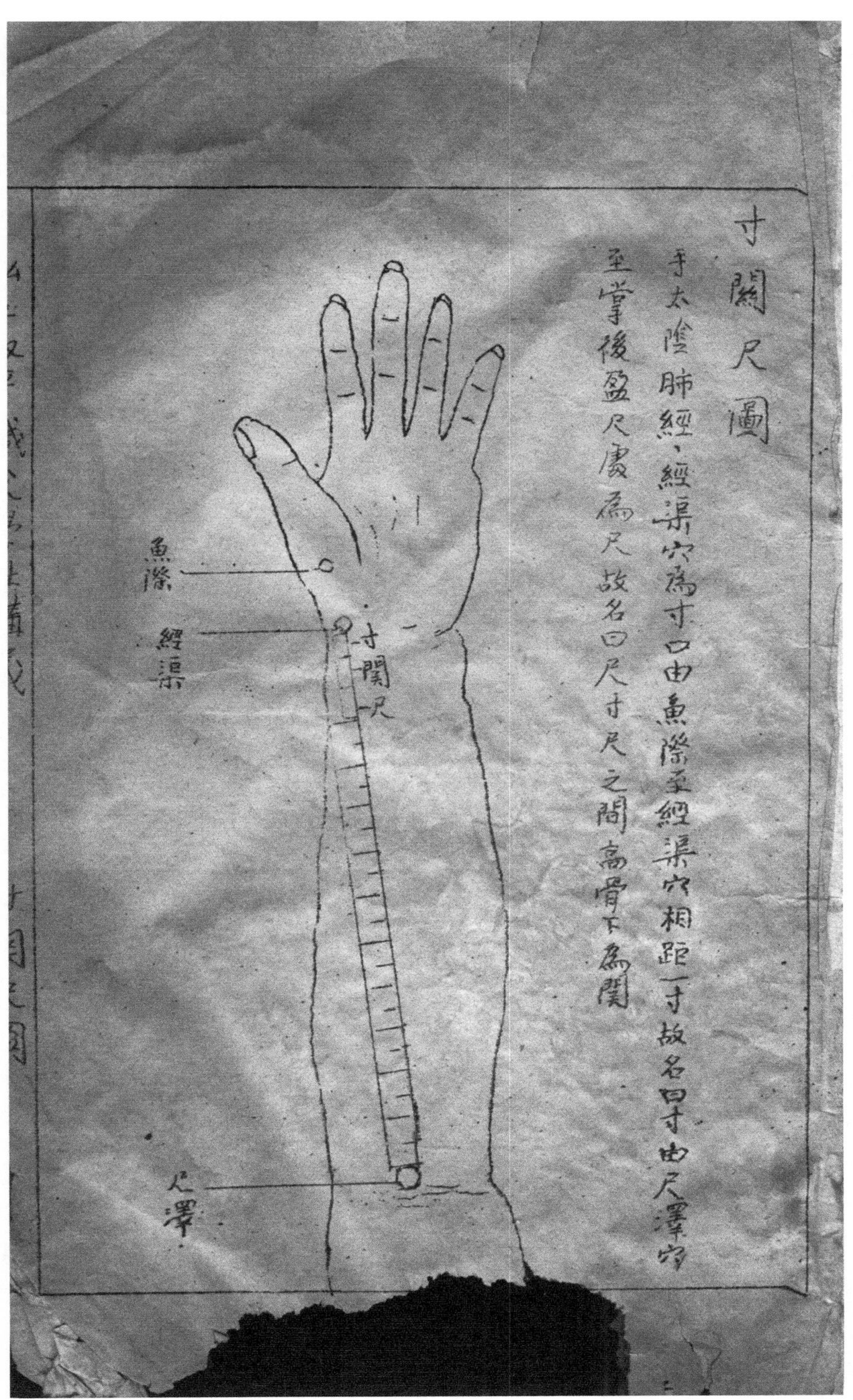
寸關尺圖
手太陰肺經、經渠穴為寸口由魚際至經渠穴相距一寸故名曰寸由尺澤穴至掌後盈尺處為尺故名曰尺寸尺之間高骨下為關
魚際
經渠
寸
關
尺
尺澤

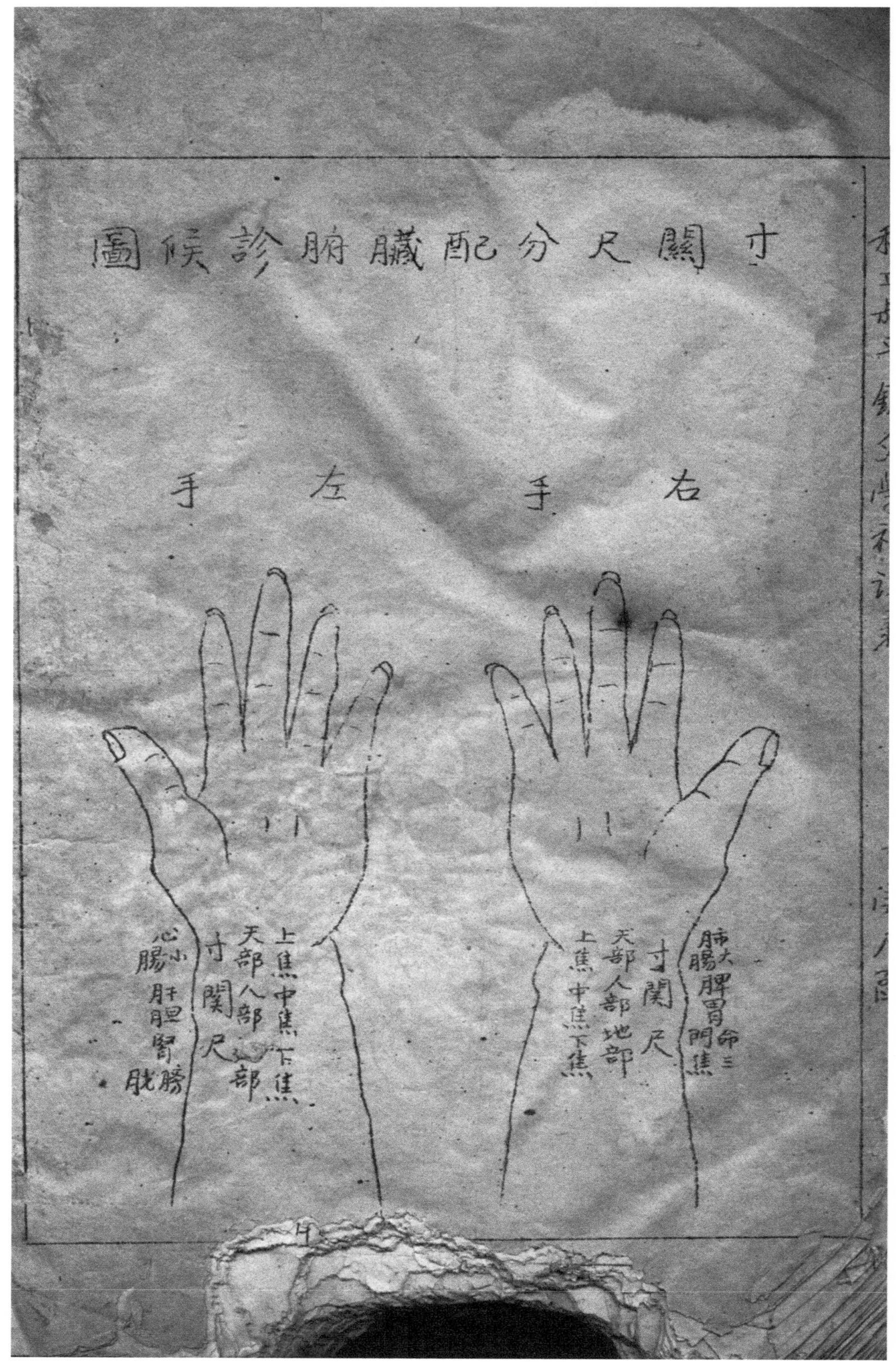
寸關尺分配臟腑診候圖
右手
左手
寸 關 尺
肺大腸 脾胃 命門三焦
天部 人部 地部
上焦 中焦 下焦
寸 關 尺
心小腸 肝膽 腎膀胱
天部 人部 地部
上焦 中焦 下焦

针灸讲义

提 要

一、作者小传

作者不详。据内容看，该讲义与程兴阳《针灸灵法》上册的大部分内容相似。

二、版本说明

巴盐石印工场代印，石印本。

三、内容与特色

该书详细介绍了各条经络的来历、取穴、主治、记忆歌诀、所主脏腑、时辰等内容。同时，该书还具体讲述了经外奇穴及其主治疾病，以及与天干、地支和时辰相配合的子午流注针法、灵龟八法等针法，强调了针法补泻在针灸治疗疾病中的作用。总体而言，该书内容丰富，书中的针灸口诀、灸病口诀易读易诵，适用于有一定基础的初学者使用。

现将该书特色介绍如下。

（一）内容详实，结构精巧

该书既囊括了针灸基本原理知识，又加入了操作者需要注意的内容，如穴位准确选定、穴位经络歌诀的内容，同时加入了与时辰相搭配的选穴、配穴的灵龟八法、子午流注针法等内容。在结构上，该书按照经络流注顺序讲解每条经络，首先分析经络，之后按照腧穴定位、取穴方法及穴位主治的顺序进行讲解，同时分析每条经络所属五脏、五行，使内容更加完整，并且标注了特定穴以及穴位所开时辰，有利于读者对该书的精读、细读。

（二）取穴求真，重视补泻

该书特别强调了“取穴求真”这一点。所谓取穴求真，就是要确定腧穴真正准确的位置，明确针刺穴位的准确性，这是达到治病祛疾效果的首要要求。如得真穴，即有立起沉疴之效，寻所病之经的井荥输经合穴，上下左右寻之，稍行手法，病症减轻，此为丝毫不差之真穴。找到准确的穴位，能够使针灸达到事半功倍的效果，是针刺疗效的关键，也是需要学习者不断探索的重点。同时，该书强调补泻手法要与患者的呼吸、咳嗽相配合，进针、行针均应在配合呼吸的情况下进行，再与提插次数、针刺深度相结合，以达到较佳的治疗效果。例如，书中说令病人呼气一口，咳嗽进针，再咳三咳，针至天部。补泻手法与取穴求真是针灸治疗的必要手段，也是提高疗效的必经之路。若使用者能够充分掌握这两点，可以极大地提高疗效。这些论述为后学提供了良好的经验。

（三）浅深合宜，善用时辰

该书对于针刺深浅程度也有独到见解。在以往诸家学说中，医家对针刺深浅莫衷一是，所言均有不同。该书重视针刺深浅，认为过深有大痛之患，过浅则不能祛病，因此提出以深度适宜为妙。该书所言天干地支、子午流注配穴法、五鼠法等，均需要使用者充分了解任何时辰所开经络和腧穴。在相应穴位处，该书作者都标明了该穴位所对应的时辰，为使用者提供了便捷的记忆和查找方式，增强了该书的实用性。

综上所述，该书内容详实，思路明晰，讲解明了，虽然无法追溯作者身份，但无论是从内容上，还是从结构上，该书都是值得我们学习的。在选穴的准确性、针刺深浅程度以及重视补泻手法等方面，该书内容是值得我们借鉴并熟稔于心的。

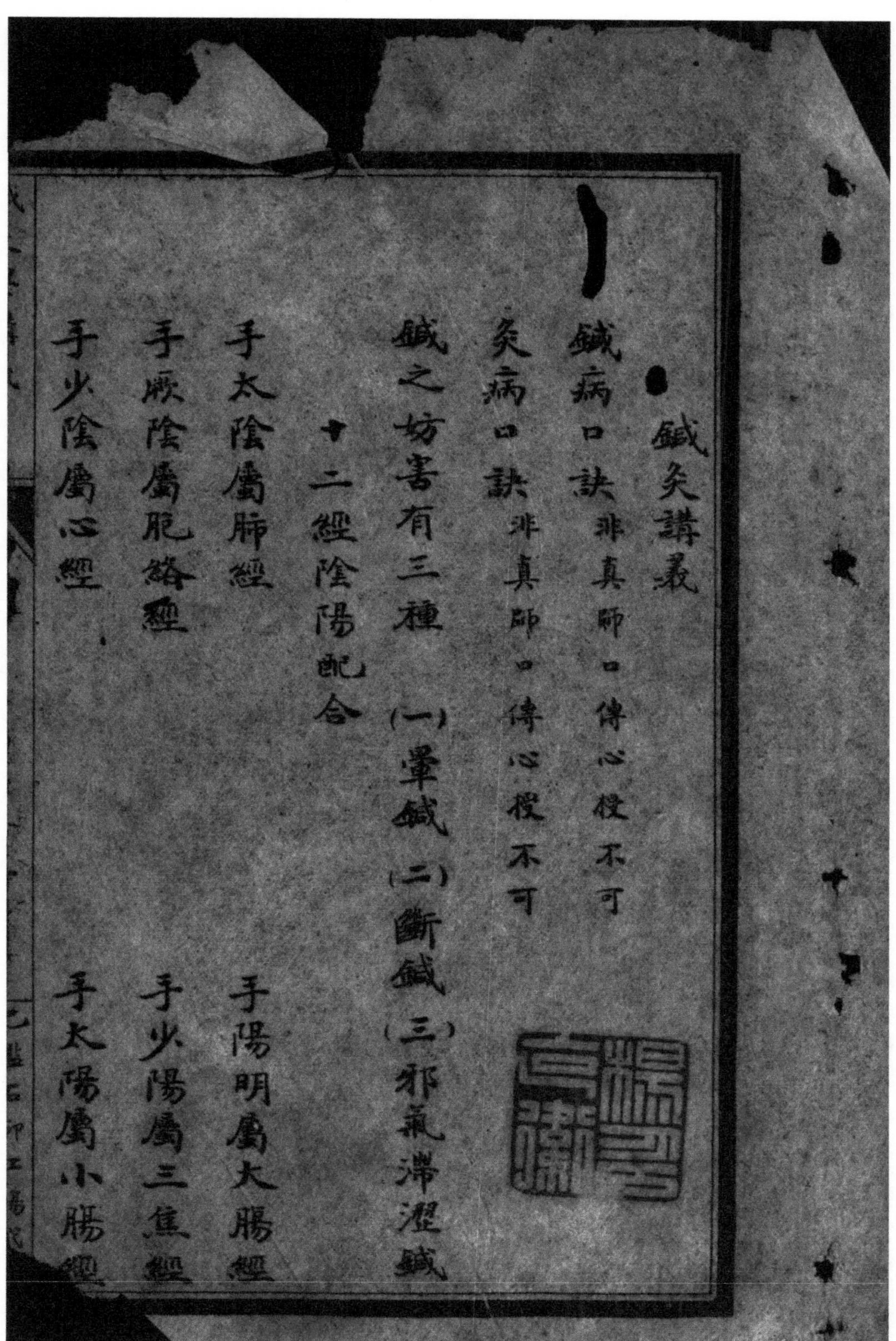

鍼灸講義

鍼病口訣 非真師口傳心授不可

灸病口訣 非真師口傳心授不可

鍼之妨害有三種 (一)暈鍼 (二)斷鍼 (三)邪氣滯澀鍼

十二經陰陽配合

手太陰屬肺經　手陽明屬大腸經

手厥陰屬胞絡經　手少陽屬三焦經

手少陰屬心經　手太陽屬小腸經

足太陰屬脾經　　足厥陰屬肝經
足陽明屬胃經　　足少陰屬腎經
足少陽屬膽經　　足太陽屬膀胱經

十二經不過三陰三陽而已三陰者少陰太陰厥陰少陰陰之初生太陰陰之正盛厥陰陰之至極陰盡而陽漸生三陽者少陽太陽陽明少陽陽之初生太陽之正盛陽明陽之至極陽盡而陰漸生矣

十二經所屬內裏臟腑

五臟者心肝脾肺腎更有心胞絡

六腑者膽胃大小腸三焦與膀胱

十二經所屬天干

甲膽乙肝丙小腸　丁心戊胃己脾鄉

庚屬大腸辛屬肺　壬屬膀胱癸腎藏

三焦亦向壬中寄　胞絡同歸入癸方

十二經所屬天干每經佔天干一字天干五行性質

若何所屬之經五行性質亦當若何

己監石印工場

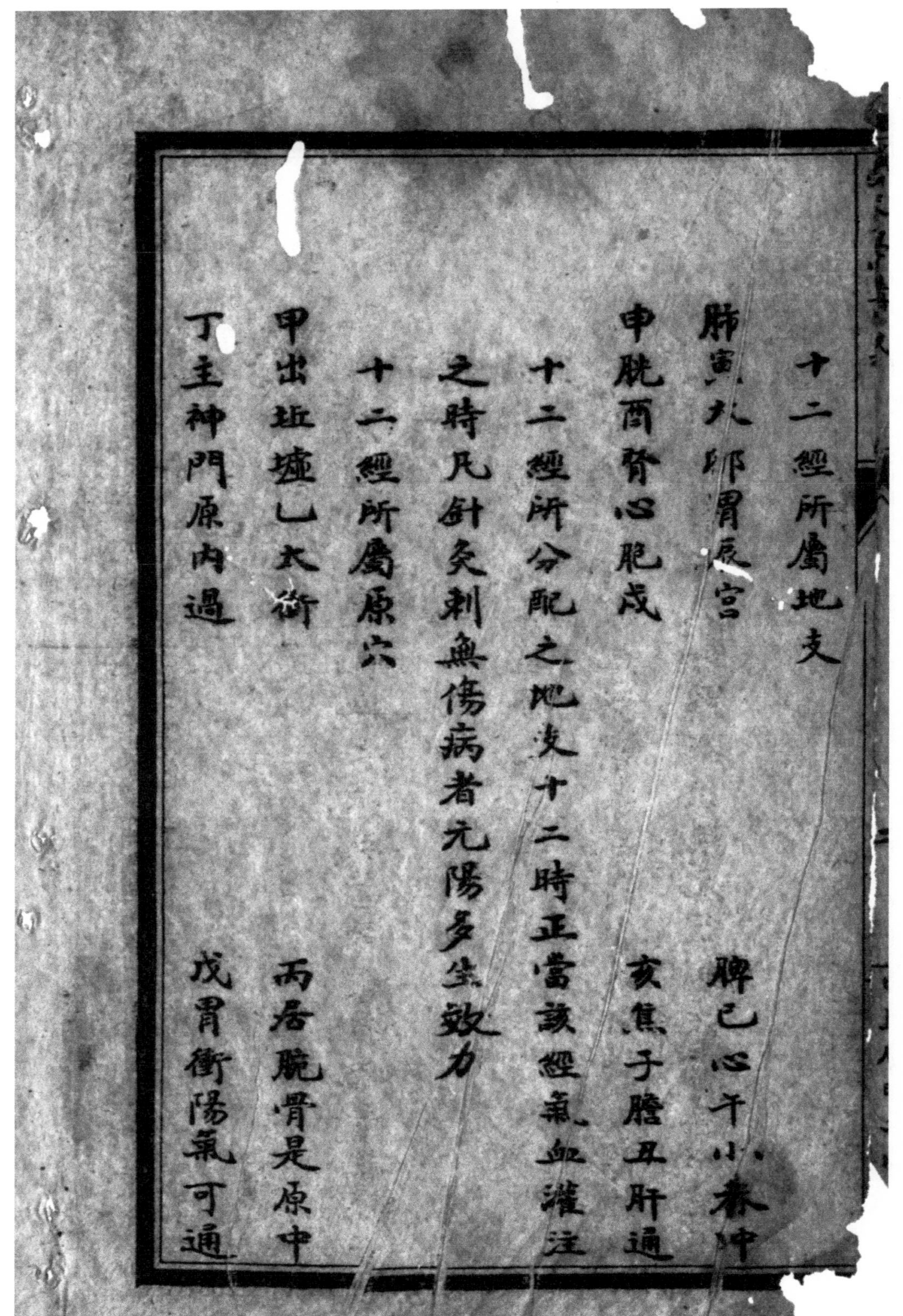

十二經所屬地支

肺寅大卯胃辰宮　脾巳心午小未中

申胱酉腎心胞戌　亥焦子膽丑肝通

十二經所分配之地支十二時正當該經氣血灌注之時凡針灸刺與傷病者元陽多生效力

十二經所屬原穴

甲出坵墟乙太衝　丙居腕骨是原中

丁主神門原內過　戊胃衝陽氣可通

乙逢太白庚合骨　　辛原本是太淵同
壬歸京骨陽池丘　　癸屬太谿大陵中

原穴者乃交經氣血之所統管井滎俞經合治病多由原穴生效

十二經井滎俞經合之意義

(一)井者水之所出也所謂某脈所出爲井井主陰木故言春刺井者春天肝膽兩經屬木氣血正當生旺宜於鍼刺

巴縣石印工場代印

(二)榮者血脈流通也所謂某脈所溜爲榮榮主陰火故言夏刺榮者夏天心經小腸經屬火氣血正當生旺宜於針刺

(三)俞者灌溉之處也所謂某脈所注爲俞俞主陰土故言季夏刺俞謂四季之土旺十八日脾胃兩經屬土氣血正當生旺宜於針刺

(四)經者行走之路徑也所謂某脈所行爲經經主陰金故言秋刺經者秋天肺與大腸經屬金氣血正當生旺

宜於針刺

(五)合者歸聚也所謂某脈所入為合合主陰水故言冬刺合者冬天腎與膀胱胞絡三焦皆屬水氣血正當生旺宜於針刺

十二經所屬井滎俞原經合歌

少商魚際與太淵　經渠尺澤肺相連

商陽二三間合骨　陽谿曲池大腸章

中衝勞宮心胞絡　大陵間使曲澤傳

己巳春石印

關衝液門中渚焦　陽池支溝天井言

少衝少府屬於心　神門靈道少海尋

少澤前谷後谿腕　陽谷小海小腸經

隱白大都足太陰　太白商丘并陰陵

太敦行間太衝看　中封曲泉屬於肝

厲兑内庭陷谷胃　衝陽解谿三里連

湧泉然谷與太谿　復溜陰谷腎經傳

竅陰俠谿臨泣膽　坵墟陽輔陽陵泉

至陰通谷束京骨　崑崙委中膀胱焉

十二經及任督所屬十五絡穴歌

肺經列缺絡　偏歷屬大腸
胃有豐隆絡　脾則公孫彰
心經絡通里　支正屬小腸
大鍾為腎絡　飛揚是膀胱
內關心胞主　外關三焦藏
膽絡光明穴　蠡溝肝莫忘

巳盛石印工場代印

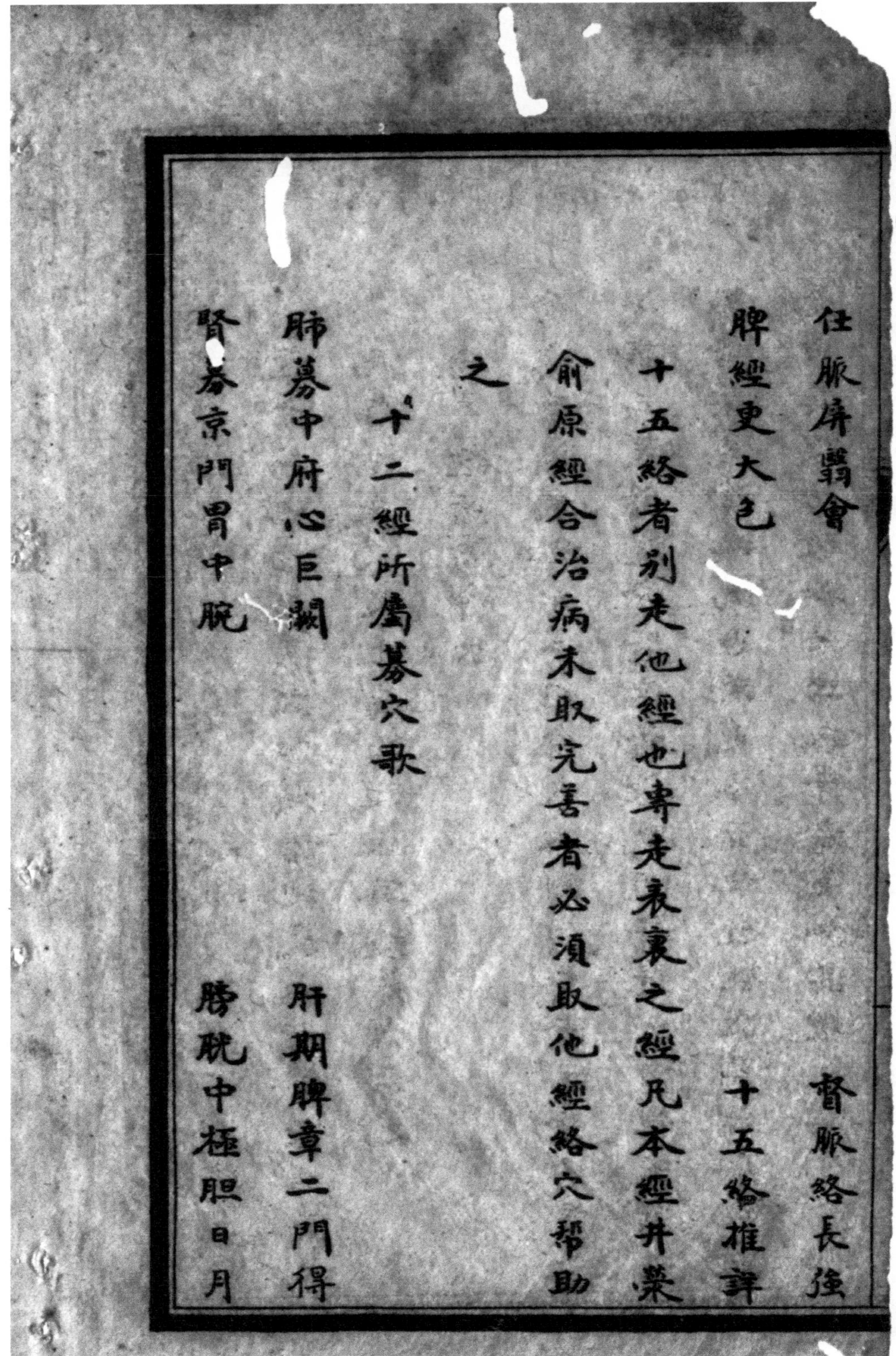

任脈屏翳會　　督脈絡長強
脾經更大包　　十五絡椎詳
十五絡者別走他經也專走表裏之經凡本經井滎
俞原經合治病未取完善者必須取他經絡穴幇助
之

十二經所屬募穴歌

肺募中府心巨闕　　肝期脾章二門得
腎募京門胃中脘　　膀胱中極胆日月

大腸天樞小腸關元　三焦石門是募穴

募者結也誰經募穴即是誰經氣血精華凝結於此凡有中氣不足之病必須取本經募穴治之

十二經所屬俞穴

俞穴者源頭也十二經俞穴心肝脾肺腎厥陰膽胃大小腸三焦膀胱俞皆居於膀胱經背腰之處但五臟六腑皆繫於背此為源流之本而他經他穴為標病初治先由其標除根必須治本學者當知其理也

十二經氣候往來

氣候者血脈流通也人一呼一吸爲一息每息中氣血流行六寸每日人之呼吸一萬三千五百息氣血流行八百一十丈過流十二經如手之三陽經足之三陰經血脈從手足指上走頭腹手之三陰經足之三陽經從頭腹走下至手足趾所謂足之三陽從頭走足足之三陰從足走腹手之三陰從胸走手手之三陽從手走頭凡行迎隨之法必明於此

十二經氣血多少訣

多血多氣君須記　手經大腸足經胃
少血多氣有六經　三焦膽腎心脾肺
多血少氣分四經　膀胱小腸肝包繫

十二經所屬天干五行

甲乙屬木　丙丁屬火　戊己屬土
庚辛屬金　壬癸屬水

十二經所屬地支五行

亥子屬水　寅卯屬木　巳午屬火

申酉屬金　辰戌丑未屬土

十二經所屬臟腑五行

五臟者　心屬火　肝屬木　脾屬土　肺屬金

腎屬水　心胞絡屬相火而寄於癸變爲水矣

六腑者　膽屬木　胃屬土　大腸屬金　小腸屬火

膀胱屬水　三焦屬相火而寄於壬亦變爲水矣

十二經表裏相應

肺與大腸相表裡　　心與小腸相表裡

胞絡三焦相表裡　　脾與胃經相表裏

肝與膽經相表裡　　腎與膀胱相表裏

表裡者陰經應外陽經應內如夫妻母子相感假如肺經有病而本經取井滎俞原經合未治完善者須尋大腸經穴針灸之

手太陰經

在五臟屬肺肺者相傅之官治節出焉氣之本魄之處

也其榮為毛其充在皮為陰中之少陰通於秋氣重三斤三两六葉两耳附脊第三椎為五臟之華蓋西方白色入通於肺開竅於鼻藏精於肺故病在背西方生燥燥生金金生辛辛生肺肺生皮毛皮毛生腎肺主鼻其在天為燥在地為金在體為皮毛在臟為肺在聲為哭在變動為欬在志為憂憂傷肺喜則勝憂熱傷皮毛寒則勝熱辛傷皮毛苦則勝辛

在四肢屬手大指內側　　在天干屬辛日

在池支屬寅時　　在五行屬陰金

在五方屬西方　　在八卦屬兑卦

在五音屬商音　　在五色屬白色

在五味屬辛味

本經共有十一穴起於中府終於少商多氣少血寅時氣血注此補宜卯時太淵土也瀉宜寅時尺澤水也

肺脈所出爲井屬木辛日卯時開

少商　大指内側甲角韭葉　〇、用 不可灸　治頷腫喉痺心煩

肺脈所溜爲滎屬火乙日未時開

魚際　本節後骨縫中紅白肉際　〇、用 不可灸　治酒病惡風寒

肺脈所行為俞屬土丁日亥時開辛日未時開

肺脈所行為經屬金丙日卯時開

肺絡別走陽明經

肺脈所入為合屬水癸日酉時開

太淵　掌後內側橫紋頭動脈中　○、　大利　治白翳眼痛心煩氣逆

經渠　寸口骨後動脈中　、　禁灸灸之傷神　治瘧疾胸背拘急

列缺　兩手交叉中指盡處骨縫中　○、　治偏風口眼喎斜

孔最　腕上七寸內側　○、　治熱病汗不出

尺澤　屈肘橫紋筋前陷中　○、　赤利　治手攣手臂不舉

俠白　尺澤上五寸動脈處　○、　治心痛短氣

天府　夾高手內側下三寸動脈處　、　治暴痺口鼻衄血

雲門　璇璣橫六寸動脈應手　○、　治傷寒四肢熱欬逆

肺募手足太陰二脈之會

中府 華盖横六寸動脈應手○、亦刺 治腹脹四肢腫食不下

手太陰肺經歌 華盖平去六寸譜

太陰脈起於中府 巨骨之下動脈處

雲門璇璣旁六寸 夾白肘上五寸主

天府腋下三寸求 孔最腕上七寸數

尺澤肘中約文是 經渠寸脈骨後府

列缺交叉食指盡 魚際紅白肉界覩

太淵掌後横紋頭

少商大指内側端　　喉痺刺之立除苦

手陽明經

在六腑屬大腸大腸者傳道之官變化出焉與肺經相表裏重二斤十二兩長二丈一尺廣四寸右回疊積十六曲盛穀一斗水七升半當臍中心大腸上口即小腸下口也下接直腸直達肛門穀道是也

在四肢屬手食指内側　　在天干屬庚日

在地支屬卯時　　在五行屬陽金

在五方屬西方　在八卦屬兑卦

在五音屬商音　在五色屬白色

在五味屬辛味

本經共有一十九穴起於商陽終於外迎香氣血俱多卯時氣血注此補宜辰時曲池土也瀉宜卯時二間水也

大腸所出為井屬金庚日辰時開

商陽　次指内側甲角韭葉。、　治胸中氣滿頭痛熱病

大腸所溜為榮屬水戊日申時開

二間　食指本節前内側陷中。、　治喉痺肩膊齒痛

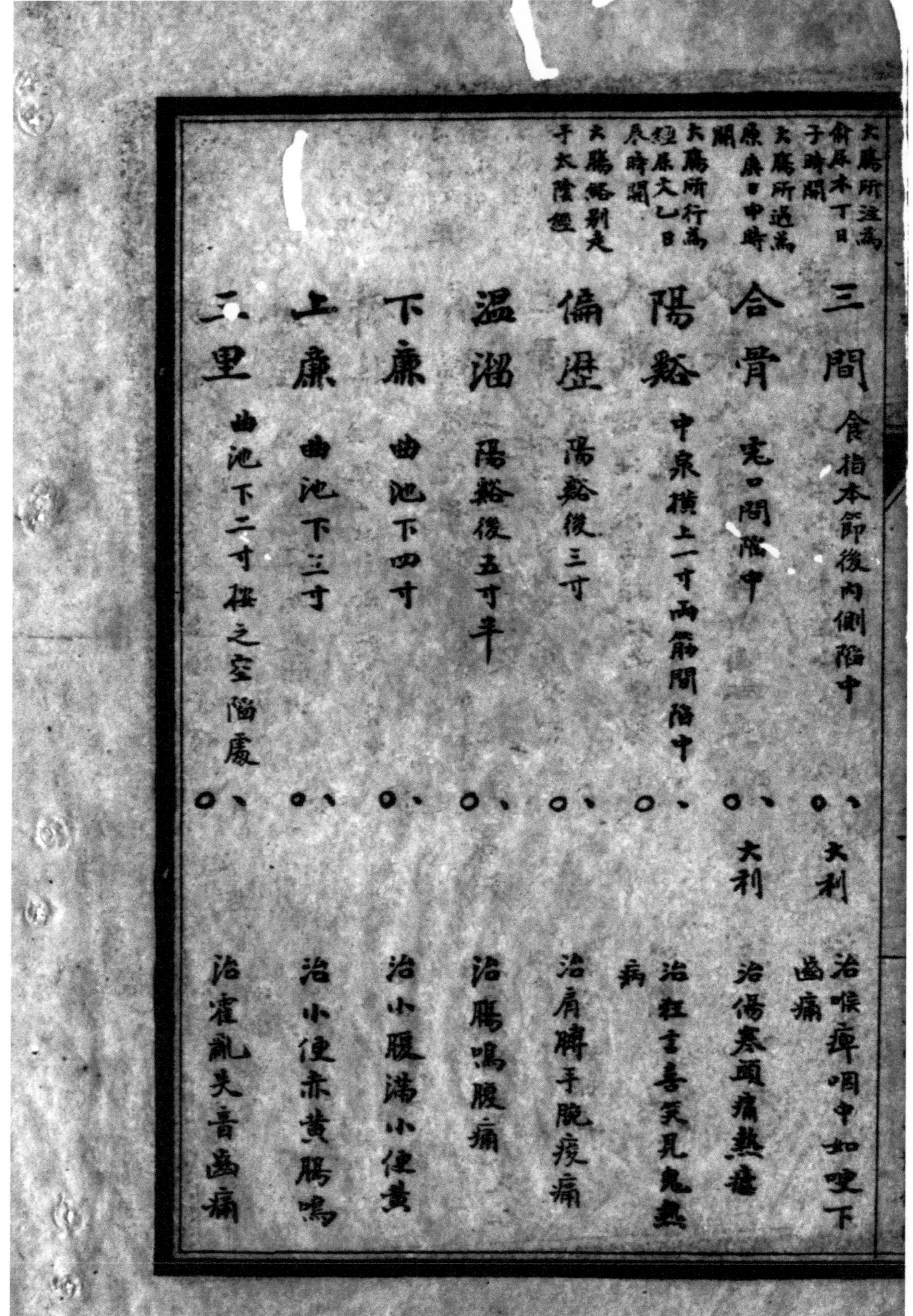

大腸所注爲俞屬木丁日子時開
大腸所過爲原屬日中時開
大腸所行爲經屬火乙日辰時開
大腸絡別走于太陰經

三間　食指本節後內側陷中　○、大利　治喉痺咽中如哽下齒痛
合骨　虎口間陷中　○、大利　治傷寒頭痛熱症
陽谿　中泉横上一寸兩筋間陷中　○、　治狂言喜笑見鬼熱病
偏歷　陽谿後三寸　○、　治肩膊手腕痠痛
溫溜　陽谿後五寸半　○、　治腸鳴腹痛
下廉　曲池下四寸　○、　治小腹滿小便黃
上廉　曲池下三寸　○、　治小便赤黃腸鳴
三里　曲池下二寸按之空陷處　○、　治霍亂失音齒痛

大腸所入爲合爲土壬日戌時開　**曲池**　屈肘橫紋頭屈伸食指應手　●、大利　治手臂紅腫肘中痛偏風

五里　曲池上三寸向裏面　○　治風勞驚恐

手足太陽陽明之會　**臂臑**　曲池上七寸兩筋骨縫中　●　治寒熱臂痛

手陽明陽蹻之會　**肩髃**　肩端骨尖下骨陷中伸手取之有空者是　○、亦利　治中風偏風手足不仁

手陽明陽蹻之會　**巨骨**　肩井上行兩叉骨縫開陷中　○、　治驚癇吐血

天鼎　缺盆上以三指按之中有陷處　○、　治暴瘖氣哽

扶突　人迎橫從寸半仰面取之　○、　治咳嗽多唾

手陽明脈氣所發　**禾髎**　鼻孔下人中旁五分　○、不可灸用　治尸厥口不開

手足陽明之會 外迎香 鼻孔旁三分禾髎上一寸、○不可垂用 治鼻塞不聞香臭

手陽明大腸經歌

商陽食指內側端　二間尋來本節前
三間節後陷中取　合骨虎口歧骨間
陽谿中泉横內寸　偏歷腕後三寸安
溫溜谿後五寸半　池下四寸下廉看
池下三寸上廉穴　池下二寸三里邊
曲池屈肘食指應　池上三寸五里探

臂臑池上七寸量　肩髃舉手骨下端
巨骨肩上兩叉骨　天鼎肩中肉厚觀
扶突人迎旁半寸　禾髎鼻下一分間
迎香孔旁三寸取　大腸經穴已完篇

手厥陰經

在五臟屬心胞絡因其膻膈之中故名膻中膻中者臣使之官喜樂出焉在心下橫膜之上豎膜之下與橫膜相粘而黃脂漫裹者心也外有細筋膜如絲與心肺相

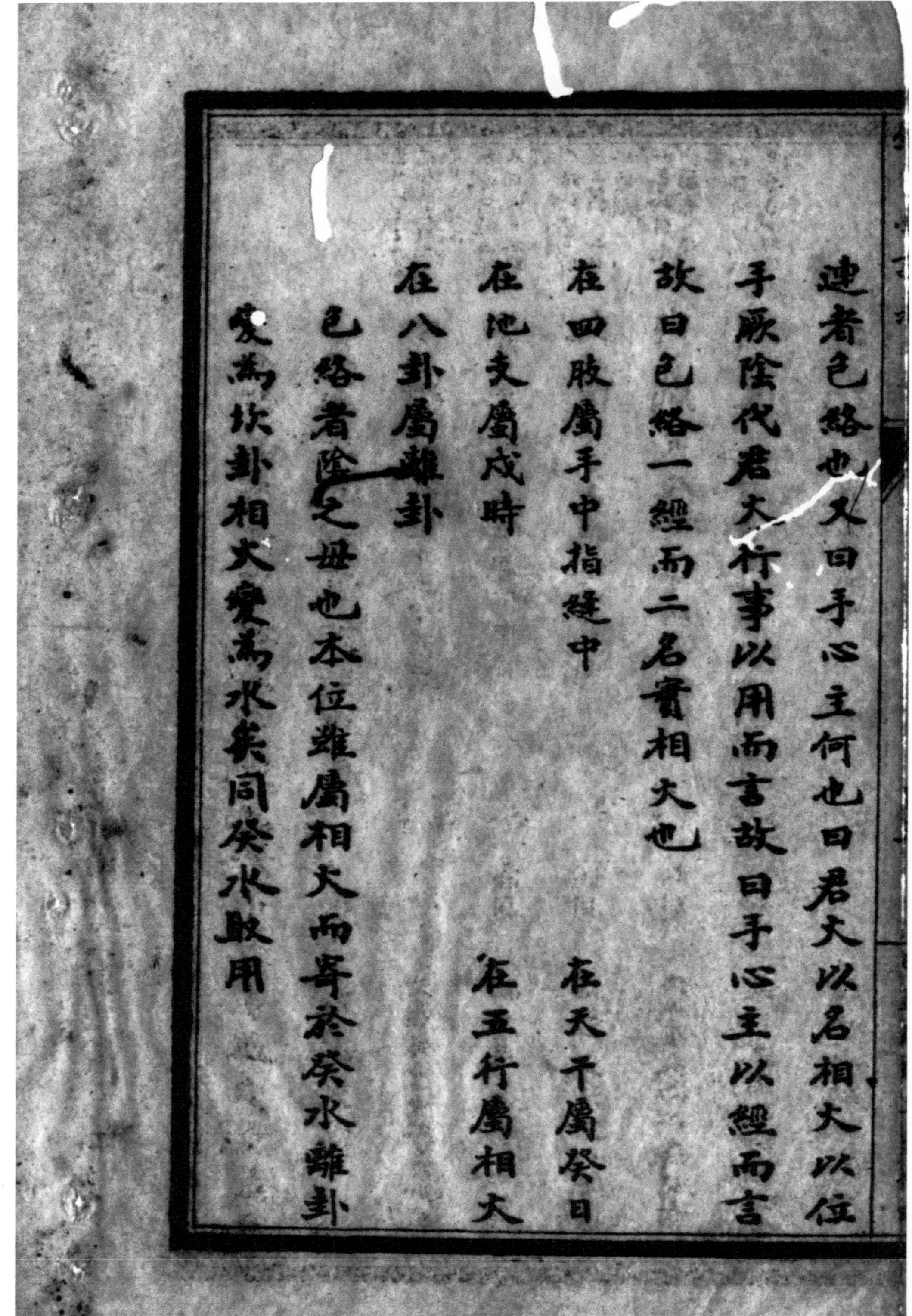

連者包絡也又曰手心主何也曰君火以名相火以位手厥陰代君火行事以用而言故曰手心主以經而言故曰包絡一經而二名實相火也

在四肢屬手中指縫中　　在天干屬癸日

在池支屬戌時　　在五行屬相火

在八卦屬離卦

包絡者陰之母也本位離屬相火而寄於癸水離卦變為坎卦相火變為水矣同癸水取用

本經共有九穴起於天池終於中衝多血少氣戌時氣血注此補宜亥時中衝木也 瀉宜戌時大陵土也

胞絡所出為井屬木癸日丑時開又癸日亥時開
中衝 中指縫中去甲韭葉 ○、 治熱病掌中熱身如火

胞絡所流為滎屬火丙日未時開
勞宮 掌心歧骨陷中 ○、亦刺 治中風善怒悲笑

包絡所注為俞屬土戊癸二日巳時開
大陵 掌後橫紋兩筋間 ○、亦刺 治熱病汗不出手心熱

心包絡別走少陽三焦經
內關 大陵後二寸兩筋間 ○、大刺 治中風失志心痛目赤

包絡所行為經屬金庚日卯時開
間使 大陵後三寸兩筋間陷中 ○、亦刺 治傷寒結胸心懸如饑

郄門 大陵後五寸 ○、 治嘔血衄血心痛

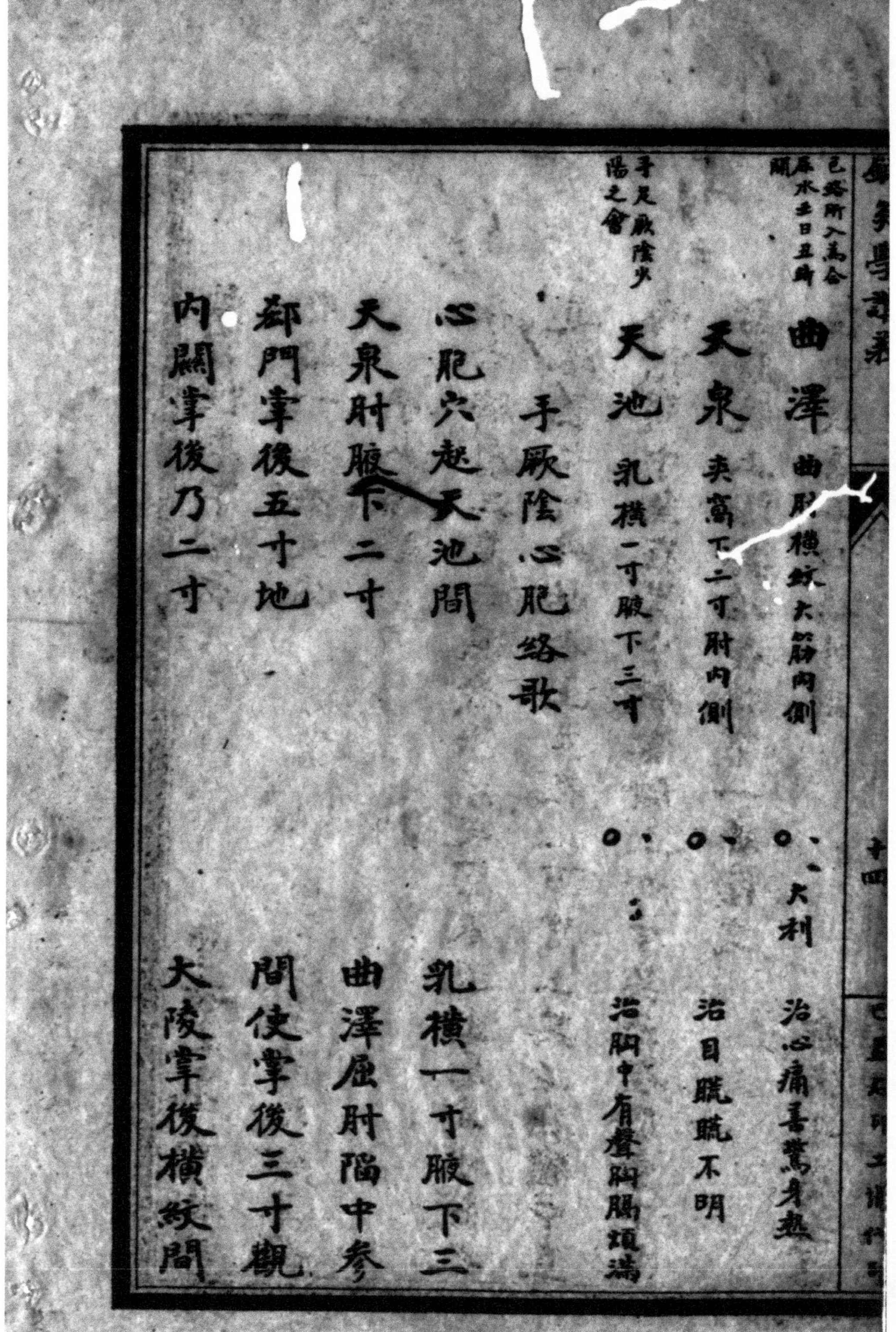

曲澤（已爲所入爲合屬水丑日丑時開）　曲肘橫紋大筋內側　○、、大利　治心痛善驚身熱

天泉　夾腋下二寸肘內側　○、　治目䀮䀮不明

天池（手足厥陰少陽之會）　乳橫一寸腋下三寸　○、　治胸中有聲胸膈煩滿

手厥陰心胞絡歌

心胞穴起天池間　乳橫一寸腋下三
天泉肘腋下二寸　曲澤屈肘陷中參
郄門掌後五寸地　間使掌後三寸覸
內關掌後乃二寸　大陵掌後橫紋間

勞宮握拳掌心取　　中指之末中衝端

胞絡一經共九穴　　鍼灸皆治心不安

手少陽經

在六腑屬三焦三焦者決瀆之官水道出焉爲水穀之道路氣之所終始也上焦在心下胃上其治在膻中直兩乳間中焦在胃中脘當臍上四寸其治在臍旁下焦當膀胱上際其治在臍下一寸陰交

在四肢屬手四指外側　　在天干屬壬日

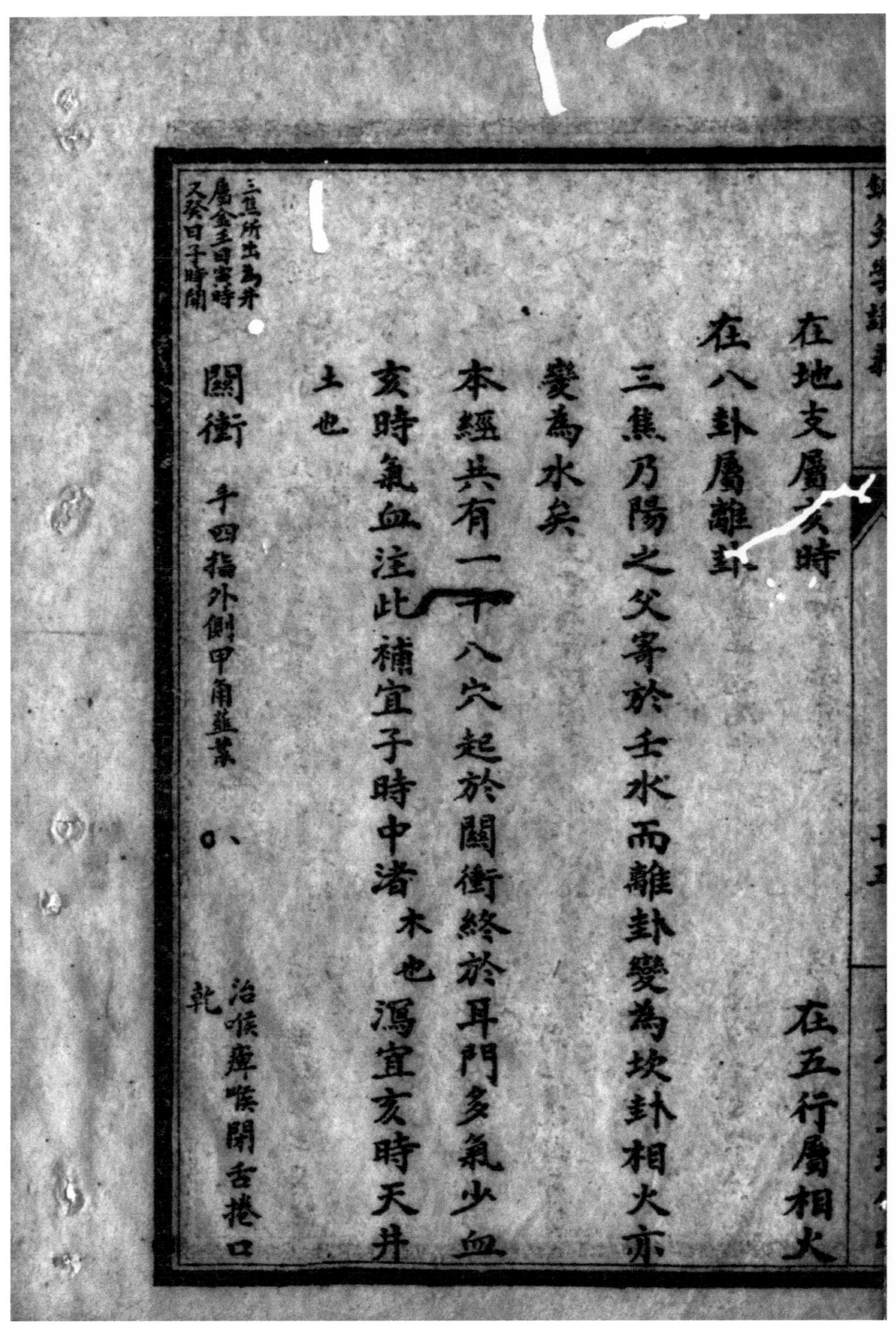

在地支屬亥時　在五行屬相火

在八卦屬離卦

三焦乃陽之父寄於壬水而離卦變為坎卦相火亦變為水矣

本經共有一十八穴起於關衝終於耳門多氣少血亥時氣血注此補宜子時中渚木也　瀉宜亥時天井土也

三焦所出為井屬金壬日寅時又癸日子時開

關衝　手四指外側甲角韭葉〇、　治喉痹喉閉舌捲口乾

液門（三焦所溜爲榮 屬水乙日申時開） 小指四指歧骨間陷中握拳取之○、 治驚悸妄言咽外腫頭痛

中渚（三焦所注爲俞 屬木[illegible][illegible]時開） 液門後一寸小指四指歧骨間陷中○、大利 治熱病汗不出目眩頭痛

陽池（三焦所過爲原 穴壬日午時開） 中泉穴橫外一寸陷中○、不可並用 治消渴口乾

外關（三焦絡別走手厥陰經） 中泉後二寸兩骨間○、大利 治耳聾渾渾無聞五指皆痛

支溝（三焦所行爲經 屬火巳日辰時開） 中泉上三寸兩骨間陷中○、亦利 治熱病汗不出肩臂痠痛

會宗（三焦所入爲合 屬土辛日寅時開） 中泉上三寸支溝旁外一寸○ 治五癇肌膚痛

天井（三焦所入爲合 屬土辛日寅時開） 屈肘大骨下兩骨縫陷中○、 治心胸痛咳嗽短氣

清冷淵 天井上二寸伸手舉臂取之○、 治肩痺痛手不能舉

經會	穴名	部位	針灸	禁忌	主治
手少陽陽維之會	臑會	肩頭外骨下三寸宛宛中	○、		治臂痠痛無力
手足少陽陽維之會	天髎	缺盆上起肉有空陷中	○、		治肩臂痠痛 誤針陷處令人卒死
	天牖	缺盆直上髮際下一寸耳積後	、	灸之令人面腫	治耳暴聾
手足少陽之會	翳風	耳後尖骨陷中咬物取之	○、	大利	治耳鳴耳聾口眼喎斜
	顱息	耳上背後青脉絡角孫下一寸	○、	禁針出血殺人	治耳聾痛小兒嘔吐
手太陽手足少陽之會	角孫	耳上髮際陷開口有空處	○		治目生翳子牙頭痛
手足少陽脉氣所發	絲竹空	眉尾上陷中	、	灸之令人目小且盲	治目眩頭痛
手足少陽手太陽三脉之會	和髎	耳前銳髮下橫骨下動脉中	○、		治頭腫牙痛

耳門 耳前銳髮上横骨上陷中封耳鈌〇、宜輕灸 治耳鳴如蟬

手少陽三焦經歌

關衝四指外側端　液門小四歧骨間
中渚液門上一寸　陽池一寸對中泉
外關腕後二寸陷　腕後三寸支溝言
外關一寸會宗地　天井肘外骨後邊
屈肘上下骨縫處　肘上二寸清冷淵
臑會肩下三寸看　天髎缺盆上陷邊

天牖耳後一寸半　翳風耳後大骨尖
顱息耳上背後陷　角孫耳上髮際間
絲竹眉尾陷处現　和髎耳前鋭髮參
耳門鋭髮横骨上　三焦經穴己終焉

手少陰經

在五臟屬心心者君主之官神明出焉生之本神之變也其榮在色其充在血脉爲陰中之太陽通於夏氣形如未開之蓮花重十二兩居肺下膈上附脊第五椎南

方赤色入通於心開竅於舌藏精於心故病在五臟南方生熱熱生火火生苦苦生心心生血血生脾心主舌其在天為熱在地為火在體為脉在臟為心在聲為笑在變動為憂在志為喜喜故傷心恐則勝喜熱傷氣寒則勝熱苦傷氣鹹則勝苦

在四肢屬小指内側

在天干屬丁日

在地支屬午时

在五行屬陰火

在五方屬南方

在八卦屬離卦

在五音屬徵音　在五色屬赤色

本經共有九穴起於極泉終於少衝多血少氣午時

氣血注此補宜未時少衝（木也）瀉宜午時神門（土也）

心脈所出為井　丁日未時開

少衝　小指內側甲角韭葉許　。、　治熱病煩滿

心脈所流為榮　屬火乙日亥時開

少府　小指本節後骨縫陷中　。、　治煩滿悲恐畏

心脈所注為俞　屬土丁日亥時及癸日巳時開

神門　掌後銳骨夫手轉骨開陷縫中　。、　大利　治癡呆心煩

陰郄　掌後五分陷中　。、　治流鼻血吐血

心絡別走太陽小腸經

通里　掌後一寸陷中　。、　治目眩頭痛熱病

心脈所行為經 屬金辛日酉時開
心脈所入為合 屬水戊日子時開

靈道 掌後一寸五 ○、 亦利 治心痛乾嘔

少海 屈肘横紋内五分伸屈小指應手處 ○、 宜輕灸 治寒熱齒痛

青靈 少海上三寸伸手舉臂取 ○ 治目黄頭痛

極泉 夾腋下二寸乳横五寸上三寸動脈 ○、 治臂肘厥寒四肢不收

手少陰心經歌

少陰心起極泉中 腋下二寸動引胸
青靈肘上三寸覓 少海肘内五分充
靈道掌後五分是 神門手轉骨縫中

少府小指本節陷　小指内側是少衝
心經九穴終於此　惟有神門莫放鬆

手太陽經

在六腑屬小腸小腸者受盛之官化物出焉與心經相表裡重二斤十四兩長三丈二尺廣二寸半左回疊積十六曲容穀二斗四升三合小腸上口即胃之下口也在臍上二寸臍上一寸名水分穴為小腸下口大腸上口由是而泌別清濁水液滲入膀胱滓穢流入大腸

在四肢屬手小指外側　在天干屬丙日

在地支屬未時　在五行屬陽火

在五方屬南方　在八卦屬離卦

在五音屬徵音　在五色屬赤色

在五味屬苦味

本經共有一十五穴起於少澤終於聽宮多血少氣

未時氣血注此補宜申時後谿木也瀉宜未時小海

土也

小腸脈所出為井屬金丙日申時開　少澤　手小指外側甲角韮葉許　○、　治瘧疾寒熱

小腸脈所流為滎屬水乙日子時開　前谷　小指外側本節前陷中　○、　治熱病汗不出

小腸脈所注為俞屬木壬日午時開　後谿　小指外側本節後陷中　○、大利　治擺子目生赤翳

小腸脈所過為原丁日子時開　腕骨　手頸外側大骨末陷中　○、亦利　治熱病汗不出脇下痛

小腸脈所行為經屬火庚日戌時開　陽谷　神門骨下稍上二分骨肉交界處　○、·　治顛疾狂走

小腸絡別走少陰心經　支正　腕骨後五寸骨肉交界處　○、　治癲狂五勞風虛

小腸脈所入為合屬[illegible]乙日寅時開　小海　肘外大骨下稍後五分陷中屈手取之　○、亦利　治肘臂痛

手太陽陽維陽蹻之會　臑俞　肩尖骨斜下三寸陷中舉手向背取　○、　治臂痠肩痛

天宗　肩大骨横向背三寸陷中　。、　治肩臂痠痛肘外疼

秉風　肺俞横四寸舉手向背現窩者是　。、亦利　治肩痛不能舉

肩外俞　風門横三寸陷中　。、亦利　治肩痛痺寒至肘

肩中俞　大杼横二寸陷中　。、亦利　治咳嗽氣上吐血

天窻　風池直下三寸動脈應處　。、　治喉痺寒熱

天容　牙腮骨後耳垂直下八分陷中　。、　治喉痺寒熱

聽宮　耳中珠子旁半分　。、大利　治耳聾失音癲疾

手足少陽手太陽三脉之會

手太陽小腸經歌

巴監石印工場代印

小指外端為少澤　本節前外前谷穴
節後橫紋取後谿　腕骨手頸骨末側
陽谷銳骨下陷中　腕上五寸支正別
小海肘外後五分　臑俞肩斜三寸決
天宗肩尖橫三寸　肺俞四寸秉風列
肩外俞穴風門對　橫後三寸骨陷得
肩中大杼二寸旁　天窻池下三寸詳
天容耳下曲頰後　牙腮骨陷八分量

聽宮耳中珠子上　此為小腸手太陽

足太陰經

在五臟屬脾脾者諫議之官智周出焉轉輸之本意之居也其榮為唇其充在肌為陰中之至陰通於季夏之氣重二斤三兩廣三寸長五寸掩于太倉附脊十一椎中央黄色入通於脾開竅於口藏精於脾故病在舌本中央生湿湿生土土生甘甘生脾脾生肉肉生肺肺主口其在天為湿在地為土在體為肉在臟為脾在聲為

歌在變動為噦在志為思思即傷脾怒則勝思濕即傷
肉風能勝濕甘多傷肉酸則勝甘

在四肢屬足大指內側　　在天干屬己日
在地支屬巳時　　在五行屬陰土
在五方屬中央　　在八卦屬坤卦
在五音屬宮音　　在五色屬黃色
在五味屬甘味

本經共有二十穴起於隱白終於大包多氣少血巳

時氣血注此補宜午時大都火也瀉宜巳時商丘金也

注	穴名	部位		刺	主治
脾脉所出為井屬木乙日巳時開	隱白	足大趾内側甲角韭葉許	○、		治腹脹喘滿
脾脉所流為榮屬火丁日酉時開	大都	足大趾本節後内側陷中	○、		治熱病汗不出足疾
脾絡別走足陽明胃經	公孫	足大趾本節後一寸内側陷中	○、	大刺	治痛疟足疾
脾脉所注為俞屬土己日酉時及丙日丑時開	太白	足大趾内側本節後二寸核骨陷中	○、	大刺	治身熱煩滿腹脹嘔吐
脾脉所行為經屬金癸日未時開	商丘	内踝微前中封照海之間骨陷中	○、		治腹痛腸鳴足疾
足太陰少陰厥陰三脉之会	三陰交	内踝上三寸骨肉交界陷中	○、	大刺	治脾胃虛弱諸病皆治

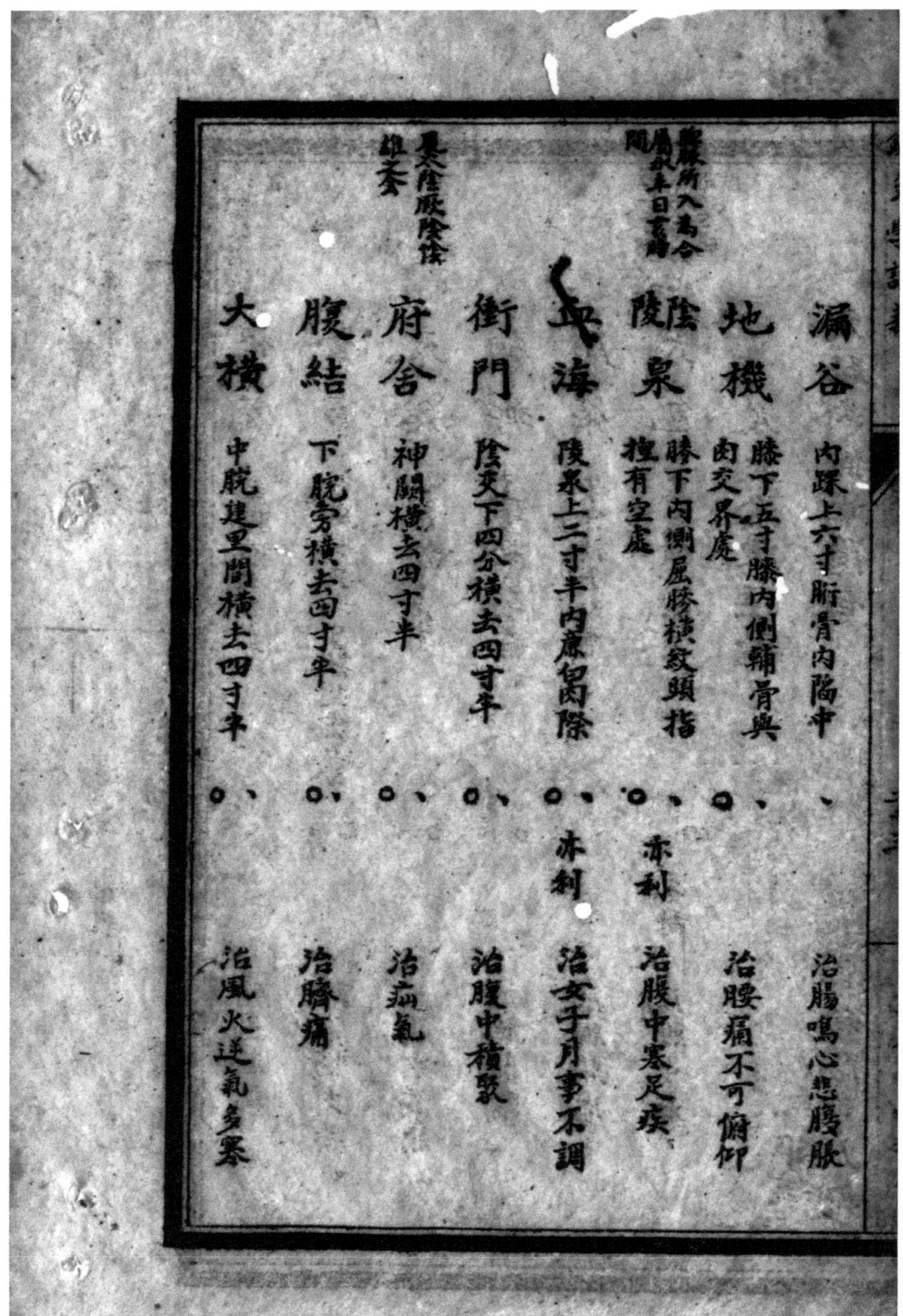

漏谷　内踝上六寸胻骨内陷中　、　治腸鳴心悲膓脹

地機　膝下五寸膝内側輔骨與肉交界處　○、　治腰痛不可俯仰

陰陵泉　脾脉所入為合屬水半日亥時間　膝下内側屈膝横紋頭指捏有空處　○、　赤利　治腹中寒足疾

血海　陵泉上二寸半内廉白肉際　○、　赤刺　治女子月事不調

衝門　陰交下四分横去四寸半　○、　治腹中積聚

府舍　足太陰厥陰陰維交會　神闕横去四寸半　○、　治疝氣

腹結　下脘旁横去四寸半　○、　治臍痛

大横　中脘建里間横去四寸半　○、　治風火逆氣多寒

腹哀 巨闕横四寸半 、 治胸脇滿

（足太陰陰維之會）

食竇 中庭横去六寸期門旁五分 ○、 治胸脇支滿

天谿 膻中横去六寸 ○、 治胸中滿痛

胸鄉 玉堂横去六寸 ○、 治胸脇滿

周榮 紫宮横去六寸 、 治胸脇滿

大包 華蓋横去七寸 ○、 大利 治胸中痛

（脾之大絡總統陰陽諸絡由此灌溉五臟）

足太陰脾經歌

大趾內側端隱白　節後陷中大都稱

節後一寸公孫穴　節後二寸太白名
商坵內踝微前陷　三陰踝上三寸匀
再上三寸漏谷是　膝下五寸地機真
屈膝橫紋是陰陵　血海二寸五分尋
衝門府舍腹結穴　交下神闕下脘平
大橫中夾穴間品　腹哀直對巨闕橫
以上五穴橫尺寸　旁開四寸又五分
食竇期門五分品　膻中六寸天谿存

胸鄉玉堂橫六寸　紫宮六寸是周榮
大包華蓋七寸論　太陰脾經穴分明

足厥陰經

在五臟屬肝肝者將軍之官謀慮出焉罷極之本魂之居也其榮為爪其充在筋為陰中之少陽通於春氣重二斤四兩左三葉右四葉附脊第九椎東方青色入通於肝開竅於目藏精於肝故病驚駭東方生風風生木木生酸酸生肝肝生筋筋生心肝主目其在天為玄在

人為道在地為化化生五味道生智玄生神在天為風在地為木在體為筋在臟為肝在色為倉在聲為呼在變動為握在志為怒怒即傷肝悲則勝怒風多傷筋燥則勝風酸亦傷筋辛則勝酸

在四肢屬足大指外側　在天干屬乙日

在地支屬丑時　在五行屬陰木

在五方屬東方　在八卦屬震卦

在五音屬角音　在五色屬青色

在未屬酸味

本經共有一十三穴起於大敦終於期門多血少氣丑時氣血注此補宜寅時曲泉水也瀉宜丑時行間火也

肝脈所出為井屬木乙日酉時開　大敦　足大指外側甲角韭二毛中乃是　●、　治五淋七疝

肝脈所溜為滎屬火癸日卯時開　行間　足大指本節尖骨下五分動脈陷中　○、　治嘔逆消渴

肝脈所注為俞屬土丙日丑時及辛日未時開　太衝　足大趾本節後二寸歧骨間陷中動脈有動脈者生無動脈者死　○、大利　治心痛足疾

肝脈所行為經屬金乙日亥時開　中封　足內踝前一寸兩筋間宛宛中　○、　治小腹腫痛足疾

肝絡別走足少陽膽經

肝脈所入為合屬水戌日卯時開

蠡溝　内踝上五寸骨肉交界陷中　○、　治疝痛小腹脹滿

中都　内踝上七寸骨肉交界陷中　○、　治疝痛小腹痛婦女崩

膝關　犢鼻骨色下二寸横向内二寸陷中　○、　治風痺膝内廉痛

曲泉　膝内側大筋上小筋下屈膝横紋兩筋間　○、　赤利　治㿉疝小腹包塊陰股足疾

陰包　膝上四寸内廉兩筋間踡足現礩者是　○、　治腰尻小腹痛

五里　氣衝下三寸天樞下一尺一寸動脈應手　○、　治腸中熱足疾

陰廉　氣衝下二寸天樞下一尺動脈應手　○、　利女子　治婦人無子嗣

章門　臍上二寸横六寸側卧屈下脚伸上脚取之　○、　大利　治腹中包塊腸胃脹痛

足厥陰太陰陰維之會 肝募

期門 中庭横去五寸半 ○、 亦刺 治胸中煩熱痛腹痛

足厥陰肝經歌

大敦大指外側邊　行間兩趾縫中間
太衝本節後二寸　中封内踝一寸前
蠡溝内踝上五寸　踝上七寸中都宣
犢鼻骨色下二寸　横内二寸是膝關
屈膝内側内指按　兩筋空陷是曲泉
陰包膝内上四寸　天樞尺一五里觀

陰廉天樞下一尺　章門下脘六寸安

期門中庭五寸半　肝經穴道己周全

足陽明經

在六腑屬胃胃者倉廩之官五味出焉與脾經相表裡重二斤一兩紆曲屈伸大一尺五寸徑五寸長二尺六寸容穀二斗水一斗五升胃上口即上脘胃之中即中脘胃下口乃小腸之上口即下脘也蓋五味入口皆藏於胃以養五臟氣為水穀之海六腑之大原也是以五

臟六腑之氣味皆出於胃　在天干屬戊日
在四肢屬足次趾逄中　在五行屬陽土
在地支屬辰時　在八卦屬坤卦
在五方屬中央　在五色屬黃色
在五音屬宮音
在五味屬甘味
本經共有四十二穴起於頭維終於厲兌氣血俱多
辰時氣血注此補宜巳時解谿 大也 瀉宜辰時厲兌

金也

胃脈所出為井屬金戊日午時開

厲兌　足次趾邊中韭葉　。、　治尸厥口禁氣絕

胃脈所溜為滎屬水丙日戌時開

内庭　次趾中趾岐骨間陷中　。、　治四肢腫痛腹脹滿

胃脈所注為俞屬木乙日寅時開

陷谷　内庭去二寸　。、赤利　治面目浮腫及水病

胃脈所過為原戊日戌時開

衝陽　解谿前寸半　。禁針如出血死　治偏風口眼喎斜

胃脈所行為經屬火壬日申時開

解谿　鞋帶處宛宛中　。、赤利　治面受風浮腫足疾

豐隆　外踝上八寸分肉間陷中　。、赤利　治厥逆大小便難足疾

下廉　三里下六寸　。、　治小腸氣不足面無顏色

胃脈所入為合屬土辛日子時開

條口　三里下五寸　。、治足麻木

上廉　三里下三寸　。、治臟氣不足偏風足疾

三里　龍服骨下三寸兩筋分肉間　。、大利　治全身萬病無病針灸可以延年

犢鼻　膝蓋端下骨陷中　。、亦利　治膝痛麻木不仁

梁丘　膝上二寸兩筋間　。、治足膝腰痛不仁

陰市　膝上三寸陷中　、治腰足如冰水

伏兔　膝上六寸　、治膝冷不溫

氣衝　曲骨下三寸又橫二寸　。治腹滿不敢正卧

巴監石印工場代印

歸來　曲骨下二寸又横二寸　○、治小腹痛七疝

水道　曲骨横二寸　○、治腰背强急膀胱寒

大巨　丹田横二寸　○、治小腹脹滿小便難

外陵　陰交横二寸　○、治腹痛心下如懸引胸痛

大腸之募穴

天樞　肚臍横二寸　○　治泄瀉赤痢白痢水痢

滑肉門　水分横三寸　○、治癲狂嘔吐舌强

太乙　下脘横三寸　○、赤利　治癲疾狂走心煩吐舌

關門　建里横三寸　○、赤利　治善滿積氣腸鳴

梁門　中脘横三寸　。、亦刺　治脇下積氣飲食不思

承滿　上脘横二寸　。、亦刺　治腸鳴腹脹

不容　巨闕横三寸　。、　治腹滿吐血

乳根　中庭横四寸　。、　治胸下滿胸中痛

乳中　膻中横四寸　禁灸灸則生蝕瘡若瘡中有息肉似蝕瘡者死　。、　宜扯火鑽治乳塞脹痛

庫房　華蓋横四寸　。、　治胸脇滿唾膿血

氣户　璇璣横四寸　。、　治咳嗽胸背痛

缺盆　肩下大窩中　。、針不宜深　治胸滿喘急水腫

氣舍　天突旁五分　。、治咳嗽氣上逆頸項强

水突　人迎下一寸　。、治咳逆上氣咽喉癰腫

人迎（足陽明少陽之會）　廉泉横寸五動脈中　。禁針違則殺人　治吐逆霍乱胸中满

大迎　天突旁寸二　。、治風痙口噤不開頰腫

地倉（手足陽明陽蹻之會）　口吻旁四分　。、亦利　治偏風口喎失音不語

巨髎（手足陽明陽蹻之會）　鼻孔旁八分與人中平　。、治頰腫口喎

四白　目下一寸直對眼中黑珠　。、針不宜深　治頭痛目眩目赤痛

承泣（足陽明陽蹻任脈之會）　目下七分直對眼中黑珠　禁針灸如違令人目不明

頰車　耳垂下八分牙腮骨陷○、治中風牙關不開口噤不語

牙關　足陽明少陽之會　耳垂橫前寸許開口有空○、治牙痛聤耳偏風口眼喎斜

頭維　足陽明少陽二脈之會　神庭橫去四寸半耳上約二寸○、治頭痛如破目痛如脫

足陽明胃經歌

頭維耳上約兩寸　四寸五分到神庭

牙關耳垂橫一寸　頰車耳下直八分

承泣目下七分許　再下三分四白真

巨髎鼻孔八分近　地倉口旁四分平

大迎天窗旁寸二　廉泉寸半是人迎
水突人迎下一寸　氣舍天突旁五分
缺盆肩下大窩陷　氣户璇璣四寸横
庫房華蓋去四寸　膻中四寸乳中名
中庭旁邊四寸許　乳下寸六是乳根
不容承滿梁門穴　關門太乙滑肉門
六穴中横均三寸　巨闕旁起一寸匀
天樞臍旁横二寸　樞下一寸是外陵

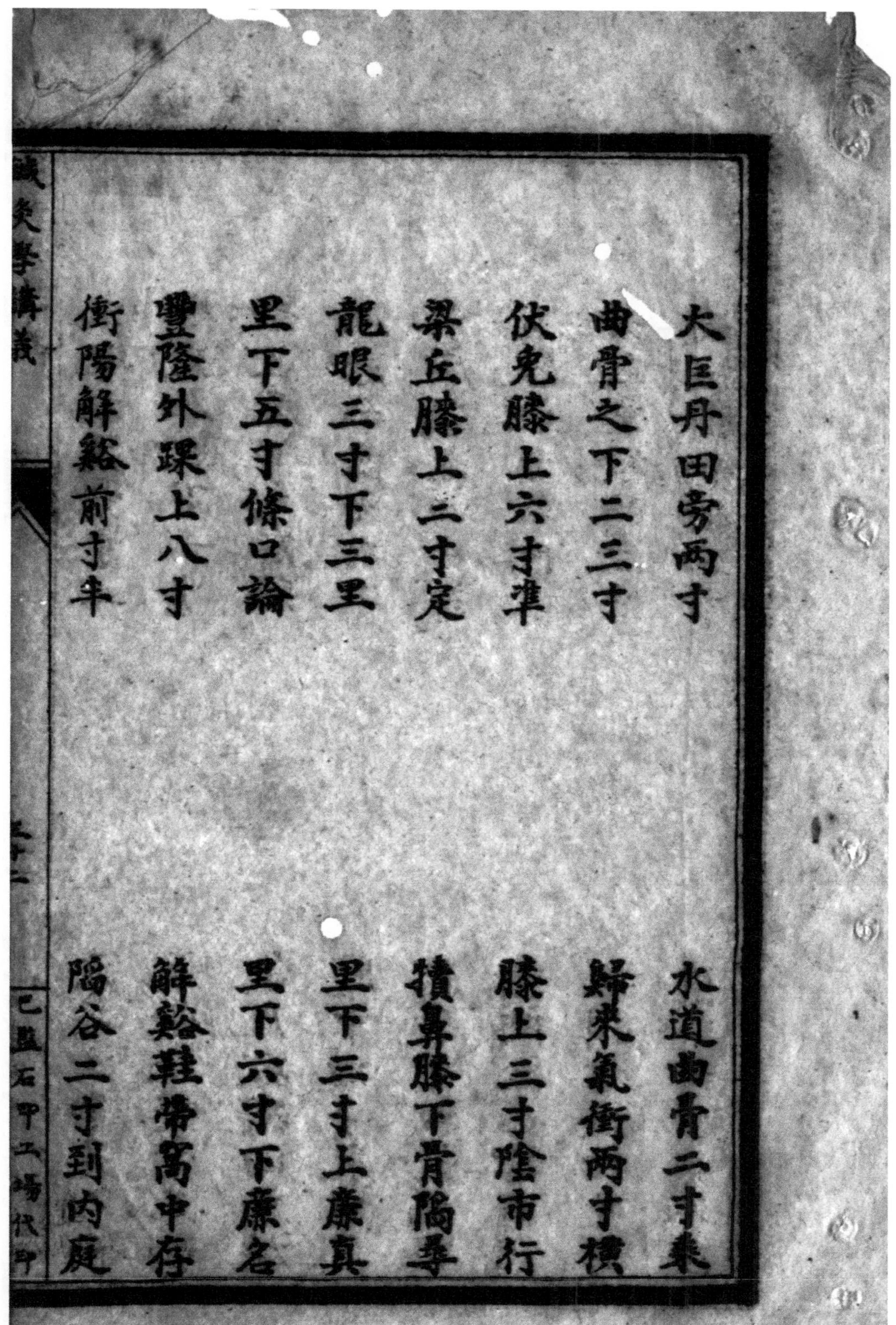

大巨丹田旁兩寸　水道曲骨二寸來
曲骨之下二三寸　歸來氣衝兩寸橫
伏兔膝上六寸準　膝上三寸陰市行
梁丘膝上二寸定　犢鼻膝下骨陷尋
龍眼三寸下三里　里下三寸上廉真
里下五寸條口論　里下六寸下廉名
豐隆外踝上八寸　解谿鞋帶高中存
衝陽解谿前寸半　陷谷二寸到內庭

已鹽石印工場代印

内庭次趾歧骨陷　　厲兌次趾韭葉尋

四十二穴頭維起　　終於厲兌足陽明

足少陰經

在五臟屬腎腎者作強之官伎巧出焉封藏之本精之處也其榮為髮其充在骨為陰中之太陰通於冬氣形如豇豆有兩枚重一斤一兩附脊十四椎前與臍平北方黑色入通於腎開竅於耳藏精於腎故病在谿北方生寒寒生水水生鹹鹹生腎腎生骨髓髓生肝腎主耳

其在天為寒在地為水在體為骨在臟為腎在聲為伸在變動為慄在志為恐恐則傷腎思能勝恐寒則傷血燥能勝寒鹹亦傷血甘能勝鹹

在四肢屬足心　　在天干屬癸日

在地支屬酉時　　在五行屬陰水

在五方屬北方　　在八卦屬坎卦

在五音屬羽音　　在五色屬黑色

在五味屬鹹味

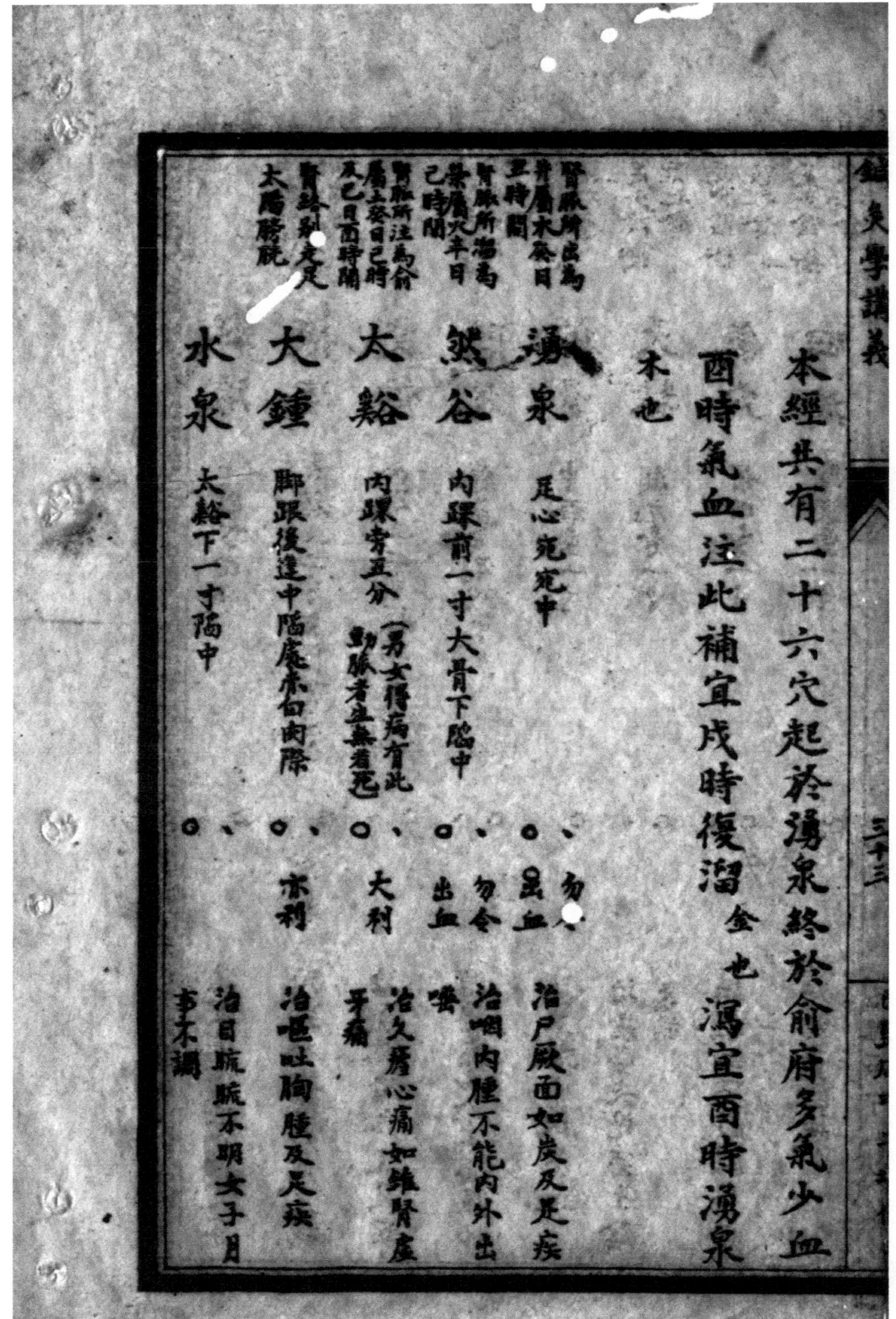

本經共有二十六穴起於湧泉終於俞府多氣少血酉時氣血注此補宜戌時復溜金也瀉宜酉時湧泉木也

腎脉所出為井屬木癸日丑時開
湧泉　足心宛宛中　○、勿令出血　治尸厥面如炭及足疾

腎脉所溜為榮屬火辛日己時開
然谷　内踝前一寸大骨下陷中　○、勿令出血　治咽内腫不能内外出唾

腎脉所注為俞屬土癸日巳時及己日酉時開
太谿　内踝旁五分（男女得病有此動脈者生無者死）　○、大利　治久瘧心痛如錐腎瘧牙痛

腎絡別走足太陽膀胱
大鍾　脚跟後踵中陷處赤白肉際　○、亦利　治嘔吐胸腫及足疾

水泉　太谿下一寸陷中　○　治目䀮䀮不明女子月事不調

照海　内踝下四分　○、治咽乾心悲不樂足疾

腎脈所行為經屬金戊日丑時開　復溜　太谿上二寸交信前三分　○、亦利　治腰脊內引痛及足疾

交信　內踝上二寸復溜後三分　○、治氣淋癀疝及足疾

腎脈所入為合屬水丙日己時開　陰谷　膝盖內側陷中　○、治膝痛如錐不得屈伸

足少陰衝脈之會　橫骨　中極旁一寸　○　治五淋小便不通

足少陰衝脈之會　大赫　關元旁一寸　○、治虛勞夾精男子陰氣結

足少陰衝脈之會　氣穴　丹田旁一寸　○、治氣上下行腰脊痛

足少陰衝脈之會　四滿　陰交旁一寸　○、治積聚疝瘕

巴盟石印工場代印

足少陰衝脈之會 **中注** 肚臍旁一寸 ○、 治小腹有熱大便堅燥

足少陰衝脈之會 **肓俞** 水分旁一寸 ○、 治腹痛大便燥

足少陰衝脈之會 **商曲** 下脘旁寸半 ○、 治腹痛腹中積聚

足少陰衝脈之會 **石關** 建里旁寸半 ○、 治腹痛氣淋大小便不通

足少陰衝脈之會 **陰都** 中脘旁寸半 ○、 治身寒熱瘧疾心煩

足少陰衝脈之會 **通谷** 上脘旁寸半 ○、 治久飲善嘔暴瘖不言

足少陰衝脈之會 **幽門** 巨闕旁寸半 ○、 治小腹脹嘔吐涎沫

步廊 中庭旁二寸仰面取 ○、 治胸脇滿鼻塞不通

神封　膻中旁二寸仰面取○、治胸滿欬逆

靈墟　玉堂旁二寸仰面取○、治胸脇支滿嘔吐

神藏　紫宫旁二寸仰面取○、治嘔吐欬逆喘急

彧中　華蓋旁二寸仰面取○、治欬逆喘急

俞府　璇璣旁二寸仰面取○、治欬逆嘔吐腹脹不下

足少陰腎經歌

足心中陷是湧泉　然谷内踝一寸前

太谿踝後五分是　大鍾赤白跟中間

水泉谿下一寸看　照海踝下四分傳
復溜內踝上二寸　橫後三分交信聯
陰谷膝蓋內側陷　橫骨大赫氣穴三
四滿中注肓俞穴　六穴橫直一寸焉
中極旁開一寸起　上至水分每寸間
商曲石關陰都并　通谷幽門五穴全
下脘直上均寸取　中行各開寸半觀
步廊神封靈墟位　神藏彧中俞府安

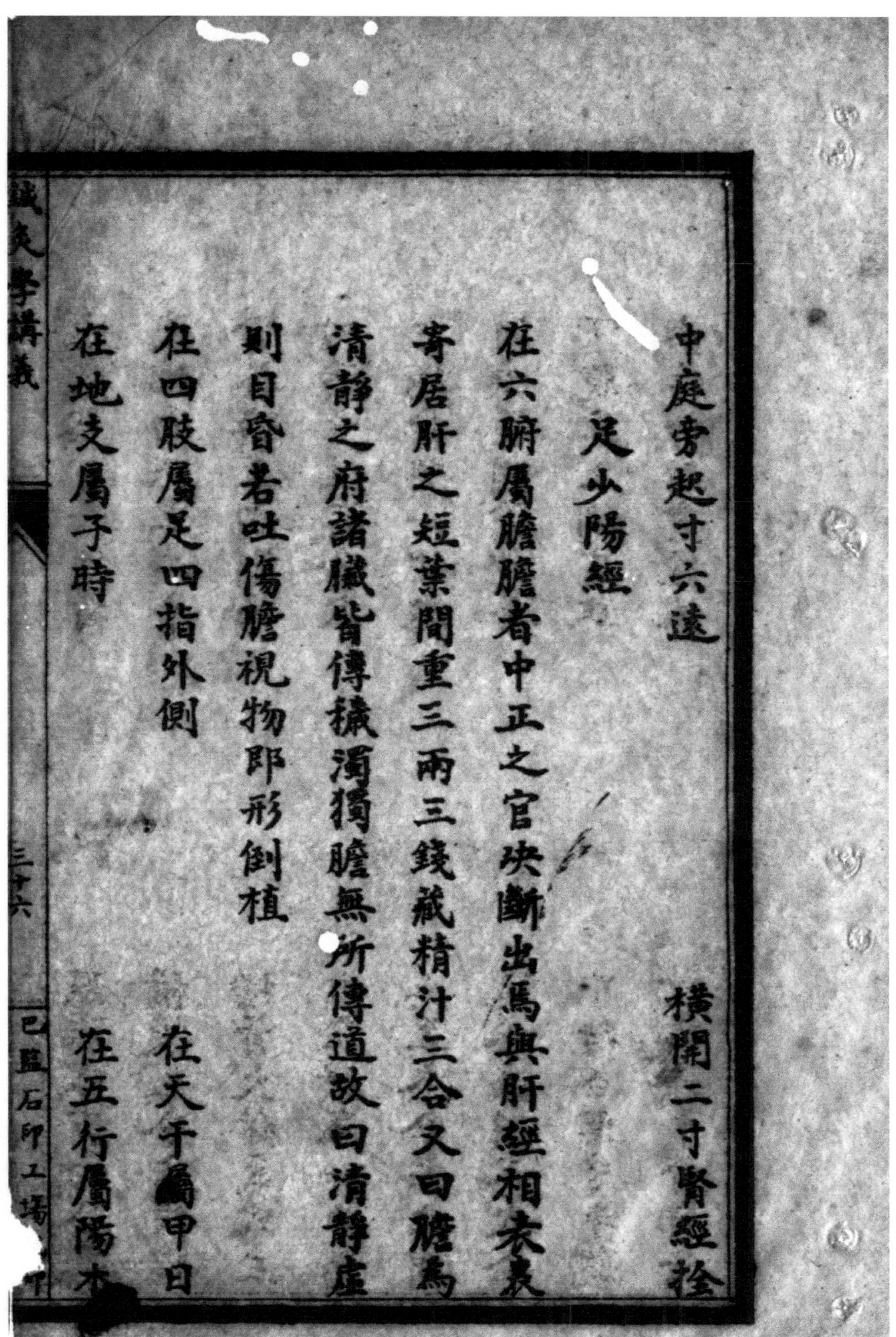

中庭旁起寸六遠　横開二寸腎經拴

足少陽經

在六腑屬膽膽者中正之官決斷出焉與肝經相表裏寄居肝之短葉間重三兩三錢藏精汁三合又曰膽為清靜之府諸臟皆傳穢濁獨膽無所傳道故曰清靜虛則目昏若吐傷膽視物即形倒植

在四肢屬足四指外側　在天干屬甲日

在地支屬子時　在五行屬陽木

巴監石印工場

在五方屬東方　在八卦屬震卦
在五音屬角音　在五色屬青色
在五味屬酸味
本經共有三十三穴起於瞳子髎終於竅陰多氣少
血子時氣血注此補宜丑時俠谿水也　瀉宜子時陽
輔火也　趾

膽脈所出為井屬金甲日戌時開

竅陰　足四趾外側甲角韭葉　○、　治脇痛咳嗽手足煩熱

膽脈所流為滎屬水壬日辰時開

俠谿　小趾四趾岐骨間陷中　○、　治胸脇支滿傷寒熱病

地五會　小趾四趾間本節後一寸。禁灸化主殃毒　治腋痛內損及足疾

臨泣（膽脈所注為俞屬木庚日中時開）　小趾四趾間本節後一寸半。大利　治胸中滿缺盆痛及足疾

丘墟（膽脈所過為原乙日寅時開）　外踝微前陷中。大利　治胸脇痛久瘧及足疾

絕骨（髓會此乃足三陽之大絡也）　外踝上三寸動脈尖骨盡處是。赤利　治心腹脹滿髓漏及筋骨痛

陽輔（膽脈所行為經屬火巳日子時開）　外踝上四寸。　治腰溶溶如坐水中膝脛筋痛

光明（膽經絡別走足厥陰肝經）　外踝上五寸。赤利　治脛痠胻痛不能久立

陽交　外踝上七寸。　治胸腫膝痛足不收

陽陵泉（膽脈所入為合屬土（筋會）丁日辰時開）　膝盖骨下寸半空陷處。大利　治脚氣膝股不仁膝痛骨冷

陽關　足少陽太陽之會（？）
陽關　陵泉上三寸風市前五分　、　治膝痛不屈伸風痺不仁

風市　以手着腿中指盡處陽關後五分　、。　治中風腿膝無力

環跳　足少陽太陽之會　大腿骨陷宛宛中伸上足屈下足側卧取之　、。　大利　治冷風溼痺半身不遂

居髎　足少陽陽蹻之會　丹田下三分横六寸　、　禁灸犯之夭壽　治腰引小腹痛

帶脈　足少陽帶脈之會　臍上二分横去七寸五　、。　大利女子　治腰腹如冷水婦人小腹痛

京門　腎經募穴　中脘下二分横去七寸五　、。　治腸鳴瀉泄小腹急痛

日月　足太陰[illegible]陰陽維之會　中庭鳩尾間横去七寸許　、。　治欬急善悲小腹熱欲走

淵腋　腋窩下三寸　、　治寒熱胸滿腋

手足少陽足陽明陽維之會　肩井　肩上歧骨去巨骨一寸　○、不可深針　治中風氣塞涎上不語

手足少陽陽維之會　風池　顳後髮際陷中　○、大利　治傷寒温症一切風症

足少陽陽維之會　腦空　頭上中横二寸五入髮後六寸半　○　治癆病羸瘦

足少陽陽維之會　承靈　頭上中横二寸五入髮後五寸　○　治腦風頭痛

足少陽陽維之會　正營　頭上中横二寸五入髮後三寸半　○、　治目眩瞑頭項偏痛

足少陽陽維之會　目窻　頭上中横二寸五入髮後二寸　○、宜刺令目光明　治目赤痛

足少陽太陽陽維之會　臨泣　頭上中横二寸五入髮後五分　○、　治目眩目生白翳

手足陽明少陽陽維之會　陽白　眉中上一寸　○　治瞳子癢目痛上視

巴縣石印工場代印

会	穴名	部位	治证
足少陽陽維之會	本神	頭上中横三寸入髮後五分	○、治驚癇吐涎沫
足少陽太陽之會	完骨	頭上中横三寸入髮後寸半	○、治足痿失履不收
足太陽手足少陽之會	竅陰	頭上中横三寸入髮後二寸	○、治四肢轉筋目痛頭痛
足少陽太陽之會	浮白	頭上中横三寸入髮後三寸五	○、治足不行耳聾
足少陽太陽之會	天衝	頭上中横三寸入髮後五寸	○ 治癲疾風牙腫痛
手足少陽陽明之會	客主人	耳缺横一寸臉色骨上入髮際	○ 治口眼歪斜
	聽會	耳缺微前宛宛中	○、大利 治耳聾耳鳴閉氣
手太陽手足少陽之會	瞳子髎	目外眥横五分	○、治目痒及青白翳膜

足少陽膽經歌

瞳子目外五分遠　耳鈌微前聽會安
耳鈌横寸客主穴　天衝髮後五寸觀
浮白入髮三寸半　竅陰髮後兩寸間
完骨本神旁三寸　入髮寸五五分兼
陽白眉中上一寸　臨泣五分髮際邊
目窻正營承靈穴　由臨泣起寸半連
腦空髮後六寸半　五穴中横二五寬

風池頸後髮際陷　肩井巨骨一寸前
腋下三寸是淵腋　日月庭尾七寸橫
中下二分七寸半　橫是京門腎募傳
帶脈臍上旁七五　居髎六寸對丹田
環跳大腿宛中取　風市垂手中指尖
陽關陵泉上三寸　膝下寸半陽陵泉
陽交外踝七寸寘　光明外踝五寸着
陽輔踝上四寸現　絕骨踝上三寸探

坵墟外踝微前陷　臨泣谿後寸五參
谿後一寸地五會　俠谿小四岐骨間
竅陰四指外側韭　膽經穴終三十三

足太陽經

在六腑屬膀胱膀胱者州都之官精液藏焉氣化則能出矣與腎經相表裡重九兩二錢廣九寸盛溺九升九合居腎下之前大腸之側膀胱上際即小腸下口水液由是滲入焉諸書辯膀胱不一有云有上口無下口有

云上下皆有口或云有小竅注泄皆非也惟有下竅以出溺上皆由泌别滲入膀胱其所以入也出也由於氣之施也在上之氣不施則注入大腸而為泄在下之氣不施則急脹濇澁若不出而為淋

在四肢屬足小指外側　在天干屬壬日

在地支屬申時　在五行屬陽水

在五方屬北方　在八卦屬坎卦

在五音屬羽音　在五色屬黑色

在五味屬鹹味

本經共有六十五穴起於睛明終於至陰多血少氣申時血氣注此補宜酉時至陰金也瀉宜申時束骨木也

膀胱所出為井屬金壬日寅時開

至陰　足小指外側甲角韭葉　○、　治目生翳子鼻塞頭重風寒

膀胱所流為滎屬水庚日午時開

通谷　小趾外側本節前陷中　○、　治頭重目眩項痛

膀胱所注為俞屬木戊日戌時開

束骨　小趾外側本節後陷中　○、大利　治腰脊痛如折及冗疾

膀胱所過為原別走他經壬日午時開

京骨　束骨後一寸外側大骨下　○、赤利　治頭痛如破腰痛不能屈伸

穴	部位		利	主治
陽蹻絡穴　金門	外踝下骨肉交界中申脈前坵墟後	。、	不利	治霍亂尸厥癲癇
申脈	外踝下五分筋骨陷中	。、	大利	治風眩腰脚痛疫
僕参	脚跟骨側陷中赤白肉際	。、		治足痿失履不收
膀胱所行為經屬火丁日寅時開　崑崙	外踝後五分	。、	大利	治腰尻脚氣及一切足疾
附陽	外踝上三寸筋骨之間	。、		治霍亂轉筋腰痛不能立
膀胱絡穴　飛揚	外踝上七寸陷中	。、		治痔腫痛
承山	手向上登脚脚肚現㐅分肉間	。、	大利	治大便不通轉筋痔腫
合陽	在委中約紋直下三寸	。、		治腰引腹痛

膀胱所入為合膺主乙日午時陽

委中　脚彎約紋中央動脈陷中　○、大利　治腰痛後頂痛

委陽　委中直上承扶下六寸陷中　○、　治腋下腫胸滿膨脹

浮郄　承扶下五寸伸足得之　○、　治霍亂轉筋

殷門　承扶下二寸直對委中　○、　治腰脊不可俯仰

承扶　脚腿股教起肉紋處陷紋中　○、禾利　治腰脊相引痛久痔尻腫

秩邊　二十椎旁三寸五伏而取之　○、　治五痔發腫小便赤

胞肓　十九椎旁三寸五伏而取之　○、　治腰脊急痛食不消

志室　十四椎旁三寸五正坐取之　○、　治陰腫陰痛腰背痛

肓門　十三椎旁三寸五正坐取之　○、　治心下痛大便堅

胃倉　十二椎旁三寸五正坐取之　○、　治腹滿水腫

意舍　十一椎旁三寸五正坐取之　○、　治腹滿虚脹大便滑泄

陽綱　十椎旁三寸五抄手取之　○、　治腸鳴腹痛

魂門　九椎旁三寸五抄手取之　○、　治尸厥胸背連心痛

鬲關　七椎旁三寸五抄手取之　○、　治背痛惡寒脊強

譩譆　六椎旁三寸五抄手取之　○、　治受大風汗不出

神堂　五椎旁三寸五抄手取之　○、　治腰背脊強

膏肓 四椎五椎間横去三寸五指 住病人穴道引心痛者是真 ○ 大利 週身萬病皆治但灸此處必灸三里氣海

魄户 三椎旁三寸五扳手取之 ○、 治腰背痛虚勞腫瘵

手足太陽之會 附分 二椎旁三寸五扳手取之 ○、 治肘不仁肩背拘急

會陽 下髎下五分肛門旁二寸 ○、 治腹寒熱久痔

下髎 中髎下五分第四骨空旁二寸 ○ 治大小便不利腸鳴下血

足厥陰少陽所結之會 中髎 次髎下五分第三骨空旁二寸 ○ 治大小便不利腰脹

次髎 上髎下五分第二骨空旁二寸 ○ 治小便赤淋

足太陽少陽之會 上髎 長強下第一骨空旁二寸 ○、 大利 治大小便不利及陰挺

白環俞　二十一椎旁二寸伏而取之、　治腰脊痛手足不仁

中膂俞　二十椎旁二寸伏而取之○　治腎虛消渴

膀胱俞　十九椎旁二寸伏而取之○、　治小便赤黃風勞脊強

小腸俞　十八椎旁二寸伏而取之○、　治膀胱三焦津液少

關元俞　十七椎旁二寸伏而取之○　治風勞腰痛

大腸俞　十六椎旁二寸伏而取之○、　治脊強腰痛腹中氣脹

氣海俞　十五椎旁二寸正坐取之○、　治腰痛痔漏

腎俞　十四椎旁二寸前以臍平正坐取之○　禁針如傷腎六日死　治虛勞羸瘦耳聾腎虛腰痛消渴

三焦俞　十三椎旁二寸正坐取之　○禁針　治臟腑積聚脹滿

胃俞　十二椎旁二寸正坐取之　○禁針　治霍亂翻胃嘔吐

脾俞　十一椎旁二寸正坐取之　○禁針如傷脾十日死　治腹脹引胸背痛

膽俞　十椎旁二寸正坐取之　○禁針如傷胆一日死　治頭痛振寒汗不出

肝俞　九椎旁二寸抄手取之　○禁針如傷肝五日死　治多發怒眼疾久未愈

鬲俞　七椎旁二寸抄手取之　○禁針如傷鬲不过一歲死　治心痛翻胃嘔吐

督俞　六椎旁二寸抄手取之　○禁針　治寒熱心痛腹痛

心俞　五椎旁二寸抄手取之　○禁針如傷心一日死　治偏風半身不遂心恍惚

已監石印工場代印

手足太陽少陽之會又骨會

厥陰俞　四椎旁二寸抄手取之　○禁針　治心痛欬逆牙痛

肺俞　三椎旁二寸抄手取之　○禁針如傷肺二日死　治欬嗽腰背強痛

風門　二椎旁二寸抄手取之　○、此穴宜針四五分使諸熱氣瀉不令背永不發癰疽　治背發癰疽身熱喘咳

大杼　上除三節第一椎旁二寸　○、亦利　治膝痛不能伸屈

天柱　瘂門旁寸五髮際齊大筋外陷中　、　治足不仁身體肩背痛

玉枕　頭上中横寸五枕骨下陷中　○、亦利　治目痛如脫頭風後頂痛

絡郄　頭上中横寸五入髮五寸五　○　治頭痛耳鳴

通天　頭上中横寸五入髮四寸　○、　治頸項不能轉動

承光　頭上中横寸五入髮後二寸五　、　治風眩頭痛嘔吐心煩

五處　頭上中横寸五入髮後一寸　。、　治脊强不能反折

曲差　神庭旁寸五入髮後五分　。、禁刺　治目不明鼻塞鼻瘡

攢竹　兩肩後撥下陷中　。、禁刺　治目䀮䀮視物不明

睛明　大眼角横分許宛宛中　。、禁刺　治目遠視不明迎風淚出

手足太陽足陽明陰蹻陽蹻五脈之會

足太陽膀胱經歌

足太陽兮膀胱經　內背一分起睛明

眉頭陷中攢竹地　曲差五處髮寸均

承光通天絡郄等　由處循後寸半行
枕骨下陷是玉枕　六穴中横寸五分
惟有天柱在後頸　旁開寸半瘂門平
由此脊中開二寸　第一大杼二風門
三椎肺俞厥陰四　心五督六鬲七論
肝九膽十脾十一　胃在十二椎下尋
十三三焦十四腎　十五椎俞氣海稱
大腸關元十六七　十八椎乃小腸名

膀胱俞穴尋十九
二十椎下中膂真
白環俞穴二十一
四髎強下各五分
會陽肛門横兩寸
背關二寸穴分清
三寸五分背兩旁
附分二椎第二行
三魄四膏五神堂
譩譆鬲關六七歲
第九魂門十陽綱
十一意舍二胃倉
十三肓門四志室
十九椎旁是胞肓
秩邊穴與廿椎對
背部二行已周詳

承扶腳腿縐紋陷　殷門再下二寸量
浮郄承扶下五寸　扶下六寸是委陽
委中腳彎約紋裏　委下三寸乃合陽
承山蹬腳肉現迯　外踝七寸上飛揚
附陽外踝上三寸　崑崙踝後五分跟
僕參亦在踝下陷　踝下五分申脈藏
金門踝下骨肉際　京骨東後一寸當
東骨小趾本節後　通骨節前陷中央

至陰小趾外基業　六十五穴終膀胱

腹面任脈經　在外為腹

在內為離

在男子為陰　在女子為陽

凡針灸治病男宜陰日女宜陽日

本經共有二十四穴起於會陰終於承漿

此穴乃任督衝三脈所起之處如卒死溺死者針一寸補之尿屎出則活若無則死

會陰　前陰之後後陰之前二陰之中　○　萬病皆治穀道搔癢久痔未愈女子經水不調一治即愈

足厥陰任脈之會

曲骨　毛際陷橫骨上動脈陷中　○、由此至臍折作五寸　○　亦刺　治夫精五臟虛弱

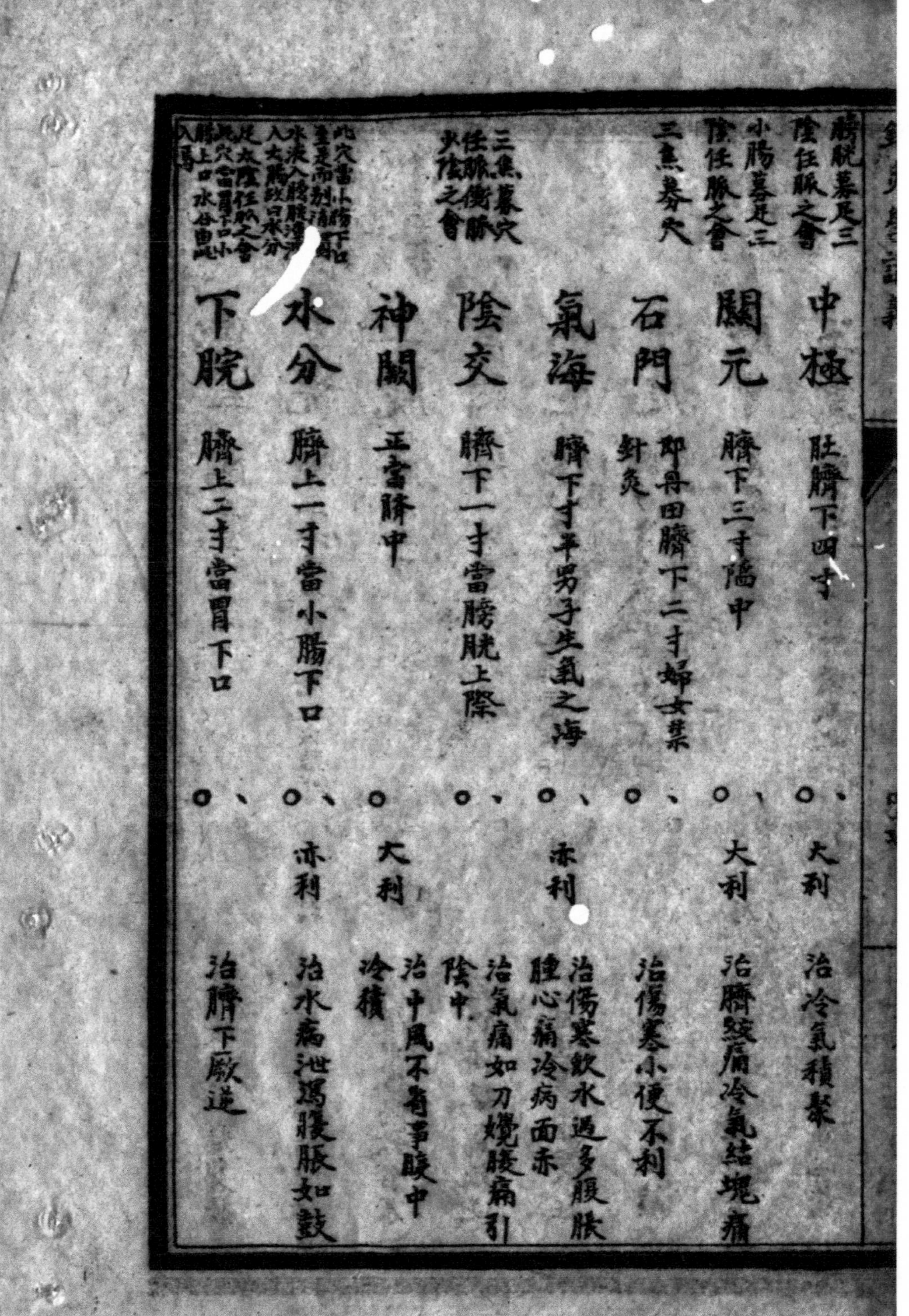

中極　膀胱募足三陰任脈之會　肚臍下四寸　。、大利　治冷氣積聚

關元　小腸募足三陰任脈之會　臍下三寸陷中　。、大利　治臍絞痛冷氣結塊痛

石門　三焦募穴　即丹田臍下二寸婦女禁針灸　。、　治傷寒小便不利

氣海　臍下寸半男子生氣之海　。、赤利　治傷寒飲水過多腹脹腫心痛冷病面赤

陰交　三焦募穴任脈衝脈少陰之會　臍下一寸當膀胱上際　。、　治氣痛如刀攪腹痛引陰中

神闕　正當臍中　。　大利　治中風不省事腹中冷積

水分　此穴當小腸下口至是而泌別清濁水液入膀胱渣滓入大腸故曰水分　臍上一寸當小腸下口　。、赤利　治水病泄瀉腹脹如鼓

下脘　足太陰任脈之會此穴當胃下口小腸上口水谷由此入焉　臍上二寸當胃下口　。　治臍下厥逆

- 建里　臍上三寸　○、　治腹脹心痛身腫
- 中脘（手太陽少陽足陽明任脈之會又腑會）　臍上四寸中庭至臍此穴居中　○、　大利　治一切臟腑痛腫脹病
- 上脘（足陽明手太陽任脈之會）　臍上五寸　○、　赤利　治腹中雷鳴飲食不化
- 巨闕（心募）　臍上六寸　○　治胸滿短氣欬逆
- 鳩尾　臍上七寸鳩尾者骨蔽下似鳩尾形　●　治五班癇症癲狂
- 中庭　膻中下寸六分中部尺寸由此至臍通作八寸　○　治噎塞胸脇支滿
- 膻中（氣會又足太陰少陰手太陽少陽任脈之會）　兩乳平建中　○　大利　治膺部氣短噎氣喘
- 玉堂　紫宮下一寸六分仰頭取之　○　治胸膺疼痛心煩

紫宮　華蓋下一寸六仰頭取之　◎　治胸膺骨痛胸脇支滿

華蓋　璇璣下一寸六仰頭取之　◎　治喉痺咽腫

璇璣　天突一寸六仰頭取之　◎　治欬嗽喉痺咽癰

天突　陰維任脈之會　喉下大窩中頭不偏倚正立取之　◎、大刺　治欬嗽氣喘咽腫破

廉泉　陰維任脈之會　喉管包包骨中央空陷處　◎、　治欬嗽喘息嘔沫舌腫

承漿　手足陽明任督脈之會　脣下窩中開口取之任脈有病多灸此處爲妙　◎、亦刺　治任脈一切病偏風半身不遂口眼喎斜

任脈歌

任脈會陰兩陰間　曲骨毛際陷中安

中極臍下四寸取　關元臍下三寸連
石門臍下二寸是　氣海乃在寸半間
臍下一寸陰交穴　臍之中央神闕傳
臍上上行各一寸　水分下脘建里參
中脘上脘與巨闕　七穴行至鳩尾邊
中庭膻中下寸六　膻中位在兩乳間
玉堂紫華璇璣穴　上行俱作寸六看
天突喉下大窩現　廉泉喉色骨之尖

承漿唇下窩中陷　二十四穴任脈完

背面督脈經

在外為背　在內為坎

在男子為陽　在女子為陰

凡針灸治病男宜陽日女宜陰日

本經共有二十七穴起於長強終於齗交

督絡別走任脈足少陰少陽之會

長強　二十一椎脊底骨端下陷中　在腰俞下三分　○、　大利　治腸風下血久痔瘻腰脊痛狂疾大小便難

腰俞　二十一椎下宛宛中長強上三分　○、　治腰髖腰脊痛溫瘧

陽關　十六椎下伏而取之　○　治膝外不可屈伸

命門　十四椎下前與臍平正坐取　○、大利　治頭痛如破身熱如火

懸樞　十三椎下伏而取之　○、　治腰脊強不能伸屈

脊中　十一椎下伏而取之　、禁灸犯之令人腰傴　治風癇癲邪

筋縮　九椎下抄手取之　、禁灸犯之令人腰傴　治癲疾狂走

至陽　七椎下抄手取之　○、　治腰脊痛胃中寒熱

靈臺　六椎下抄手取之　○　亦利　治氣喘不能卧

神道　五椎下抄手取之　○　治傷寒發熱頭痛

足太陽督脈之會　手足三陽督脈之會如灸以年為壯　督脈陽維之會　足太陽督脈陽維之會　足太陽督脈之會

身柱　三椎下抄手取之　○、　治腰脊痛癲疾狂走

陶道　一椎下抄手取之　○、　治瘧疾寒熱脊強

大椎　一椎上骨陷宛宛中　○　亦利　治五勞七傷肺脹嘔吐

瘂門　頸後入髮際五分中央陷處　、　禁灸灸之令人瘂　治舌強不語重舌

風府　入髮際一寸大筋内宛宛中　、　禁灸灸之令人瘖瘂　治中風舌強不語頭痛頸急不能回顧

腦户　百會後四寸五枕骨正中　、大利　禁灸灸之令人失音　治面赤目黃

強間　百會後三寸頭上正中　○、　治頭痛目眩

後頂　百會後寸半頭上正中　○、　治頭痛項急惡風寒

百會　手足三陽督脈之會　去前髮際五寸去後髮際七寸頂中央可容豆許　○、　大利　治遍身萬病

前頂　百會前寸半頭上正中　○、　治頭風目眩面赤水腫

顖會　百會前三寸按之有隱者是　○　小兒未滿八歲者勿灸　治腦痛如破鼻塞衂血

上星　百會前四寸入髮一寸　○、　大利　治頭風面赤鼻塞鼻肉

神庭　足太陽督脈之會　百會前四寸五入髮五分　○　治登高而歌去衣而走

素髎　鼻尖端上在鼻準上五分　、　治鼻中細肉不消

人中　督脈手足陽明之會　鼻準下分許水溝中央　○、　大利　治督脈一切病菓治消渴中風口噤

兌端　在人中直下五分人中斷文之中　○、　治癲疾吐沫小便黄舌乾消渴

任脈足陽明之會

齗交　人中下一寸唇邊紅白肉際。　治鼻中細肉蝕瘡鼻塞

督脈歌

尾閭骨端是長強　強上三分腰俞藏
十六陽關十四命　十三懸樞細推詳
十一脊中九筋縮　七椎之下乃至陽
六靈五神三身柱　一椎之下陶道當
一椎之上大椎穴　入髮五分瘂門行
風府一寸究中取　腦戶百後四五量

强間百後三寸是　後頂百後寸半長
百會五寸臨容豆　朝前寸半前頂彰
顖會百前三寸臨　上星百前四寸强
神庭百前四寸五　素髎鼻上五分詳
人中鼻尖下分許　兑端唇上臨中央
齗交唇邊紅白際　二十七穴切勿忘

經外奇穴

内迎香　鼻孔内側見紅子者是　○、宜夾刺　大利　治目暴熱

鼻準　在鼻柱尖上素髎下五分、宜刺　治酒醉風三稜針刺出血

耳尖　捲耳尖上是穴○、亦刺　治眼生翳膜

聚泉　舌上當中有陷處○、　治哮喘咳嗽久咳不愈

金津　玉液　舌下兩旁紫脈捲舌取之　治重舌腫痛喉痹

海泉　舌下中央有陷處伸舌朝上取之　治消渴症

魚腰　兩眉中間入眉毛　治眼生垂簾翳膜

太陰　太陽　兩小眼角平去一寸陷中　治眼紅腫頭痛

大骨空　手大指中節屈指骨尖陷中　治目久痛及生翳膜內障

小骨空　手小指中節屈指骨尖陷中。亦刺　治目久痛及生翳膜内障

中魁　手中指内二節屈指横紋處。、治五噎翻胃吐食

八邪穴　手背五指四岐骨間兩手共八穴。治手背紅腫

八風　足五指四岐骨間兩足共八穴。治足背紅腫

手足十宣　手足十指尖當中離爪甲分許。、大刺　治乳蛾尸厥心痛

五虎穴　手背五指第二節骨尖握拳取之。治五指拘攣

肘尖穴　手肘骨尖上屈手乃得之。治瘰癧

獨陰　足次趾下横紋中。亦刺　治疝氣死胎不下

內外踝　兩足內外踝腳骨尖　○、亦利　治下牙痛足內廉轉筋

囊底　在陰囊十字紋中　○　亦利　治腎臟風及小腸疝氣

鬼眼　手兩少商足兩隱白合併者是　○　亦利　同治五癇症又驅邪

中泉　手背腕中陽谿陽池中間　○　亦利　治心痛腹中諸氣疼

印堂　在兩眉中稍上二分　○、大利　治小兒驚風

子宮　中極旁三寸　○、大利　治婦人無子嗣

精宮　十四椎命門旁四寸前與臍平患重又外旁五分　○　大利　治遺精白濁

高骨　在掌後寸脈部位　○、　治手病

睛中　在眼中黑珠中央、非高人不敢下針　治瞳人反背

腰眼　伸手正坐腎俞下現窩者是、。亦利　治腰痛淋症遺精

髖骨　捉身以手着腿脚彎上手中指盡處。　治暈病

内外龍眼　膝盖側下兩邊現窩空陷處、大利　治鶴膝風膝膝紅腫疼痛

四関　兩合谷兩太衝是、。大利　治中風諸病皆治

牙髂　顴骨下陷凹開口有空是穴、。　治牙痛臉受風口眼喎斜

十節　手十指本節後骨節尖上是穴屈拳取之。　治手背紅腫癢麻冷痛

二白　間使後一寸兩穴相對一穴在大筋内一穴在大筋外左右兩手共四穴、。　治痔漏癢痛腸風下血脱肛

己盛石印工場代印

經外奇穴歌

鼻孔紅子內迎香　鼻尖中央鼻準當
耳尖捲耳取尖上　聚泉舌上陷中央
金津玉液分左右　舌下紫絡居兩旁
海泉舌下正中是　魚腰眉間是本鄉
外眥平去一寸陷　右為太陰左太陽
大小骨空大小指　屈指中節骨陷量
中魁中指內二節　八邪手背歧骨腔

足背十趾歧骨縫　穴名八風細推詳
手足十趾指尖上　去甲分許十宣張
五虎必須握手取　手指中節骨尖強
屈肘便得肘尖穴　次足趾下獨陰藏
内外踝穴足跗上　内外螺螄骨高崗
囊底前陰約紋處　兩手大指側少商
兩足大趾隱白穴　合並皆名鬼眼鄉
中泉手腕兩筋陷　兩眉平中曰印堂

巴鹽石印工場代印

子宮中極旁三寸　婦女鍼灸法最良
命門旁邊四寸許　男子精宮灸更強
高骨掌後寸部位　睛中瞳人正中央
腰眼伸手正坐取　腎俞之下現兩腔
挺身垂手中指盡　髖骨灸之畢病颺
内外龍眼膝蓋下　屈膝骨陷窩中藏
若問四關在何處　合骨太衝切勿忘
牙骷顴骨下陷處　十節手指本節當

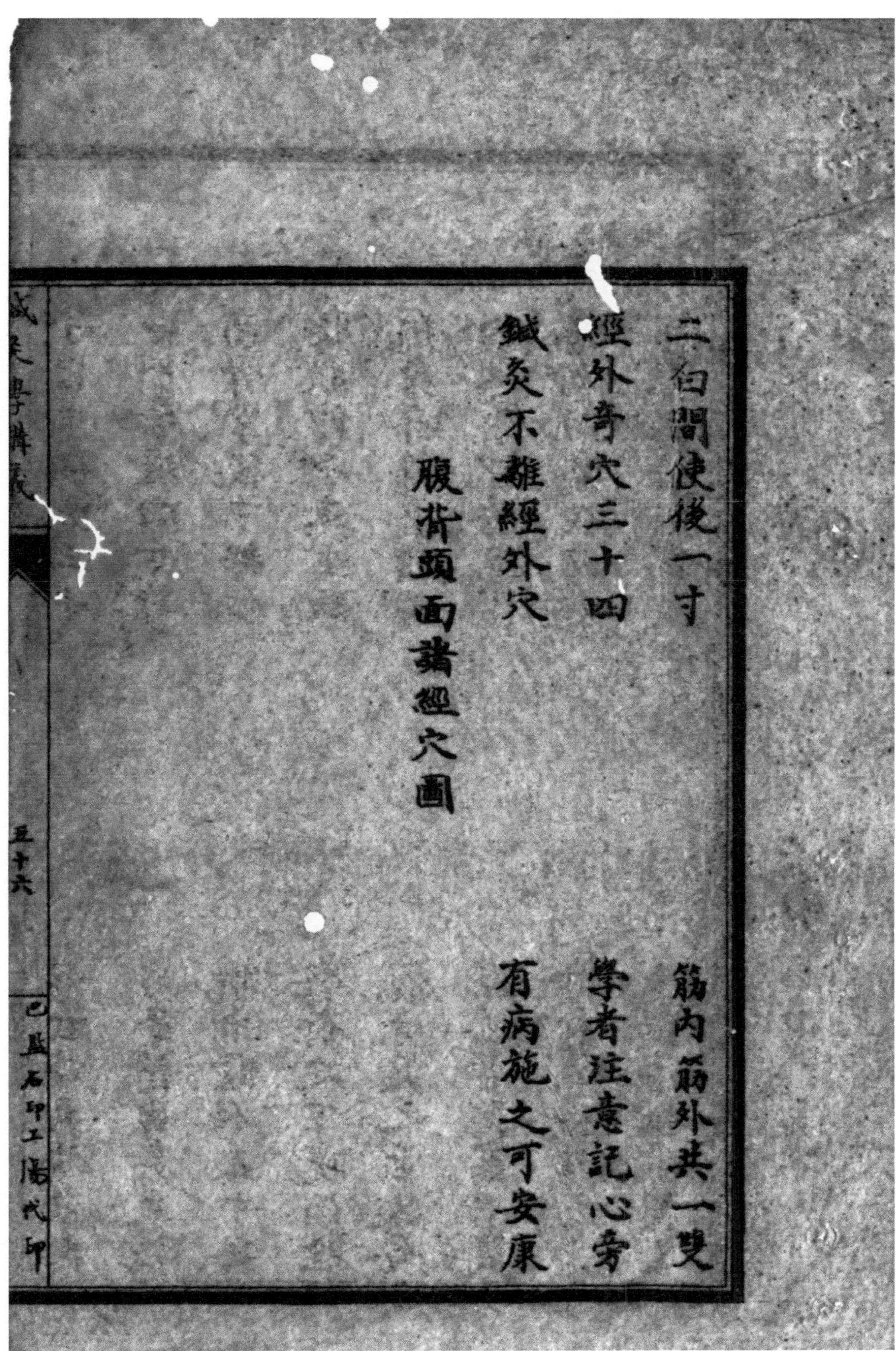
二白閭使後一寸　筋內筋外共一雙
經外奇穴三十四　學者注意記心旁
鍼灸不離經外穴　有病施之可安康
腹背頭面諸經穴圖

此乃脾經	此乃肝經		此乃胃經		此乃腎經		此乃任脈		此乃腎經		此乃胃經		此乃肝經	此乃脾經
七寸	六寸	五寸	四寸	三寸	二寸	一寸		一寸	二寸	三寸	四寸	五寸	六寸	七寸
							天突							
			氣戶		俞府		璇璣		俞府		氣戶			
大包			庫房		彧中		華蓋		彧中		庫房			大包
此乃膽經	周榮				神藏		紫宮		神藏				周榮	此乃膽經
	胸鄉				靈墟		玉堂		靈墟				胸鄉	
	天谿		乳中		神封		膻中		神封		乳中		天谿	
	食竇 期門		乳根		步廊		中庭		步廊		乳根		食竇 期門	
日月							鳩尾							日月
			腹哀	不容		幽門	巨闕	幽門		不容	腹哀			
				承滿		通谷	上脘	通谷		承滿				
			大橫	梁門		陰都	中脘	陰都		梁門	大橫			
				關門		石關	建里	石關		關門				
	章門		腹結	太乙		商曲	下脘	商曲		太乙	腹結		章門	
				滑肉門		肓俞	水分	肓俞		滑肉門				
			府舍		天樞	中注	神闕	中注	天樞		府舍			
					外陵	四滿	陰交（氣海）	四滿	外陵					
	居髎		衝門		大巨	氣穴	石門	氣穴	大巨		衝門		居髎	
						大赫	關元	大赫						
						橫骨	中極	橫骨						
					水道		曲骨		水道					
							▽							
					歸來		會陰		歸來					
							○							

四寸	三寸	二寸	一寸	○	一寸	二寸	三寸	四寸
				○				
				○				
		大杼	[illegible]	大椎	一椎	大杼		
分	附	風門	[illegible]	陶道	二椎	風門	分	附
戶	魄	肺俞	[illegible]	身柱	三椎	肺俞	戶	魄
肓	膏	厥陰俞	[illegible]		四椎	厥陰俞	肓	膏
堂	神	心俞	[illegible]	神道	五椎	心俞	堂	神
譆	譩	督俞	[illegible]	靈台	六椎	督俞	譆	譩
關	鬲	膈俞	[illegible]	至陽	七椎	膈俞	關	鬲
			[illegible]		八椎			
門	魂	肝俞	[illegible]	筋縮	九椎	肝俞	門	魂
綱	陽	膽俞	[illegible]		十椎	膽俞	綱	陽
舍	意	脾俞	[illegible]	脊中	十一	脾俞	舍	意
倉	胃	胃俞	[illegible]		十二	胃俞	倉	胃
門	肓	三焦俞	[illegible]	懸樞	十三	三焦俞	門	肓
精 室	志	腎俞	[illegible]	命門	十四	腎俞	室	志 精
宮		氣海俞	[illegible]		十五	氣海俞		宮
志室旁五分		大腸俞	[illegible]	陽關	十六	大腸俞		志室旁五分
		關元俞	[illegible]		十七	關元俞		
		小腸俞	[illegible]		十八	小腸俞		
肓	胞	膀胱俞	[illegible]		十九	膀胱俞	肓	胞
邊	秩	中膂俞	[illegible]		二十	中膂俞	邊	秩
		白環俞	[illegible]	腰俞 長強	二十一	白環俞		
		上髎		○		上		
		次髎		○		次		
		中髎		○		中		
		下髎		○		下		
		會陽		[illegible]		會陽		

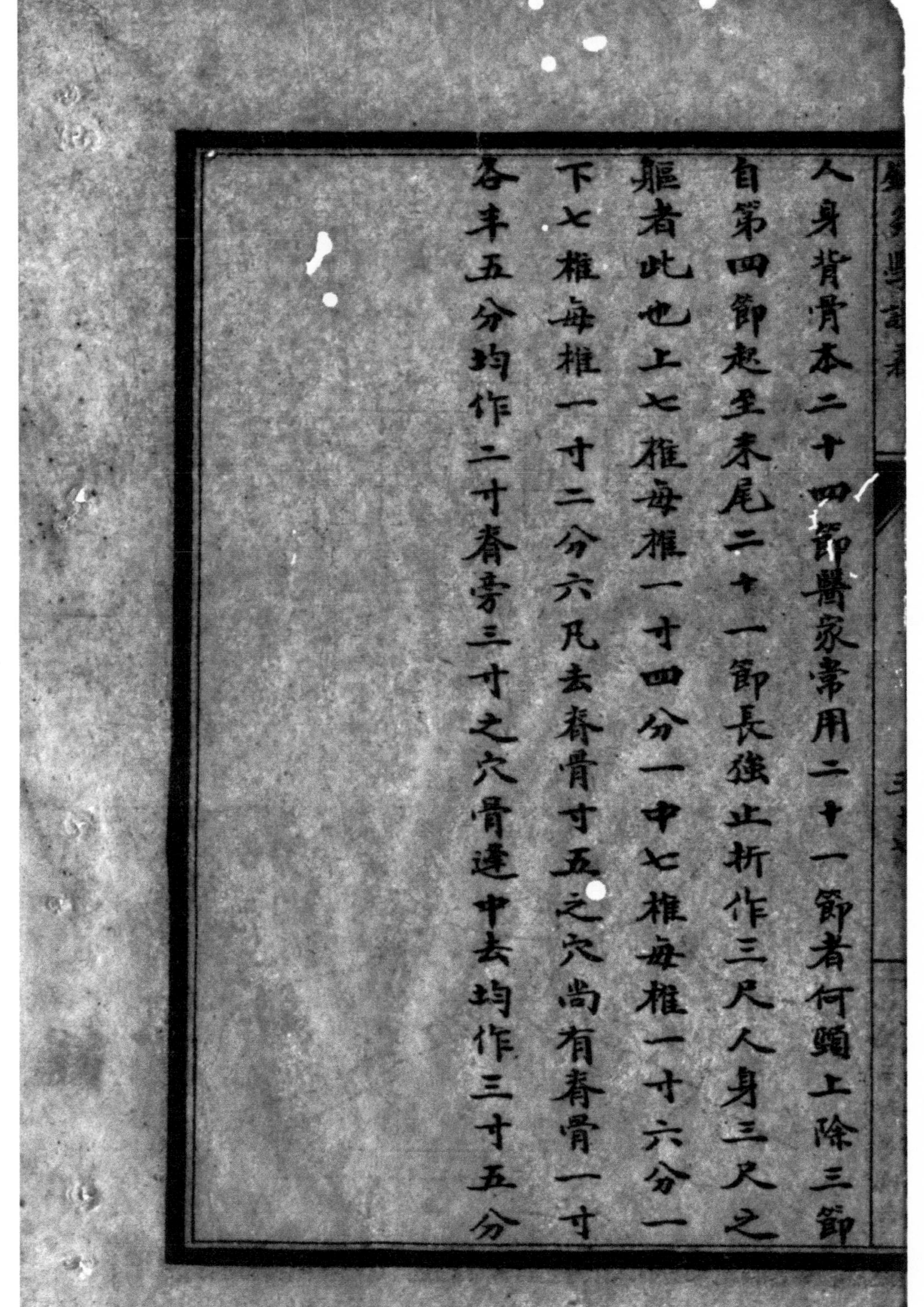

人身背骨本二十四節醫家常用二十一節者何頸上除三節自第四節起至尾二十一節長強止折作三尺人身三尺之軀者此也上七椎每椎一寸四分一中七椎每椎一寸六分一下七椎每椎一寸二分六凡去脊骨寸五之穴尚有脊骨一寸各半五分均作二寸脊旁三寸之穴骨邊中去均作三寸五分

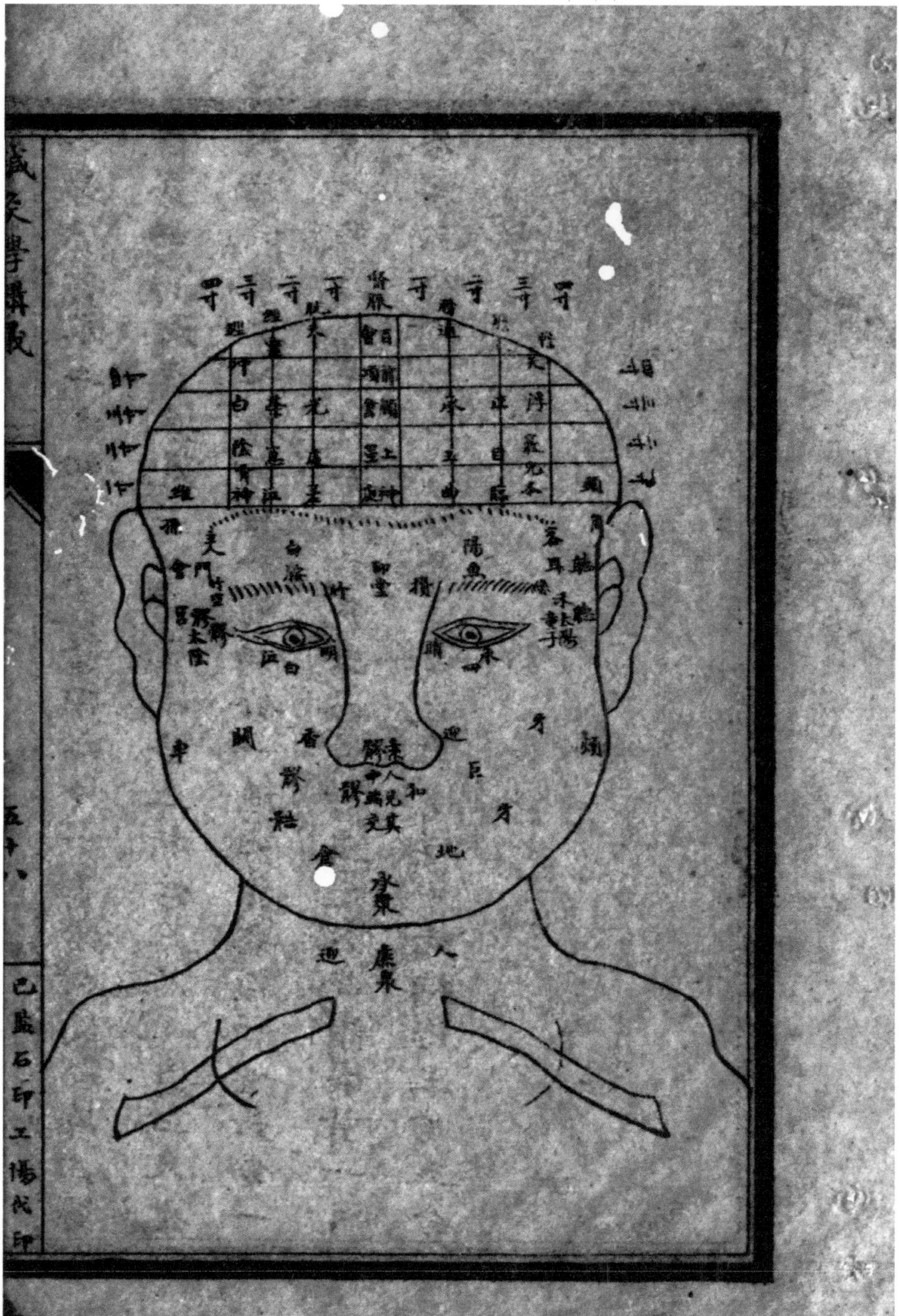

鍼灸學講義

五十八

印堂

迎香

地倉

承漿

廉泉

己巳藍石印工陽代印

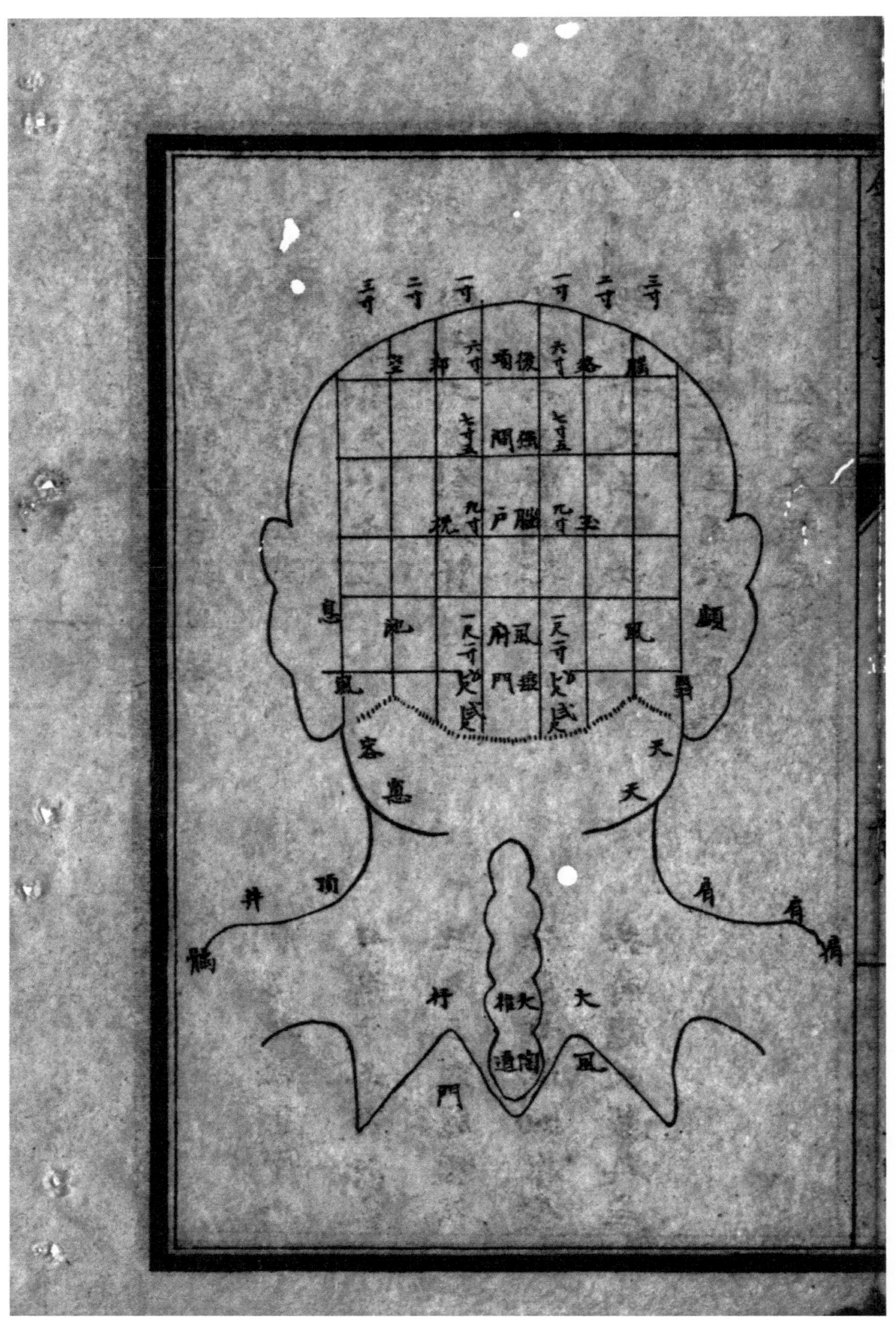

諸經穴通數目歌

十一肺經十九大　胞絡九穴焦十八
心經亦九小十五　廿脾十三乃肝家
四十二胃念六腎　三十三穴膽經轄
膀胱六五督廿七　任脈廿四細推查
經外奇穴三十四　共符週天數無差
全身總共三百六十五穴

全身各部尺寸

頭部直尺寸前髮際至後髮際折作一尺二寸前髮際不明者取眉心直上多約三寸後髮際不明者取頸項第一椎又多三寸前後髮際都不明者以眉心至第一椎共作一尺八寸

頭部横尺寸取男左女右大眼角至小眼角為一寸

背部直尺寸前頁書明勿須重錄其餘横尺寸男左女右手中指二節至三節屈指横紋頭相去為一寸取谷草或薄篾量為準

膺部直尺寸天突至膻中折作八寸下行寸六為中庭上取天

突下至中庭共折作九寸六分

腹部直尺寸取中庭穴至臍心折作八寸

下部直尺寸肚臍至毛際橫骨上陷處折作五寸

胷腹下三部橫尺寸量兩乳齊截斷折作八寸

手足部橫直尺寸均取用同身寸以男左女右手中指二節三節屈指橫紋為一寸

取穴求真

嘗閱各家圖書關於取穴有云陽經取骨側陷處按之痠麻者

為真陰經有動脈應手某某相去幾寸幾分此數説不過言其大概總難得絲毫不差于審攷驗針灸之不去病者皆因取穴非真如得真穴即有立起沉疴之效取真穴之法總須臨症審穴看病人病在何經即在何經下手找穴先以本經井滎俞原經合諸穴審查審查何穴病勢稍減此為主穴再行或前或後或左或右再搖再審如病勢全消此為絲毫不差之真穴也如病勢未退即舍此而尋他穴總以搖穴應病為主除去患處為真此乃活中之活法歷傳仙醫未錄之秘訣也

真傳補法手術

補針之法預先左手重搯其穴右手持針於穴上閉目存神唸咒唸畢令病人呼氣一口咳嗽進針再咳三咳針至天部稍停再呼氣一口咳嗽針至人部稍停又再呼氣一口咳嗽針至地部刮針彈針提空半豆靜以久留候氣至針動提插初九數即一九也令病人呼氣一口吸氣三口稍停或行少陽數三次提插二十七數每次呼氣一口吸氣三口稍停或老陽數三次提插八十一數每次提插二十七數每次中加呼吸三次提插畢

再行天地生成數天一生水地六成之之法此指膀胱腎經三焦胞絡言之將針提至天部令病人閉目觀心醫手大指輕按針尾閉目靜候針氣撞指一下吸氣一口將針插至地部醫手又以大指輕按針尾閉目靜候針氣撞指六下吸氣六口此為天一生水地六成之之法畢矣然或行一次至多三次此言膀胱腎經三焦胞絡屬水之治法也其他屬金木土火之經穴照此類推欲出針時先觀病人虛實吸氣兩口提針至人部又吸氣兩口提針至天部又吸氣兩口行子午擣臼法逗留數下咳

敎出針即捫其穴補針之法大概如斯矣

真傳瀉法手術

夫鍼灸大成所載行針補瀉各家數十餘種其中未能分辨誰家優劣如欲一概遵行手術太為麻煩使學者難入門徑故針灸一道非終至歇絶即猛懂荒唐所以近代以來業斯道者愈趨愈下矣然各家補瀉雖多治病總不離乎提插呼吸予言瀉針之法先持針於穴上閉目存神唸咒唸畢吹氣一口於針上令病人吸氣一口咳嗽下針再咳三咳針至人部稍停再咳針

至地部候氣至針動提插六陰數吸氣一口吹氣三口稍停或行少陰數三次提插十八數每次呼吸照前施之或行老陰數八次提插六十四數每次八數呼吸照前法提插畢病勢稍減候氣至針動即將針尾搬倒使肉內針頭朝病所行白虎搖頭法吸氣三口候氣走過疼痛處其病自愈或行一二次三四次以多為貴待病勢全消開四門吹氣兩口將針提至人部又開四門吹氣兩口提針至天部再開四門吹氣兩口行子午搗臼法逗留數下觀病人虛實隨咳出針如此病無不愈此予所言

瀉法如是

針穴深淺合宜

屢攷鍼灸大成諸家所言不一有云一穴針三四分者有云針五六七八分者竟不知深淺若干方為合宜使學者意見分歧致研究無從入手予曾受先師傳授復尋鍼灸大成藏而未露之奧妙操斯道者不知故有淺則不能去病深則有大痛之患其中或宜深或宜淺必須臨症審慎之譬如揷針至地部候氣至針動初行補瀉審病勢若何如病勢未退是針部位未攏令

針再下一分又審病勢如病未全愈再稍下一分必針至病勢全消方為真傳妙法學者依此行之斯乃不淺不深之合宜也

諸經症象歌

膽經之病脈多弦　善潔善怒面青顏
肝病亦應得弦脈　病人淋溲並便難
轉筋四肢都滿閉　臍左動氣搃不安
小腸之病浮洪脈　面赤喜笑口還乾
心脈亦洪掌中熱　臍上動氣心痛煩

胃脉浮緩面黄色　善噫善詠善思焉
脾經之病脉亦緩　飲食不消腹脹滿
體重節痛肢不收　當臍動氣卧而懶
大腸之病脉原浮　面白善嚏哭而愁
肺脉亦浮兼喘嗽　洒淅寒熱氣動右
膀胱之脉本沉遲　善恐欠兮面黑遺
腎病脉沉而氣逆　泄重小腹痛而急
臍下動氣脛逆寒　按腹牢痛須審的

十二經治病總訣

井治心滿榮身熱　俞治體重又痛節
經主寒熱兼喘嗽　合穴專治逆氣泄
客絡原穴更求之　此是諸經最捷訣

頭風頭痛

頭痛頭風針百星　却燒顖會及神庭
陽白魚腰並攢竹　印堂太陽風池仍
合谷灸後商陽刺　兩邊痛刺太陽經

前頂冷痛加前頂　頭維曲差頭竅陰
耳風翳風一齊灼　眉稜骨痛含扯靈
半邊頭風如何治　照前先從無病行
或屬後頂兩旁痛　風池玉枕委中尋
頭風甚者須推動　隨施針灸病即輕
後頂中痛人中畜　百會風府長強針

頭痛髓漏

頭痛髓漏灸星神　百會前頂及顖門

更從絕骨行針後　管教口鼻膿不行

頭目眩暈

頭目眩暈百會針　加灸顖星與神庭
印堂太陽同魚攢　會宗顴骨中脘并
諸穴補灸針絕骨　又刺商陽疾便輕

目痛

風目流淚間瘙麻　瞳髎行灸要先搯
臨泣陽白睛攢竹　魚腰太陽翳風加

大小骨空足三里　同時灸去病如拏
久年目病白珠紅　上星攢竹用針同
再灸肺俞肝俞穴　加灸前穴病即鬆
痘痲生產風目病　陽白魚攢睛翳風
風池瞳髎及四白　太陽肝肺用火攻
上下眼皮更多灼　伃見立地奏奇功
另有眼中生疔症　挑破磅砂點其中
雲朦起兮紅筋纏　星睛風府針莫延

内迎耳尖均刺血　或挑背上紅子妥
暴痛針星及頭維　絲竹空兮刺應先
百顖神庭都用火　許君病去頃刻間
腫焦火眼刺絲竹　内迎太敎及耳尖
有翳須挑上皮内　珠脹商陽刺立痊

齒痛

齒疼實火針合谷　虛火還當求太淵
腎虛希向太谿覓　風火牙關治立安

風火旋症灸方效　清油蘸綫明火燃

耳聾氣閉

耳聾須向二聽求　兼針翳風病可瘳
角孫耳門腎俞灸　先審宮翳有效不

喉症

咽喉腫痛刺少商　商陽金津玉液良
合谷更教金針度　風火切忌見火光
倘刺海泉紅发處　出血可治蛾單雙

己監石印工場代印

蛾將封喉救不及　筋夾瓷鋒刺立康

齁咳

齁咳立向天突針　後灸廉泉大人迎
璇璣神藏俞府彧　膻肺靈臺與風門
不止再灸聚泉穴　還將十二經穴尋

吐血

吐血百會及膻中　乳根中脘氣海同
肺膈肝脾四俞穴　尺澤合谷三里逢

屏翳四花齊下火　試來水服立見功

鼻血

鼻血不止灸百會　肺俞膈俞膻中配
中脘合谷并少商　冷水淋壁閘吸對
馬鬢瘟用紫藿車　煎和血服水涼背

鼻濫生虫

鼻濫生虫灸迎香　素髎禾髎人中央
更有肺俞還應灸　鐵掃末調油搽康

鍼灸學講義　卷六

已監石印工場代印

歪嘴風臉上肉扯跳

歪嘴面扯針牙關　　牙䶗地倉頰車間

再灸人中承齗翳　　外迎禾髎及兌端

更有兩手列缺穴　　左歪治右右左邊

偏頸不能回顧

偏頸不回針列缺　　風池曲池大杼穴

諸穴仍須臨症審　　針後左右即掉得

腰痛一切病

上焦腹痛針承漿
再灸百哭璇華紫
合谷更加手宣刺
中焦腹痛針中脘
上建下水關陰交
天樞命腎內關中
下焦腹痛針關元
郄灸中脘神闕海

上脘內關曲澤當
玉膻鳩尾中脘良
羊疔猪血服雄黃
或針章門灸百膻
關元通谷陰都選
足三太谿手宣管
或取太衝三里間
交丹極强子手宣

四滿氣穴赫陵巨　命腎足三太谿連
紅蛇背旁煨酒祉　再刺中指井宣邊
復灸百人承漿膻　中闕幽强命腎關
通陰大風內關肺　手宣三里太谿全
痧症身冷腹如絞　刺完手井灸照前
或得麻脚又肚疼　舌强肢痺汗周身
手足井開灸百會　人承突膻中脘尋
章關海元腎命處　長强內關合谷行

手足十宣足三里　太衝並灸即安寧

縮陰

縮陰之症灸長强　會陰命腎切勿忘
中脘神闕與中極　灸來仍是舊時康

肚腹色塊

上部之中色塊起　承漿天突針即已
若在上部之兩旁　俞府彧中神藏取
色塊若在中部中　中上两脘建里攻

巴監石印工場代印

兩旁相去一寸半　應針陰都石商通
兩旁相去若三寸　承滿梁關太乙同
兩旁相去四五寸　大橫腹結府舍從
兩旁若去五六寸　期章二門治可鬆
色塊下部起中行　關元中極二穴當
倘去中間恰一寸　四滿氣穴大赫藏
倘去中間恰二寸　外陵大巨針法詳
諸穴仍須臨症審　針後悉灸塊中央

腰痛腎虛脹痛

腰中脹痛針人中
相離二寸至四寸
均須推拿所痛處
腰旁遠近推脹者
推拿腰上灸命腎
崑崙京骨及束谷
腰間因濕痛而麻

百會風府長強同
崑崙束骨委中攻
用針之後灸相從
委中青絡刺血紅
腰眼長強承山逢
再刺至陰病無踪
不須針刺宜推拿

却灸懸樞陽綱穴　命腎腰眼腰俞佳

長强委中並氣海　崑崙京骨效驗奢

咳嗽抽氣痛

咳嗽抽氣兩脇疼　曲澤內關好施針

若教乳中上下痛　三里解谿治有靈

咳兼腰背引痛者　推拏患處針委崙

倘教中引心氣痛　承漿中脘治如神

小腹中痛關元治　闕交中極灸即輕

咳熱腹面兩旁痛　三里太谿針可行
針後均當灸患處　還須穴穴審的真

傷寒

傷寒須刺手足井　郄灸列缺並支正
內外關兮通里求　偏歷公孫蠡溝并
豐隆大鍾及光明　再有飛揚可去病
傷寒牙緊口難言　只針三交陰陵泉
傷寒肚瀉灸水分　神闕陰交天樞連

巳監石印工場代印

四髎長強均可治
大力到時病即痊
涼寒頭痛鼻流清
寒熱不安太陽針
却刺商陽灸百顖
印魚攢竹及星庭
太陽池翳頭維膻
中脘合谷三里擒

瘧症

瘧尋間使與後谿
先寒後熱內關奇
先熱後寒外關治
却灸百顖星庭宜
頭維太陽膻中脘
風門膏肓間使齊

後谿支溝關内外　合骨鬼眼把邪祛

痢症

痢症針向長強宜　赤加小海白曲池
灸法郄從上脘下　中水關樞交元俱
大小腸俞長強穴　四髎灸後效有餘

中暑

中暑昏暈井須知　灸向百會命門施
水關元強上中脘　合谷三里救灾危

巴鹽石印工場代印

瘋狂

瘋狂百會神門針　膏肓重灸次肝心
命門中脘亞神闕　內關神門大亦行
委中中衝少衝刺　手足鬼眼祛鬼神

疝氣走腎

疝氣走腎太谿針　灸宜百膻脘期門
氣海三里三角穴　太衝大敦獨陰尋

五淋遺濁

淋針石關關元長　却灸横骨赫關良
海元極腎長強位　四髎交信效聡彰
或針陰谷中魁穴　遺精再灸人中央
精宮丹田白環俞　不效宜服土狗方

魚口腎囊風

魚口囊風疾難消　針尋太谿三陰交
灸向陰陵海元極　患處亦堪用火燒
再用柏枝煎薰洗　稍加冰片效應高

己巳石印工場代印

痔漏

内痔須針長白環　却灸腰俞四髎間

外痔委中承山瀉　灸法亦同上穴探

痔漏專刺委中血　且灸命長與承山

氣閉音瘂

瘖啞風府瘂門開　金津玉液刺血來

大人迎兮廉泉灸　否針聽宮亦妙哉

霍亂

霍亂吐瀉兩如傾　內關三里急施針
中衝少商同出血　薰灸百脘與水分
關樞陰交長肺胃　小腸四髎及風門

嘔吐

嘔針上脘灸關中　通谷日月肺膽從
意舍胃俞熏曲澤　通里太谿及太衝
叩桂丁香灶心土　末裹塞鼻病無蹤

反胃

回食反飽針二脘(上中)　並灸膈脾胃俞燒
內關陰包三陰交　三里通谷效應顯

五蠱氣脹

蠱脹中脘關元針　却灸上水與章門
關樞長強劉三里　三交太谿及公孫

夾耳癢耳寒

夾耳癢寒聽會燒　並將地下二分燋
耳後骨中起一大　遮下二分兩壯療

耳垂平均取三大　九大呴爆最爲高

癰疽

背上癰疽審至陰　通骨来骨崑委尋

臉鬢癰疽竅陰是　俠谿臨泣陽輔陵

嘴唇内庭及厲兑　陷谷解谿三里擒

五穴選用任針灸　只有胸癰絶骨針

扯風

扯風宜針中脘百　却灸顖印耳風穴

翳風風池承體鳩
命長會陰抵內關

中風

中風刺井針合衝
灸取太陽顖百會
風池門耳椎強命
環跳內庭足三里
半邊風㬎此法治

巨上中脘到神闕
神門三里三交接
不省人事頰車攻
三脘闕關海翳風
內外關神合勞中
大敦湧泉八風同
先治無病後瀉從

盪雞毛水溫薰洗　久久依然是健翁

小兒扯風及食積

驚風食積害小兒　依法還須先用推
再灼百鳩脘闕海　元命腎長三里隨

小兒食積

小兒食積抱腸俞　推腹隨灸脘陰都
關元腸胃脾俞穴　三里同療病自除

手部一切病

巳盛石印工場代印

肩膊痛針曲池髃
稍內太淵尺澤裡
內關曲澤內側痛
頰痒遠針肘二澤
乳吹瘡腫仍二澤
耳聾合液微谿旁
肘外疼痛灣谿尋
手彎脹刺手彎絡

稍後外關支溝見
側後腕骨並太谿
神門少海下面稽
項痒未穿賴曲池
手頸背腫刺井穴
肘疼合谷三間設
尺澤腫痛淵陵得
手肚痛針神門訣

掌心疼審間使陵　刺井並灸虎宣節
手麻不仁要推尋　手六合穴肩髃佳
二關列歷正通里　淵陵諸間神谿加
虎節邪宣俱灸後　立應平安效可誇
一切疾大如何治　手部諸穴任尋掐
三間二澤髃池谷　神門谿諸細審查

足部一切病

腳膝痛兮跳委尋　腿縫生痒提背筋

兩脇稍下若痛者
腿上下痛求里委
膝頭上下尋犢里
承崑嵩瘵委中痛
胻痛解谿坵墟穴
內邊只問太谿白
脚背紅腫治風井
中脈之外鍾重灸

太谿太衝三交存
內外痛兮陰陽陵
痠麻推拏龍眼針
脚肚痛審大鍾崑
脚脛外邊針絕臨
脚脛中痛陷衝論
底心痛灸谿海崙
病態可期消無形

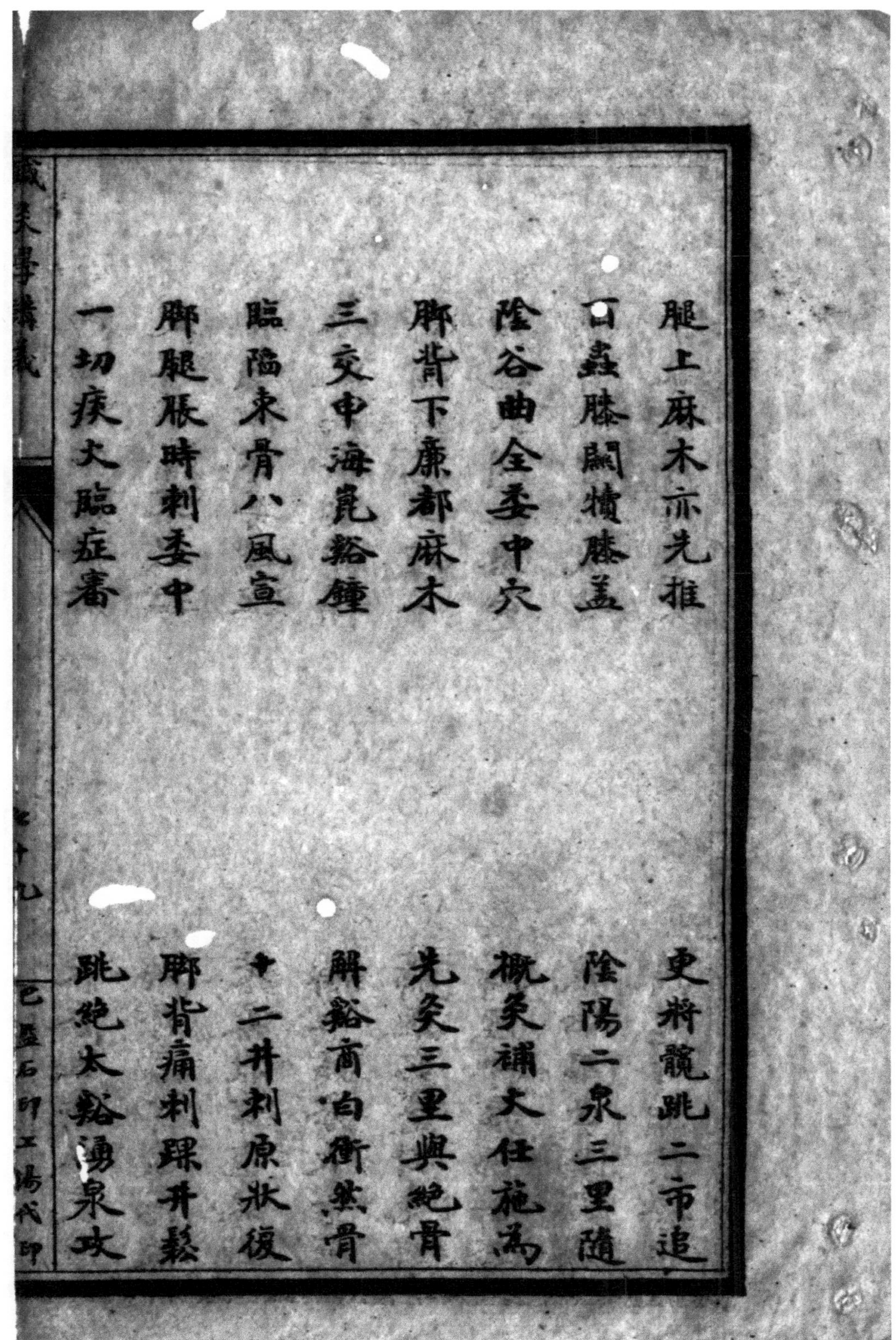

腿上麻木亦先推
百蟲膝關犢膝蓋
陰谷曲全委中穴
腳背下廉都麻木
三交中海崑谿鍾
臨陰束骨八風宣
腳腿脹時刺委中
一切疾大臨症審

更將髖跳二市追
陰陽二泉三里隨
概灸補大任施為
先灸三里與絕骨
解谿商丘衝然骨
十二井刺原狀復
腳背痛刺踝并鬆
跳絕太谿湧泉攻

鍼灸學講義　四十九

巴盛石印工場代印

郄灸二泉陰谷里　曲泉委陽太白衝
太谿臨穴與束骨　膝疾最宜針委龍
轉筋承附崑浮郄　水腫三里太衝逢

婦人紅崩

紅崩先刺隱白敦　復灸太衝並陰陵
三交血海陰廉穴　三里中極子宮行
九海交關脘章命　百會腸俞與肝心
百會灸後膏藥貼　陳棲洗脊酒服靈

白帶症

白帶鵝立合谷針　隱白刺後灸陰陵

三交血海到中極　交關元海腎命門

陰康子宮膻章脘　脾俞肺俞百會仍

鍼灸起數當用法

六十花甲

甲子乙丑丙寅丁卯戊辰己巳庚午辛未壬申癸酉甲戌乙亥

丙子丁丑戊寅己卯庚辰辛巳壬午癸未甲申乙酉丙戌丁亥

戊子己丑庚寅辛卯壬辰癸巳甲午乙未丙申丁酉戊戌己亥

庚子辛丑壬寅癸卯甲辰乙巳丙午丁未戊申己酉庚戌辛亥

壬子癸丑甲寅乙卯丙辰丁巳戊午己未庚申辛酉壬戌癸亥

五鼠遁

甲己起甲子　乙庚起丙子　丙辛起戊子

丁壬起庚子　戊癸起壬子

五虎遁

甲己之年丙作首　乙庚之歲戊為頭　丙辛便從庚上數

丁壬壬寅順行流　戊癸之年何方起　甲寅之上好推求

五行生尅制化

金生水水生木木生火火生土土復生金

金尅木木尅土土尅水水尅火火復尅金

甲與己合　乙與庚合　丙與辛合　丁與壬合　戊與癸合

甲己化土　乙庚化金　丙辛化水　丁壬化木　戊癸化火

子午流注逐日按時訣

陽日陽時陽經則開假如甲日足少陽膽經穴開甲戌時開本經

已盡石印工陽代印

井穴竅陰乙日丙子時開小腸經滎穴前谷戊寅時開陽明胃經俞穴陷谷此時并過膽原丘墟穴開本經原穴應開在寅庚辰時開大腸經經穴陽谿壬午時開膀胱經合穴委中甲申時氣納三焦開三焦滎穴液門此穴屬水甲日屬木是以水生木子母相生也

陰日陰時陰經則開假如乙日足厥陰肝經穴開乙酉時開本經井穴大敦丁亥時開心經滎穴少府丙日己丑時開脾經俞穴太白此時并過肝原太衝穴開本經原穴應開在丑辛卯時開肺經經穴經渠癸巳時開腎經合穴陰谷乙未時血納胞絡開胞經滎穴勞

宫此穴屬火山日屬木是以木生火也
凡陽日三焦經内井榮俞原經合所屬五行生日主者則開矣
凡陰日日干所屬五行生胞絡經内井榮俞經合者則開矣所
謂他生我我生他者何也日干為我而三焦胞絡為他陽日取
他生我陰日取我生他舉其甲山之説而丙丁戊己庚辛壬癸
等日可照此推再以三焦胞絡言之三交乃陽氣之父胞絡乃
陰血之母陽日取他生我是子母相生陰日取我生他是夫妻
相生也

己監石印工楊氏印

子午流注取穴之法當取陽日陽時陽經陰日陰時陰經今若陽日手足三陽經俱開每經只取一穴惟屬本經多開一原穴今若陰日手足三陰經俱開每經只開一穴惟屬本經多開一原穴雖陰經無原穴以俞穴代之總以井滎俞原經合按經按穴取之

再者陽日陽時已過陰日陰時已過陽日遇陰時則閉陰日遇陽時則閉可推合穴針之合穴者甲與己合乙與庚合丙與辛合丁與壬合戊與癸合甲與己合者凡針膽經之病遇陽時已

遇正當陰時查時干有無己字如時干逢己正是甲遇己合大利針灸如鍼脾經之病遇陰時己遇正當陽時查時干有無甲字若時干逢甲則己遇甲合鍼灸均宜其餘乙庚丙辛丁壬戊癸等經可照此類推之

流注地支開闔訣

人身每日週流六十六穴除六陽經原穴乃過經之所每時週流五穴相生相合者為開則針灸刺相尅者為闔不可針灸所謂陽生陰死陰生陽死者何也手足三陽經以時相生本經

己監石印工場代印

者為開我尅尅我我生三者則闔手足三陰經以本經生合時俟者為闔我尅尅我生我三者為閉每時氣血週流五穴者何每日有十二時經有十二經時時有經開經經有井滎俞經合每時氣血週流五穴者此也

膽經 甲木死于午生於亥

小腸 丙火死於辰生於卯

胃經 戊土死於申生於巳

大腸 庚金死於子生於丑

肝經 乙木生於亥死於午

心經 丁火死於卯生於辰

脾經 己土死於巳生於申

肺經 辛金死於丑生於子

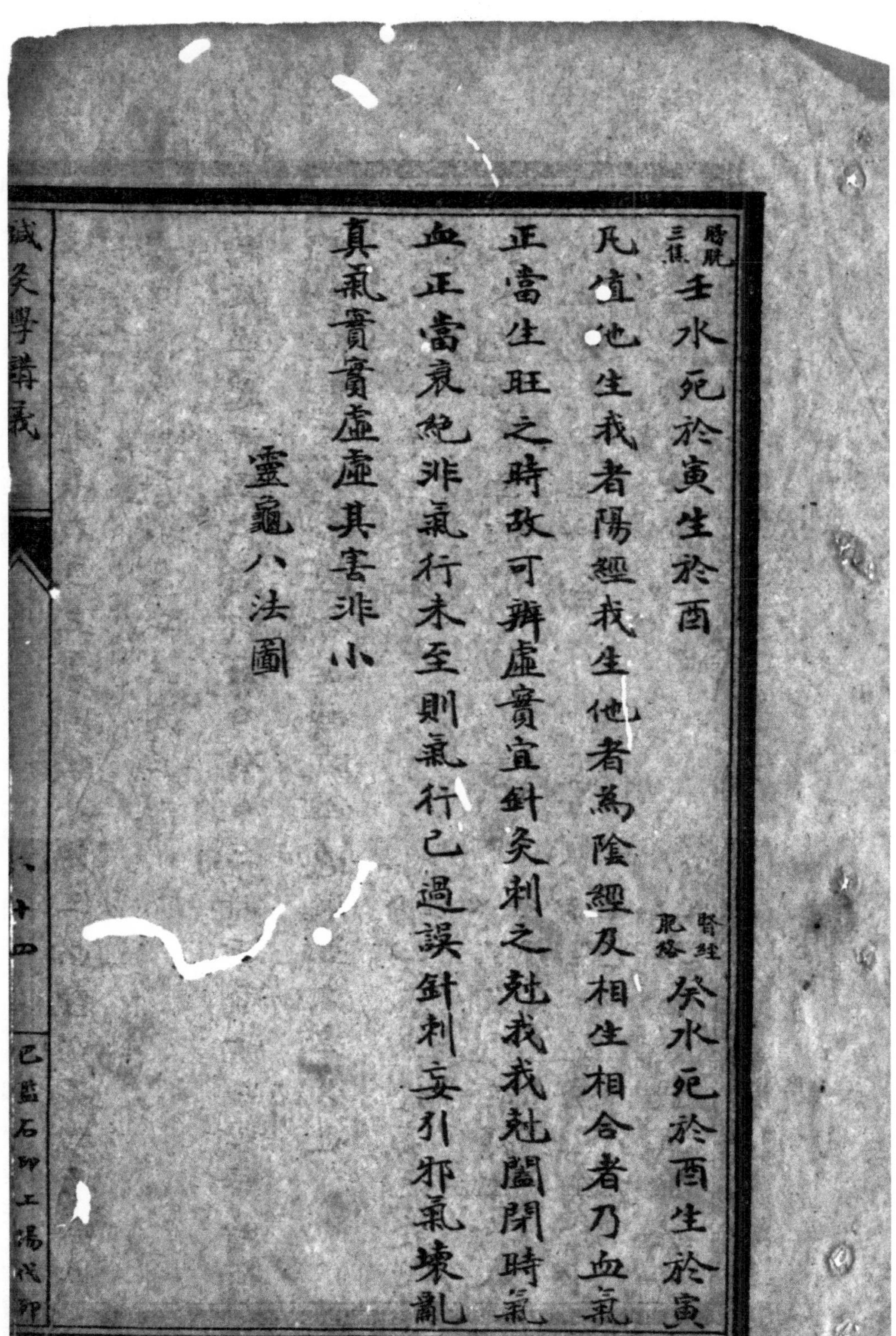
膀胱三焦 壬水死於寅生於酉　腎經胞絡 癸水死於酉生於寅

凡值他生我者陽經我生他者為陰經及相生相合者乃血氣正當生旺之時故可辨虛實宜針灸刺之尅我我尅闔閉時氣血正當衰絕非氣行未至則氣行已過誤針刺妄引邪氣壞亂真氣實實虛虛其害非小

靈龜八法圖

己監石印工場代印

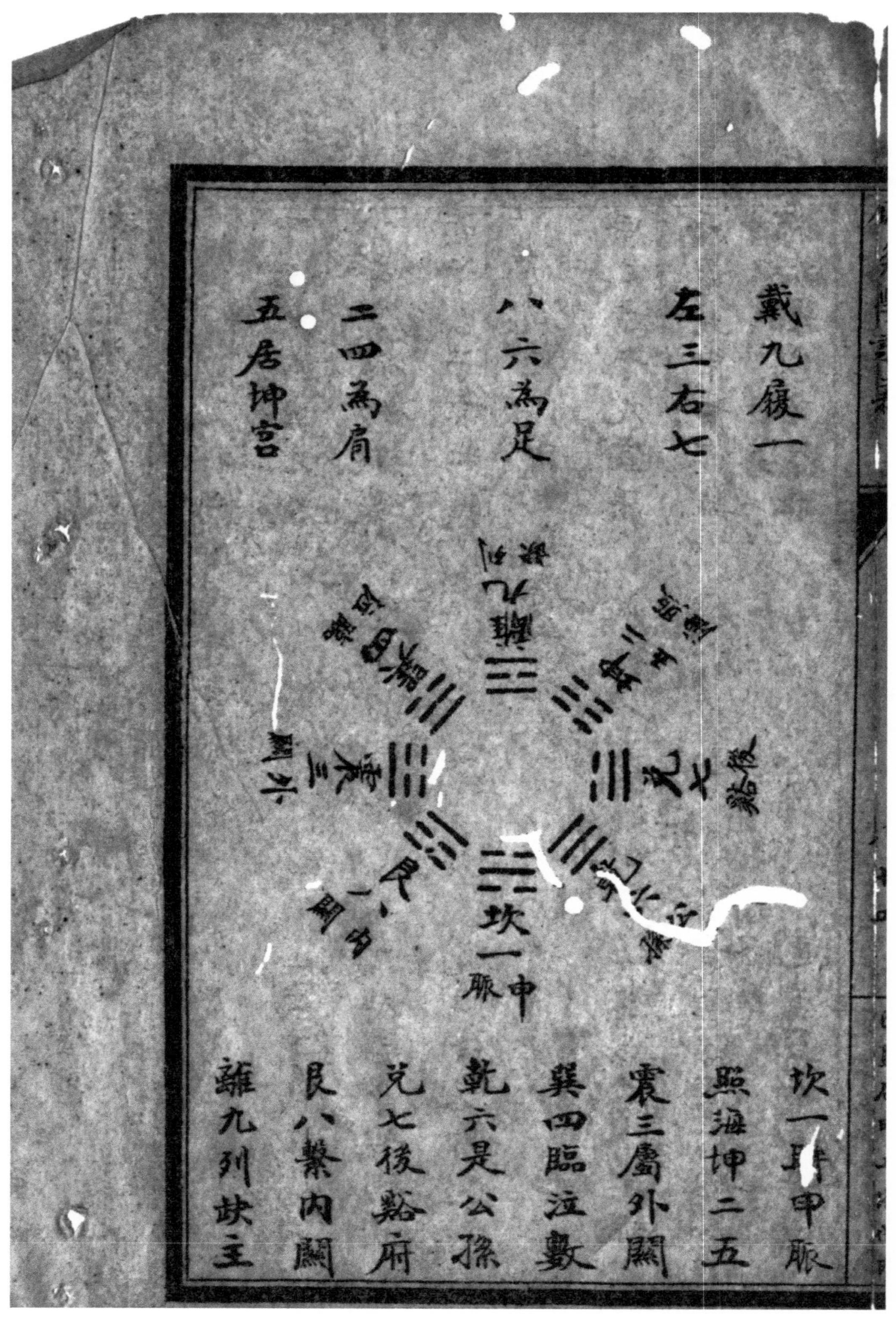

戴九履一
左三右七
八六為足
二四為肩
五居坤宮

坎一聯申脈
照海坤二五
震三屬外關
巽四臨泣數
乾六是公孫
兌七後谿府
艮八繫內關
離九列缺主

八法逐日干支歌

甲己辰戌丑未十，乙庚申酉九為期，
丁壬寅卯八成數，戊癸巳午七相宜，
丙辛亥子亦七數，逐日干支即得知。

日上起時干支歌

甲己子午九宜用，乙庚丑未八無疑，
丙辛寅申七作數，丁壬卯酉六順知，
戊癸辰戌各有五，巳亥單加四共齊。

陽日除九陰除六　不及零餘穴下推

取數之法以治病之日主甲子天干得幾數地支得幾數再以日上起時天干得幾數地支又得幾數四共得若干數陽日以九數除之或除一九二九三九至多除四九除去剩數若干即知在何卦何穴開矣陰日除六或除一六二六三六四六五六至多除六六三十六數以下剩數若干使知何卦何穴開矣假如甲子日主正當辰時推之乃戊辰甲得十數子得七數戊得五數辰得五數四共得二十七數甲本陽日以九數除之除二

九一十八數餘有九數應卦在離列缺穴開奚其餘照此數推

公孫 内關 公孫内關為父母合于心胸胃

臨穴 外關 臨泣外關為男女合于目銳眥耳後頸項肩

後谿 申脈 後谿申脈為夫妻合於目内眥頸項耳肩膊小腸膀胱經

列缺 照海 列缺照海為主客合於肺系咽喉胸膈

詩曰

公孫偏與内關合 列缺能消照海疴

臨泣外關分主客 後谿申脈正相和

左針右病知高下　以意通經[illegible]按摩

補瀉迎隨分逆順　五門八法是真科

八法者八卦也乾坎艮震巽離坤兑龜形似八卦善能調息氣通督脈龜乃靈通之物也八法乃手足八穴每日只取八時寅時起酉時止過時勿取此法孫真人所制也

奇經八脈陰陽起止貫通於何處

陽四脈陽蹻陽維督帶

陽蹻脈者起於足後跟中過外踝上至風池穴止通足太陽膀

胱經中脈穴為本經主穴

陽維脈者起於絶骨過陽陵泉鬲俞上至大杼穴止通手少陽三焦經外關穴為本經主穴

督脈者起於長強過命門大椎風府百會齗交穴止通手太陽小腸經後谿穴為本經主穴

帶脈者起於臍上二分橫七寸半季肋腰囬身一週如繫帶然通足少陽膽經足臨泣為本經主穴

言此奇經四脈屬陽治一切肩背腰腿表面諸病

陰四脈陰蹻陰維任衝

陰蹻脈者起於足後跟中過內踝上至咽喉人迎穴止通足少陰腎經照海穴為本經主穴

陰維脈者起於足內踝上二寸交信過三陰交至臍下一寸陰交穴止通手厥陰心胞絡內關穴為本經主穴

任脈者起於會陰過肚臍胸腹上至承漿穴止通手太陰肺經列缺穴為本經主穴

衝脈者起於曲骨下氣衝過足少陰經俠臍上至胸中俞府穴

止通足太陰脾經公孫穴爲本經主穴

言此奇經四脈屬陰治一切心腹脇肋内裏諸病

三才者

天地人百會天也湧泉地也璇璣人也

上中下三部

大包穴上也天樞穴中也地機穴下也

八會

筋會陽陵泉　骨會大杼　血會膈俞　脈會太淵

髓會絶骨　氣會膻中　脉會章門　臓會中脘

針疤灸疤灌良方

針疤灌以猪背梁筋貼之令燒退即愈或没藥乳香調麻油敷亦愈

灸疤灌以礦子石灰同菜油涼水各半調敷即愈此方並治湯盪火燒

禁針諸穴歌

五里會宗與角孫　青靈顱顖天樞存　承泣氣衝乳頭上

衝陽横骨及人迎　承靈腦空顱臨泣　天衝陽白客主人
五臟厥陰膽兼胃　督脈中關諸俞名　膏肓三髎次中下
絡郄神闕並水分　巨闕鳩尾中庭膻　玉堂紫華璇璣云
廉泉靈台同神道　陽關顖會列神庭　囊底中泉精髖骨
五十六穴針莫行
再有經渠天府鼎　臂臑巨骨天髎名　絲竹陽池前谷穴
四白腦戶共缺盆　印堂魚腰連百會　太陰太陽宜淺針
肩井深時亦暈倒　急補三里人還平

孕婦不宜針合谷　三陰關元及崑崙　石門鍼灸[illegible]
若犯終身孕不成　以上各穴須謹記　行醫方不疚神明

禁灸諸穴歌

經渠天府天牖等　絲竹漏谷至周榮　陰市腹哀乳承泣
伏兔陽關居髎論　淵液環俞地五會　承光天柱接瘂門
脊中筋縮雙龍眼　腦户風府[illegible]奥行
經灸耳門火商海　人迎陽池垂缺盆　關元俞兮承靈村
睛明攢竹及神庭

重灸膏肓是三里　環跳神闕連水分　曲池百會腎脾腧

精宮中泉鬼眼並　章門中脘尤宜重　輕則反貽禍不輕

再有少商魚際穴　禾髎勞宮鼻外迎　陽池耳門少海委

頭維攢竹共睛明　鍼而勿灸灸勿鍼　各家爲此常叮嚀

廣醫針灸一齊用　徒施患者炮烙刑

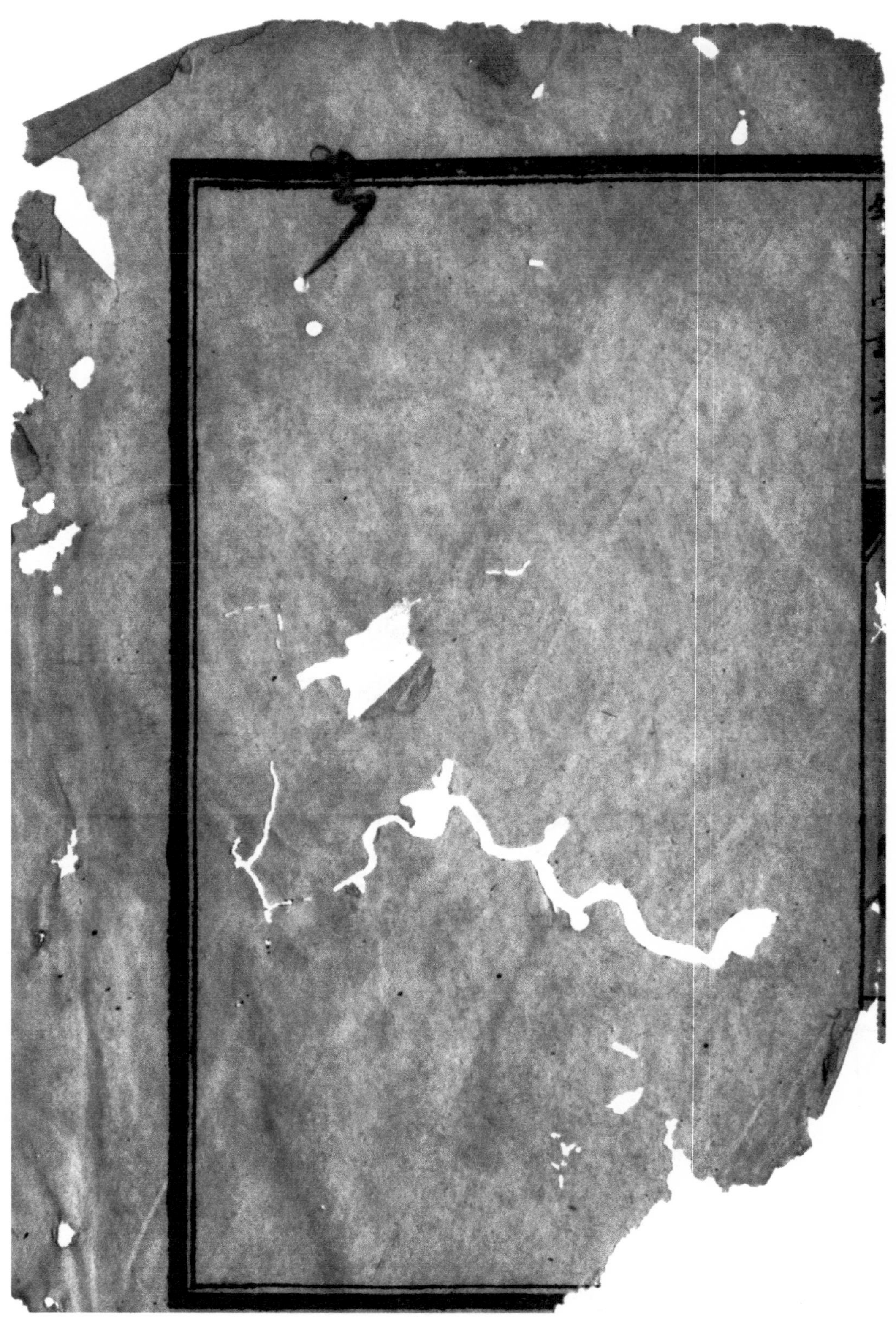

针经尊古讲义

提　要

一、作者小传

《针经尊古讲义》为杜维城大夫编述，沈吉宪批注并藏。杜维城鲜为人知，但是杜维城之学生尚古愚及尚古愚之学生杨占林应知之者甚众，尚、杨二人在针灸界赫赫有名，尤其尚古愚之“同经相应取穴法”乃治疗痛证之良法。

二、版本说明

《针经尊古讲义》，油印本，约成书于20世纪50年代。

三、内容与特色

该书首列歌赋大观，记录针灸歌诀数种；后附十二经脉之考穴，从穴位、主治、手法、考古、附记等方面对各穴位进行阐述；次列手术篇，讲述骨度、针法、灸法等；最后为证治医案篇，分老人门、小儿门、妇女门、诸风门、伤寒门、瘟疫门、霍乱门、耳目门、齿喉门、癫狂痫门、肿胀门、噎膈门、呕吐哕门、积聚门、痿症门、痉疾门、痰饮门、咳嗽门、哮喘门、心神门、内伤虚劳痨瘵门、心腹胸胁门、失血门、消症门、遗精门、前阴门、疝气门、淋浊门、遗尿门、手足腰腿门、疮毒门、杂症门等数门，讲述病证的病因、症状、治疗，有症有穴有法，直观方便。

现将该书特色介绍如下。

（一）纂录古籍，讲述针灸腧穴

该书卷首选录大量针灸古籍内容，讲述针灸基本理论，考证经穴的定位、主治、手法等。手术篇引证古籍内容，讲述骨度、针法、灸法等。

（二）分门编目，记载证治医案

该书证治部分篇幅较长，分门阐述，使证治医案条分缕析，便于读者研究学习。

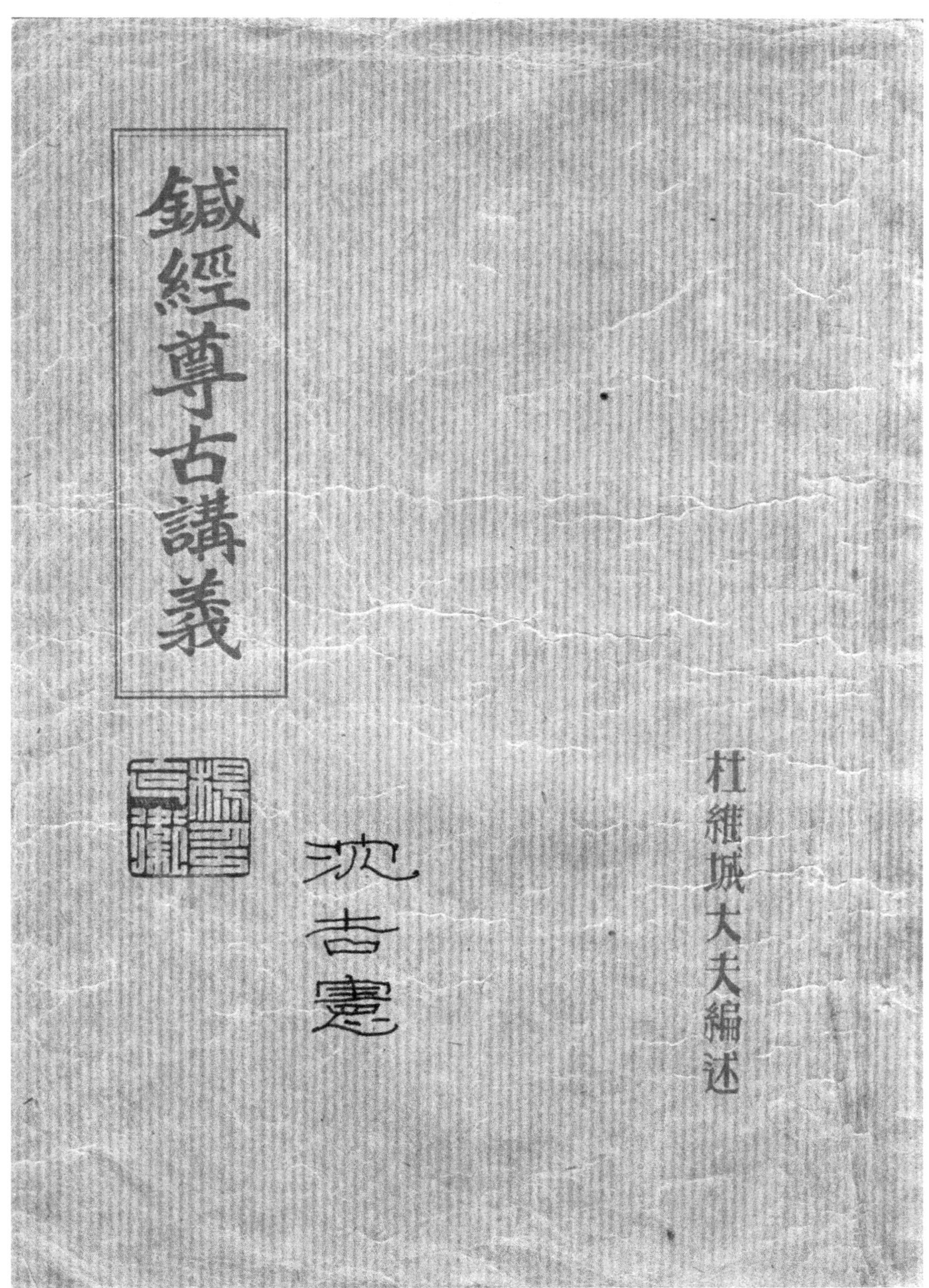
鍼經尊古講義
杜維城大夫編述
沈吉憲

臟有病針俞穴　春針滎穴
腑有病針合穴　冬針井穴

歌賦大概

鍼灸十四經穴歌。手太陰肺經穴歌 11

手太陰肺十一穴。中府雲門天府訣。俠白尺澤孔最都。列缺經渠太淵接。魚際拇指根骨肉。少商爪甲如韭葉。

手陽明大腸經穴歌 20

手陽明大腸起商陽。二間三間合谷藏。陽谿三寸絡偏歷。上行二寸溫溜長。下廉上廉各一寸。手三里肘二寸旁。曲池肘髎五里近。臂臑肩髃巨骨當。天鼎扶突禾髎面。鼻旁五分號迎香。

足陽明胃經穴歌 45

四十五胃足陽明。頭維下關頰車停。承泣四白巨髎經。地倉大迎對人迎。水突氣舍連缺盆。氣戶庫房屋翳屯。膺窗乳中延乳根。不容承滿梁門起。關門太乙滑肉門。天樞外陵大巨存。水道歸來氣街次。髀關伏兔走陰市。梁丘犢鼻足三里。上巨虛連條口位。下廉一名下巨虛。丰隆跳上八寸距。解谿衝陽陷谷中。內庭厲兑經穴畢。

足太陰脾經穴歌 21

二十一穴脾中州。隱白在足大指頭。大都太白公孫盛。商邱三陰交可求。漏谷地机陰陵泉。血海箕門衝門開。府舍腹結大橫排。腹哀食竇天谿宅。胸鄉周榮大包絡。總統陰陽脾灌溉。

手少陰心經穴歌 9

九心穴午時手少陰。極泉清靈少海深。靈道通里陰郄邃。神門少府少衝尋。

手太陽小腸經穴歌 19

手太陽小腸一十九。少澤前谷後谿藪。腕骨陽谷養老繩。支正小海外輔肘。肩貞臑俞接天宗。髎外秉風、曲垣、首。肩外、俞連肩中俞。天窓乃与天容偶。顴骨之端上顴髎。聽宮耳前珠上走。

足太陽膀胱經穴歌

67 六十七膀足太陽。睛明目内紅肉藏。攢竹眉冲与曲差。五處上寸半承光。从此上顱过腦後。通天、絡却、玉枕昂。天柱後際大筋外。大杼背部第二行。風門肺俞厥陰四。心俞督俞、膈俞强。肝、胆、脾、胃、挨次。三焦腎、海大腸。關元小腸到膀胱。中膂白環仔细量。自从大杼至白環。各各節外寸半長。上髎、次髎、中復下。一空二空腰髁当。会陽陰尾骨外取。附分、侠脊第三行。附下各穴内連膜。魄户、膏肓、与神堂。譩譆膈關魂门九。陽綱意舍仍胃倉。肓门志室胞肓續。二十椎下秩边場。承扶臀横紋中央。殷门浮郄到委陽。委中合陽承筋是。承山飛揚絡附陽。崑崙、僕參連申脈。金门京骨束骨忙。通谷至陰小指旁。

足少陰腎經穴歌

27 足少陰腎二十七。湧泉然谷、太谿、溢。大鐘、通照海、水泉。復溜交信築賓实。陰谷膝内跗骨後。以上从足走至膝。横骨、大赫、聯气穴。四滿、中注、肓俞臍。商曲石關陰都密。通谷、幽门寸半闢。折量腹上分十一。上闢中行二寸距。步廊神封膺灵墟。神藏、彧中、俞府畢。

9 手厥陰心包絡經穴歌

心包九穴手厥陰。天池、天泉、曲澤深。郄門、間使、内關对。大陵、劳宮、中衝侵。

手少陽三焦經穴歌

23 二十三焦手少陽。關衝、液门、中渚旁。陽池、外關、支溝、正。会宗、三陽、四瀆長。天井、清冷淵、消濼。臑会肩髎、天髎、堂。天牖翳風瘈脉青。顱息角孫耳尖上。眉後陷中絲竹空。和髎耳门聽有常。

足少陽胆經穴歌

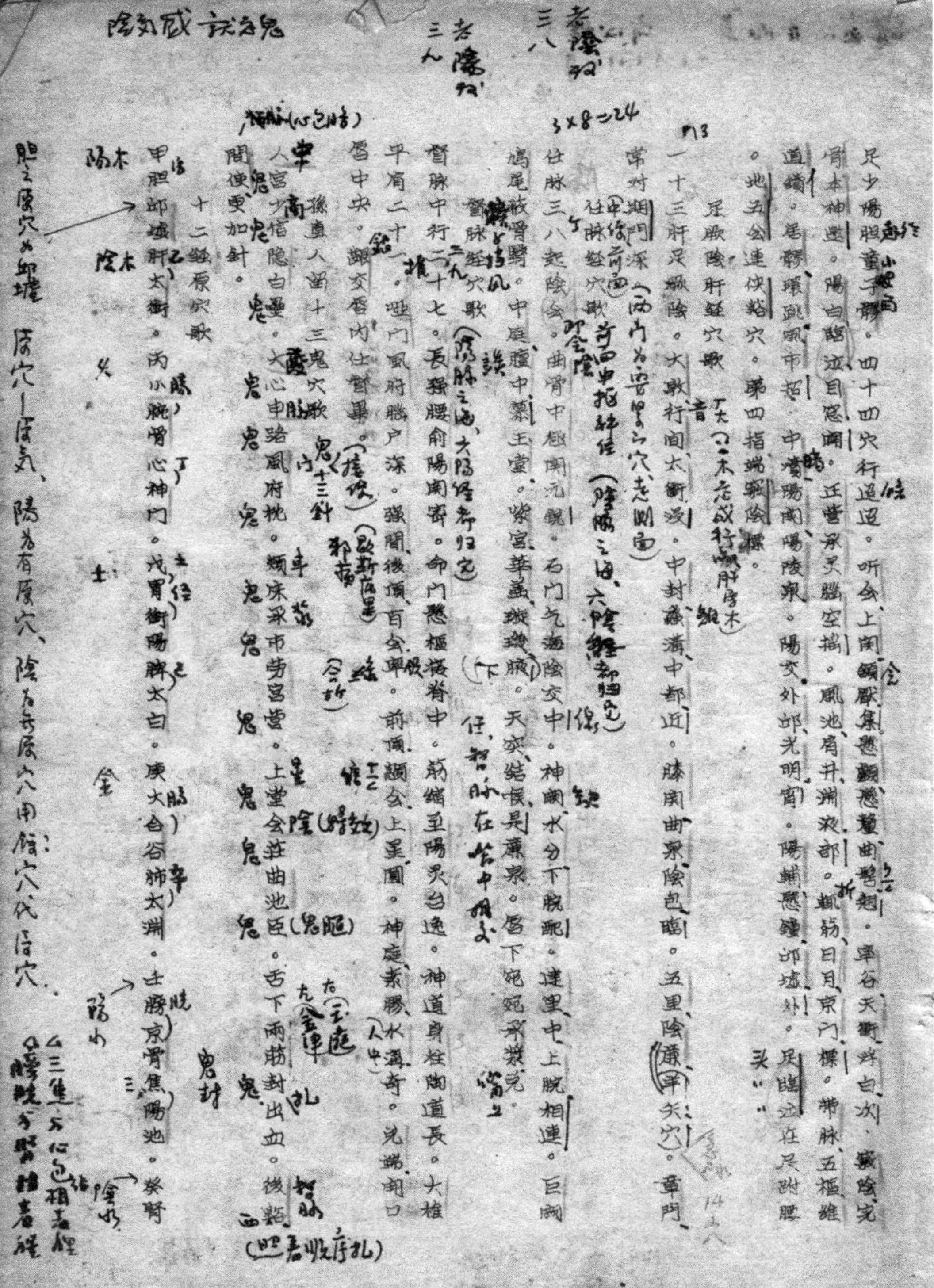

陰氣盛 謂之鬼

老陰扠 三八

老陽扠 三九

3×8=24

足少陽胆經穴歌

足少陽胆童子髎。四十四穴行迢迢。听会上関頷厭集。懸顱懸釐曲鬢翹。率谷天衝浮白次。竅陰完骨本神邀。陽白臨泣目窗闢。正営承灵腦空摇。風池肩井淵液部。輒筋日月京門標。帶脉五樞維道續。居髎環跳風市招。中瀆陽関陽陵泉。陽交外丘光明宵。陽輔懸鐘丘墟外。足臨泣在足跗腰。地五会連俠谿穴。第四指端竅陰畢。

足厥陰肝經穴歌

一十三穴足厥陰。大敦行間太衝浸。中封蠡溝中都近。膝関曲泉陰包臨。五里陰廉羊矢穴。章門常对期門深。（兩穴为要）

任脉經穴歌（陰脉之海）

任脉三八起陰会。曲骨中極関元鋭。石門气海陰交中。神闕水分下脘配。建里中上脘相連。巨闕鳩尾蔽骨臍。中庭膻中慕玉堂。紫宮華蓋璇璣脈。天突結喉是廉泉。唇下宛宛承漿舍。

督脉經穴歌（陽脉之海）

督脉中行二十七。長強腰俞陽関密。命門懸樞接脊中。筋縮至陽灵台逸。神道身柱陶道長。大椎平肩二十一。啞門風府腦戸深。強間後頂百会率。前頂顖会上星圓。神庭素髎水溝奇。兑端開口唇中央。齦交唇内任督畢。

孫真人宮十三鬼穴歌

人宮少信隱白壘。大心申路風府枕。頰床承市勞宮營。上堂会藏曲池臣（鬼腿）。舌下兩縫封出血。間使要加針。

十二經原穴歌

甲胆丘墟肝太衝。丙小腕骨心神門。戊胃衝陽脾太白。庚大合谷肺太淵。壬膀京骨焦陽池。癸腎太谿三焦原心包相志經。

胆之原穴为丘墟　俞穴一俞気、陽为有原穴、陰为无原穴以俞穴代原穴。

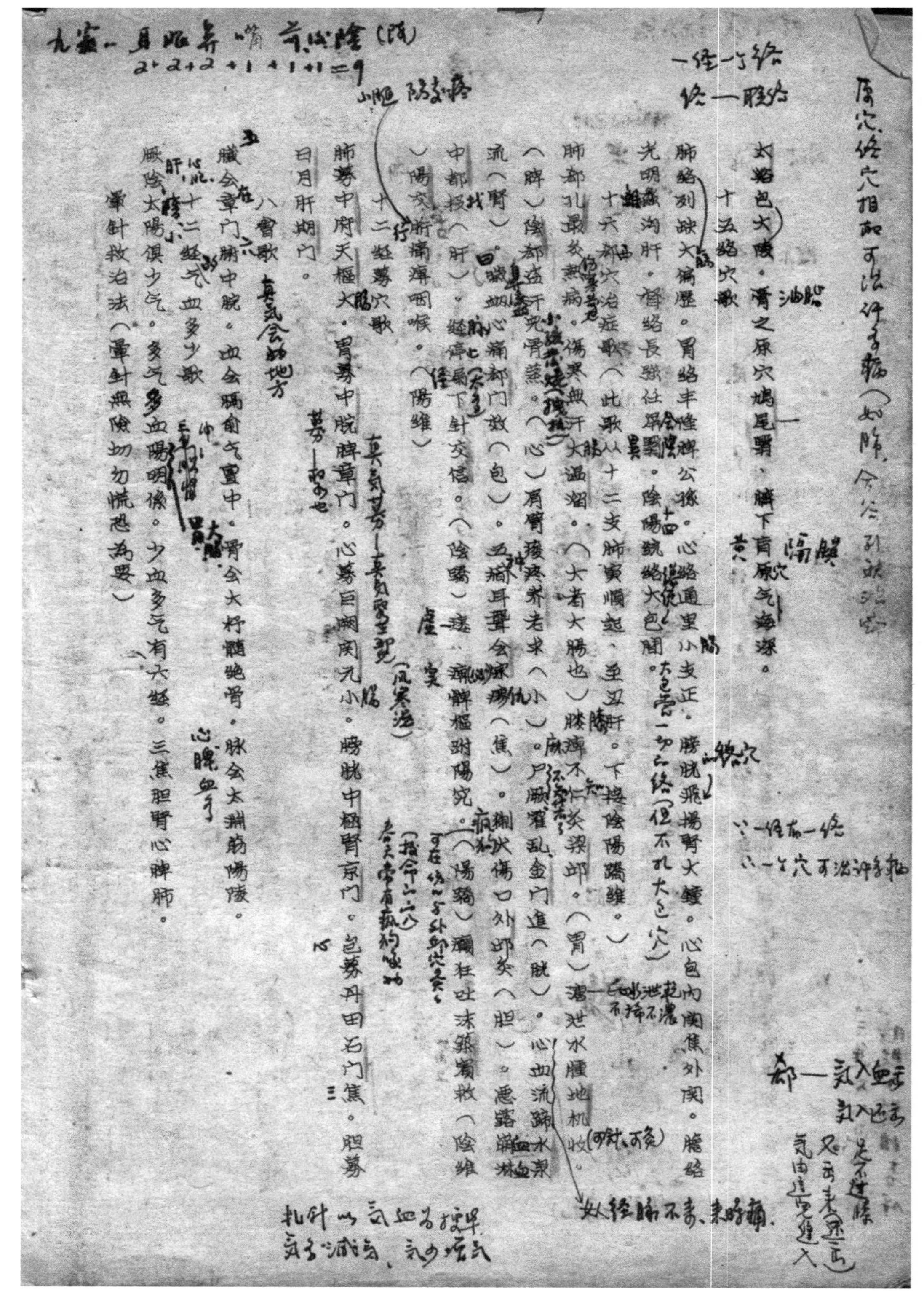

九窍—耳眼鼻嘴前后阴

2+2+2+1+1+1+1=9

原穴、络穴相配可治许多病

一经一个络

络—联络

太渊包大陵。膏之原穴鸠尾骨、脐下肓原气海深。

十五络穴歌

肺络列缺大偏历。胃络丰隆脾公孙。心络通里小支正。膀胱飞扬肾大钟。心包内关焦外关。胆络光明肝蠡沟。督络长强任屏翳。阴阳跷络大包闘。

一经有一络

一个穴可治许多病

十六郄穴治症歌（此歌从十二支肺寅顺起，至丑肝。下接阴阳跷维。）

肺郄孔最炙热病。伤寒无汗大温溜。（大者大肠也）膝痹不仁炙梁邱。（胃）泻泄水肿地机收。（脾）阴郄盗汗咒骨蒸。（心）肩臂痠疼养老求（小）。尸厥霍乱金门追（胱）。心血流衄水泉流（肾）。衄血心痛郄门救（包）。五痛耳聋会宗扬（焦）。翔伏伤口外邱炙（胆）。恶露崩淋中都投（肝）。经闭下针交信。（阴跷）痃、癖跗阳究。（阳跷）癫狂吐沫筑宾救（阴维）阳交胻痛痹咽喉。（阳维）

（可针、可灸）

如经脉不来、来时痛

十二经募穴歌

肺募中府天枢大。胃募中脘脾章门。心募巨阙关元小。膀胱中极肾京门。包募丹田石门焦。胆募日月肝期门。

八会歌

脏会章门腑中脘。血会膈俞气亶中。骨会大杼髓绝骨。脉会太渊筋阳陵。

十二经气血多少歌

厥阴太阳俱少气。多气多血阳明依。少血多气有六经。三焦胆肾心脾肺。

晕针救治法（晕针无险切切慌恐为要）

扎针以气血为标准

督脈科學化之研究

內經曰，督脈者。起於小腹以下骨中央。（中略）絡循陰器。繞篡後。別繞臀。由長強穴在尾骨端。與少陰会。並脊裡上行貫脊屬腎。上至風府。入腦上巔。循額入鼻柱。至人中與任脈交。為陽脈之海。

「其任小腹直上者。貫臍中央。上貫心入喉。上頤環唇。上繫兩目之中央。與太陽同起於目內眥。上額交巔。入絡腦。還出別下項。俠脊抵腰中。入循膂絡腎」

難經曰，督脈者，起於下極之腧。並於脊裡。上至風府。入屬於腦。唐容川曰，督脈起於腎中。下至胞室。乃下行絡陰器。循二陰之間。至尻貫脊。歷腰俞上腦交巔。過顖会、入鼻柱終於人中。與任脈交。為陽脈之海。

內經脈度任督二脈。共合九尺。

滑伯仁曰，任督二脈。一源而二岐。一行於身之前。一行於身之後。人身之有任督。猶天地之有子午。可以分可以合。分之以見陰陽之不離。合之以見渾淪之無間。一而二二而一者也。

李瀕湖曰，任督二脈。人身之子午也。即丹家陽火陰符升降之路。坎水離火交媾之鄉。

—1—

—2—

内经

素問曰，督脈生病。从小腹上冲心而痛。不得前後。男為衝疝。女子為不孕。癃閉遺溺嗌乾。治在骨上曲骨穴也。甚者在臍下營一寸陰交穴也。病雖在督。治在任脈。故王啟玄対此，疑係任衝之病。而李瀕湖正之。然為未深考也。

素問又曰。督脈実則脊強反折。虛則頭重高搖之。挾脊之有過者。取之所別也。長強穴。或取大椎、人中穴。

難經曰、督脈為病脊強而厥。

又雜病篇曰，厥者挾脊至頂而痛。目䀮䀮然，腰脊強。取足太陽膕中血絡委中穴也。

張仲景金匱云。脊強者。五痓之総名。其症卒口噤。背反張而瘛瘲。諸藥不已。可取大椎、陶道、身柱等穴灸之。

愚按各經脈氣之起源。除陰陽維蹻四脈而外。統由腹内臟器所生。如任督二脈。一源而二歧。我國祖先。文化遺產。先聖後聖。众執一揆。臟腑於督。督生於腎。科学見解。正確無疑。故曰腎為作強之官。技巧出焉。況其机在腦。吾國祖先早有發明也。

督脈為奇經八脈之一。其為陽脈之海者。蓋督者都也。而督脈為人全身六陽經脈氣之中樞。作強健運。総率都綱。全身陽氣。譬猶水也。周流朝宗。総会於此。故名曰督脈。又名

阳蹻、阴蹻、阳维、阴维

没有配偶的奇经总单的

△八脉{任、督、衝、帶、脉
陰陽維蹻（陰維、陽維、陰蹻、陽蹻）

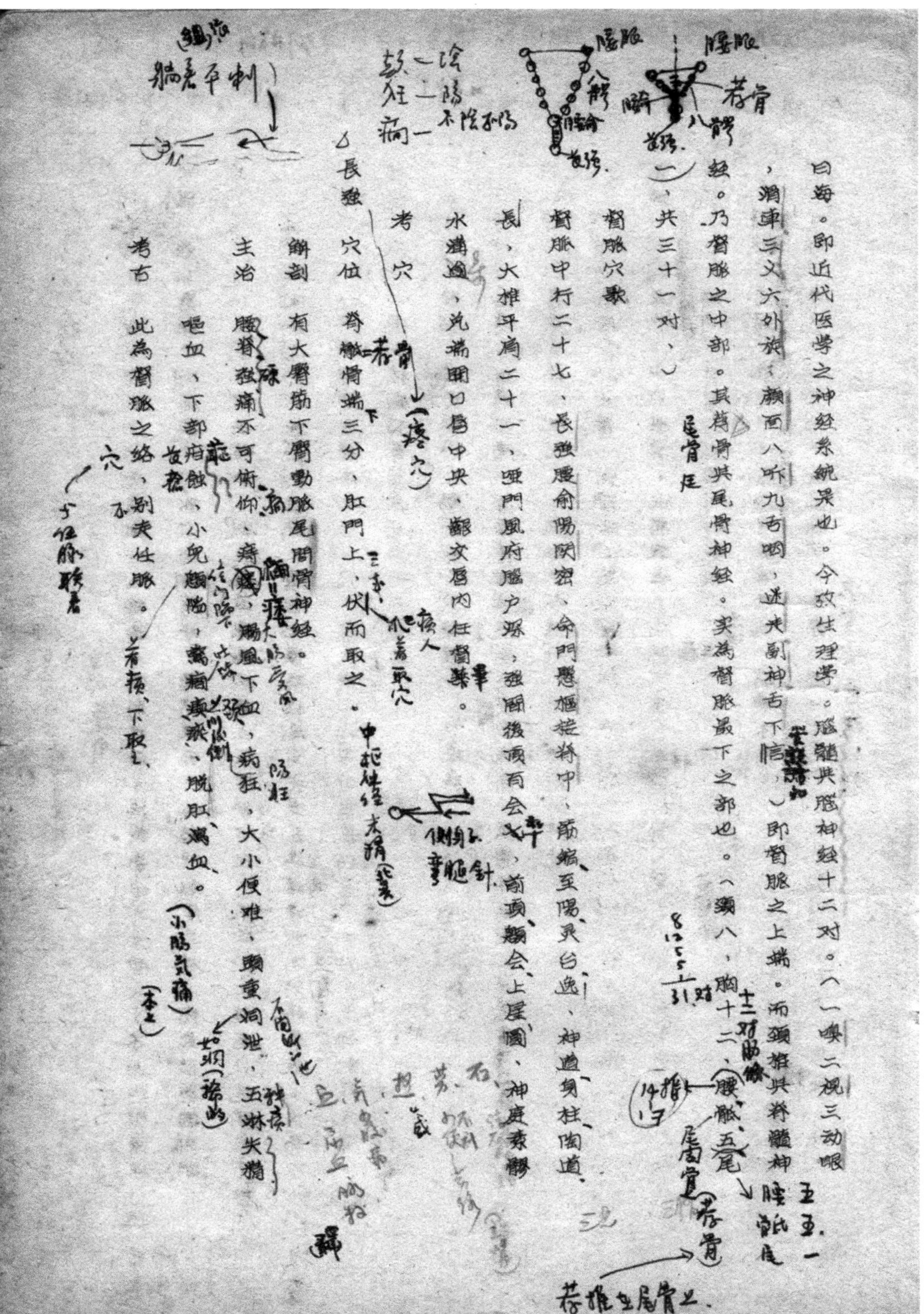

曰海。即近代医学之神经系統是也。今就生理学。脑髓與脑神经十二对。（一嗅二视三动眼，滑車三叉六外旋、顏面八听九舌咽，迷走副神舌下）即督脈之上端。而頸椎與脊髓神經。乃督脈之中部。其薦骨與尾骨神經。实為督脈最下之部也。（頸八、胸十二、腰、骶、五尾、共三十一对、）

督脈穴歌

督脈中行二十七、長強腰俞陽関密、命門懸樞接脊中、筋縮至陽灵台逸、神道身柱陶道長、大椎平肩二十一、啞門風府腦戶深、強間後頂百会率、前項顖会上星圓、神庭素髎水溝通、兑端開口唇中央、齦交唇内任督畢。

考穴

長強　穴位　脊骶骨端三分、肛門上、伏而取之。

解剖　有大臀筋下臀動脈尾閭骨神経。

主治　腰脊強痛不可俯仰、痔瘻、腸風下血、病狂、大小便难、頭重洞泄、五淋失精、嘔血、下部疳蝕、小兒顖陷、驚癇瘈瘲、脱肛、瀉血。

考古　此為督脈之絡、别走任脈。

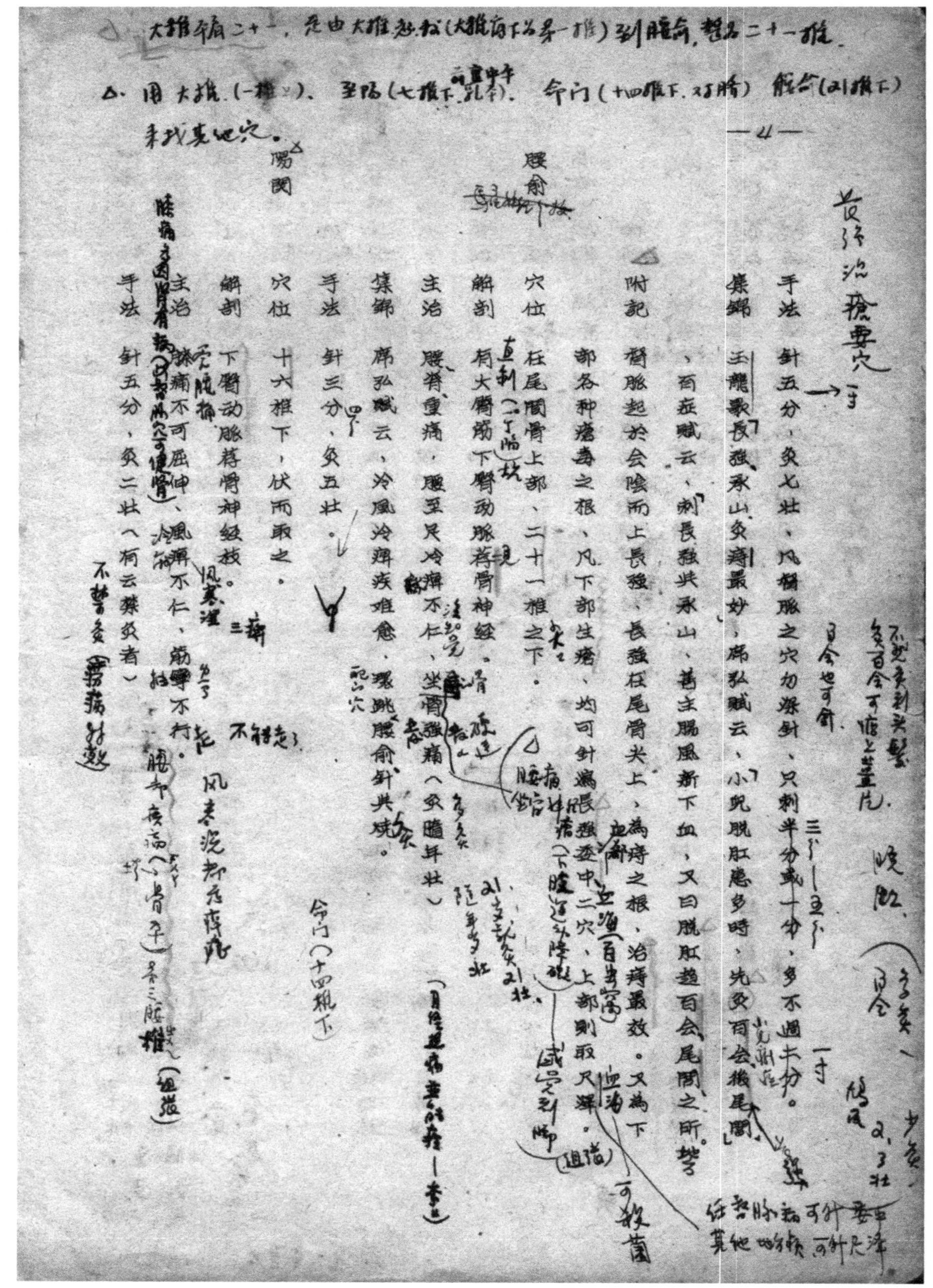

大椎為第二十一，是由大椎起数（大椎為下為第一椎）到腰俞，共為二十一椎。

△.用大椎（一椎上）、至陽（七椎下，乳平）、命门（十四椎下，对臍）、腰俞（21椎下）来找其他穴。

—4—

長強治痔要穴

手法　針五分、灸七壯，凡督脈之穴勿深針，只刺半分或一分，多不過卅分。

集錦　玉龍歌：長強、承山灸痔最妙，席弘賦云：小兒脫肛患多時，先灸百会後尾閭。

附記　百症賦云：刺長強共承山，善主腸風新下血，又曰脫肛趨百会、尾閭之所。督脈起於会陰而上長強，長強在尾骨尖上，為痔之根，治痔最效。又為下部各种瘡毒之根，凡下部生瘡，均可針瀉長強、委中二穴，上部則取尺澤。

腰俞

穴位　在尾閭骨上部、二十一椎之下。

解剖　有大臀筋，下臀动脈、薦骨神經。

主治　腰脊重痛，腰至足冷痺不仁、坐骨神經痛（灸隨年壯）

手法　針三分、灸五壯。

集錦　席弘賦云：冷風冷痺疾难愈，環跳腰俞針共燒。

陽関

穴位　十六椎下，伏而取之。

解剖　下臀动脈、薦骨神經枝。

主治　膝痛不可屈伸、風痺不仁、筋攣不行。

手法　針五分、灸二壯（有云禁灸者）

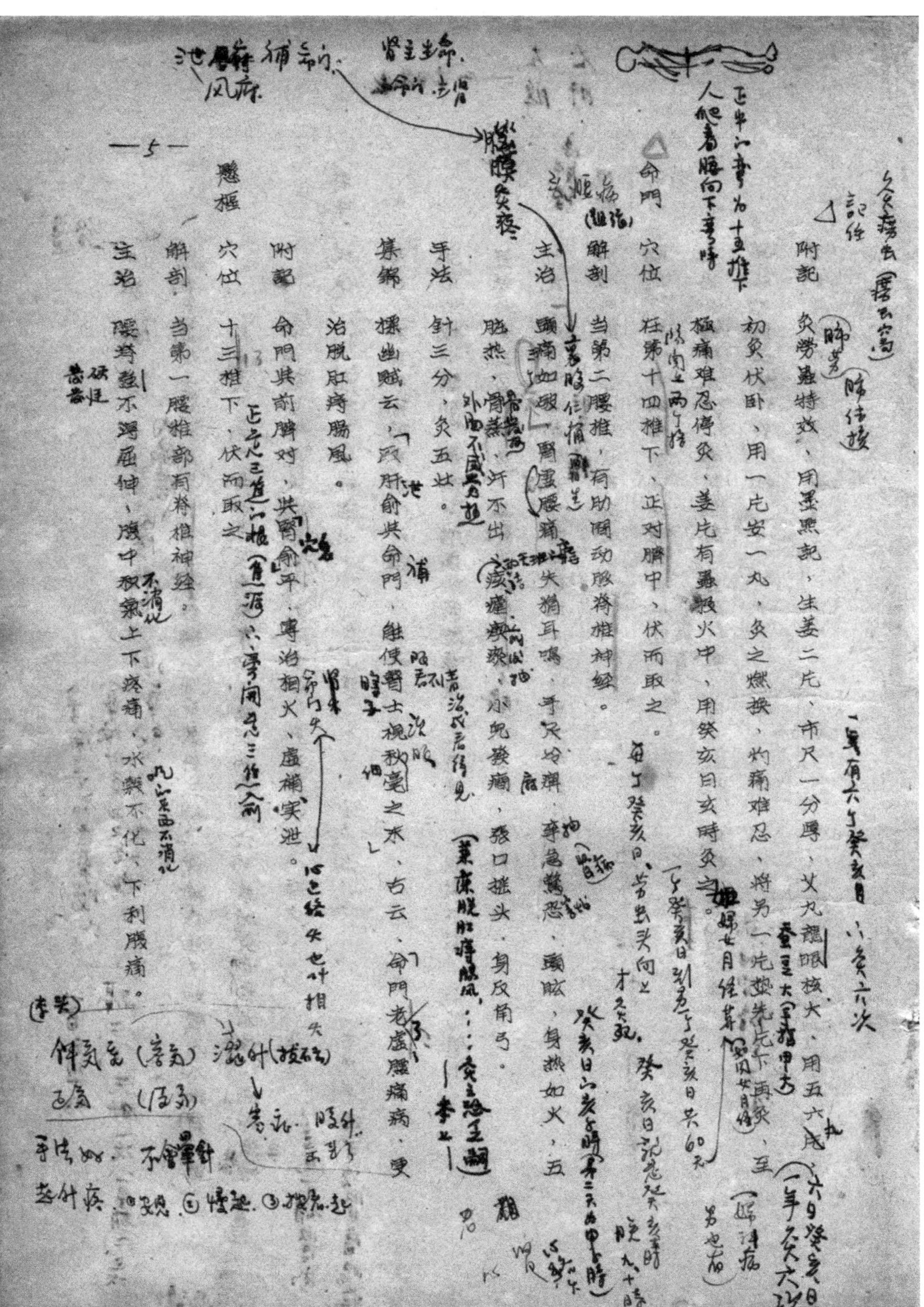

—5—

附記 灸勞最特效、用墨點記、生姜二片、市尺一分厚、艾丸龍眼核大、用五六丸

初灸伏臥、用一片安一丸、灸之燃換、灼痛難忍、將另一片墊先片下再灸、至

極痛難忍停灸、姜片有暴裂火中、用癸亥日亥時灸之。

命門 穴位 在第十四椎下、正对臍中、伏而取之。

解剖 当第二腰椎、有肋間动脈脊椎神經。

主治 頭痛如破、腎虛腰痛、失精耳鳴、手足冷痺、攣急驚恐、頭眩、身熱如火、五

臟熱、骨蒸、汗不出、痎瘧瘈瘲、小兒發癇、張口搖头、身反角弓。

手法 針三分、灸五壯。

集錦 標幽賦云、「取肝俞與命門、能使瞽士視秋毫之末」、古云、命門老虛腰痛病、更

治脫肛痔腸風。

附記 命門與臍对、與腎俞平、專治相火、虛補实泄。

懸樞 穴位 十三椎下、伏而取之

解剖 当第一腰椎部有脊椎神經。

主治 腰脊強不得屈伸、腹中積聚上下疼痛、水穀不化、下利腹痛。

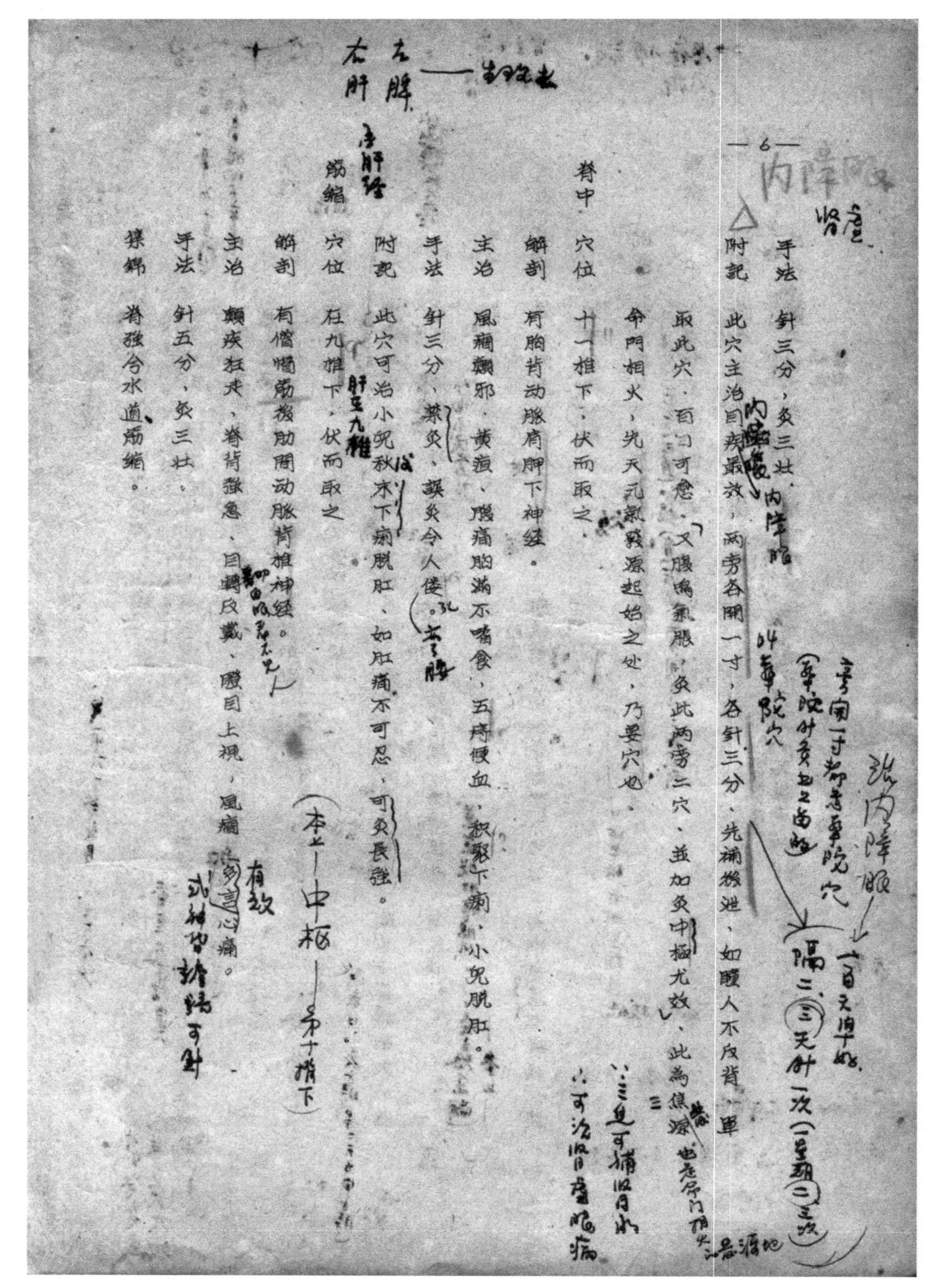

—6—

手法　針三分，灸三壯。

附記　此穴主治目疾最效，兩旁各開一寸，各針三分，先補後泄，如瞽人不反背，單取此穴，百日可愈，又腹脇氣脹，灸此兩旁二穴，並加灸中極尤效，此為根源命門相火，先天元氣發源起始之处，乃要穴也。

脊中

穴位　十一椎下，伏而取之。

解剖　有肋背动脈肩胛下神經。

主治　風癇癲邪，黄疸，腹痛肋滿不嗜食，五痔便血，積聚下痢，小兒脫肛。

手法　針三分，禁灸，誤灸令人僂。

附記　此穴可治小兒秋末下痢脫肛，如肛痛不可忍，可灸長強。

筋縮

穴位　在九椎下，伏而取之

解剖　有僧帽筋後肋間动脈背椎神經。

主治　癲疾狂走，脊背強急，目轉反戴，瞪目上視，風癇多言心痛。

手法　針五分，灸三壯。

摘錦　脊強令水道筋縮。

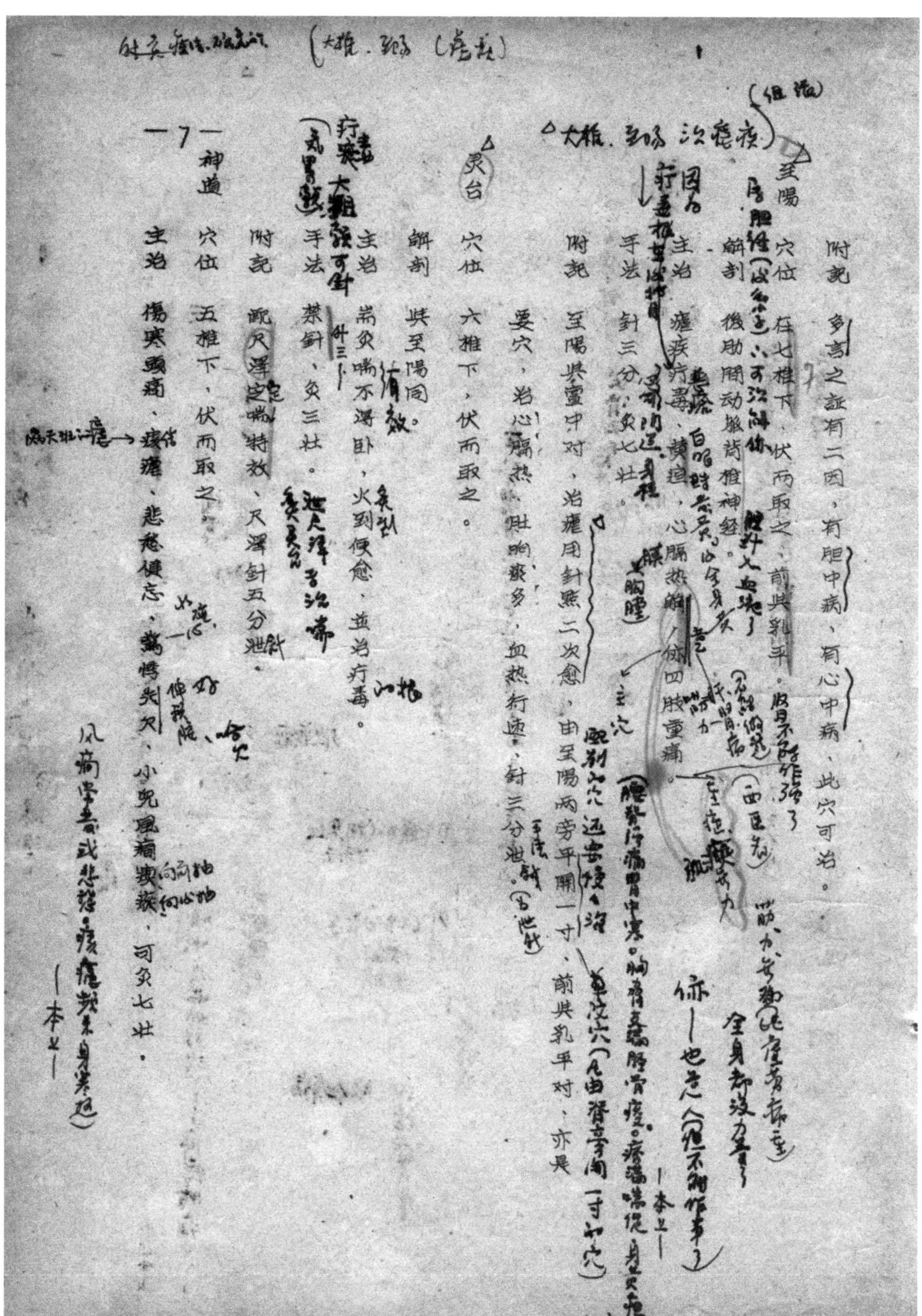

附記　多言之症有二因，有胆中病、有心中病，此穴可治。

至陽

穴位　在七椎下，伏而取之，前與乳平。

解剖　徵助間动脈背椎神經。

主治　瘧疾、疔毒、黄疸，心腑熱、四肢重痛。

手法　針三分，灸七壯。

附記　至陽與靈臺中对，治瘧用針照二次愈，由至陽兩旁平開一寸、前與乳平对，亦是要穴，治心臟熱、肚胸痰多、血熱衍，針三分泄針。

灵台

穴位　六椎下，伏而取之。

解剖　與至陽同。

主治　喘灸喘不得卧，火到便愈，並治疔毒。

手法　禁針，灸三壯。

附記　配尺澤定喘特效，尺澤針五分泄針。

神道

穴位　五椎下，伏而取之。

主治　傷寒頭痛、痎瘧、悲愁健忘、驚悸失欠，小兒風癇瘈瘲，可灸七壯。

—7—

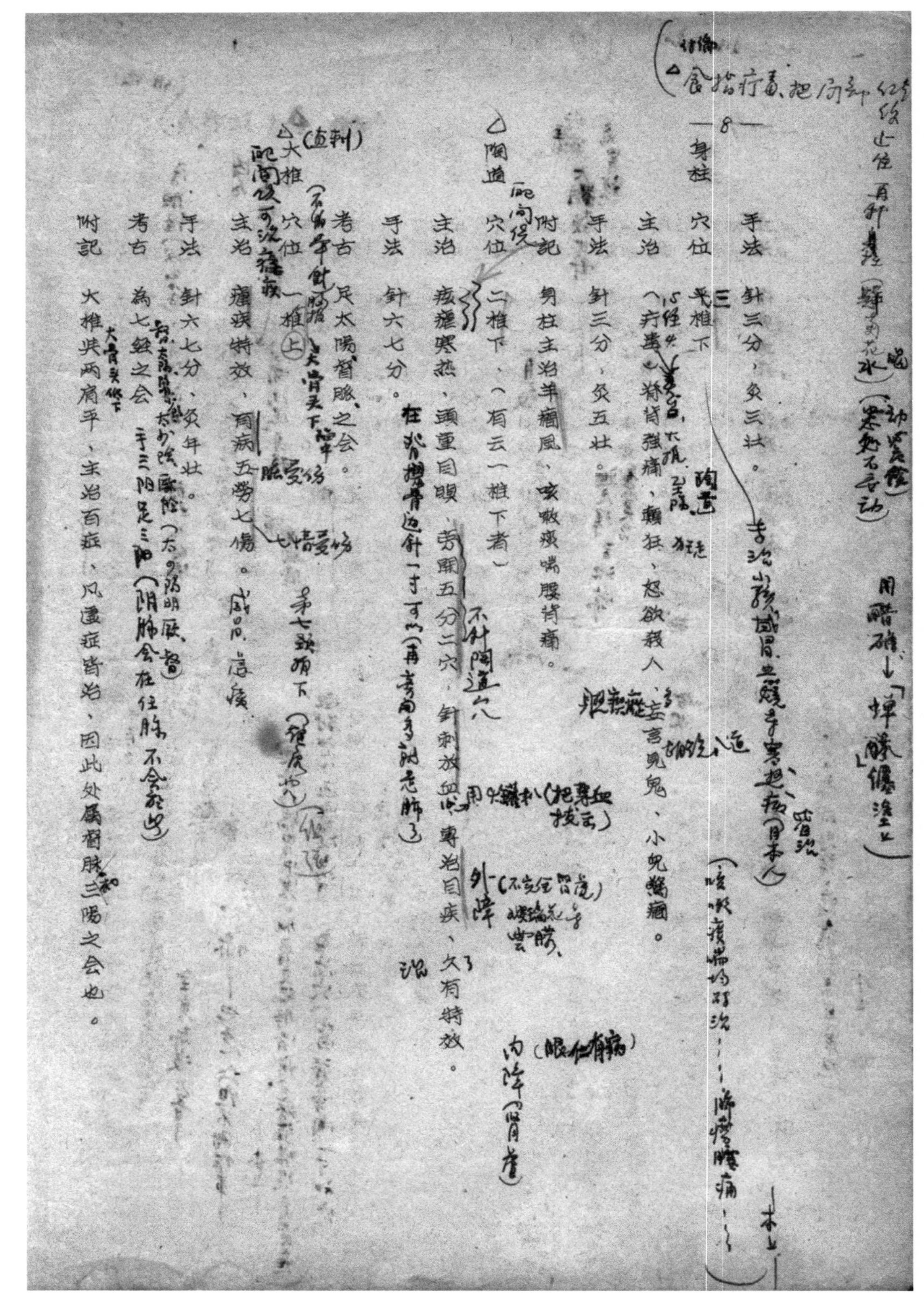

手法　針三分，灸三壯。

—8—

三　身柱

穴位　三椎下

主治　脊背強痛、癲狂、怒欲殺人、言見鬼、小兒驚癎。

手法　針三分、灸五壯。

附記　身柱主治羊癎風、咳嗽痰喘腰背痛。

陶道

穴位　二椎下、（有云一椎下者）

主治　瘧症寒熱，頭重目眩、旁開五分二穴，針刺放血，專治目疾、久有特效。

手法　針六七分。

考古　足太陽督脈之会。

大椎

穴位　一椎上

主治　瘧疾特效、肩病五勞七傷。

手法　針六七分、灸年壯。

考古　為七經之会

附記　大椎與兩肩平、主治百症、风湿症皆治、因此处屬督脈三陽之会也。

△瘂門

百劳穴在一椎上之小椎尖骨上、陷者宛宛中、大椎骨上有孔、俯首背脊屈、其孔可見，此穴治癲癇，又左右各開五分，治周身作癢，用此穴時須防暈針。

穴位　後髮際上五分、仰头取穴、筋外即是天柱穴。

解剖　内近髓部、項中央。

主治　舌強不語、[illegible]心俞通里可治、口噤、諸陽熱盛、衄血不止、頭項強直、癲癇瘈瘲、風痙中風。

考古　通舌本、由瘂門至神庭、為髮際十六穴、皆瀉而不補、為督脈陽維之会。

手法　針三分、禁灸、禁深、深則令人失音、灸則令人瘂。

集錦　百症賦「瘂門關冲、舌緩不語而要緊。」

△風府

穴位　項後髮際上一寸、大筋内宛宛中、中間為風府、兩旁為風池、皆陷中、三穴平

解剖　後頭动脈大後頭神經。

主治　中風舌緩、半身不遂、暴喑不語、偏風頭痛、目眩反視、鼻衄咽痛。

手法　針三分、禁灸。

集錦　主瀉胸中及全身之熱，「席弘賦」云，風府風池尋得到，傷寒百病一時消，通

—9—

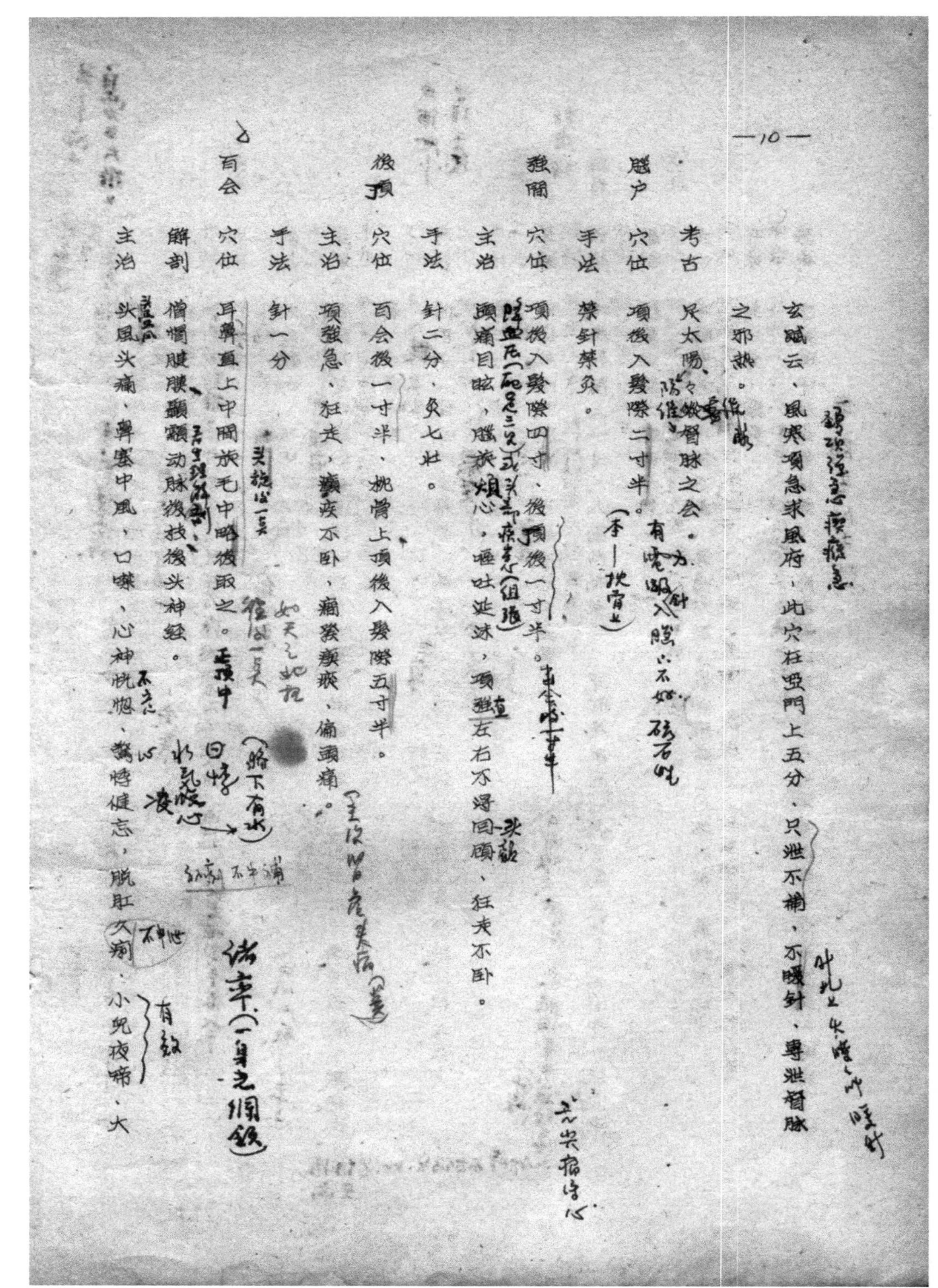

—10—

玄賦云、風寒項急求風府、此穴在亞門上五分、只泄不補、不曬針、專泄督脉之邪熱。

考古　只太陽、陽維、督脉之会。

腦户　穴位　項後入髮際二寸半。

手法　禁針禁灸。

強間　穴位　項後入髮際四寸、後頂後一寸半。

主治　頭痛目眩、腦旋煩心、嘔吐涎沫、項強左右不得回顧、狂走不卧。

手法　針二分、灸七壯。

後頂　穴位　百会後一寸半、枕骨上項後入髮際五寸半。

主治　項強急、狂走、癲疾不卧、癇發瘈瘲、偏頭痛。

手法　針一分

百会　穴位　耳尖直上中間旋毛中略後取之。

解剖　帽狀腱膜顳顬動脉後枝後头神經。

主治　头風头痛、鼻塞中風、口噤、心神恍惚、驚悸健忘、脫肛久痢、小兒夜啼、大

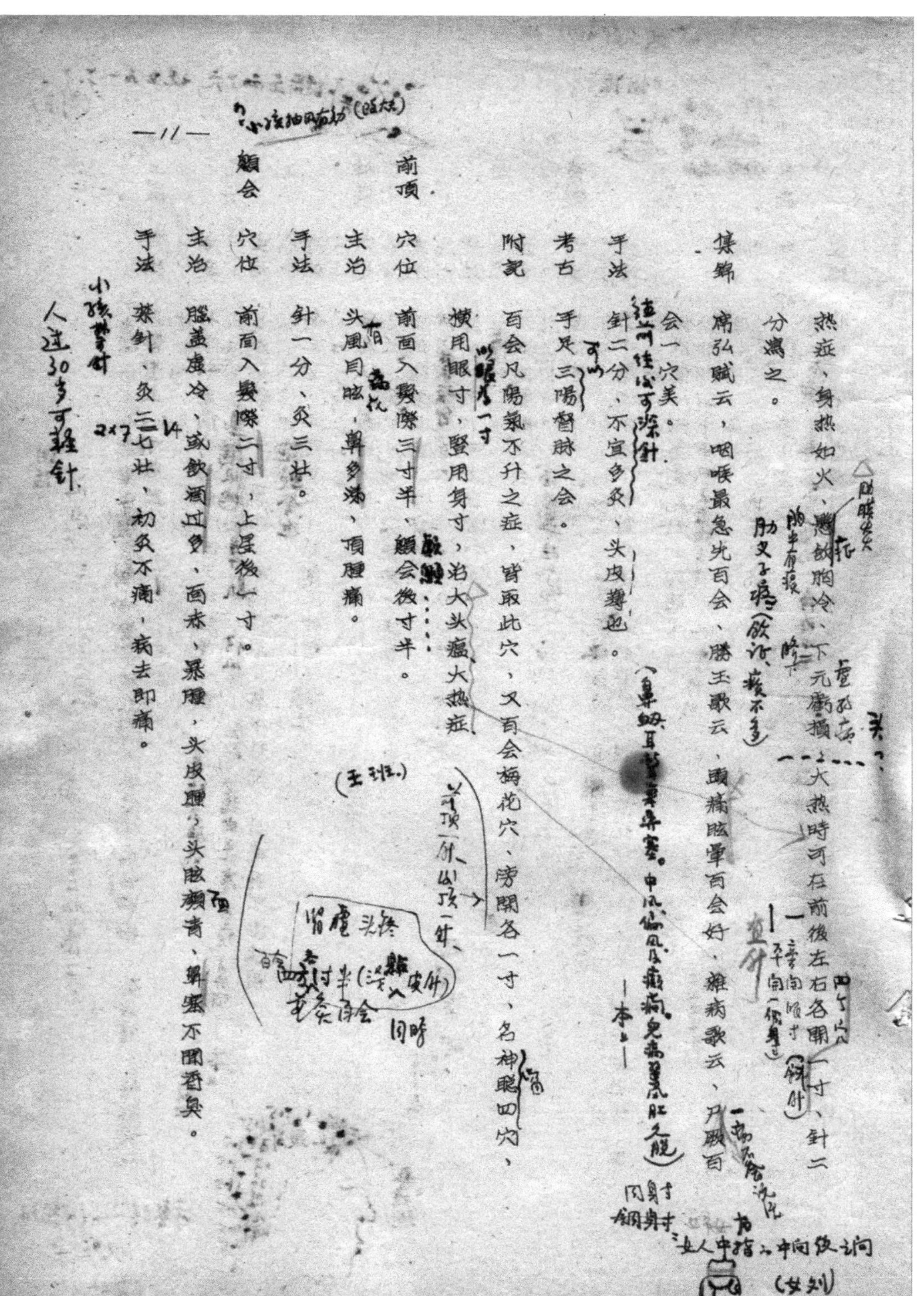

熱症、身熱如火、胸飲胸冷、下元虧損、大熱時可在前後左右各開一寸、針二分瀉之。

集錦　席弘賦云，咽喉最急先百会、勝玉歌云、頭痛眩暈百会好、雜病歌云、尸厥百会一穴美。

手法　針二分、不宜多灸、头皮薄也。

考古　手足三陽督脉之会。

附記　百会凡陽氣不升之症、皆取此穴、又百会梅花穴、旁開各一寸、名神聪四穴、横用眼寸，竪用身寸，治大头瘟大熱症

前顶　穴位　前面入髮際三寸半、顖会後寸半。

主治　头風目眩、鼻多涕、頂腫痛。

手法　針一分、灸三壯。

顖会　穴位　前面入髮際二寸，上星後一寸。

主治　腦蓋虚冷、或飲酒过多、面赤、暴腫、头皮腫、头眩顏青、鼻塞不聞香臭。

手法　禁針、灸三七壯、初灸不痛、病去即痛。

—11—

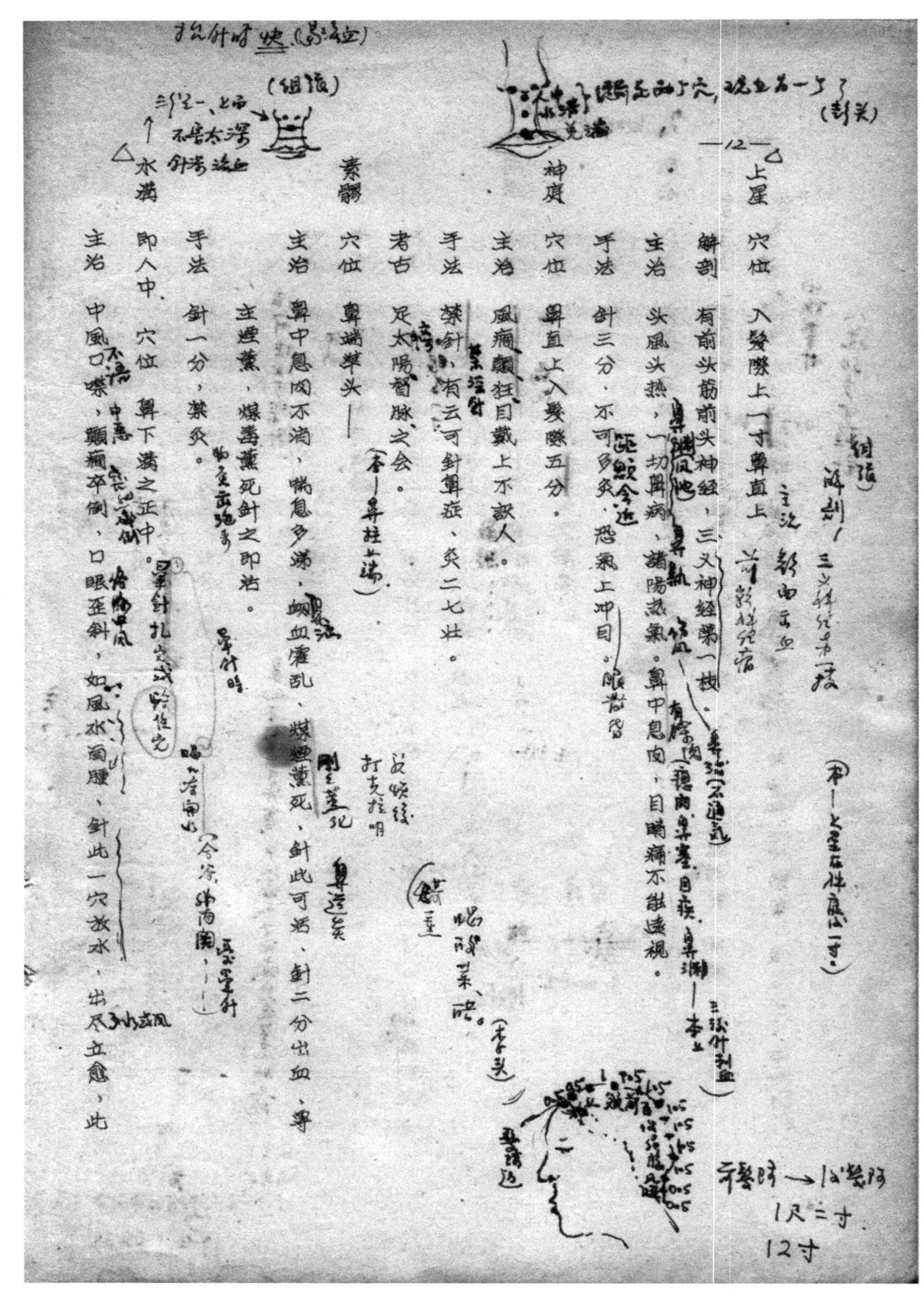

—12—

上星　穴位　入髮際上一寸鼻直上

解剖　有前头筋前头神經，三叉神經第一枝。

主治　头風头熱，一切鼻病，諸陽熱氣。鼻中息肉，目睛痛不能遠視。

手法　針三分，不可多灸，恐氣上冲目。

神庭　穴位　鼻直上入髮際五分。

主治　風癇癲狂目戴上不識人。

手法　禁針，有云可針鼻症，灸二七壮。

考古　足太陽督脉之会。

素髎　穴位　鼻端準头

主治　鼻中息肉不消，喘息多涕，衄血霍乱，煤烟薰死，針此可治，針二分出血，寧

主煙薰，煤毒薰死針之即治。

手法　針一分，禁灸。

水溝　即人中。　穴位　鼻下溝之正中。

主治　中風口噤，癲癇卒倒，口眼歪斜，如風水面腫，針此一穴放水，出盡立愈，此

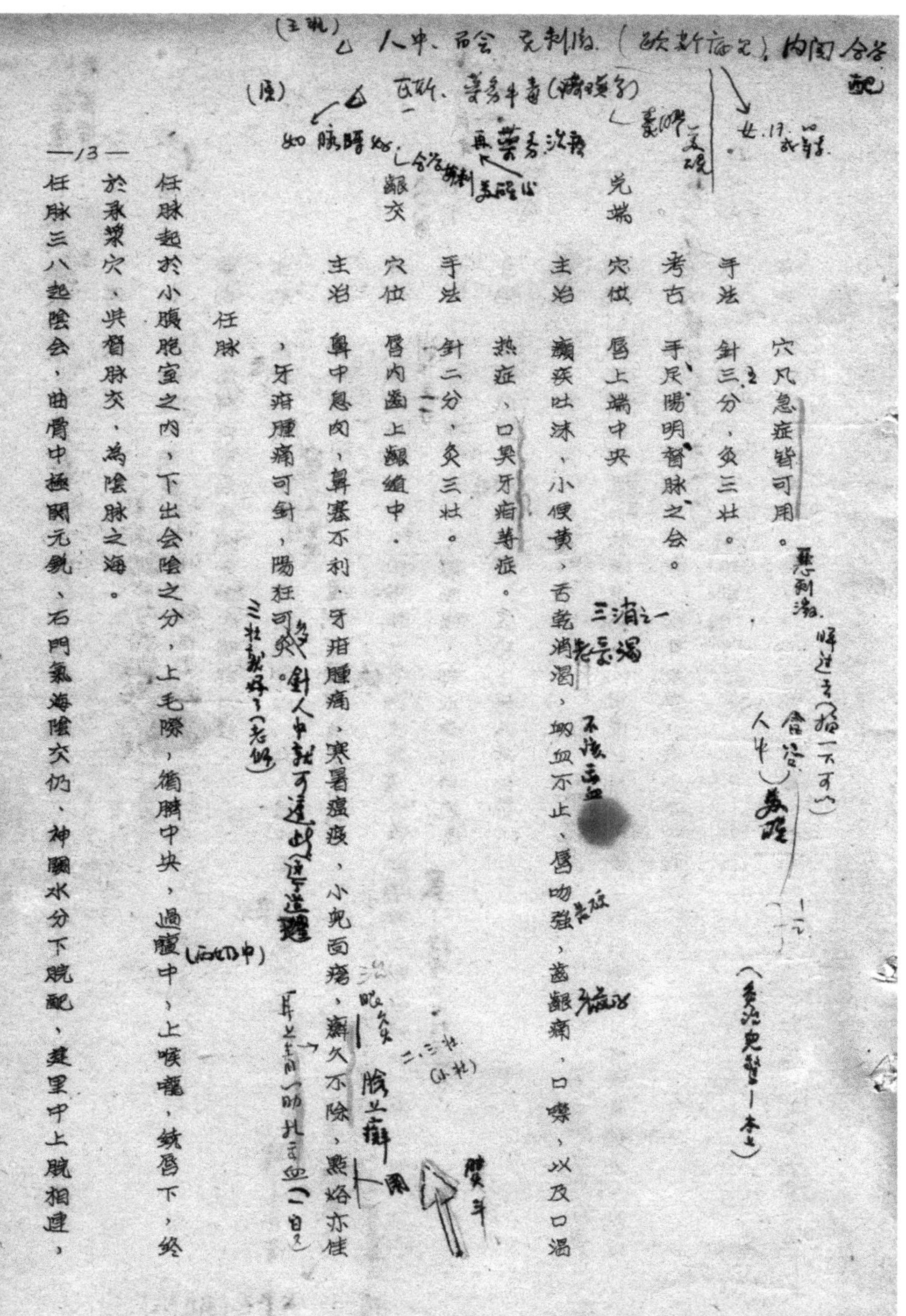

穴凡急症皆可用。

手法　針三分，灸三壯。

考古　手足陽明督脈之会。

兑端

穴位　唇上端中央

主治　癲疾吐沫、小便黄，舌乾消渴，衄血不止、唇吻强，齒齦痛，口噤，以及口渴熱症、口臭牙疳等症。

齦交

手法　針二分，灸三壯。

穴位　唇内齒上齦縫中。

主治　鼻中息肉，鼻塞不利，牙疳腫痛，寒暑瘟疫，小兒面瘡，癬久不除，點烙亦佳，牙疳腫痛可針，陽狂可灸。

任脉

任脉起於小腹胞室之内，下出会陰之分，上毛際，循腹中央，過膻中，上喉嚨，繞唇下，終於承漿穴，與督脉交，為陰脉之海。

任脉三八起陰会，曲骨中極關元銳，石門氣海陰交仍，神闕水分下脘配，建里中上脘相連，

—13—

巨闕鳩尾蔽骨鷳，中庭膻中慕玉堂，紫宮華蓋璇璣腋，天突結喉是廉泉，唇下宛々承漿覓。

考穴

會陰

穴位　在兩陰之間縫中。

解剖　有海綿体球筋外陰動脉内陰部神經。

主治　陰汗、陰中諸病，男子陰寒冲心，女人陰中痛，卒死溺死

手法　針一寸，禁灸。

考古　足厥陰任脉之会。兩陰間十字後交縫處，為任督衝三脉所起。

曲骨

穴位　在中極下一寸，毛際陷中，即趾骨之合縫部

主治　小腹脹滿，淋漓失精，虛冷，婦人赤白帶下。

手法　針八分至一寸二分，灸二壯。

附記　男曲骨如月牙，穴在牙内，女曲骨如坤爻中断，穴在断處，即交骨縫也，凡任脉之穴，孕婦皆禁針，針則胎落，灸亦不可輕用。

中極

穴位　在關元下一寸，臍下四寸

解剖　有肋骨下腹神經

主治　冷氣积聚、腹痛、婦女經血不調，水腫，臨經犯房，經血相搏，肚痛，產後惡露不行，血积。成块，子門腫痛、轉脬不得尿。

手法　針五分至八分，灸五壮。

考古　此為足三陰任脈之会。

附記　此穴專治男女小兒尿蚘。一針就有效

關元

穴位　臍下三寸

解剖　下腹動脉與神經。

主治　积冷諸虛百損、臍下絞痛、小腹奔豚，夜夢遺精，五淋白濁、七疝調經、轉脬不得尿，婦女帶下，瘕聚不姙，或姙娠下血，月經不調，此穴治崩漏最效、或小便不通、小腹痛，刺之均效。

手法　針一寸，灸五壮，孕婦禁針。

集錦　席弘賦云、小便不禁關元妙，玉龍歌云、腎氣冲心得幾時，關元帶脉功最奇、又云、腎強疝氣發甚頻、關元兼刺大敦神。

考古　小腸之募、足三陰陽明任脈之会。

—15—

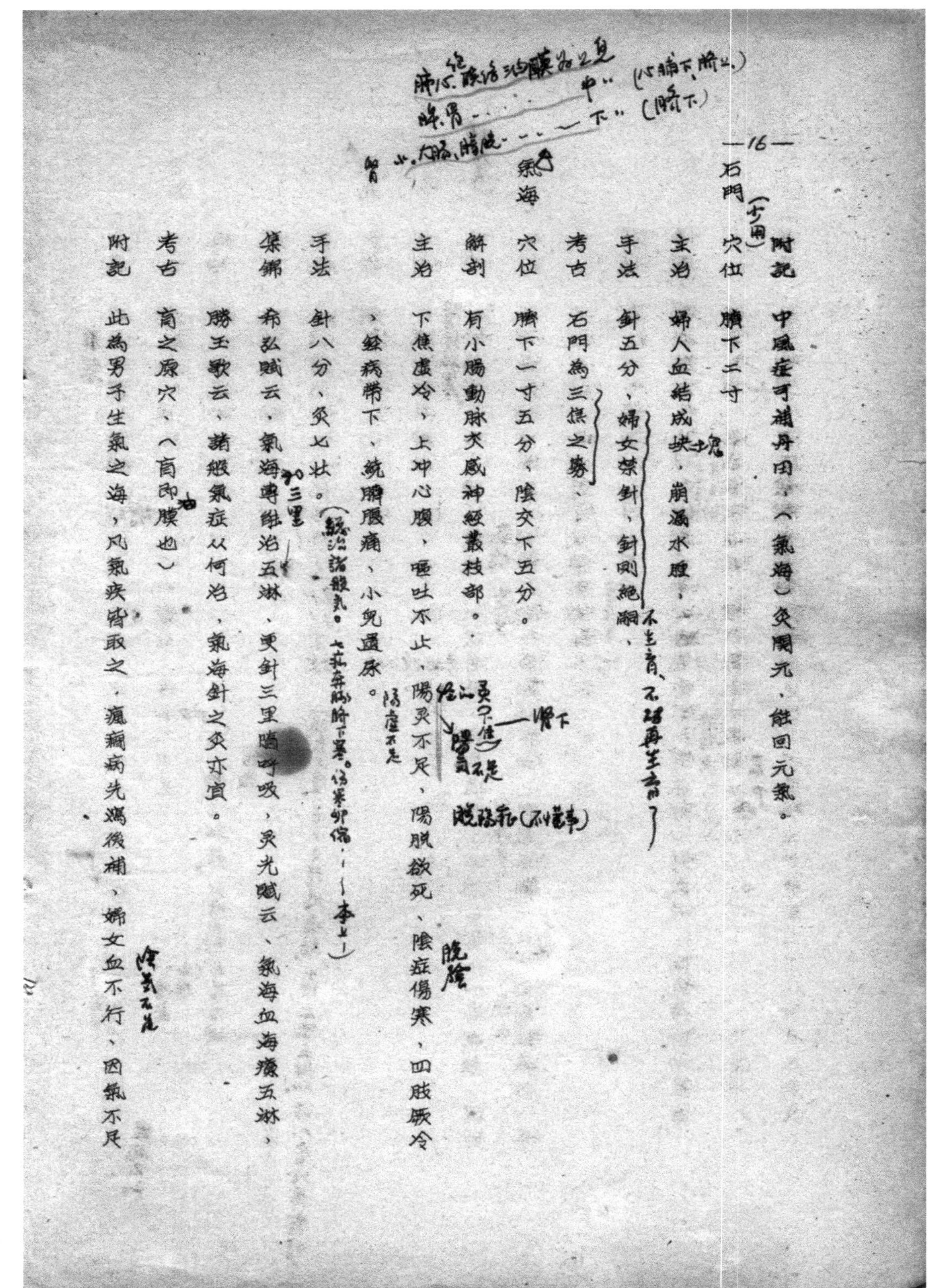

—16—

附記　中風症可補丹田，（氣海）灸關元，能回元氣。

石門

穴位　臍下二寸

主治　婦人血結成塊，崩漏水腫，

手法　針五分，婦女禁針，針則絕嗣，

考古　石門為三焦之募，

氣海

穴位　臍下一寸五分，陰交下五分。

解剖　有小腸動脈交感神經叢枝部。

主治　下焦虛冷，上冲心腹，嘔吐不止，陽氣不足，陽脫欲死，陰症傷寒，四肢厥冷、經病帶下，繞臍腹痛，小兒遺尿。

手法　針八分，灸七壯。

集錦　席弘賦云，氣海專能治五淋，更針三里隨呼吸，灸光賦云，氣海血海療五淋，勝玉歌云，諸般氣症从何治，氣海針之灸亦宜。

考古　肓之原穴，（肓即膜也）

附記　此為男子生氣之海，凡氣疾皆取之，癲癇病先瀉後補，婦女血不行，因氣不足

Nall

—17—

血崩因不攝，常補氣海亦可。（治婦女病最重要一穴）

陰交

穴位　臍下一寸、

解剖　有小腸動脈與神經。

主治　冲脈生病、小腹冲心而痛、經病崩帶、臍周冷痛。

手法　針八分、灸五壯。

考古　任脈足少陰冲脈之会。

附記　此穴宜灸不宜多針、婦女禁針、針則斷產、亦不宜多灸。

神闕

穴位　臍中。

主治　陰症傷寒、中風不省人事、腹中虛寒、陽敗腸鳴、泄瀉不止、水腫鼓脹、小兒吐痢不止。腹大風癇、角弓反張脫肛。

手法　禁針、可多灸百壯。

附記　此穴当臍中央、有小腸、婦女胞冷不受孕者、男子精冷不生育者、均可灸愈、小兒脫肛，灸此永不脫肛、並灸霍亂、治老人最效、每年灸一次、便康強無病、灸時先用炒鹽填臍中、再用姜片穿孔、以艾球灸十壯至三十壯、惟小兒灸不納鹽臍中灸百次

三脘——調胃三針（補）

—18—

△水分　穴位　臍上一寸、灸七壯。

主治　繞臍切痛、水病腹堅、腸鳴泄瀉、水腫鼓症。

手法　不宜針、可灸水腫，禁針者不可放水也。

附記　如水腫過臍上者、不滿乙時亦可針此放水、但不可放盡、三分之二可矣、放水可針一寸、並補命門三焦，其腫自消、如腫未至臍、可灸此穴補丹田立效。水病可由絕骨放水

△下脘　穴位　臍上二寸，建里下一寸。

主治　痞塊連臍、調胃吐食、完穀不化。

手法　針八分、灸五壯。

考古　為足太陰任脈之會。

△建里　穴位　在中脘下一寸，臍上三寸。

主治　腹脹身腫、心痛上氣、腸鳴嘔逆、不嗜飲食。

集錦　百症賦云、建里內關，掃盡胸中之苦悶。

手法　針五分至一寸，灸五壮。

考古　此穴為消化運動之所，針此助消化去濕。

附記　建里配大通，可治食道疾噎膈。

七　中脘　穴位　臍上四寸，建里上一寸。

主治　心下脹滿，噎膈翻胃，心胸煩热，痰瘧积聚，痰飲面黄，伤寒飲水過多，腹脹氣喘，溫瘧霍乱，腹痛虛鳴。

手法　針八分至一寸二分，灸五壮，可多補少瀉。

考古　此穴為腑之会穴，胃病腑病治此。

附記　吐瀉不出為乾霍乱，取此穴治之，針中脘至少須隔七日再針，不可接連，針後戒飽，中脘旁開兩通關，(一)左右各開五分，(二)左右再開一寸五分，治痢疾，腹堅各寒症最效，又有梅花穴左右上下各開一寸，上為上脘，下為建里，此梅花穴不常用，主治山嵐瘴氣。

八　上脘　穴位　巨闕下一寸，臍上五寸。

主治　腹中雷鳴相逐，食不化，翻胃嘔吐，食不下，腹脹氣滿，卒心痛。

—19

手法　針八分，灸七壯。

考古　足陽明手太陽任脈之会。

巨闕

穴位　鳩尾下一寸，臍上六寸。

主治　咳嗽，吐逆不食，胸滿短氣，九种心痛，痰霍乱。

手法　針六分，灸七壯。

考古　心之募穴（心弱氣短）屬胃絡脾。

附記　巨闕旁開四寸五分，即曰月穴，巨闕以上各穴皆戒針，只一分，多不過二分。

鳩尾

穴位　在兩岐骨下一寸。

主治　息賁、癲癇狂走、不擇言語。

手法　針三分，婦女禁針，

考古　任脈之別絡，膏之原穴，鳩尾係後天所生之骨，生出難言難坐。

附記　此穴治心痛立效，針時以手托骨尖，針鋒順摘而刺，只點破而已，勿深，鳩尾以心蔽骨為穴之標準，無此骨者，在中庭穴下量一寸是穴。

中庭

穴位　膻中下一寸六分。

主治　小兒吐奶

手法　針三分，灸五壯。

膻中

穴位　橫量兩乳間陷中。

主治　上氣短氣，欬逆，噎氣膈氣，婦人乳汁少，灸七壯，兼補合谷立效，又治氣疾暴喘等病，針半分，纔破其皮而已。

手法　宜淺針，灸五壯。

考古　足太陰少陰手太陽少陽之会，氣之會，氣病治此。

玉堂

穴位　紫宮下一寸六分，天突下六寸四分。

主治　胸膺疼痛、心煩欬逆、上氣胸滿不得息、喘急嘔吐寒痰。

手法　針三分，灸七壯。

紫宮

穴位　天突下四寸八分

主治　胸脅支滿，飲食不下，煩心欬逆，吐血，唾如白膠。

手法　針三分，灸五壯。

華蓋

穴位　天突下三寸二分

—21—

主治　喘急上氣、噁心欬逆，吐血咳嗽，喉痹咽腫，水漿不下、胸脇支滿痛。

手法　針三分，灸三壯。

璇璣　穴位　天突下一寸六分

主治　欬逆上氣、喉鳴喘不能言、喉痹咽癰、水漿不下、胃中有積。

手法　針三分，灸五壯。

△天突　穴位　在頸結喉下一寸宛宛中。

主治　上氣欬逆，舌下急、嘔吐喘息。

手法　針五分、灸三壯。

附記　天突主治痰喘，氣逆嘔吐，老人哮喘等症，可灸七壯，再用繩套大椎，双牽至鳩尾，即用此繩轉至背上，繩尽处用墨點之，同時灸十壯，甚效。

廉泉　穴位　頸下結喉上中央，仰面取之。

主治　舌根縮急，舌下腫难言。

手法　針三分，灸三壯。

△承漿　穴位　唇下陷中，開口取之。

土生金（肺經）

主治　半身不遂，口眼喎斜，面腫消渴，口齒有蝕生瘡，暴瘖不能言。

手法　針三分，灸三壯。

手太陰肺之脈起於中焦，還循胃口上膈屬肺系，出腋下至肘臂入寸口，出大指之端。

手太陰肺經穴歌

手太陰肺十一穴中府雲門天府訣俠白尺澤孔最郄列缺經渠太淵接魚際拇指振骨內少商拇甲如韭葉。

考穴

中府　解剖　在第一肋間有大胸筋腋窩動靜脈前胸神經及中膊皮下神經。

穴位　在雲門下一寸六分乳上三肋間平距中行任脈華蓋穴各六寸動脈應手陷中。

主治　傷寒大熱肺急胸滿喘逆善噎食不下腹脹肺寒胸熱咳逆上氣不得臥肺風面腫肩背痛流濁涕喉痺少氣肩息汗出尸疰癭瘤。

手術　仰臥取穴針三分即以同身寸之三分為準、留五呼即以針入留撚呼吸五次之時間而出針蓋呼吸為息々者自心也、故以內聽呼吸為守心之法、灸五壯灸以艾絨作炷大如豆麥燃用綫炷或用藥條幾次即為幾壯下皆同此。

△ 神經主脇下不主肋之（王注）

灵素、素問為中医之研究

集錦 此穴理肺利氣，主瀉胸膈諸熱及身体之煩熱，如配期門間使，如瀉傷寒大熱神門滿諸

百症賦配合谷治胸滿噎塞，千金灸此穴治胸滿上氣食不下咳逆短氣灸五十壯。

灵素解剖 此為肺之募穴、手足太陰二脉之会。募者聚也，言經氣之結聚也，凡募穴皆在胸腹，難經曰陽病行陰故令募在陰，陰治募皆為原氣不足从陰引陽

筆記 此穴能試驗肺病輕重，以手指按中府穴痛者為肺病，否者非病，甚痛者肺已壞矣。又治大熱症氣喘如牛者，泄之不灸。十二募穴歌録下：肺募中府天樞大腸募，中脘胃募章門心募巨闕，関元小腸，膀胱中極，腎京門，色募丹田石門焦，胆募日月肝期門。（歌中大小者謂大腸小腸也）

雲門 解剖 在鎖骨下窩部，内有三角筋头靜脉、胸肩峯动脉，分布前胸神經及鎖骨下神經。

穴位 巨骨下一寸六分，俠璇璣平旁開六寸，俠氣户旁各二寸，动脉应手陷中。

主治 伤寒四肢熱不已，喉痹咳逆，喘不得息，胸脇短滿，脇徹背痛，肩痛不举，瘿氣。

手術 此穴正坐举臂取之，針三分，留五呼，灸五壯。

集錦 此穴主瀉四肢之熱，大热症喘如牛，可以針二三分，泄之不灸。千金治瘿病上氣胸滿灸一壯。

灵素解剖 此為肺氣上出之門，素問曰上焦如霧，而霧上成雲，故此穴曰雲門。

天府

摘記 雲門開胸降氣不可深針深則令人氣短、俠孕婦禁針

解剖 在腋下三寸上膊部有二头膊筋其深處即上膊骨之上部分布腋窩动静脈及正中神經。

穴位 腋下三寸直尺澤穴肘上七寸动脈中以鼻取之

主治 悬癖口鼻衄血、中風中惡寒熱、痎瘧、目眩、善忘、泣出鬼語、飛尸惡疰、喘息、癭氣。

手術 針四分留七呼禁灸

集錦 百症賦配合谷治鼻中衄血 千金治身重嗜卧不得覺灸百壮針三分補之

考古 内經素問至真要大論曰天府絶死不治絶者即腋窩動脈不搏動也

摘記 此穴取法以腋窩下横紋头直下三寸與尺澤穴以手下垂靠兹胸側與乳头成水平線在鼻尖點墨以臂内廉就之墨點到處是穴灸此令人氣逆總以不灸為是

俠白（内）

解剖 此處有三头膊筋分布头静脈上膊動脈内膊皮下神經橈骨神經枝。

穴位 天府下二寸尺澤上五寸動脈中

主治 心痛短氣嘔逆煩滿

手術 針三分留三呼灸五壮舉臂行之

中脏、（二便不通） 大便乾燥

中腑（[illegible] 口不能言）

中络（口眼歪斜）

中经（半身不遂）

（[illegible]）

曲泽尺泽、曲差手针、一也一？

—26—

△尺泽 治30个可治肺痨。（组强）

集錦　此穴別名龍舌善治疔瘡鼻症為刺疔挑法常用之要穴又取此穴配內關可治心痛並治胸滿。

考古　此為手太陰脉之枝別故治疔毒、心痛等症

筆記　此穴取法在乳头照墨以臂就乳墨點到處是穴、此為內龍舌、臂外对處為外龍舌、均為治疔挑法常刺疔毒之要穴、均宇記之為要

解剖　在前膊與上膊之關節部适当二头膊筋腱部之外面（腱者靭帶也）分布桡骨动脉尺骨动脉及正中神經中膊皮下神經與重要之静脉

穴位　在肘中約紋中央稍偏大指側筋骨罅陷中

主治　汗出中風、寒热、痎瘧、喉痺、數領嘔吐、上氣、心煩、心痛、氣短、腹痛、口乾、喘滿、咳嗽、唾濁、肺脹、息噴、風痺、肘攣、手臂腫痛不舉、小便數、遺面白善嚏、悲愁不樂、小兒急慢驚風。

手術　手臂平舉取穴針三分不宜灸

集錦　此穴止血舒筋、治肘痛拘攣筋急吐血最效。席弘賦曰五股肘痛尋尺澤、雜病歌曰吐血尺澤功無比、又某歌曰尺澤理筋急之不幸。玉龍歌曰筋急不開尺澤伸、又曰兩肘拘攣筋骨連、曲池尺澤異聖傳。又此穴配委中放血、治霍亂吐瀉、配承山治霍乱轉筋、配灸灵。

（主治）

温霍乱（[illegible]）

十一　曲 尺　曲池

海 泽 泽

130六之一

—27— △ 手太陰肺之郄穴

孔最

台定喘有效，风腦卒中症卒倒時速取尺澤委中二穴用三稜針多放出血並再將肉迺酒放血俟腦中充血減緩稍覺人事即止其出血再於委中窪處兩旁共灸之定可甦生特效

考古 此穴為手太陰經肺脈之所入為合水即灵枢謂十二經、十五絡共二十七氣之所入也合者合聚水之会皆取水義言此經與彼經々絡相应之衔接也，实乃皮膚之氣血溜於脉中而與經脉之氣血合於肘膝之間者是也。又素問曰治府者治其合，陽氣在合取合以虛陽邪故此穴在本經小五行屬水水能制火而有清血解毒消炎退燒之功能陰經合水陽經合土下同

華記 此穴化痰利溼，故治咳嗽痰喘、痰厥等症又此穴左右可閉合五分通關泄時多不灸然老人與肺病症亦可灸可補五十歲以下之人禁灸

解剖 有長回後筋膊橈骨筋亦有尺骨橈骨动脉與静脉枝有外膊皮下神經橈骨神經皮下枝

考穴 在尺澤下三寸腕側横紋上七寸側取之（腕上七寸側取之）

主治 伤寒發热汗不出欬逆肘臂痛屈伸难，手不及头，指不能握，吐血，失音，头痛，咽痛，

手術　針三分灸五壯

集錦　熱病汗不出灸三壯即汗出

灵素　此穴為手太陰脈之郄（郄穴）郄者隙也，又與郄通閉也亦塞也言所入之經氣由此而塞出也
又筋骨之間也灵樞曰腠理郄烟垢着又似有郄閉之意也

華記　孔最穴靠附骨内廉下边直对魚際穴

△列缺

解剖　此處有長外轉拇肌分布橈骨动脉枝及神經（一偏头痛特效）

考穴　去腕側横紋上一寸五分　大骨头（高起）後一寸五△

主治　偏風口眼喎斜腕痛無力半身不遂手掌中熱口噤不開、痎瘧、寒熱煩燥咳嗽、喉痺嘔沫
縱唇健忘驚癇善笑、溺血、精出、陰莖痛小便熱痛妄言妄見面目四肢癰腫实則熱汗出胸
背暴腫虛則胸背寒慄少氣不足以息又素問曰实則手銳掌中熱泄之虛則欠款小便数
遺補之

手法　（列缺在腕側骨罅中。穴在腕上寸半。以两手相合二指交叉。食指尽处也。而骨罅中是穴。）
以两手大指虎口之交叉食指尽處筋骨罅間取之針二分留五呼瀉五吸灸五壯

集錦　此穴行肺氣治寒痰及头痛、头風有特效玉龍歌曰寒痰咳嗽更兼風、列缺二穴最堪攻
先把太淵一穴瀉多加艾火即收功、席弘賦曰氣、刺两乳求太淵未應之時、瀉列缺又曰

—29—

列缺头痛及偏正重瀉太淵無不应、四総穴歌曰头項尋列缺馬丹陽歌曰善療偏头患遍身風痹麻痰涎頻壅塞口噤不開牙、千金治男子尿血精出陰莖内痛灸五十壮又八法歌曰列缺任脉行肺系故治喉腑痰嗽等症

灵素　此穴為手太陰脉别走陽明之絡脉絡者経絡也経路直行而上下周身者為経横行旁通而左右環繞者為絡、十二経各有别絡、即各経支而横出由此経别走他経相通之路然均為同氣相求異性相引之路逕也

華記　人有寸関尺三部脉俱不見而見於列缺、陽谿者俗謂之反関脉、此経脉虚、而絡脉滿也千金翼謂陽脉逆反大於寸口三倍又此穴可治下牙疼然即列缺為八法任脉及大腸脉入下齒縫中之力.

経渠

解剖　有長外轉拇筋橈骨神経皮下枝橈骨動脉

考穴　在腕後約五分寸口動脉側陷中

主治　瘧疾寒熱、傷寒熱病汗不出、心痛嘔吐、胸背拘急、胸滿膨、喉痹、喘促欬逆上氣、掌中熱

手法　針二分留三呼禁灸灸則傷神明

集錦　此穴在本経小五行屬金為金中之金也、金能生水故補経渠泄大都而能發汗平熱也

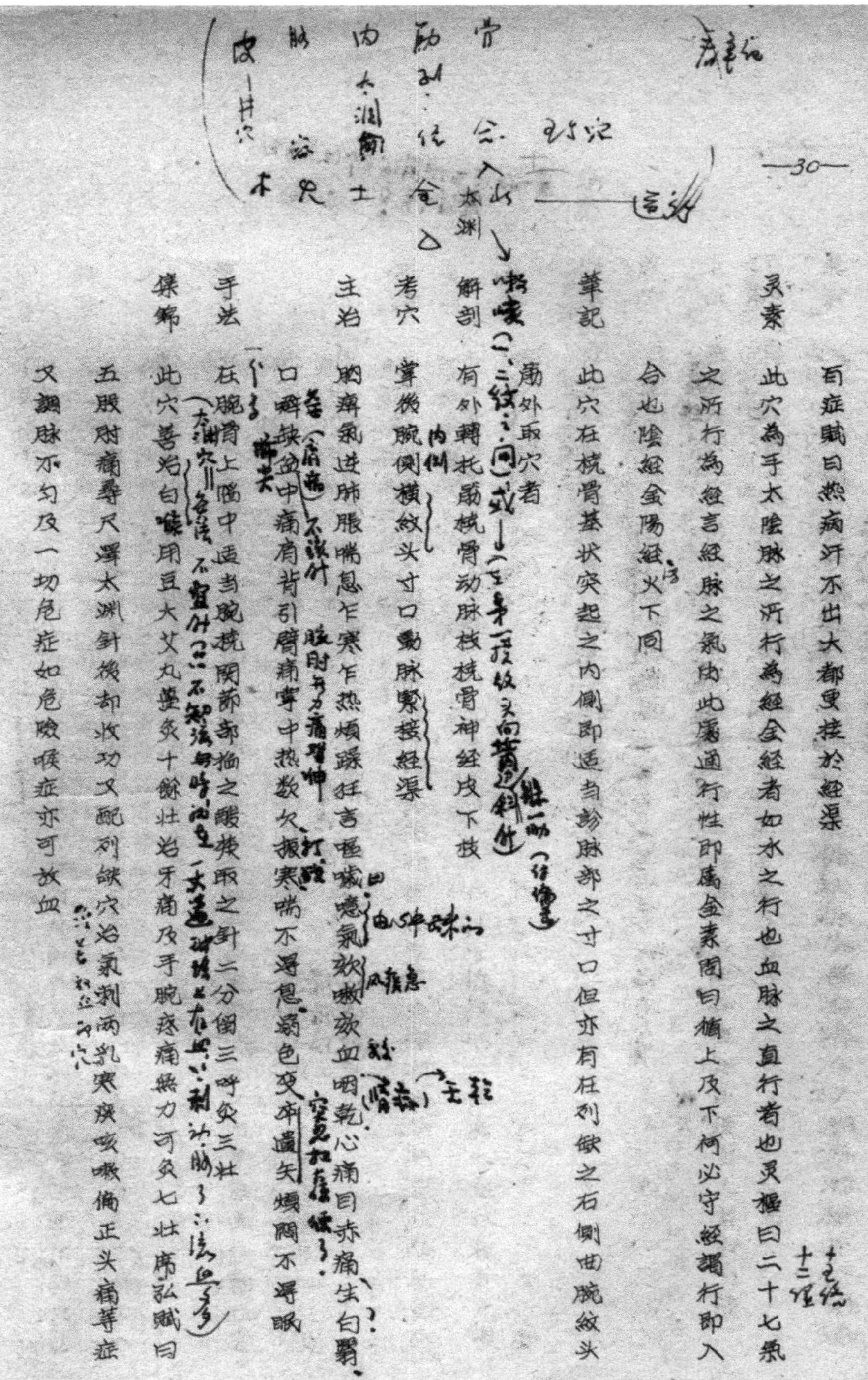

—30—

百症賦曰熱病汗不出大都更接於經渠

灵素　此穴為手太陰脉之所行為經金經者如水之行也血脉之直行者也灵樞曰二十七氣之所行為經言經脉之氣由此處通行性即屬金素問曰循上及下何必守經謂行即入合也陰經金陽經火下同

筆記　此穴在橈骨基状突起之内側即適当診脉部之寸口但亦有在列缺之右側曲腕紋头筋外取穴者

解剖　有外轉拖筋橈骨动脉枝橈骨神經皮下枝

考穴　掌後腕側横紋头寸口動脉緊接經渠

主治　胸痹氣逆肺脹喘息乍寒乍熱煩躁狂言喉嚨噫氣欬嗽欬血咽乾心痛目赤痛生白翳口噼缺盆中痛肩背引臂痛掌中熱数欠振寒喘不得息顏色变幸遺矢煩悶不得眠

手法　在腕骨上陷中適当腕橈関節部揣之酸疼取之針二分留三呼灸三壯

集錦　此穴善治白喉用豆大艾丸壟灸十餘壯治牙痛及手腕疼痛無力可灸七壯席弘賦曰五股附痛尋尺澤太淵針後却收功又配列缺穴治氣刺兩乳寒痰咳嗽偏正头痛等症又調脉不匀及一切危症如危險喉症亦可放血

灵素　此穴為手太陰脉之所注為俞土俞者输也如水之注也灵枢經曰二十七氣之所注為俞言經氣由此而输注也此穴在本經小五行其性属土故曰俞土土生金而肺属金性故治肺病痰嗽白喉等症均奏奇效陰俞土陽俞木下同。

華記　此穴正靠動脉最要小心必須摸脉将脉而後下針否則針伤动脉出血不止危險慎之

此為經氣八会之一难經曰脉会太渊即每日平旦寅時脉会於此故难經又曰寸口者脉之大要会手太陰之動脉即每日寅時氣血从此始也

〇魚際

解剖　有拇指对侧筋短屈拇筋有桡骨动脉之背枝动脉及桡骨神經枝

考穴　大指本節後内側白肉際散脉中　手法　針二分留三呼禁灸。

主治　酒病身熱惡風寒虚热舌上苔黄头痛欬嗽伤寒汗不出痹走胸背痛不得息目眩心烦少氣寒慄喉躁咽乾鼓頷溺出欬引尻痛吐血心痺悲恐腹痛食不下乳癰

集錦　此穴治酒病須與攢眼穴同泄席弘賦曰轉筋目弦針魚際承山昆侖立便消百症賦曰喉痛兮液門魚際去療千金齒痛不能飲食左患灸右右灸左。

灵素　此穴為手太陰脉之所溜為荥火溜者流也荥者波也如水流之波也灵枢經曰二十七氣之所溜為荥言經脉之氣由此處急流而成荥波也此穴属火故称荥火火尅金而肺

—31—

（组稿）

—32—

（四）一二八（去指甲一二分 比韭菜还细）

屬金故泄時受肺病咳嗽泄其陽

泄肺热 才治咳嗽 泻痛

△少商 鬼信、商丘

筆記 此穴治肺熱口渴泄可止渴肺病發燒因熱煩躁泄可退燒李東垣曰胃氣下溜五臟氣亂皆在於肺者取之手太陰魚際足少陰俞（池）（胃经俞穴）

解剖 此處為長曲拇筋與拇指內轉筋分布橈骨神經枝（大出血可放血（或放血窜出））

考穴 在拇指第一節之內側去爪甲角如韭葉即約一分（在大指内侧边）

主治 頷腫、喉閉、乳蛾、咽腫、喉痹、欬逆痎瘧煩心噦吐心下滿膨脹腸鳴汗出振寒、鼓頷唾沫手攣指痛、掌熱、寒慄、口乾、引飲、喉中鳴、食不下（另刺皇[illegible]痛咽。皆以綠葉汎冲中。急救回生此穴先。）（本上）

手法 斜卧或針一分留一呼熱症以三稜針放血泄諸臟熱凑不宜灸（注起宜以三稜針刺之出血。不可灸。治鬼邪則灸之）（本上）

集錦 乾坤生意云此為井穴之一凡卒暴中風、痰壅昏沉、牙關不開急以三稜針刺此穴與諸井穴出血、使氣血流通、乃起死回生救急之妙穴百症賦曰少商曲澤、血虛口渴同施、太乙歌男子痃癖取少商、天星秘訣曰指痛攣急少商好、資生云咽喉腫痛水粒不下、針之立愈、肘後歌曰剛柔二痙最乖張口噤眼合面紅粧、熱血流入心肺府須要金針刺少商勝玉歌曰頷腫喉閉少商前雜病歌曰小兒驚風刺少商、人中、湧泉泄莫深、又少商配商陽、合谷、稱為喉症三針為治危險喉症最效此為救急要穴凡一切危險急症均可放血

△ 淡白带多 隐白、三阴交、血海（灸）

—33—

灵素

此穴為手太陰脈之所出為井水井者象水之泉也水源之始出也灵樞曰二十七氣之所出為井言經脈之氣由此起源而始出也盖即經脈之氣血由内而外達於四末分歧指端絡聯於皮膚故成箕斗之紋滲滲於甲旁而出為井也井木者謂此穴在本經小五行屬木也性主疏泄故能治肺熱喉痛等症

華記

此穴一名鬼信為扶正十三針之一凡遇昏噤卒厥見否邪祟搖艾少商一試便知又名鬼哭穴用繩将兩大指縛並灸少商穴治癲癇邪祟最效八身經絡循環流迭其互相交接之點除头與胸外全在手足故十二經之皆出於井溜於滎注於俞行於經入於合者皆手不过肘足不过膝而各有定處凡手三陽經自手指所起出溜注行入之井滎俞經合皆為金水木火土順行相生也手三陰經之井滎俞經合皆為木火土金水逆行相生也足經亦之但陽經於俞穴之下多一原穴原者过也所过為原不屬於小五行内陰經以俞穴代原穴均屬小五行内也手足各經無論順逆皆為五行相生之序依此生尅之義而論述云爲。

此肺脈起於中焦土生金也初生多脈細如散絲上循胃口入肺合總為一脈出中府上雲門均動脈应手下入尺澤微有动脈至寸口診脈之所為脈之大会过此則脈又散如細絲故不見上魚際至少商為金氣所發減也观此肺脈散而後合至魚際又散則知各

手三阴 手(胸行) 胸→手
足三阴 足(腹行) 足→胸→头

—34—

經之脉散合、隐見賴皆如此、尺見脉道並非独指血管也或與血管会或與氣管会或與腸筋交感或與脏府相連、内經分別經脉穴道至精至悉近世經穴解剖學出顺能發明經旨故節錄之

手陽明大腸經之脉

手陽明大腸脉，起於大指次指之端、出合谷，行曲池、上肩、貫頰、夾鼻孔，入下齒縫，过喉，絡肺、下隔，屬大腸。

手陽明大腸經穴歌

手陽明大腸商陽、二間三間合谷藏，陽谿三寸絡偏歷、上行二寸溫溜長、下廉上廉各一寸、手三里肘二寸旁，曲池肘髎五里近、臂臑肩髃巨骨当，天鼎扶突禾髎面、鼻旁五分号迎香。

考穴

商陽 解剖 有头静脉、指背動脉、及桡骨神經皮下枝

穴位 在食指端内側，去爪甲角如韭葉許，約二分。

主治 傷寒熱病汗不出、耳鳴聾，寒熱痎瘧，胸中氣滿、喘咳口乾，頤頷腫，齒痛惡寒，目青盲、肩背肢臂拘急相引、缺盆中腫痛。

手法　伏手取穴，在食指背面指甲縫際，針一分，留一呼，灸三壯。

集錄　乾坤生意、治卒暴中風，痰厥昏倒，牙關緊閉，滴水不下，急以三稜針刺諸井、放血救急，百症賦曰，寒瘧兮商陽太谿驗，此為手十二井之一，救急之要穴、主治喉症，凡一切毒熱危急喉症，均可救治，又經絡不通病，針之即通

述古　此穴為手陽明脈之所出，為井金，乃金中之金也，緣大腸為庚金，此井亦屬庚金，同類相從，同氣相求，一妙而治，同性一體，金剛勇力，善能救急。

附記　大腸與肺，一表一裏，皆主秋金，而秋屬商音，手太陰肺起少商者，商之陰也、大腸經起商陽者，其性主庚金，而商陽屬陽也，此一臟一府，對峯之穴，手陽明經氣所發之始，故曰為井金也，合谷在虎口，秋金西方白虎之口，手陽明與肺相合處也，又肺開竅於鼻，而其腑之經脈，終於夾鼻之迎香穴，更足見表裏相應之妙用。

二間　解剖　动静脉及神經均同上。

穴位　在食指本節前內側陷中，即食指之旁面近關節處，二間三間，均以本節前後為正。

主治　喉痹頷腫、肩臂臑痛、鼻衄衂血、善驚振寒、齒痛目黄、口乾口渇眼斜、急食不通、伤寒水結。

手法　针二分、留六呼、灸三壮。

集錦　此穴在本经小五行属水、故治伤寒水結有效、行针指要歌曰、或针結针着大肠二間穴、席弘赋曰、牙痛腰痛並咽痹、二間陽谿疾怎逃、百症赋曰、寒慄悪寒、二間疏通陰郄暗。天星秘訣歌曰、牙疼头痛兼喉痹、先刺二間後三里、玉龍歌曰、牙痛陣々苦相煎、穴在二間要得傳。

灵素　此穴為手陽明脉之所溜、為滎水。

附記　医学入門治病要穴内載、二間主牙疾眼疾。

三間

解剖　有头静脉、指掌动脉、挠骨神经。

穴位　在食指本節後内側陥中、即第二掌骨端之凹陥处。

主治　鼻衄熱病、喉痹咽中如梗、氣喘嗜卧、唇焦口乾、下齒齲痛、胸腹脹滿、腸鳴洞泄、寒热瘧、目眥急痛、吐舌捩頸、善驚多唾、急食不通、伤寒氣熱、身寒結水。

手法　針三分，留三呼，灸三壯。

集錦　撰經載，治身熱氣喘、口乾目急，席弘賦曰，更有三間腎俞妙，善治肩背浮風勞，百症賦曰，目中漠々，即尋攢竹三間，治病要穴載，主下牙疼。

靈素　此穴為手陽明脈之所注，為俞木

附記　此穴在本經小五行屬木水之子也，經曰，实則泄其子，故結水症可共二間同用。

△合谷

解剖　此處為第一手背側骨間筋，有重要動脈桡骨动脉桡骨神經，

穴位　在食指拇指基底歧骨間陷中，大指次指合併紋头尽处是穴，有动脉。

主治　傷寒大渴，脉浮在表，發熱惡寒，头痛脊強，热病汗不出，寒热瘧，鼻衄不止，偏正头痛，下齒齲痛，耳聾喉痺，面腫目翳，唇吻不收，瘖不能言，口噤不開，偏風瘙癢，風疹痂疥，腰脊內引痛，小兒乳蛾，一切齒痛。

手法　在第一掌骨與第二掌骨中間陷凹处，取穴針五分，留六呼，灸三壯，孕婦禁針。

考古　手陽明原穴（不在小五行內、本性屬金）

附記　治痔瘡特效，針孕婦可泄不可補。

—37—

陽谿　穴位　腕上側兩筋間陷中，與食指作直線，在大指後上面第二大筋之末端，当腕上。（本—腕背上側兩筋間）

主治　頭痛喉痹、耳聾耳鳴、肘肩不举。（陽谿主治狂言喜笑，癫疾上涎吞酸宜針，頭痛齒痛咽喉痛，狂言喜笑見鬼神。）—（本上）

手法　針三分，灸三壯。

考古　經穴。

偏歷　穴位　腕中后三寸。（本—腕后度三寸）

主治　肩臂手腕酸痛、利尿。水腫、水臌、精熱（絕穴）（水腫病不可針穴）

手法　針二分，灸三壯。

考古　手陽明絡穴。（大腸）

温溜　穴位　腕後五寸。（小臂一半）

主治　腸鳴腹痛、伤寒噦逆。

手法　針三分，灸三壯。筋骨之間（[illegible]筋骨之間）

考古　郄穴。

下廉　穴位　曲池下四寸。

主治　小便黃、便血狂言、乳癰、面無顏色。

手法　針五分、灸三壮。

上廉　穴位　曲池下三寸。

主治　偏風半身不遂、骨髓冷。

手法　針五分、灸三壮。

△手三里　穴位　曲池下二寸。

主治　霍乱遺矢、失音齒痛、頰頷腫瘰癧、手臂不仁、肘攣不伸、中風口噼、手足不遂。

手法　針三分、灸三壮。

附記　此穴専治面風癬。

△曲池　穴位　肘外輔骨屈肘横紋头、手拱近胸取之。

主治　遶踝風、手背紅腫、肘中痛、偏風半身不遂、臂膊疼痛、婦人經脉不通、伤寒餘热不尽、癫疾。

手法　針七分、灸七壮。

考古　手陽明合穴（八土）通心

—39—

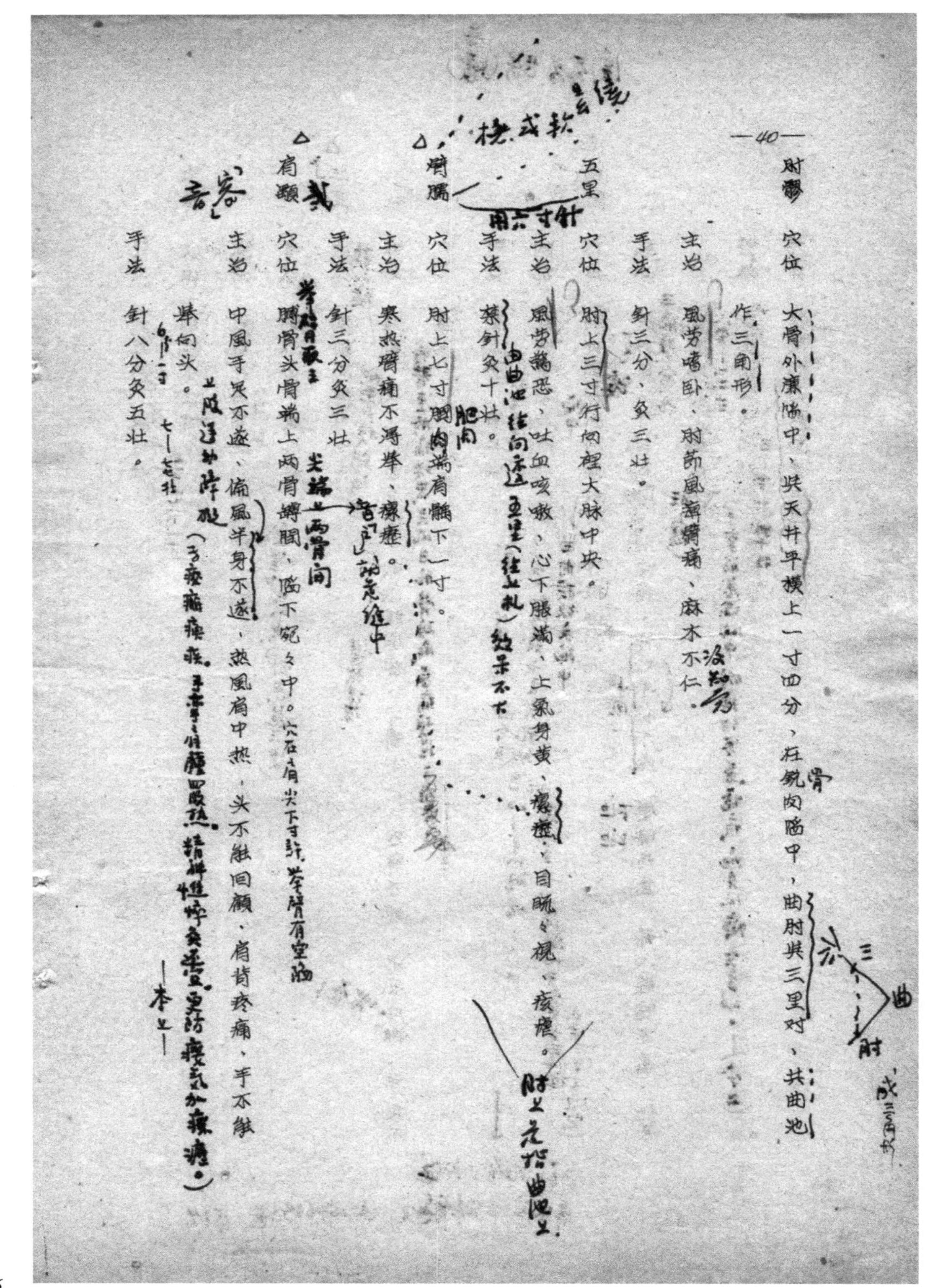

—40—

肘髎

穴位 大骨外廉陷中，與天井平横上一寸四分，在锐肉陷中，曲肘與三里对，與曲池作三角形。

主治 風劳嗜卧，肘節風痹臂痛，麻木不仁。

手法 針三分，灸三壮。

五里

穴位 肘上三寸行向裡大脉中央。

主治 風劳驚恐，吐血咳嗽，心下脹满，上氣身黄，瘰癧，目眦々視，痎瘧。

手法 禁針灸十壮。

臂臑

穴位 肘上七寸䐃肉端肩髃下一寸。

主治 寒热臂痛不得举，瘰癧。

手法 針三分灸三壮

肩髃

穴位 膊骨头肩端上两骨罅間，陷下宛々中。穴在肩尖下寸許，举臂有空陷

主治 中風手足不遂，偏風半身不遂，热風肩中热，头不能回顧，肩背疼痛，手不能举向头。

手法 針八分灸五壮。

附記 此穴係全臂之安危。

巨骨

穴位 肩尖端上行两叉骨罅間陷中

主治 臂痛、驚痛、破心吐血。

手法 針四分灸三壯。

附記 此穴居高臨下，有鎮降之力（专治吐血、担血下降不吐）

天鼎

穴位 頸缺盆上，直扶突後一寸、肩井上一寸。

主治 暴瘖氣哽、喉痺、嗌腫不得息。

手法 針四分，灸三壯。

扶突

穴位 平距結喉三寸、人迎後一寸五分，仰面取之。（本一氣舍下一寸半）

主治 咳嗽多唾、喘息、喉中如水鷄声、暴瘖氣哽。

手法 針三分灸三壯。

禾髎

穴位 鼻孔下俠水溝旁五分。

主治 鼻塞不聞香臭、鼻瘡瘜肉。

手法 針三分，禁灸。

—41—

这一经中如由左手算起，迎香在右边

由右：……左：

—42△（鼻歪用之）

迎香　穴位　禾髎上一寸鼻下孔旁五分

主治　嗅觉丧失，偏风口眼歪斜面痒。（鼻不通气道而痛，苦出行，多涕有衄，生瘜肉。）—本上—

手法　针三分禁灸，灸则鼻塞昏倒。

附记　专治鼻病，配上星、通天。

足阳明胃经之脉

足阳明胃经脉，起眼下，入齿环唇，循喉咙，下膈，属胃络脾，下侠脐，至膝下，入足中趾。

足阳明胃经穴歌

四十五胃足阳明，头维下关颊车停，承泣四白巨髎经，地仓大迎对人迎，水突气舍连缺盆，气户库房屋翳屯，膺窗乳中延乳根，不容承满起梁门，关门太乙滑肉门，天枢外陵大巨存，水道归来气冲次，髀关伏兔走阴市，梁丘犊鼻足三里，上巨虚连条口位，下廉一名下巨虚，丰隆跳上八寸主，解溪冲阳陷谷中，内庭厉兑经穴毕。

考穴

△头维　穴位　额角入发际，本神穴旁一寸五分，神庭旁开四寸五分，沿皮斜刺。（三寸穴）（宿门）动脉

主治　头痛如破，目痛目眴，目视不明，目风泪出。（头风疼痛……本上）

[illegible]

手法　針三分、禁灸。

下関　穴位　(客主人)下，耳前动脉下廉，合口有空处。

主治　中耳炎、偏風、口目歪斜、牙齦腫处，張口針出膿血。

手法　針四分、禁灸。

頰車　穴位　耳下八分，開口取之，在下頦骨勾之前，咬則有高骨動，張口成空，閉口咬牙凹陷处是穴。

主治　中風牙関不開，口噤不語失音，牙車疼痛，頷頰腫，牙痛頸強，不得回顧，口眼歪斜。

手法　針三分，灸三壯。

承泣　穴位　目下七分，瞳人直下陷中。

主治　目疾

手法　禁針禁灸。

四白　穴位　目下一寸，直瞳人，令病人正視取之。

主治　頭痛目眩、口眼歪斜、不能言語。

—43—

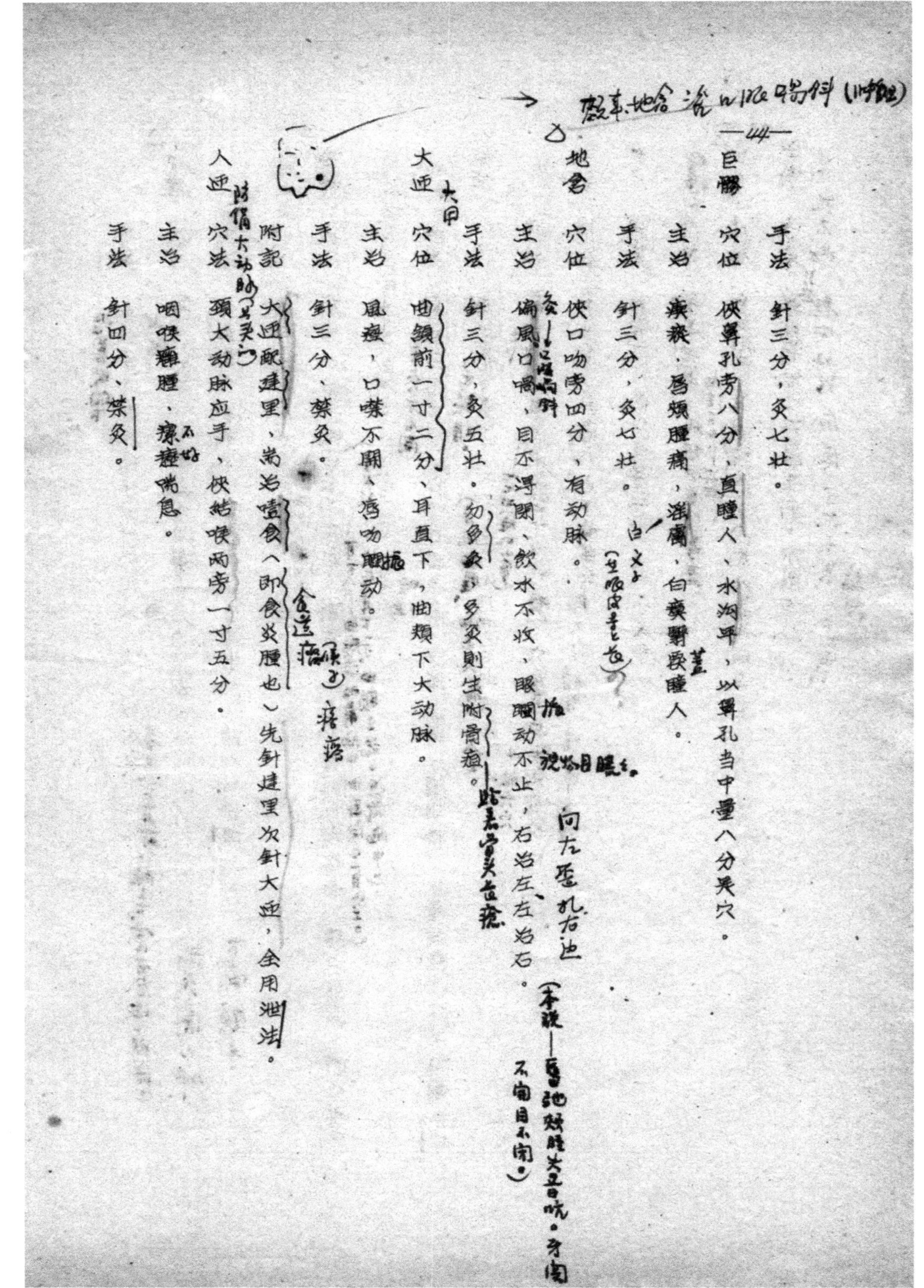

手法　針三分，灸七壯。

—44—

巨髎

穴位　俠鼻孔旁八分，直瞳人、水沟平，以鼻孔当中量八分是穴。

主治　瘈瘲、唇頰腫痛、喎僻、白翳覆瞳人。

手法　針三分，灸七壯。

地倉

穴位　俠口吻旁四分，有动脈。

主治　偏風口喎、目不得閉、飲水不收、眼瞤动不止，右治左，左治右。

手法　針三分，灸五壯。初多灸，多灸則生附骨疽。

大迎

穴位　曲頷前一寸二分，耳直下，曲頰下大动脈。

主治　風痙，口噤不開，唇吻瞤动。

手法　針三分、禁灸。

附記　大迎配建里，治噎食（即食炎腫也）先針建里次針大迎，全用泄法。

人迎

穴法　頸大动脈应手，俠結喉兩旁一寸五分。

主治　咽喉癰腫，瘰癧喘息。

手法　針四分、禁灸。

附記　人迎大動脉，為全身脉络之会，寸口脉未発明以前，医家只看人迎。

水突　穴位　頸大动脉前，人迎下，氣舍上。

　　　主治　咽喉雍腫，喘息。

　　　手法　針三分，灸三壮。（本——在人迎之直下近胸凹中當為天突穴。）

氣舍　穴位　俞府上，人迎下，天突旁二寸。

　　　主治　喉痹、哽噎、咽腫不消、瘿瘤。

　　　手法　針三分，灸三壮。

缺盆　穴位　肩下横骨陷中，天突旁骨夹月牙内之凹陷中央。（近肺尖不宜針）（本——在喉旁横骨上部之陷凹中）

　　　主治　息奔胸滿喘急、缺盆中腫外潰、（息奔即肺氣喘急）

　　　手法　針三分、灸三壮、孕婦禁針

氣户　穴位　巨骨下，俞府两旁二寸，與天突平。（本——鎖骨下一寸去中行璇璣旁四寸。）

　　　主治　欬逆上氣、咳不得息、喘急。

　　　手法　針三分、灸五壮。

屋翳　穴位　庫房下一寸六分。

—45—

主治　欬逆上氣，唾血，皮膚痛。

手法　針三分，灸五壯。

庫房　穴位　氣户下一寸六分，去胸中行各四寸

主治　胸脇滿、欬逆上氣、唾膿血濁沫。

手法　針三分、灸五壯。

膺窗　穴位　乳中上一寸六分。（本—屋翳下一寸六分—）。

主治　乳癰

手法　針四分，灸五壯。

乳中　禁針禁灸。（當乳正中）

乳根　穴位　乳下一寸六分，去中行各四寸。仰而取之

主治　胸下滿悶、胸痛、乳腫、欬逆。

手法　針三分灸五壯。5分-1寸（本—膺腫乳癰灸。小兒龜胸噎噎隔氣食不下。胸悶背痛）。

附記　乳根有動脈，取穴以動脈為準，宜淺勿深，女人以乳盤下取之，此穴專治老人久嗽，男先左，女先右。針之有效，如無效則反針之，男先右，女先左，再無

效則不治。

不容　穴位　乳下二寸六分，去中行各三寸，與巨闕平。

　　主治　腹滿痃癖，吐血，肩脅痛，口乾积聚，小兒有癖根通脊。

（本一不容在幽門旁一寸五分）

　　手法　針五分，灸五壯。

承滿　穴位　乳下三寸六分，去中行各三寸。

　　主治　腸鳴腹脹，上氣喘逆，食飲不下，肩息唾血。

　　手法　針三分，灸五壯。

梁門　穴位　乳下四寸六分，去中行各三寸。

　　主治　脅下積氣，不思食飲，大腸滑泄。

　　手法　針三分，灸五壯。

關門　穴位　乳下五寸六分，去中行各三寸。

　　主治　积氣腸鳴，挾臍急痛，振寒遺溺。

　　手法　針八分，灸五壯。

太乙　穴位　乳下六寸六分，去中行各三寸。

—47—

主治　癫疾狂走，心烦吐舌。

手法　针八分，灸五壮。

滑肉门

穴位　乳下七寸六分，去中行各三寸。

主治　癫疾呕逆，吐舌之弦。

手法　针八分，灸五壮，禁针。

△天枢

穴位　脐旁二寸。

主治　奔豚泄泻，水肿腹胀肠鸣，上气冲胸，呕吐霍乱，冬月感寒泄利。

考古　为大肠募穴。

手法　针五分，灸百壮，禁针。

外陵

穴位　脐下一寸两旁各二寸。

主治　小腹胀满，烦渴，小便难，癥瘕偏枯，四肢不收，惊悸不眠。

手法　针三分，灸五壮。

大巨

穴位　脐下二寸，旁开各二寸。

主治　腹痛，心下如悬，下引腹痛。

手法 針五分，灸五壯。

△水道

穴位 臍下五寸，旁開各二寸

主治 腰背强急、膀胱有寒、三焦結熱，妇人小腹脹滿、痛引陰中胞中、大小便不通。

手法 針三分，灸五壯。

△歸來

穴位 水道下二寸、臍下七寸，旁開各二寸。

主治 小腹奔豚，卵上入腹、引莖中痛，七疝，妇人血臓积冷。

手法 針八分，灸五壯。

氣衝

穴位 臍下八寸，兩旁各二寸。

主治 癩疝，妇人無子。

手法 禁針，灸三壯。

附記 曲骨头有動脉，衝脉由此而起。

△髀關

穴位 伏兔後交紋中，至膝關一尺二寸。

主治 腰痛足麻，膝寒不仁，小腹引喉痛。

手法 針六分，禁灸。

—49—

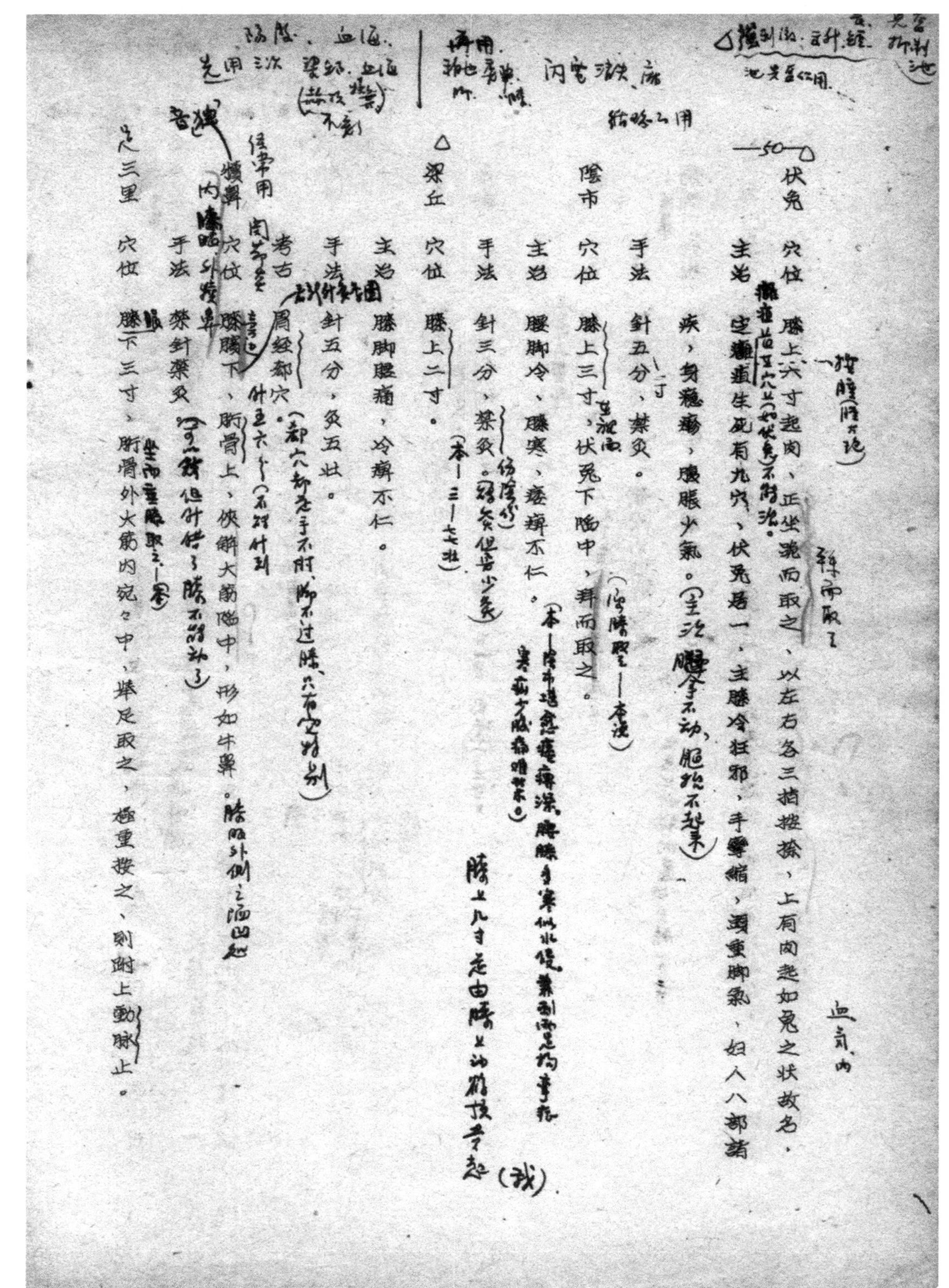

伏兔　穴位　膝上六寸起肉、正坐跪而取之、以左右各三指按捺、上有肉起如兔之状故名。

主治　主膝冷狂邪、手挛缩、头重脚气、妇人八部诸疾，身瘾疹，腹胀少气。

手法　针五分、禁灸。

阴市　穴位　膝上三寸，伏兔下陷中，拜而取之。

主治　腰脚冷、膝寒、痿痹不仁。

手法　针三分、禁灸。

梁丘　穴位　膝上二寸。

主治　膝脚腰痛，冷痹不仁。

手法　针五分，灸五壮。

考古　周经郄穴。

犊鼻　穴位　膝膑下、胻骨上，侠解大筋陷中，形如牛鼻。

手法　禁针禁灸。

足三里　穴位　膝下三寸、胻骨外大筋内宛宛中、举足取之、极重按之、则跗上动脉止。

主治　胃中寒，心腹胀满、逆气上攻、腰痛膝胻酸痛，五劳羸瘦，七伤虚乏，胸中瘀血，乳痈腹中寒。伤寒热不已，热病汗不出。腹痛。

手法　针八分，灸七壮。

考古　合土，又合谷三里为上下升降之门户。

附记　犊鼻在膝盖正中，老人两股无力，可灸，禁针，外台秘要云，人年三十以上，若不灸三里，则气上冲目。

乙上廉　穴位　膝盖下六寸，胻骨外，

主治　偏风脚气、腰腿手足不仁。

手法　针八分，灸七壮。

条口　穴位　膝盖下八寸，下廉上一寸，举足取之。

主治　胫寒湿痹，脚痛胻肿，转筋足缓不收。

手法　针八分，禁灸。

下廉　穴位　膝盖下九寸，胻骨外，上廉下三寸，两筋骨陷中，蹲地举足取之。

主治　小肠气不足，面无颜色，毛发焦，内脱，伤寒胃中热，不嗜饮食，女子乳痈、

—51—

足跗不收跟痛。

手法　針八分，灸三壯。

豐隆

穴位　外踝骨上八寸。

主治　厥逆、大小便难、倦怠、头痛風湿、登高而歌、棄衣而走。

手法　針三分，灸七壯。

考古　胃之絡穴，别走脾經，痰治狂病，咽喉舌症有效，实則癲狂泄之，虛則足不收脛枯補之。

解谿

穴位　足腕上陷中。

主治　目眩头痛、癲疾头風、面及目赤。

手法　針五分，禁灸。

考古　經穴，在衝陽後一寸五分，以其為火穴，故禁灸。

附記　此穴配神門、湧泉，治失眠。

衝陽

穴位　足二趾本節歧骨后二寸，在解谿下寸半大動脈。

主治　偏風、口目歪斜、久狂。

手法　禁針、灸三壯。

考古　胃經原穴。

陷谷

穴位　足二趾本節外間陷中，內庭後二寸，由二指义縫中量起。

主治　面目浮腫。

手法　針五分、灸三壯。

考古　俞木。

△內庭

穴位　足二趾本節前外陷中、在足底二指振下、本節後之中央、有取足大指二指义縫上者、亦效。

主治　四肢厥逆、腹腸滿、惡聞人声、振寒、咽中引痛、口喎上齒齲、不嗜食、傷寒汗不出、手足逆冷，赤白痢。

手法　針三分、灸五壯。

考古　荥水。

—53—

厲兌

穴位　足二趾外端、去爪甲如韭葉。

鬼哭穴为双隐白、双少商

主治 口噤、厥氣絶、狀如中惡、心腹脹滿、水腫、熱病汗不出、消渴善飢（中消善飢無尿藥。）

手法 針一分、灸一壯。

考古 井金。

附記 常治噩夢、因经由脾絡而後分三絡、一絡直上中指為正絡、一絡分上大指、一絡由足下反上二指為厲兌。

二、足太陰脾之脉

足太陰脾之脉、起大指之端、上膝股入腹、屬脾絡胃、上挾咽、連舌本、終舌下。

足太陰脾经穴歌

二十一穴脾中州、隐白在足大指头、大都太白公孫盛、商丘三陰交可求、漏谷地机陰陵泉、血海箕門衝門開、府舍腹結大横排、腹哀食豆天谿宅、胸鄉周荣大包絡、総統陰陽脾灌溉。

考穴

隐白 穴位 足大趾内側、去爪甲角如韮葉。

主治 腹脹喘满、嘔吐食不下、暴泄帶下、妇人月事过時不止、小兒慢驚風。

手法　針三分，禁灸。

附記　鬼穴能治夢，脾脉所出為井木。此经在足者，皆循白肉際為直線，其穴皆在紅白肉之界，隐白至商丘皆同。

大都　穴位　足大趾本節后内側陷中，骨縫赤白肉際。

主治　热病汗不出，伤寒手足逆冷，冷透踝風，胃心痛胸滿，心蛔痛。

手法　針三分，灸三壮。

考古　荣火。

太白　穴位　在足大趾后骨拐陷中，紅白肉際。

主治　身热烦满，腹胀食不化，呕吐泄瀉。

手法　針三分，灸三壮。

考古　俞土

公孫　穴位　足大趾本節骨拐后一寸，白肉際，在两脚掌对合有空缝處。

主治　寒瘧不嗜食，頭面浮腫，煩心狂言，厥氣上逆，霍乱腹痛。

手法　針四分，灸三壮。

—55—

考古　络穴属衝脉。

附記　陰傷寒色、傷寒不思食者，針之立思飲食。

商丘　穴位　足内踝下微前陥中，前有中封，後有照海。

主治　腹脹腸鳴，脾虚不便、小兒慢驚風。

手法　針三分，灸三壮。

考古　經金穴。

△三陰交穴位　内踝上三寸，由踝骨根起量，若从内踝尖上起算，則為三寸五分，足三陰交会三陽絡、皆陰陽交会之處。

主治　脾胃虚弱，心腹脹満，不思飲食，脾痛身重，四肢不挙，小便不利、陰茎痛、夢遺失精、霍乱，手足逆冷、妇人臨経行房、羸瘦癥瘕、漏血不止，妊娠月水不止。治婦女血崩病，男人小腸疝氣有效。

手法　針三分，灸三壮。

漏谷　穴位　足内踝上六寸衔骨下陥中。

主治　腸鳴逆氣，痃癖冷氣，膝痹足不能行。

手法　針三分，禁灸。

地机

穴位　膝下五寸，内側陷中。

主治　溏泄腹脹、水腫癥瘕。

手法　針三分，灸三壯。

考古　郄穴。

陰陵泉

穴位　膝下内側，横纹头下陷中，輔骨下，伸足取之，或屈膝取之，與陽陵泉相对稍高一寸。

主治　腹中寒，不嗜食，水腫腹堅，尿失禁不自知，小便不利，喘逆胸满不得卧。

手法　針五分，灸五壯。

考古　合水。

血海

穴位　膝臏上内廉二寸。

主治　逆氣腹脹，婦女漏下惡血，月事不調，暴崩不止。

手法　針八分，灸三壯。

附記　治皮膚病，又治瘡疹。

—58—

箕門 穴位 血海直上六寸，陰骨内動脉应手異穴。

主治 淋、小便不通、遺溺（不能控制的）、鼠鼷腫痛。肯定。（大腿根为淋巴结（男、女都有）肿痛不是三陰之病）

手法 禁針，灸三壯。

衝門 穴位 府舍下一寸，横骨两端約紋中，去腹中行各四寸半。

主治 腹寒积聚、陰疝，妇人难乳，妊娠子冲心。

手法 針七分、灸五壯。

府舍 穴位 衝門穴直上七分。（本——腹结下二寸。）

主治 疝瘕积聚、厥氣霍乱。

手法 針七分、灸五壯。

腹結 穴位 平臍中两旁各四寸半。（本——大横下寸三分）与新针灸书不同

主治 欬逆、绕臍痛、腹寒瀉利。

手法 針七分、灸五壯。

△大横 穴位 臍上一寸三分，去中行各四寸半。（本上——大横在腹结上三寸，与臍平。）

主治 大風（受大风）逆氣（氣上逆），多寒善悲，多汗洞痢。（灾痢洗二病腹结状智了）

手法　针七分、灸五壮。

腹哀　穴位　脐上四寸八分、去中行各四寸半。（本一日月下一寸半）

主治　寒中食不化、大便脓血腹中痛。

手法　针三分、禁灸。

食窦　穴位　天谿下一寸六分、去中行各六寸、与中庭平。

乳头到中行四寸

主治　胸胁支满、膈间雷鸣。

手法　针四分、灸三壮。

天谿　穴位　胸乡下一寸六分、去胸中行各六寸。

主治　胸中满痛、妇人乳胀。

手法　针四分、灸五壮。

胸乡　穴位　周荣下一寸六分、去胸中行各六寸。

主治　胸胁支满引胸背痛不得卧转。

手法　针四分、灸五壮。

周荣　穴位　中府下一寸六分去胸中行各六寸。

—59—

主治　胸脅滿不得俯仰，食不下，喜飲。

手法　針四分、禁灸。

大包

穴位　淵液下三寸，在九肋間。（不能針灸（可降逆））

主治　胸脘中痛，喘息氣逆。

手法　針三分，灸三壯。

考古　為總統陰陽之大絡。

附記　大包直液下六寸，淵液直腋下三寸（∴大包在淵液下三寸），淵液為胆絡（一寸穴名），脾經與胆通，故大包取在淵液。（∴大包不能針，大包證針之症由淵液代替）

手少陰心經之脈

手少陰心之脈，起於心中，出心系下膈絡小腸，復上肺出腋下，至肘抵掌中，入小指之內，其支者上挾咽出於舌。

手少陰心經穴歌

九心午時手少陰，極泉清灵少海深，灵道通里陰郄遂，神門少府少冲尋。

考穴

極泉　穴位　垂手在腋夾縫之下、臂內腋下筋間動脈入胸。

主治　臂肘厥冷、四肢不收、悲愁不樂。

手法　針三分、灸三壯。

青灵　穴位　肘上三寸、伸肘舉臂取之。

主治　目黄頭痛、振寒脅痛、肩臂不舉。

手法　灸七壯、禁針。

△少海　穴位　肘內廉后大骨外、去肘端五分，肘端大骨、內臨為少海、外臨為小海。

大骨内为少海　外为小海

主治　肘攣、腋肋下痛、四肢不得舉、頭痛瘰癧、手顫健忘。

手法　針三分、禁灸。

考古　合水。

灵道　穴位　掌后一寸五分。

主治　心痛乾嘔、悲恐相引、瘈瘲肘攣、暴瘖不能言。

手法　針三分、灸三壯。

考古　經金。

—61—

通里

穴位　掌后一寸外侧，通舌本，舌为心之苗，故治舌病。

主治　目眩头痛、暴瘖不言、目痛，妇人经血过多、血崩、心悸、臂肘時痛、遺溺。

手法　針三分，灸七壮。

考古　手少陰絡穴。

附記　治不語，灸心俞，灸内踝尖、補通里、再針啞門五分，即可說話。

陰郄

穴位　掌后脉中，去腕五分。

主治　鼻衄吐血、洞泄畏寒、厥逆氣驚、心痛骨蒸。

手法　針三分、灸七壮。

考古　手少陰郄穴。

附記　配後谿、間使，治止盗汗。

△神門

穴位　掌后鋭骨端陥中。

主治　心煩咽乾、心痛面赤、喜笑、掌中熱、目黄脇痛、喘逆身熱、狂悲狂笑、嘔血吐血、遺溺失音、悪寒、大小人五癇、心性癡呆。

手法　針三分、灸七壮。

考古　俞土原穴，刺半分，至多不过一分。

附記　此穴配解谿、湧泉、催眠三針。

少府

穴位　手小指本節后骨縫陷中，屈指及掌，小指四指頭夾縫處。

主治　煩滿少氣、悲恐畏人、掌中熱、陰挺出、陰痒痛、遺尿偏墜、小便不利、太息。

手法　針二分、灸七壮。

考古　荥火穴。

少冲

穴位　手小指內側，去爪甲角如韭葉。

主治　熱病煩滿、上氣嗌乾、目黄胸痛，張潔古治前陰臊臭，泄行間與此穴，以治其標。

手法　針一分、灸三壮。

考古　井木。

附記　此穴交通陰陽，治心氣。

手太陽小腸經之脉

手太陽小腸之脉，起小指之端，循手外側上腕，繞肩入，絡心下膈，抵胃入小腸也。

手太陽小腸經穴歌

手太陽小腸十九，少澤前谷後谿藪，腕骨陽谷養老繩，支正小海外輔肘，肩貞臑俞接天宗，髎外秉風曲垣首，肩外俞連肩中俞，天窗乃與天容偶，銳骨之端上顴髎，聽宮耳前珠上走。

考穴

少澤

穴位　手小指端外側，去爪甲角一分。

主治　喉痹舌強，口乾心煩臂痛，目生膚翳瘈瞳子，頸痛頸項急不得回顧。

手法　針一分，灸一壯。

考古　井金。

前谷

穴位　手小指外側，本節前陷中，第二紋头。

主治　風熱汗不出，痎瘧癲疾耳鳴，妇人產後無乳。

手法　針一分，灸一壯。

考古　榮水

後谿

穴位　手小指外側，本節后陷中，握拳取之，紋头銳肉尖是穴。

主治　目赤生翳，鼻衄血，耳聾癲疾，臂肘攣急，痂疥。

八法十針之

手法　針一分、灸一壯。

考古　俞木。

附記　此穴為八法之督脈、又為鬼穴之一。

腕骨

穴位　手外側腕前起骨下陷中。（穴在腕突起骨豆骨側。握掌向內取之。）

主治　熱病汗不出、脇下痛不得息、頸痛煩悶、驚風瘈瘲

手法　針二分、灸一壯。

考古　手太陽原穴

陽谷

穴位　手外側腕中銳骨下陷中（本—穴在手腕之兩頭骨間。）

主治　癲疾狂走、耳聾耳鳴、齒齲痛臂外側痛不舉。（本—頭面之疾、小兒瘈瘲尤速。）

手法　針二分、灸三壯。

考古　手太陽火穴。（本—手腕骨后一寸。）

養老

穴位　手外踝骨前上、一云陽谷后五分。穴在手外踝上，轉掌向肩、有骨縫是穴。

主治　肩臂腰痛，肩欲折，臂如拔，手不能自上下、目視不明。

手法　針五分、灸三壯。

考古　郄穴

支正　穴位　手外侧腕后五寸。

　　　主治　惊恐悲愁、癫狂、五痫。（本—七情六郁、肘臂十指尽皆挛。兼治消渴饮不止。）

　　　手法　针三分，灸三壮。

　　　考古　络穴

　　　附记　经络由支正外斜，历三阳络而趋小海，與少海相对，中隔肘端大骨。

△小海　穴位　肘外大骨外，去肘端五分，屈手向头取之。（穴在尺骨鹰嘴突起之上端去肘五分陷中。屈手屈肘向头取之。—本上）

　　　主治　风眩颈项痛、小腹痛、耳聋、目黄、颊肿。

　　　手法　针二分，灸三壮。（本—寒热齿肿、肘臂肩臑、痃癖、五痫）

　　　考古　合土。

肩贞　穴位　曲胛下两骨解间肩髃后，腋下缝间，纹头针夹捎上。

　　　主治　伤寒寒热、耳聋耳鸣、手足麻木不举。

　　　手法　针八分，禁灸。

臑俞　穴位　侠肩髎後大骨下胛上廉陷中，即肩贞直上一寸，往臂再開八分。

风胜行痹 寒胜痛痹
湿胜着痹 重难支 } 风寒湿痹

△周痹 其痛无歇止、左右不移 风寒湿混合而……

—67—

主治　臂痠無力、肩痛引胛、寒熱。（引肩胛痛）

手法　針八分、灸三壯。

△天宗　穴位　肩貞直上一寸七分、往裏平開一寸五分。（本—秉風ㄙ大骨下）

主治　肩臂痠痛、肘後外廉痛、頰頷腫。

手法　針五分、灸三壯。

△秉風　穴位　天髎外、肩井後、肩上小髃骨後，舉臂有空。

主治　肩痛不能舉。

手法　針五分、灸五壯。

曲垣　穴位　肩貞後下三寸、天宗上一寸五分、距肩井三寸、在二穴之中、微向外些、按之應手痛、又在臑腧穴外。（本—肩中央曲胛陷中）

主治　肩胛熱痛拘急。

手法　針九分、灸三壯。

△肩外俞　穴位　肩胛上廉去脊三寸陷中、與大杼平、稍上。

主治　肩胛痛、周痹、寒至肘。

△着痹（湿痹）
△寒痹（痛痹）
○风痹（行痹）

看 P37.

可治喉痹，天窗、天容之间穴

△ —68—

手法　針六分，灸三壯。

肩中俞穴位　肩胛內廉去脊二寸。

主治　咳嗽上氣、唾血寒熱、目視不明。

手法　針六分，灸三壯。

天窗　穴位　頸大筋前曲頰下、扶突後大筋前，動脈應手陷中。

主治　痔瘻頸痛、肩痛引項，不得回顧、耳聾頰腫、喉中痛、暴瘖不言、齒噤中風。

手法　針三分，灸三壯。

天容　穴位　耳下曲頰後、斜下二寸。

主治　咽腫如梗、癭頸項癰，不能回顧，不能言、嘔逆吐沫、齒噤、耳聾鳴。

手法　針一寸，灸三壯。

附記　天窗天容之間有穴治喉特效（穴名沖窗容之間）可針一寸

顴髎　穴位（本——面鳩骨下廉銳骨端陷中。）在顴骨尖下，稍內有凹，此穴但泄不補，又陽池解谿各家均不補，補則手足冷

、甚則不舉，以其皆大穴也。

主治　口喎面赤亦治眼瞤、齒痛，用泄。

○听宫

手法 针半分，禁灸，勿整意下针。

穴位 耳中珠子，大如赤小豆，在耳下夹聚靠下处，有小四两穴，齐刺方效，针左则向右眉之内角刺，针右则向左眉之内角刺，宜多饿针，针后须过两日再刺。（本穴在耳前珠子傍。耳中珠子大如赤小豆。）

主治 甲乙同，失瘖癫疾，聤耳耳聋，如物填塞无闻，耳中嘈嘈嘈嘈蝉鸣。（本上：胃虚耳鸣聋、癫疾失音、心下悲懊满，可灸。）

手法 针一分。（针一次必须再过一两天再针才行）

足太阳膀胱经之脉

其脉起于目内眦，上头交巅，下脑后侠脊抵腰，入络肾下属膀胱，循髀外下至踝，终足小趾。

足太阳膀胱经穴歌

六十七穴足太阳，睛明目内红肉藏，攒竹眉冲与曲差，五处上寸半承光，从此上巅过脑后，

通天络却玉枕昂，天柱后际大筋外，大杼背部第二行，风门肺俞厥阴四，心俞督俞膈俞强，

肝胆脾胃挨次，三焦肾气海大肠，关元小肠到膀胱，中膂白环仔细量，自从大杼至白环，

各各节外寸半长，上髎次髎中复下，一空二空腰髁当，会阳阴尾骨外取，附分侠脊第三行，

以下各穴内连膜，魄户膏肓与神堂，譩譆膈关魂门九，阳纲意舍仍胃仓，肓门志室胞肓续，

二十椎下秩边场，承扶臀横纹中央，殷门浮郄到委阳，委中合阳承筋是，承山飞扬踝附阳，

—69—

—70—

崑崙僕參連申脈、金門京骨束骨忙、通骨至陰小趾旁。

考穴

△睛明 穴位 目内眥内頭外一分。

主治 目視不明、淚出、目眩頭痛、内眥赤痛、睆睆不見、眥痒、淫膚白翳、大眥掀睛努肉、侵睛、雀目。童子生障。

手法 針一分，禁灸。

附記 内眥紅白肉際有小穴、針外皮亦可，此穴四通八達共各經相通。

攢竹 穴位 兩眉頭陷中。

主治 目睆睆視物不明、淚出、瞳痒，眼中赤痛，瞼瞤動、癲邪神狂鬼魅。

手法 針二分、禁灸。

眉冲 穴位 眉頭直上神庭曲差之間、在髮際边有動脉、至曲差方入髮際上。

主治 五痫、頭痛鼻塞。

手法 針三分禁灸。

曲差 穴位 神庭旁一寸五分。

主治　目不明，齆鼽鼻塞、頭項痛、項腫。

手法　針二分，灸三壯。

五處

穴位　侠上星旁一寸五分。

主治　脊強反折、瘈瘲癲疾、頭風目眩，

手法　針三分，灸三壯。

承光

穴位　五處後一寸五分。

主治　風眩頭痛、嘔吐心煩、鼻塞不聞香臭、口喎、鼻多清涕、目生白翳。

手法　針三分，禁灸。

通天

穴位　目直上入髮際四寸。

主治　頸項轉側难、癭氣、鼻衄鼻瘡。

手法　針三分，灸三壯。

絡却

穴位　通天後一寸五分。

主治　頭眩耳鳴、狂走瘈瘲，恍惚不樂、腹脹、青盲、内障、目無所見。

手法　禁針，灸三壯。

—71—

—72—

玉枕　穴位　侠脑户旁一寸三分，入发际二寸。（本—络却后一寸五分）

主治　目痛如脱，不能远视，内连系急，头风痛不可忍，鼻窒不闻。（如脑诸患掉了）

（喧仁白皆（移此去了）一针就好，外二、三…）

手法　禁针，灸三壮，针则目瞀。

附记　由五处起至玉枕，同离神庭一寸五分直上，均与曲差作直线，在眉中外开五分。

△天柱　穴位　侠项后发际大动脉筋外廉陷中。（大筋外、下。）

主治　目瞑视，头旋脑痛，头风，鼻不知香臭，脑重如脱，项强不能回顾。

手法　针五分，禁灸。

附记　穴与哑门平，入发际五分，哑门在筋内，天柱在筋外，天柱内络与鼻相连，故主治鼻症，针时左手扳筋，向筋底横斜内刺方有效，盖穴在筋下也。

△大杼　穴位　第一椎下两旁，去脊二寸。（去脊中各二寸，去脊正中一寸半）（大椎下第一椎上）

主治　膝痛不能屈伸，腰脊痛，头风振寒，项强，痎疟，头旋。（本—疟疾，喉痹咳嗽身热……）

手法　针五分，灸五壮。

考古　骨会穴（……骨会大杼……），骨会，骨病治此。

风门　穴位　二椎下两旁，去脊中各二寸。（去脊中一寸半）

主治　發背癰疽、身熱上氣、喘氣欬逆、嘔吐多嚏、鼻衄流清涕、傷寒頭痛。

手法　針五分，灸三壯。

附記　針灸大成謂各穴去脊各一寸五分。

肺俞

穴位　三椎兩旁，去脊中各二寸。

主治　癭氣黃疸、勞瘵、口乾、腰脊痛、寒熱喘滿、小兒龜背、肺中風。

手法　針三分，灸三壯。

附記　素問刺中肺三日死，其動為欬。

厥陰俞

穴位　四椎下兩旁去脊各二寸。

主治　欬逆牙痛、心痛、胸滿嘔吐、留結煩悶。

手法　針三分，灸七壯。

心俞

穴位　五椎下兩旁去脊中各二寸。

主治　偏風半身不遂，心氣亂恍惚、小兒心氣不足，數歲不語。

手法　針三分，禁灸。

督俞

穴位　六椎下兩旁去脊各二寸。

—93—

主治　寒熱心痛、腰痛、雷鳴、氣逆。

手法　禁針，灸七壯。

膈俞

穴位　七椎下兩旁、去脊各二寸。

主治　心痛、周痹、吐食翻胃、食后心痛、身痛腹脹、脇滿、自汗盗汗。

手法　針三分、灸三壯。

考古　血会，治血病，素問刺中膈一歲死，任俞在八椎下，治心腹痛。

肝俞

穴位　九椎下兩旁、去脊各二寸。

主治　多怒黃疸，熱病后目暗淚出，口乾目眩，及生白翳。

手法　針二分，灸二壯。

附記　素問刺中肝五日死，其動為欠。

膽俞

穴位　十椎下兩旁、去脊中各二寸。

主治　頭痛振寒，腋腫，目黃，口苦。

手法　針五分，灸三壯。

附記　素問刺中膽一日半死，其動為嘔。

△脾俞

穴位　十一椎下兩旁、去脊各二寸。（中　去脊一寸半）

主治　腹脹背痛、食多身瘦（過食）、痃癖積聚、水腫氣脹泄利。（本—吐食瘧痢積未痊，尤患黃疸嗜風疾，喘急吐血與同科。）左右

手法　針三分、灸三壯。

附記　素問刺中脾十日死、其動為呑。（老作嘔逆）

△胃俞

穴位　十二椎下兩旁、去脊各二寸。（中　去脊一寸半）

主治　霍乱胃寒、腹脹而鳴（如雷）、嘔吐不嗜食（有物無聲）、多食羸瘦（不生肌膚）（不長肉）。（本—黃疸病，食畢頭目即昏暈，瘧疾善饑不能食。）

手法　針三分、灸三壯。

三焦俞穴位　十三椎下兩旁各二寸。（去中行各二寸。即去脊一寸五分）

主治　傷寒頭痛、水穀不化、泄注（水）下痢、腹脹腸鳴。（下消積氣）（本—多積聚，脹滿膈寒不通利，積塊堅硬痛不寧，更治赤白休息痢。）

手法　針五分、灸三壯。

△腎俞

穴位　十四椎下去脊各二寸（中　去脊一寸半）、前與臍平。

主治　虛勞羸瘦（腎虛）、耳聾腎虛（精滑）、水腫虛冷（腎為水臟）、膝痛消渴（消渴病：上消、腎消、下消）、五勞七傷（五臟之傷）（七情之傷）。（下元虛數，令人有子，女疸、婦帶不能遺。）

手法　針三分、灸五壯。

附記　素問刺中腎六日死、其動為嚏。

—76—

氣海俞 穴位 十五椎下、两旁去脊各二寸。

主治 腰痛、痔漏。

手法 針三分、灸五壯。

大腸俞 穴位 十六椎下、两旁去脊各二寸，伏而取之。

主治 腰痛腹脹、繞臍切痛、身瘦、腸鳴絞痛、大小便不利。

手法 針三分、灸三壯。

關元俞 穴位 十七椎下、两旁去脊各二寸，伏而取之。

主治 泄痢虚脹、小便难，妇人瘕聚。

手法 禁針，灸三壯。

小腸俞 穴位 十八椎下、伏取之、两旁去脊各二寸。

主治 膀胱三焦津液少、腸寒热、腹脹、小便赤不利、遺尿。

手法 針三分、灸三壯。

膀胱俞 穴位 十九椎下、两旁去脊各二寸。

主治 小便赤黄、遺溺。

手法　针三分，灸三壮。

中膂俞

穴位　二十椎下两旁，去脊各一寸五分。

主治　肾虚消渴，腰脊强不得俯仰，肠冷赤白痢疝痛，汗不出，腹胀胁痛。

手法　针三分，灸三壮。

白环俞

穴位　二十一椎下两旁去脊各一寸。（本—去脊一寸半。）

主治　手足不仁，腰脊痛疝小便不利，脚膝无力，温疟腰脊冷痛。

手法　针三分，禁灸。

八髎穴

上髎

穴位　一空腰踝下一寸，侠脊陷中。（本—第十八椎下，直小肠俞去中行一寸。）

主治　大小便不利。呕逆，膝冷痛，鼻衄，寒热疟，阴挺出，妇人白瘕，绝嗣腰痛。

手法　针三分，灸七壮。

中髎

穴位　三空，肾俞下三寸，各开三寸，侠脊陷中。

主治　大小便不利，腹胀下利，飧泄，妇人绝子带下，月事不调。

手法　针二分，灸三壮。

下髎

穴位　四空侠脊陷中。（本—二十二椎下侠脊陷中。）

主治　寒濕内傷、大便下血、腰不得轉、痛引卵、女子下蕩汁不禁、中痛引小腹急痛。

會陽

手法　針二分，灸三壯。

穴位　在尻骨長強穴兩旁，左右平開，肥人開一寸至二寸，瘦人開一寸至五分，以骨邊為穴，相其骨之大小而定。

主治　小腹冷氣泄瀉、腸癖下血、陽氣虛乏陰濕久痔。

手法　針八分，灸五壯。灸此穴能止小便。

附分

穴位　二椎下兩旁去脊各三寸五分。

主治　肘不仁，肩背拘急，風冷客於腠理，頸痛不得回顧。

手法　針八分，灸五壯。

次髎

穴位　二空俠脊陷中。

主治　腰痛不能轉，腰下至足不仁，赤白帶下。

手法　針三分，灸七壯。

魄户

穴位　三推下，旁開三寸五分。

主治　肺痨、肺萎、喘息咳逆。

手法　针五分，灸七壮。

乙　膏肓俞　穴位　四椎下、旁开三寸五分。

主治　劳瘵遗精、咳逆、发狂健忘、痰病。

手法　灸百壮，禁针。

附记　此穴四椎下旁开，两肩下大骨夹下，屈膝坐取，拱手搭肩，点穴时微觉酸疼，针靠骨夹之缝而下，针锋向外斜刺，刺左左向，刺右右向。

神堂　穴位　五推下两旁、去脊各三寸五分。

主治　腰背强痛不可俯仰、洒淅寒热、胸满气逆、上攻时噎。

手法　针五分，灸五壮。

譩譆　穴位　六推下两旁、去脊各三寸五分，在肩井后、与缺盆对，病人有陷凹可寻，点穴时有酸疼之感觉。

主治　大风汗不出、劳损不得卧、温疟、寒疟、腋肿气眩胸中痛喘逆、臂膊内廉痛、小儿食时头痛五心热。

手法　针六分，灸五壮。

—79—

膈關 穴位 七椎下兩旁，去脊各三寸五分。

主治 背痛惡寒、脊強俯仰難，食飲不下、嘔噦多涎唾，胸中噎悶、大便不節，小便黄。

手法 針五分、灸三壯。

魂門 穴位 九椎下兩旁，去脊各三寸五分。

主治 尸厥、走疰，胸背連心痛、食飲下腹中雷鳴、大便不節、小便赤黄。

手法 針五分、灸三壯。

陽綱 穴位 十椎下兩旁，去脊各三寸五分。

主治 腸鳴腹痛、飲食不下、小便赤澀、腹脹身熱。

手法 針三分、灸三壯。

意舍 穴位 十一椎下兩旁，各去脊三寸五分。

主治 腹滿虛脹、大便滑泄、小便赤黄、背痛惡風寒飲食不下、嘔吐消渴、身熱目黄

手法 針五分、灸五壯。

胃倉 穴位 十二椎下、旁開三寸五分。

主治　腹满虚胀、水肿，饮食不下。

手法　针五分，灸三壮。

肓门　穴位　十三椎下两旁，去脊各三寸五分。（去脊三寸）

主治　心下痛、大便坚、妇人乳疾。

手法　针五分，灸三壮。

△志室　穴位　十四椎下，旁开三寸五分。

主治　阴肿痛背痛、梦遗失精、淋沥吐逆。

手法　针二分，灸七壮，有云禁针。

胞肓　穴位　十九椎下两旁，去脊各三寸五分。（去脊三寸）

主治　腰脊急痛，食不消，腹坚急，肠鸣淋沥。

手法　针五分，灸五壮。

秩边　穴位　二十椎下两旁，去脊各三寸五分。（去脊三寸）

主治　五痔发肿、小便赤、腰痛。

手法　针五分，灸三壮。

乙

—81—

△ 膝腿 前腿、少可針忌灸 俯卧

—82—

△ 承扶 穴位 在臀下後腿陰股上紋中。

主治 腰脊相引如解，久痔、尻臀腫、大便難、陰胞有寒，小便不利。

手法 針七分、禁灸。

殷門 穴位 承扶下六寸、浮郄上三寸。

主治 腰脊不可俯仰舉重，惡血泄注，外股腫。

手法 針七分、禁灸。

浮郄 穴位 委陽上一寸，展膝得之。（本一委陽之三寸）

主治 霍乱轉筋小腸熱大腸結腰。

手法 針五分、灸三壯。

委陽 穴位 承扶下六寸，由委中斜上三寸，在外廉兩筋間，太陽前，少陽後，中間是委陽。

主治 膀胱氣痛，腋下痛，胸滿膨々，筋急身熱，飛尸遁疰，痿厥不仁，小便淋瀝。

△ 委中 穴位 膕中央約紋中。

主治 膝痛遍溺，腰重不舉，小腹堅滿，伤寒四肢熱、汗不出。

手法 針八分、禁灸。

考古 合土。

合陽 穴位．委中下三寸。

主治 腰脊強、引腹痛、陰股熱、肘痠腫、步履难，寒疝陰偏痛、女子崩中带下。

手法 針六分、灸三壯。

承筋 穴位 腨腸中央，脚跟上七寸。

主治 腰背拘急、大便秘、腨腫、痔瘡、脛痺不仁、腨痠脚急。跟痛腰痛、鼻衄、轉筋。

手法 禁針、灸三壯。

△承山 穴位 兌腨腸下分肉間，腿肚尖下。

主治 大便不通、轉筋痔腫、脚氣筋急，伤寒水结。

手法 針八分、灸五壯。

飛陽 穴位 外踝骨上七寸。

主治 脚腨酸腫、癲疾、足趾不得屈伸、步履艰难。

手法 針三分、灸三壯。

—83—

跗陽

考古　足太陽絡穴。

穴位　外踝上三寸。

主治　霍亂轉筋、腰痛、髀樞骨、胻痛、时有寒热、四肢不举。

手法　針六分、灸五壯。

△崑崙

穴位　足外踝后五分、跟骨上。

主治　腰尻足腨腫、不能履地、脊内引痛、心痛與背相接、妇人產难、胞衣不下。

手法　針三分、灸三壯。

考古　經穴。

附記　孕婦禁針、刺之落胎、此穴在外踝後斜下五分、為治胎最速之第一要穴。

僕參

穴位　足跟下、靠足後跟骨下当中便是。

主治　足跟痛、不得履地。

手法　針七分、灸七壯。

申脈

穴位　足外踝下五分、陷中白肉際、前後有筋、上有踝骨、下有軟骨、其穴居中。

主治　風眩、腰脚痛、胻酸、脚膝屈伸难、妇人血氣痛。

手法　針三分、禁灸。

考古　陽蹻脉、又鬼路。

附記　中脉、環跳、陽陵泉三穴，若同時作痛，必生附骨疽之兆，可先針竹馬穴自消，不必各針本穴。

金門

穴位　外踝下、邱墟后、申脉前、外踝骨前斜下一寸。

主治　霍乱轉筋、尸厥、癲癇、小兒張口搖頭、身反折。

手法　針三分、灸三壯。

考古　足太陽郄穴。

京骨

穴位　足外側小趾本節後大骨下、即足外側之中部、外踝前之高骨紅白肉際。

主治　頭痛如破、腰痛、目内眥赤爛、白翳目眩。

手法　針三分、灸三壯。

考古　原穴。

束骨

穴位　足小趾外側、本節後陷中、離京骨二寸、小指本節後之高骨、紅白肉際。

主治　腰脊痛、癰疽發背、背生疔瘡。

—85—

手法　針三分、灸三壯。

考古　俞木。

通谷

穴位　足小趾本節前陷中。

主治　目眩頭重，善驚，留飲胸滿。

手法　針三分，灸三壯。

考古　滎水。

至陰

穴位　足小趾外側，去爪甲角如韭葉。

主治　目生雲翳，鼻塞头痛，足心热，小便不利，失精。

手法　針二分，灸三壯。

考古　井金。

附記　下胎四針之一，孕妇禁針。

足少陰腎之脉

此脉起於小趾之下，趨足心，循內踝，上股內脊，屬腎絡膀胱，循喉嚨，夾舌本，其支者出絡心。

足少陰腎經穴歌

足少陰腎二十七，湧泉然谷太谿溢，大鍾水泉通照海，復溜交信築賓實，陰谷膝內輔骨後，

以下從足走至膝，横骨大赫連氣穴，四滿中注肓俞臍，商曲石關陰都密，通關幽門寸半闢，

上關中行二寸距，折量腹上分十一，步廊神封膺靈墟，神藏彧中俞府畢。

考穴

△湧泉（井穴）

穴位　足心陷中，屈足捲趾宛宛之中，足心通心，針湧泉時稍偏向內。

主治　尸厥面黑，欬吐有血，舌乾咽腫，煩心，卒心痛，喉痹，舌急失音，男子如蠱，女子如妊，婦人無子。足冷

手法　針五分，灸五壯。

然谷

穴位　足內踝前，起大骨下陷中。

主治　咽內腫，足寒熱，消渴，自汗盜汗，婦人無子，初生兒臍風口噤。

手法　針三分，灸三壯。

考古　禁灸。

—87—

—88—乙

太谿 穴位 足内踝后五分，其跟骨斜直下，男女有病，此脉有则生无则死。

主治 久瘧咳逆、心痛，伤寒手足厥冷、寒疝、热病、汗不出、牙痛。下牙疼 不好治

手法 針三分、灸三壮。（本—消渴、呕吐、房劳眠不復、婦人小腹、胸脅满、咽血吐血、肠癖血来。）

考古 俞土。

大鍾 穴位 足跟后踵中、大骨上两筋間。

主治 嘔吐胸脹、喘息腹滿便难、腰痛少氣。

手法 針二分、灸三壮。

考古 絡穴。

水泉 穴位 太谿下一寸，内踝下。

主治 目䀮䀮不能遠視、女子月事不來、來時即心下痛、陰挺出、小便淋瀝。主治 心血流瀉

手法 針四分、灸五壮。

考古 郄穴。

△**照海** 穴位 足内踝下四分。前後有筋、上有踝骨、下有軟骨。側足取之

主治 咽乾、心悲不樂、四肢懈惰、嗜卧、小腹痛、月經不調。

（本— 夜間發癢、疝氣、噤口并中風。）

手法　針三分，灸三壯。

復溜

考古　陰蹻脈。

穴位　足內踝上二寸，前傍骨是復溜，后是交信，自踝骨尖量五分，再上量二寸。

主治　善怒多言、舌乾胃热、虫动涎出、腹中鳴、腹脹如鼓、四肢腫、五種水病、骨寒熱、盗汗、汗出不止。

手法　針三分，灸五壯。

考古　经金……

交信

穴位　足內踝上二寸，后旁筋是穴。

主治　氣淋陰汗、大小便难、女子漏血不止、月事不来、小腹偏痛、四肢淫濼盗汗。

手法　針四分，灸三壯。

考古　陰蹻郄。

築賓

穴位　內踝上七寸，腨分中。取穴時，先量去踝骨尖五分，再上量之。

主治　小兒胎疝痛、不得乳、癲疾狂言、怒罵吐舌、嘔吐涎沫。

手法　針三分，灸五壯。

有意取（十下或四下）

—89—

考古 陰維郄。

陰谷

穴位 膝内輔骨后、大筋下小筋上有脉、按之应手。

主治 膝痛如椎、不得屈伸、舌縦涎下、煩逆溺难、小便急、引陰痛、妇人漏下、腹脹不得息、小便黄、男子如蠱、女子如妊。

手法 針四分、灸三壮。

考古 合水。

横骨

穴位 曲骨旁臍下五寸、去腹中行各一寸。

主治 五淋、小便不通、陰器下縦引痛。

手法 針三分、灸五壮。（老人禁灸）

大赫

穴位 臍下四寸、氣穴下一寸、共中極平。

主治 虚劳失精、男子陰器結縮、茎中痛、妇人赤帯。

手法 針三分、灸五壮。

氣穴

穴位 共関元平、（别名胞門子户）臍下三寸、去腹中行各一寸。

主治 無子多灸、以盐放臍中灸之、調经、子宫冷補、热泄。

一手法 針一寸多。多灸

考古 足少陰冲脉之会。

四滿

穴位 臍下二寸，去中行各一寸，與石門平。（中注下一寸）

主治 積聚疝瘕腸澼、大腸有水，臍下切痛，振寒，目內眥赤痛，妇人月水不調、惡血㽲痛、奔豚上下，無子。

手法 針三分，灸三壮。

中注

穴位 臍下一寸，去中行各一寸，與陰交平。（在肓俞下一寸）

主治 小腹有熱、大便堅燥不利，泄氣上下引腰脊痛，目內眥赤痛，女子月事不調。

手法 針一寸，灸五壮。

肓俞

穴位 與臍平，商曲下一寸，去中行各一寸，與神闕平。

主治 腹膸痛、寒疝，大便燥、腹滿，目赤痛。

手法 針一寸，灸五壮。

商曲

穴位 臍上二寸，去中行各一寸五分，與下脘平。（石関下一寸）

主治 腹中积聚，時切痛，腸中痛，不嗜食，目赤痛。

手法 針一寸，灸五壮。

—91—

石關 穴位 臍上三寸、去中行各一寸五分、與建里平。（陰都下一寸）

主治 嘔逆腹痛、氣淋、小便黄、大便不通、目赤痛、婦人無子、臟有惡血上冲、腹痛不可忍。

手法 針一寸、灸三壯。

陰都 穴位 臍上四寸、去中行各一寸五分、與中脘平。（通谷下一寸）

主治 身熱瘧病、心下煩滿、逆氣腸鳴、肺脹氣搶、脇下熱痛、目赤痛、从内眥始。

手法 針三分、灸三壯。

通谷 穴位 臍上五寸、去腹中行各一寸五分、與上脘平。（幽門下一寸）

主治 失欠善嘔、暴瘖不能言、結積留飲、痃癖胸滿、食不化、目赤痛。

手法 針五分、灸五壯。

△**幽門** 穴位 臍上六寸、巨闕兩旁各一寸五分。

主治 小腹滿、嘔吐涎沫、善噦、心下煩悶、胸中引痛、滿不嗜食、目赤痛、女子心痛逆氣、善吐。

手法 針五分、灸五壯。

附記　商俞與神闕平、但商俞至中行僅一寸、商曲至中行一寸許，由此而上各穴、漸去中行稍遠，至幽門方尺一寸五分、幽門以上各穴，已屬膺部、針則危險、非至不得已時，切勿輕取、針過一寸，則必死，針一寸必作喘，再喘則氣閉而死。

步廊　穴位　（神封下一寸六分）天突下九寸六分、去胸中行各二寸、與中庭平。

主治　胸脇支滿、痛引胸，鼻塞不通、咳逆吐嘔、吐不嗜食。

手法　針三分，灸五壯。

神封　穴位　（靈墟下一寸六分）天突下八寸、去胸中行各二寸、與膻中平。

主治　胸滿不得息，欬逆乳癰、嘔吐洒淅，惡寒不嗜食。

手法　針二分，灸五壯。

靈墟　穴位　（神藏下一寸六分）天突下六寸四分，去胸中行各二寸，與玉堂平。

主治　胸脇滿痛，引胸不得息、欬逆嘔吐不嗜食。

手法　針三分、灸五壯。

神藏　穴位　（彧中下一寸六分）天突下四寸八分、去胸中行各二寸、與紫宮平。

主治　嘔吐欬逆、喘不能息、胸滿不嗜食。

手法　針三分，灸五壯。

彧中　穴位　天突下三寸二分，去胸中行各二寸，與華蓋平。（俞府下一寸六分）

主治　欬逆喘息不能食，胸脇支滿，涎出多唾。

手法　針四分，灸五壯。

俞府　穴位　天突下一寸六分，旁開二寸，與璇璣平。（本一灸全下）6.6　36

（可针）

主治　咳逆上氣，嘔吐腹脹，不下食，胸中痛。久喘。（气喘有效）

手法　針四分，灸五壯。

手厥陰心包絡之脈

該脈起於胸中，屬心包絡，下膈歷三焦，出腋下，入肘抵掌中，循中指之端。（由胸走手）

手厥陰心包絡經穴歌

心包九穴手厥陰，天池天泉曲澤深，郄門間使內關对，大陵劳宫中衝侵。

考穴

天池　穴位　腋下三寸乳後斜下一寸有動脉，去中行五寸許不足六寸。（乳下一寸）

主治　胸中有声，胸膈煩滿，病汗不出，头痛，四肢不举，腋下腫，上氣寒热，痎瘧

後用

臂痛、目䀮不明。

手法　針二分，灸三壮。

天泉　穴位　曲澤下二寸，極泉直下一寸餘，举臂取之。

主治　目䀮々不明，悪風寒、心病，胸脇支滿，欬逆膺背胛間、臂内廉痛。

手法　針六分，灸三壮。

△曲澤　穴位　肘腕内廉陷中大筋内側、横紋中。屈肘取之。（肘外廉陷中）

主治　心痛善驚、身熱煩渴、手腕不時動搖。（本一嘔吐傷寒氣上升、肘臂手痛不得伸。）

手法　針三分，灸三壮。

考古　合水。

附記　曲池與曲澤对，惟曲澤脉属陰，故恆不取，取間使時頗多，盖治病以取陽經為主，非至不得已時不取陰經也。

郄門　穴位　掌後五寸，二白後一寸，謂二白即郄門非是。

主治　嘔血衄血，心痛嘔噦，驚恐畏人，神氣不足。

手法　針三分，灸五壮。

—95—

二白（奇）掌后横纹上四寸

△—96—

間使

考古 郄穴

穴位 掌后三寸，两筋間陷中。

主治 ①傷寒結胸，心懸如飢，卒狂，掌中热，卒心痛，多惊，中風上噫，妇人月经不調，小兒客忤。②乾嘔

手法 針三分，灸五壯。

考古 経金

△内関

穴位 掌后二寸两筋間，與外関相对。

主治 手中風热，失志心痛，实則心暴痛。

手法 針五分，灸五壯。

考古 絡穴（八法陰维脉）

△大陵

穴位 掌后骨下两筋間陷中。

主治 热病汗不出，手心热，善笑不休，烦心，心懸如飢，心痛頭痛，氣短胸胁痛，疥癬，狂言不樂。

手法 針五分，灸三壯。

考古　俞土。

附記　大陵即掌後大約紋之当中兩筋間，可深針至五分，治笑疾最效，治心疼尤效。

(本一有内外两穴？)

乙

勞宫

穴位　掌中央，取穴宜稍偏中指尽處針之。

主治　中風善怒，悲笑不休，手痺，熱病数日汗不出，口瘡口臭，黄疸，小兒齦爛。

手法　針三分，灸三壯。(本一胸脅痛、大便下血流紅。)

考古　荥火。

中冲

穴位　手中指端，去爪甲如韭葉許。

主治　熱病煩悶，汗不出，掌中熱，心痛煩滿舌強。(本一夜鬼、頭痛如刺身如燒，心中煩滿舌腫痛。)

手法　針一分，禁灸。

考古　井木。

附記　穴在紅白肉際，伏手取不仰手取，與取少商同，勿針異斗之中心，與無名指接近处。

手少陽三焦之脉

—97—

該脉起於小指次指之端，循手表上貫肘，入缺盆，佈膻中，絡心包絡，下膈屬三焦，支者出

—98—

耳上角。

手少陽三焦經穴歌　原穴為火(三焦屬火)—陽火

二十三穴手少陽、關衝液門中渚旁、陽池外關支溝正，會宗三陽四瀆長，天井清冷淵消濼、臑會肩髎天髎堂，天牖医風瘈脈青、顱息角孫耳尖上、眉后陷中絲竹空、和髎耳門听有常。

起於名指　陽經穴都在外側

考穴

關衝　穴位　手小指次指外側、去爪甲角如韭葉，取無名指外側。
　　主治　喉痹喉閉、舌捲舌乾、頭痛霍亂、目生翳、視物不明。
　　手法　針一分，灸一壯。
　　考古　井金。

液門　穴位　小指次指岐骨間，握拳取之。 
　　主治　驚悸妄言、咽外腫、寒厥、手背痛不能握物、耳聾。
　　手法　針二分，灸三壯。
　　考古　滎水。

中渚（俞）　穴位　手無名指本節后，在液門下一寸。握拳取之。

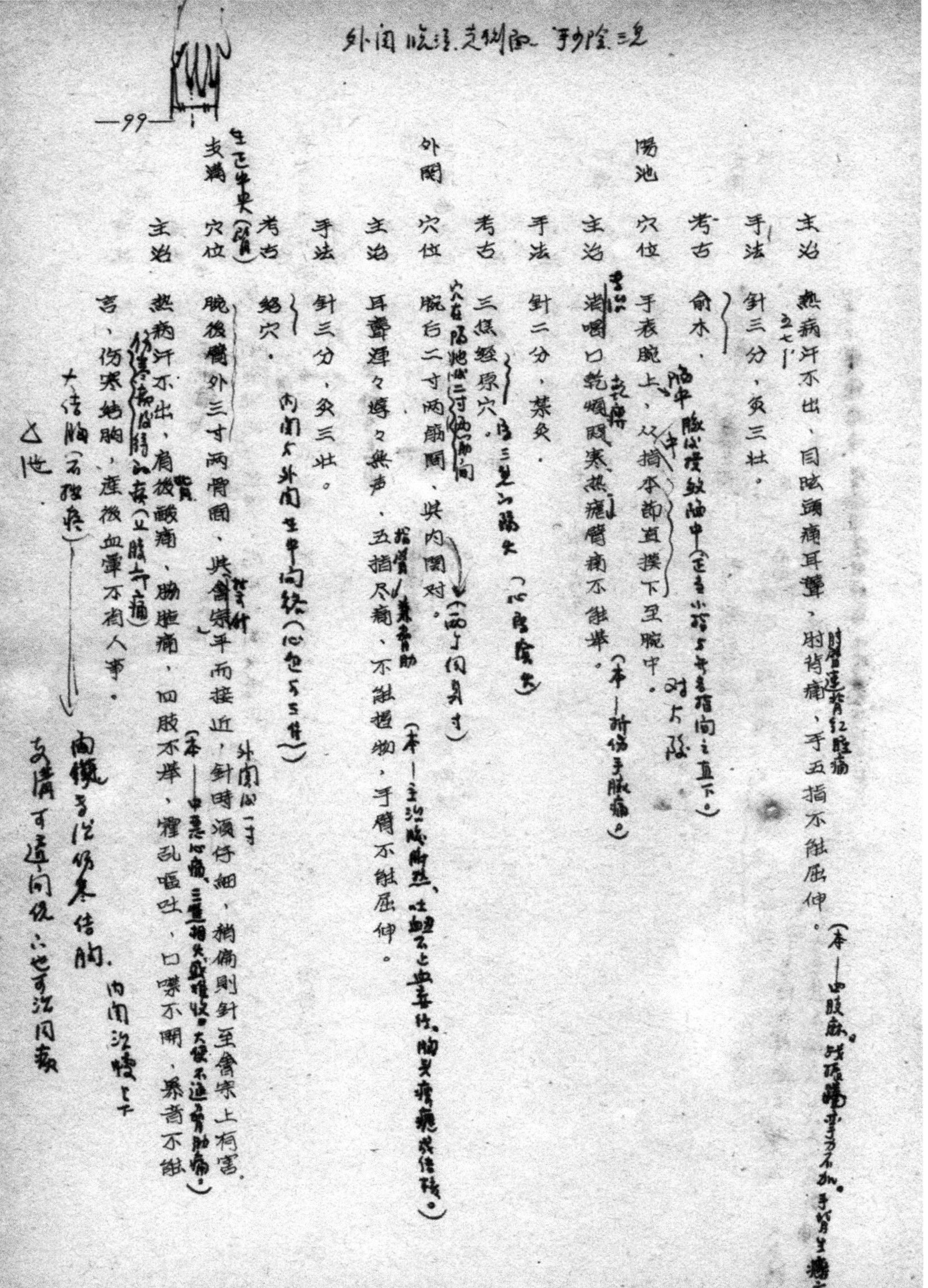

主治 热病汗不出、目眩头痛耳聋、肘背痛、手五指不能屈伸。

手法 针三分，灸三壮。

考古 俞木。

阳池

穴位 手表腕上，陷中，从指本节直摸下至腕中。

主治 消渴口乾烦闷寒热疟，臂痛不能举。（本—折伤手腕痛。）

手法 针二分，禁灸。

考古 三焦经原穴。

外关

穴位 腕后二寸两筋间，与内关对。

主治 耳聋浑浑焞焞无声、五指尽痛、不能握物，手臂不能屈伸。

手法 针三分，灸三壮。

考古 络穴。

支沟

穴位 腕後臂外三寸两骨间，与会宗平而接近，针时须仔细，稍偏则针至会宗上有害。

主治 热病汗不出、肩臂酸痛、胁腋痛、四肢不举、霍乱呕吐、口噤不开、暴瘖不能言、伤寒结胸，产後血晕不省人事。

手法　針三分，灸三壯。

考古　缺文。

會宗穴位　腕後四寸，共支溝平，在腕後三寸，針則肘失知覺，不能運動。

主治　五癎耳聾。

手法　禁針，灸七壯。

考古　郄穴。

三陽絡穴位　臂上支溝上二寸，腕后四寸，共二白对有動脉。

主治　暴瘖口啞，耳聾。

手法　禁針，灸五壯。

四瀆穴位　肘前五寸，外廉陷中。

主治　暴氣耳聾，下齒齦痛。

天井穴位　肘外大骨後，肘上一寸，輔骨上兩筋間，叉手按膝頭取之。

手法　針六分，灸三壯。

主治　心胸痛，不嗜食，驚悸瘈瘲，癲疾。

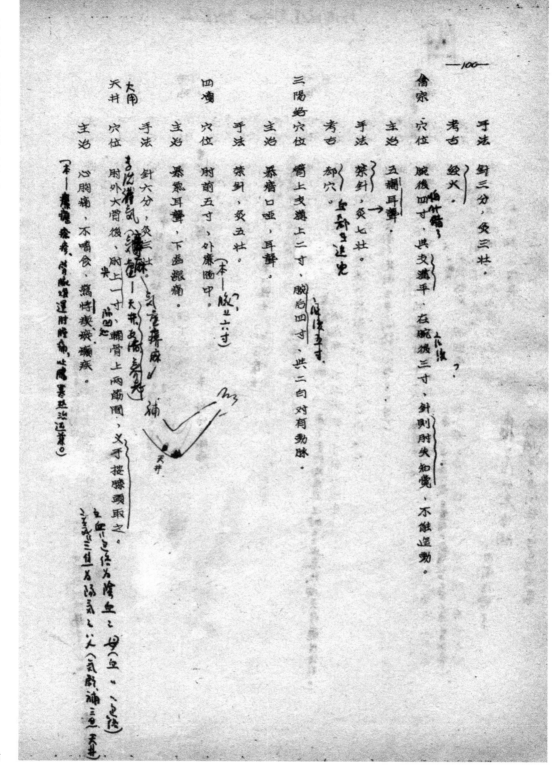

手法　针三分、灸五壮，

考古　合土。

针灸用

清冷渊　穴位　肘上二寸，伸肘举臂取之。

主治　肩臂痛、臂臑不能带衣、治暴发火眼甚效、若兼灸小海更治小肠结。

手法　针三分、灸三壮。

消泺　穴位　肩外臂外肘上、对腋分肉间，與肩贞平。（本一肩下臂外间）

主治　風痺，頸項強急、腫痛、寒熱頭痛。

手法　针六分、灸三壮。

臑會　穴位　肩前廉、去肩頭三寸宛宛中。

主治　臂痛痠無力、寒熱、肩腫引胛中痛、项瘿氣瘤、

手法　针七分、灸七壮。

肩髎　穴位　肩端臑上陷中，與肩髃後平一寸三分、斜举臂取之。

主治　臂痛臂腫不能举。

手法　针七分、灸五壮。

—101—

附記　骨有空者曰髃、凡治痛取肩髃不取肩髃。（治大困）

天髎　穴位　肩缺盆中上毖骨際陷中，由肩井往頸上一寸，再往後開八分是穴。（本—肩上、缺盆中）

主治　胸中煩悶、肩臂痠痛、缺盆中痛、汗不出、胸中煩滿、頸項急、寒熱。

手法　針八分，灸三壯。

天牖（又）　穴位　頸下大筋外，缺盆上，天容後，天柱前，完骨下，髮際上，向風池外斜下一寸。

主治　暴聾氣目不明，耳不聰，夜夢顛倒，面青黄無色。

手法　針一寸不補，禁灸。（耳根後、距耳約五分之陷凹處。）

翳風（有甲）　穴位　耳後高骨尖角下陷中，按之引耳中痛。（本—耳後肩角陷中）

主治　耳聾耳鳴（實症），口眼喎斜（成效可替風池），脱頷頰腫，口噤不開，小兒喜欠。（中風暴瘖）（本—牙車急痛頰腫牙痛項下瘰癧供參考。）

聽宮在耳後（須細研之）外一寸多　衝向另一瞭穴（內）　治耳鳴

手法　針七分，灸七壯。（耳本後青脈如雞足刺出血—本）

瘈脉　穴位　耳後高骨下雞足青絡脈。

主治　頭風耳鳴，小兒驚癇瘈瘲。

手法　針一分，灸三壯。（本—主瘈瘲出一寸餘）

顱息（顱顖）　穴位　耳后間高骨上，青絡脈中。

主治　耳鳴痛、瘈瘲發癇。

手法　禁針、灸三壯。

附記　（此穴用途①）治小兒急驚風，若此处青紫便病重。

角孫　穴位　（本—耳廓中间口有空）在耳廓尖上之中間，開口有空。

主治　目生翳、齒齦腫、唇吻強、齒牙不能嚼物、齲齒、頸項強。

手法　禁針，灸二壯。

絲竹空　穴位　眉后陷中，在眉之外角尖处。

主治　目眩、目赤、頭痛、視物不明、倒睫、偏正頭痛。

手法　針三分，禁灸。

和髎　穴位　耳前銳髮下橫動脈中，與髮會之豎動脈為丁字形。

主治　頭重、鼻準上腫。

手法　針七分，灸三壯。

耳門　穴位　耳前起肉，当耳缺处陷中。

主治　耳鳴如蝉声，聤耳濃汁出，耳生瘡，重耳無聞。

—103—

手法　針三分，灸三壯。

足少陽胆之脉

該脉起於目銳眥，繞耳前後，至肩下，循脇裡，絡肝屬胆，下至足，入小趾之間。

足少陽胆經穴歌

足少陽胆瞳子髎，四十四穴行迢迢，聽会上関頷厭集，懸顱懸厘曲鬢翹，率谷天衝浮白次，竅陰完骨本神邀，陽白臨泣目窗闢，正營承灵腦空搖，風池肩井淵液部，輒筋日月京門標，帶脉五樞維道續，居髎環跳風市招，中瀆陽関陽陵泉，陽交外邱光明宵，陽輔懸鍾邱墟外，足臨泣在足跗腰，地五会連俠谿穴，第四趾端竅陰據。

考穴

瞳子髎穴位　目外去眥五分，靠目之小角近处，

主治　目痒白翳，青盲無見，遠視䀮䀮，赤痛泪出头痛。

手法　針三分，灸三壯，

聽會　穴位　耳微前陷中，上関上五分，即耳前上缺口外陷中。

主治　耳聾，耳鳴，齒痛。

手法　針三分，灸三壮。

客主人（上關）穴位　耳前尖骨上，開口有空，張口取之，與听会平，即耳前高骨尖上

主治　口噤，嚼物鳴痛，耳鳴耳聾，瘈瘲沫出。

手法　針三分，灸三壮。

頷厭　穴位　耳前曲角顳顬上廉。（本—曲周下顳顬上廉）

主治　偏头痛，头風目眩，驚癇，手挽，手腕痛，耳鳴。

手法　針七分，灸三壮。

懸顱　穴位　耳前曲角上顳顬中廉。（本—曲周上顳顬中）

主治　牙齒痛，偏头痛，鼻洞濁下不止。

手法　針三分，灸三壮。

懸釐　穴位　耳前曲角上顳顬下廉。（本—曲周下顳顬）

主治　面腫，头偏痛，目銳眥赤痛。

手法　針三分，灸三壮。

—105—

曲鬢　穴位　自捲耳之尖直上鬢際、鼓頷有空。（耳上入髮際）
主治　頷頰腫、引牙車不得開、口噤不能言、頸項不得回顧。
手法　針三分，灸三壮。

率谷（可透头维）　穴位　耳尖直上入髮際寸半，嚼牙而取之，動尽处是穴。
主治　腦两角痛、酒風、皮膚腫、胃寒、飲食煩滿、嘔吐不止。（偏头痛有效）
手法　針三分、灸三壮。

胆经络走渊而入

天衝　穴位　自耳後中部量起、直上入髮際二寸。
主治　癲疾風痙、牙齦腫、善驚恐、頭痛。
手法　針三分、灸三壮。

浮白　穴位　耳後入髮際一寸。（本——入髮二寸）
主治　胸滿不得息、胸痛頸癭、癰腫不得言。
手法　針三分、灸三壮。

竅陰　穴位　完骨上、枕骨下、動搖有空。（本——耳后入髮一寸。）
主治　四肢轉筋、头項痛、骨勞癰疽。　手法　針三分、灸三壮

完骨　穴位　耳後入髮際四分，大骨下。

主治　頭風、耳後痛，足痿，牙車急，喉痹齒齲，眼喎斜，癲疾。

手法　針三分，灸三壯。

本神　穴位　曲差旁一寸五分，直耳上入髮際四分，去神庭三寸。

主治　驚癇，吐涎沫，頸項强痛，目眩，癲疾，偏風。

手法　針三分，灸七壯。

陽白　穴位　眉上一寸，直瞳子。

主治　目昏多眵，眼癢，背腠寒慄，重衣不得溫。

手法　針三分，灸三壯。

臨泣　有用

穴位　目直上入髮際五分，直瞳子，令病者正眼取之，與睛明脉絡相通，故主治目疾。

主治　目眩，目生白翳，流淚（全本—堪療鼻不利。目眵赤痛鼻不療。柔歌晚曦流泪淡。）、驚癇反視，大風目外眥痛，卒中風不識人。①口眼喎斜……②目……

手法　針三分，禁灸。

目窗　穴位　臨泣后寸半。

主治　頭目眩痛，遠視不明，頭面浮腫。

—107—

—108—

手法　針三分，灸五壯。

正營

穴位　目窗后寸半。

主治　目眩、偏頭痛、齒齲、唇吻急強。

手法　針三分、灸五壯。

承灵

穴位　正營後寸半、

主治　腦風头痛、鼻衄、喘息不利。

手法　灸三壯、禁針。

腦空

穴位　承灵後寸半、侠玉枕骨下。

主治　劳疾羸瘦、体熱、頸項強不能回顧、頭重不可忍。

手法　針五分、灸三壯。

風池

穴位　耳后顳顬后、腦空下、髮際陥中，在頸後两大筋之两旁陥中，取時針头向内側進、不可直下，左向右，右向左。

主治　洒淅寒熱、伤寒温病汗不出、目眩口苦、偏正头痛流泪、頸筋無力不收、大風中風。

肩井

手法　針七分，灸七壮。

穴位　肩上陷中，缺盆上大骨前寸半，先補後泄，胎婦禁針。

主治　中風氣塞，婦人难産，産後手足厥逆，头項痛，五劳七傷，臂痛不能上举。

手法　針五分，灸五壮。

淵腋

穴位　腋下三寸，举臂取之。

主治　寒热，馬刀瘍，胸滿無力，臂不举。

手法　針三分，禁灸。

輒筋（音折）

穴位　腋下三寸，復前一寸，着脇，横直蔽骨旁七寸半，平直两乳，側卧屈上足取之。

主治　胸中暴滿不得卧，太息善悲，多唾，言語不正，四肢不收，嘔吐宿汁，吞酸。

手法　針六分，灸三壮。

日月

穴位　期門下五分，自巨闕旁開四寸五分，再直下五分是穴。

主治　太息善悲。

手法　針五分，灸七壮。

考古　胆经募穴。

主用京门（泄）、公孙（补）、三阴交（泄）、内关（补）

京門

穴位　監骨下腰中季肋本俠脊，由脊中向上五分，與命門上五分，折半即是京門。

主治　腸鳴、小腹痛、腰痛、寒熱、腹脹，引背不得息。

手法　針三分，灸三壯。

考古

（批注：濁陰不降，清陽不升）

帶脈

穴位　季肋下一寸八分，臍上二分，旁開七寸半。（批注：本—一説臍上八寸半）

主治　婦人小腹痛、裏急后重、瘈瘲月事不調、赤白帶下。

手法　針六分，灸五壯。

附記　男赤白痢、女赤白帶，皆濕熱之症，可灸帶脈兼灸百会穴，收效最速，治妇女帶脈尤效。

五樞

穴位　帶脈外斜下一寸，水道外五寸五分。

主治　男子寒疝、陰卵上入小腹，妇人赤白帶下，裏急瘈瘲。

手法　針一寸，灸五壯。

維道

穴位　章門下五寸三分，五樞下一寸。

主治　嘔逆不止，水腫，三焦不調，不嗜食。

手法　針八分，灸五壮。

居髎　穴位　監骨尖上陷中。（本——章门下八寸三分）

主治　腰引小腹痛。

手法　針八分，禁灸。

環跳　穴位　髀樞中以右手摸穴。（本——髀枢中，侧卧伸下足、屈上足，取之。）（垂手刺之亦用攻。[illegible]）

主治　冷風濕痺不仁，風疹遍身，半身不遂，腰胯痛，蹇膝不得轉側伸縮。

手法　針一寸（二寸），灸五壮（十如壮）。

附記　病者側卧，伸下足，屈上足，以右手摸其穴，左手搖撼取之。此穴與膝頭作直線，與足跟相对。

風市　穴位　膝上外廉兩筋間以手着腿中指尽處。（使病人正立，以两手自然垂下，当中指之端——本）

主治　中風腿膝無力，脚氣，遍身搔痒，痳痹历風。

手法　針五分（一寸），灸五壮。（本艾灸針皆有功。）

附記　此穴垂手尽处，向後約一寸，插向大筋與穴，以摸至大筋為主。

—111—

中瀆　穴位　髀外膝上五寸分肉間陷中。（本——髀外膝上五寸）

主治　寒氣客於分肉間攻痛上下、筋痺不仁。

手法　針五分，灸五壯。

陽關　穴位　陽陵上三寸，犢鼻外陷中，

主治　〔行痺〕風痺不仁、膝痛不得屈伸。

手法　針五分、禁灸。

（②陽陵泉穴在膝下外側小腿骨間陷中為真。）

（本①膝下外尖骨前之陷凹處。）

陽陵泉穴位　膝下一寸，〔外廉〕䯒〔骨〕外廉陷中、在膝約紋头下筋縫中、刺時覺熱，切勿再灸。

（本—膽痿膝肢溫寒攻。霍乱轉筋俱見效。冷風脚痛可調融。）

主治　膝伸不得屈，髀樞膝骨冷痺、脚氣、膝骨内外廉不仁，偏風〔瓶〕半身不遂、脚冷。

手法、針六分〔三—三〕、灸七壯。

考古　合土。

陽交　穴位　足外踝上七寸。（本—上八寸）

主治　心滿膝痛、足不收、寒痺、膝䯒不收。

手法　針六分、灸三壯。

附記　自陽交至絕骨在外踝直上骨内陷縫中作直線每隔一寸一穴（即小腿肚之内腓脛骨之外分肉間直縫中。）

外丘 穴位 足外踝上六寸。

主治 腹满腹痛、痿痺頸腫，猘犬伤毒不出發寒热、小儿龟胸。

手法 針三分、灸三壮。

考古 郄穴。

痿病足冷痺病身、只在不疼痛裡分、但观治痿與風藥、始晓虚实别有因。

光明 穴位 外踝上五寸。

主治 淫濼脛痠胻痛，不能久立、卒狂痿厥坐不起、宜補、足胻热膝痛不仁宜泄、

手法 針六分、灸五壮。

考古 絡穴。

附記 光明無治目之記載、而医案則主治目疾。

陽輔 穴位 外踝上四寸。

主治 腰溶溶如坐水中、膝下浮腫、筋攣百節痠痛、頭角頷痛。心脇痛。

手法 針五分、灸三壮。

考古 經火。

—113—

(絕骨)懸鍾

穴位　外踝上三寸、動脈中、尋摸尖骨處是、外踝上有一小骨、至此無、故名絕骨。

主治　心腹脹滿，胃中熱不嗜食、脚氣，膝胻痛，筋骨攣痛，足不收，中風手足不遂。

手法　針六分、灸五壯。

考古　髓会、亦足三陽之絡。

丘墟

穴位　外踝下前陷中、(去臨泣三寸)、先解谿、次丘墟、次中封、治足疾。

主治　胸脇滿痛不得息、久瘧、腋下腫，目生翳、腿胻痠、轉筋脛腫腰胯痛。

手法　針五分、灸三壯。

考古　本經之原穴。

臨泣

穴位　足之次趾本節后，去俠谿一寸五分。

主治　胸中滿、洒淅振寒、心痛、婦人月事不利、乳癰。

手法　針二分、灸三壯。

考古　俞木

附記　臨泣與地五会只隔五分、誤針則危。

地五会

穴位　足小趾之次趾本節後、去俠谿一寸、

主治　腹痛、内損瘀血、乳癰。

手法　禁针禁灸，针則泄血不止，五日死。

附記　百会為天五会，人迎為人五会，臼之地五会為三五会，皆全身精氣所聚之处。

侠谿

穴位　足小趾次指岐骨間，本節前陷中。（本—傷寒互病汗不出。頷腫口噤而不言。耳痛且聾目外眥赤。）

主治　胸脇支滿、寒熱傷寒。

手法　針三分、灸三壮。

考古　滎水

竅陰

穴位　足小趾次趾外側，去爪甲角如韭葉。

主治　脇痛欬逆不得息、手足煩熱、汗不出、轉筋、癰疽、头痛心煩、喉痛舌强口乾、肘不举。

手法　針一分，灸三壮。

考古　井金

尺厥陰肝之脉

該脉起於大趾叢毛之際，上足跗，循股内，过陰器，抵小腹，属肝絡胆，挟胃贯膈，循喉嚨

—115—

上通目系、與督脈会於巔頂。

足厥陰肝經穴歌

一十三肝足厥陰、大敦行間太衝侵、中封蠡溝中都近、膝關曲泉陰包臨、五里陰廉羊矢穴、章門常対期門深

考穴

大敦

穴位　足大趾端、去爪甲角如韭葉。

主治　五淋、卒疝七疝、小便不禁、陰頭中痛、汗出、陰上入小腹、陰偏大腹、臍中痛，妇人血崩、陰中痛。

手法　針三分、灸三壮。

考古　井木

附記　足大指甲後当中生毛之处、即第一節骨縫内，針時以左手食指墊大指、以中指压而按之，則足大指之骨縫自開然後向縫之当中刺之、方有效，在抽針以前左手勿鬆開，恐骨縫　而針折也，灸時亦須将骨縫撑開方效。

行間

穴位　足大趾縫間、动脉应手陷中，在大指縫、上五分。

主治　四肢腫、轉筋、胸脇痛、口喎、癲疾、短氣、四肢厥冷、寒疝、中風、婦人小腹腫痛肥氣（入即肝積）

手法　針六分，灸三壯。

考古　榮火

太冲

穴位　足大趾本節后二寸，惟針穴上則出血不止，須在穴前一寸處刺之，針前勿針後，因其地五会近也，慎之。

主治　心痛脉弦、馬黄瘟疫、小便淋或不利。嘔血。

手法　針三分，灸三壯。

考古　俞土

附記　太冲共地五会相絡，距行間一寸五分，針距五分下針。

中封

穴位　足内踝骨前一寸，筋裡宛宛中，共胆經丘墟平。

主治　瘖瘂、色蒼蒼然振寒、小腹腫痛、足厥冷、寒疝腰痛、失精筋攣

手法　針四分，灸三壯。

考古　經金

—117—

—118—

蠡溝　穴位　內踝上五寸、外與光明对。

主治　疝痛、小腹脹痛、少氣不足、悒々不樂、小便不利、臍下积氣如石、足痙寒痠，女子赤白帶下，月水不調。

手法　針二分，灸三壯。

考古　本經之絡穴。

中都　穴位　內踝上七寸脛骨中、此穴靠骨、與蠡溝靠後齊平。

主治　腸澼癀疝、小腹痛，妇人崩中，產後惡露不絕。

手法　針三分，灸三壯。

考古　郄穴

膝關　穴位　膝上二寸、犢鼻下二寸旁陷中、在脛骨上、至此已趨內廉、蓋中都靠脛外廉膝關則折至脛外之內廉。（本—膝蓋犢鼻內旁斜過膝眼。）

主治　風痺，膝內廉痛。

手法　針四分，灸三壯。

曲泉　穴位　膝骨上內廉側輔骨下、大筋上陷中、曲膝橫紋頭取之。（本—膝附上內側輔骨下。）

主治　癀疝（四肢厥）、陰股痛，小便难、膝痛筋挛不能屈伸，陰腫，陰茎痛（小腹冷疼）、陰挺出且痒。

手法　針六分、灸三壯。（本一穴为丈夫精寒，腰脊冷，兼治女子血瘕瘕。）

考古　合水

附記　曲泉有动脉属陰，故不取曲泉而取陽陵泉。（肝胆表里）

陰包

穴位　膝上四寸，股内廉两筋间，搖足取之，看膝内側有槽中。

主治　腰尻引小腹痛，小便难，遺溺，妇人月事不调。

手法　針六分，灸五壯。

五里

穴位　氣冲下三寸，陰股中动脉应手。

主治　腸中滿，热閉不得溺（尿）。

手法　針六分，灸五壯。

陰廉

穴位　羊矢下去氣冲二寸动脉中。（氣冲下二寸）

主治　婦人绝産，若未經産者，灸三壯即有子。

手法　針八分、灸三壯。

羊矢

穴位　氣冲下一寸，陰上毛際中两旁各開二寸半，按之有知覚，皮肉間有核如羊矢

—119—

—120—

P24 特效穴 期门、章门

故名。

主治 疝氣、小腹疼最效。（男人（西边病）特效）

手法 禁針，能灸，老年人不过七壯。（不禁針（禁者用）針二、三分）

章門

穴位 臍上二寸、（中脘旁開六）旁開六寸，手搭肩肘尖尽处是穴。（本——大横外，直季肋端）

主治 腸鳴盈盈然，食不化，脇痛不得卧，不能轉側，腰脊冷痛，溺多白濁，傷食身黄瘦。（右边章门下開三寸旁三寸（以）三寸处方灸（只灸三壮）——绝着 就治一次盲肠炎就好了。）

手法 針八分，灸七壯。（主要穿刺）

考古 脏會脾募。

附記 此穴治病甚多，治腹中积满，及小兒贻疝最效。（小肠炎左侧现而不伸，盲肠炎右侧痛不伸。）（皆有其刺，刺手插住一一……）

期門

穴位 直乳肋端，不容旁寸半。（本——乳旁一寸半，直下一寸半）（乳头下约四寸。）（本——女人产后难，肠痛症须刺，但入血室不可腹。）

主治 胸中煩熱、賁豚、目青而嘔、脇下积氣、伤寒心切痛、善噫酸、食飲不下、胸脇痛支滿、男女血结、胸滿痛、口乾消渴、傷寒过经不解，热入血室。

手法 針四分、灸五壯

考古 肝募

附記　此穴在筋骨下五分許、共兩乳頭直線，瘦人有凹可見，取時微离臆、如胖人其穴不顯。寧取乳頭直線外、勿取乳頭直線内。

手術篇

人身骨度之標準

人身長度七尺五寸（古寸法以普通者為準故古有七尺之軀一説。）

頭之周圍二尺六寸（前併眉中後併玉枕骨正中頭橫寸之標準。）

前髮際至後髮際一尺二寸（直寸之標準）

眉中心（即印堂）至大椎穴一尺八寸

眉中心至後髮際一尺五寸。

大椎至前髮際一尺五寸。

眉中心至前髮際三寸

大椎至後髮際三寸。

兩耳前左右耳門間一尺三寸。

兩顴骨間為七寸。

兩耳後完骨間為九寸。

實用手術

人身骨度之標準

人身長度七尺五寸（古寸法以普通者為準故古有七尺之軀一說）

頭之周圍二尺六寸（前併眉中後併玉枕骨正中頭横寸之標準）

前髮际至後髮际一尺二寸（直寸之標準）

眉中心（即印堂）至大椎穴一尺八寸

眉中心至後髮际一尺五寸

大椎至前髮际一尺五寸

眉中心至前髮际三寸

大椎至後髮三寸

两耳前左右耳門間一尺三寸

两顴骨間為七寸

两耳後完骨間為九寸　在耳後的一个穴名

两頭維之間為九寸（頭之横寸）

—1—

一圈 2.6（由前眉中心到后玉枕骨）

1.2

0.3

大椎

印堂

0.9

头维

颧骨

0.7

1.3

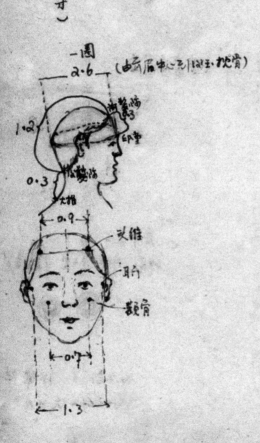

—2—

大椎骨至尾骶骨共作三尺長

脊椎骨共二十一椎上七椎每椎一寸四分一厘七椎共九寸八分七厘

中七椎每椎一寸六分一厘七椎共一尺一寸二分七厘

下七椎每椎一寸二分六厘七椎共八寸八分二厘

天突至璇中折作八寸下行一寸六分為中庭七穴共長九寸六分

心蔽骨（即鳩尾）下至臍中折作七寸人無蔽骨者取歧骨下（一寸為鳩尾）至臍中折作八寸

臍中至毛際陷中曲骨穴，折作五寸，但古法又有自臍心下至曲骨，折作六寸半者，在臍下関元穴下一寸处，（即臍下四寸）增一血海穴，共足之血海同治，復下半寸，又增一陽氣穴，主治大壮元陽，又下半寸增一丹田穴，此乃真正之丹田，在臍下五寸，又為真正之厥陰募穴為吾人却病延年主要特效之穴，再下一寸為中極穴，再抵中行之極底骨际，始為曲骨穴，此又可採用有效之古法也。

兩乳中横折八寸

兩手足部與背部横寸，并用中指中節兩紋頭內，同身寸取之，男左女右，頭前部横寸，內眥角至外眥角為一寸。

肩髃至曲池折作一尺，

肘尖至腕中央横纹即曲池至陽谿折作一尺

腋窩纹至尺澤作九寸

尺澤至大陵作一尺

腕之横纹至中指本節根纹長四寸

中指本節根纹至中指端四寸五分

膝膕窩委中穴至崑崙穴折作一尺四寸

除上骨度取穴有不依尺寸者，在陽部則取筋骨之間陷下為真，在陰部都膕之内動脉应手，背部之穴，務要認清椎骨，仔細施行，万不可玩忽草率，至要至要，其他尚有曲伸取者，握拳取者，轉臂取者，抬頭取者，開口閉口取者、兩手抱肩取者、蹲而取者、伏而取者、更当各按其法、依法行持可也。

取法至要

進針之手術

依上各法，取穴既定，術者要用左手大指爪揉其穴部上下，令氣血宣散，再以指甲重切十字，以十字中心，為進穴位之標準，乃用右手大食二指持針，中指緊抵針身，針長者名指亦須帮

—3—

手陰足陽皆下行（∵手陰由胸走手、∴為下行）（∵足陽由头走足、∴下行）逆行推生

手阳足阴皆上行（∵手陽由手走头∴為上行）（∵足陰由足走胸∴上行）順行推生

—4—

拔，針尖直落穴中，此時術者手要着力，氣壯心雄，凝神調息，專注意針，同時并囑患者心無恐怖，勿畏疼痛，勿睹針穴，調緩氣息，然後術者右手輕々徐入，達到部分始行補瀉，此所謂左手重而多按，欲令氣散，（即古驅避人神之意，）右手輕而徐入，不痛之因，又所謂心無内慕如待貴人，目無外視手如握虎者是也。

補瀉之手術

補瀉之法，門類很多，有用呼吸者，有用撚轉者，有用提插者，總之陰陽各經，至有殊異，要在学者心領意會，神而明之，分而用之可耳，前賢云虛者補之，實者泄之，可實可虛，調而和之，又曰虛則補其母，实則泄其子，補則隨而濟之，泄則迎而奪之，泄實則提針為熱，補虛則插針為寒，又曰一退三飛為補，一飛三退為泄，此实均為補泄不易之法門，茲將手足陰陽各經，補泄手法，約為述明，以資实用，手三陰足三陽皆下行，手三陽足三陰皆上行，均各按其行走之路逆而為補泄；如对手陽足陰各经行補法時，術者与患者对面施術，順而隨之，大指前進，食指後退為補，逆而迎之，大指後退，食指前進為泄，手陰足陽各經下行反之。

新編補泄手法歌訣及略說

補 1、進火補虛，先入分口呼出氣，進三進，病人鼻吸口中呼，徐入徐出熱自發

泄 2、進水泄熱，初進分吸氣急入三退運，患者鼻出口吸氣三次，撚針涼爽神

經曰：虛者補之，實者泄之，但針的補泄均指氣說，補者補正氣，泄者泄邪氣，故隨陽衛之呼氣而入針為補，就是從衛取氣也，隨陰營之吸氣而入針為泄，就是從營置氣也，衛在外為表，是淺層，營在內為裡，是深層，取氣之補是表達裡法，隨呼入針由外而內，先淺後深，緊按慢提，入多出少，從衛及營取到地部，就是補針為寒之說，而置氣之泄是內出外法，隨吸入針由裡而表，先深後淺，緊提慢按，入少出多，從營出衛，置到天部，就是提針為熱之說

手八法：揣、爪、搓、彈、搖、捫、循、捻，口訣歌

揣 1、陽部筋骨，郄膕陰，坐臥平直或屈伸，揣摸沉捫明進退，榮衛無傷稱妙針

爪 2、左手爪下重多按，右手輕而徐入針，千古推尊此手法，爪切痠麻不痛因

搓 3、轉針勿緊如搓線，大指進退徐運轉，拇上進左下退右，奪右泄涼左濟暖

彈 4、針下待氣催針頭，彈而努之進一豆，先淺後深外推內，千古補法無其右

（此言大指進退左右，非患者身之左右也）

搖 5、動針待氣搖而伸，退一豆許氣緊沉，先深後淺內引外，古聖妙法傳泄針

捫6、經曰虛者補正氣云針，遂將針穴閉捫而揉之，氣不泄，此為補法真实义

捻7、泄針穴旁搖擺按針下，宣通氣血，散云針不閉為真泄

（手陽上行足陽下行，陰经反之）

捻8、大指外撚氣升上，内撚氣降，病下部云針内撚氣逐，病外撚邪氣針下云

（此言云針左右撚動均可，隨便無妨於補泄也）

出針之手術

对於患者所用補泄手法，補泄既畢，再靜留針五六分鐘，候邪氣退正氣暢通，即以左手大指食指持藥棉，緊按針穴，右手大食二指，緊持針柄，徐々云針，補針急按針穴，瀉針慢按針穴，以藥棉緩々揉之，使氣血流通，以免痛阻，其或云針而血隨針云，針孔作痛，無妨碍也，此因傷小血絡，或取太急之过，速用藥棉緊按針穴，多為揉按即止，總之進針云針務要謹守徐入徐云之訓，勿犯古人所謂急針傷血，急起傷氣之戒可也。

行針之手術

針若穴後，術者必要手術巧妙，使患者針下得氣方效，故近代科学有針下感覺沉脹酸麻方為針到神经之說，实即经曰、氣至而有效，效之信若風之吹雲，明乎若見蒼天，刺之道畢矣之

訓是也，如針下無氣向患者毫無痠脹麻木之感覚，術者可用右手食指爪甲，搔動針柄，名曰催針，或持針上下提插，如鳥啄状，而循取之，賦曰輕滑慢而未来，沉澁緊而已至，氣至之後，補泄術畢，即可云針，如遇針下澁緊之極，不便撚轉補泄施術，或病有虚寒，均可用香頭或燃火略燒針柄数次，針易撚動，名曰煖針，此均為行針時之手術也。

指針循按爪切之手術

医術之難，難在認病，凡学針灸，先明診断，認病既確，方取經穴，経穴取定，先用指針，循経按穴，推動揉轉，以活氣血，而通経脉，此即内経按摩之密法也，術者指針，循按既畢，再用爪切等法，使穴内遠近氣血宣散，然後下針，針自易入，而無痛苦，此不惟真為法痛之妙法，且更合於刺衛勿傷荣，刺荣勿傷衛之古訓，此对於多年積聚，経絡閉塞等病，最能收效，故指針尚焉，此亦通肉过節，飛経走氣之一法也。

針下法痛之手術

医者針病，針刺而大痛，非所宜也，必須運針嫻熟，針下無痛，方称為手術高妙之針家，針下法痛之方法非一，有在進針前之法痛法，如前節所述循按爪切，指針按摩等法，預使氣血宣散流通，不致滞針者，此其一，有在進針時之法痛法，如持針刺入，左右撚轉，用手補乎泄手法，角度小慢徐徐撚入者，此其二，有在進針後之泄痛法，如循按所針經絡前後左右，用推切法，使邪氣退散，不致纏繞針尖者，此其三。又有退針時之泄痛法，即持針輕提仍用平補平泄手法徐徐撚出者，此其四，以上四法，均為針下泄痛之手術也。

針下邪氣穀氣之辨別

氣行穴下，邪正攸分，邪為病氣，正為穀氣，氣之邪正，指下須知，針下緊澀，或困結不動，均關於氣，即可審知病邪之輕重，邪氣盛致針緊，穀氣盛亦致針緊，全在医者，指下之覺察耳，邪氣緊而急，忽緊忽鬆，有促迫象，針下如有物纏繞，抵針吸針，天人地何部邪盛，則何部緊澀，不便提插焉。穀氣緊而緩，往來均勻，見和緩象，針下雖略覺緊，總不澀滯纏繞針身，始終無碍於進針行針，提插自如也，古人云死生遲勞，針下皆知，遲者脆而勞者輭，生者澁而死虛，虛極無氣，針如插豆腐者，必死無疑，是則穀氣不行也，即內經所謂無胃氣是也，穀氣可以辨虛实，知生死，謂之真氣可也，謂之生命亦可也。

針後調養與畢針之救護

患者針灸後，宜善自調養，飲食起居，須按定時，勿食生冷之物，以阻滞榮衛，勿沐浴出汗，而耗泄真氣，勿悲憂忿怒，以乖神志，勿过勞，勿久卧，勿飲酒，勿入房，宜頻作徐緩之散步，俾经络氣血舒暢，病方速愈，体易恢復，否則收效慢也，其有下針後，即覺心乱目眩頭重嘔噦，甚或二便不禁者，是暈針也，術者勿恐，絶無危險，此由於患者氣餒，針力过猛，或心空腹飢，或見針恐怯，直立側坐，皆易暈針，凡遇虛弱貧血，面色蒼白，或鉄青嚇人，共飯前空心，均宜作暈針之預防，使其仰卧施術，自免暈針之虞，凡暈針者，收效多速，切莫出針，切勿卧倒，卧則甦醒多慢，扶在椅榻枕几坐穩，速将其上下嘴脣掐緊，只使其鼻孔呼吸，待路清醒，進以熱茶，汗出即安，或灸其大椎百会二穴即醒，甚或有歷時刻許不醒者，可刺十二井穴出血，並補足三里，或視其刺何经之穴而暈，即補何经之合穴，皆可立愈也，再重者可速按歌賦中救治暈針歌訣等法，依法救護必愈，切勿恐怖可也。

消減針毒之方法

凡金屬製針，皆含毒汚，消此針毒，須用药煮，壹百針數，即用甘遂、甘草、川烏、草烏、各三錢，共放瓦器内，水煮一日，此金鐵煮豆刀法也，或用射香五分，穿山甲、歸尾、川芎、、硃砂、沒药、細辛、各三錢，甘草、沉香、各五錢，磁石一兩，乳香、花蕊石、各半兩，水煮二日，取出用皂角水洗净，復擲於犬肉或猪肉内再煮一日，乃用黄土磨光尖利，应用最妙，用过之針，務要擦净，放在身边，常藉人氣温暖使用，至臨用前，必再将針放在酒精瓶

—9—

内，消毒再用，至為要緊。

救濟滞針、折針之方法

遇有患者，病重邪盛，或積聚年久，病灶堅硬，針被纏繞，碍難去入，有進針穴内，邪氣抵針，致針难下，或下針後，針被吸引，推之不動，轉之不移，術者切勿強施手法，致針彎曲甚致折断，徒使病者痛苦，無益有害，此針家最當注意者也，未進針前，要用指針循按爪切，預防其滞，倘遇邪过盛者，針下猶滞，可於本经上下穴位近旁，重手多施按摩循切，邪氣退散，針自易運，便於施術，如遇出針滞澀，不易提去，可將針略進，針下活動，徐撚去之，若仍沉緊，滞澀难去，可用微火略燒針柄，穴内覺熱，提針便去矣，医家用針，務选上品，每用之前，必要仔細檢查，針身毫無弯損，方堪使用，自無折針事故發生，倘遇不幸，折針事故，切不可告知患者，使其驚怖，此時術者務須鎮静，囑令患者勿動，用鉗子或吸鉄石設法取出，若不能出，則速將預先配就推車虫，蓖麻子，硫黄，杏仁，四味共研細末，以鮮豬油調敷針孔，針可自出，否則針雖不出，亦無危險患害，無論鋼鉄金銀針体，含在体内，日久均可氧化，銷歸烏有，勿慮可也。

灸之功用

灸之與針，手術雖殊，然治病效能，実各有所長，古云針之不宜，灸亦宜之。灸之不能，針亦能之。惟艾愈陳久氣味愈厚，即孟子所謂七年之病，必求三年之艾者是也，至对艾灸之功用，近代科学早經化驗內含苦味揮發油，及各种元素，功能殺滅病菌，而有增殖白血球之功能，且可促進新陳代謝，增大抗体，富免疫力，預防医学最大贊助，故能博得科学物理療法之雅号焉。

製艾

產艾之地，所在多有，惟以蘄州產者為最佳，以葉厚而氣良也，採取時節要貴及時，內地多以夏曆三月三日、五月五日、七月七日，採者為生氣全而药力大，曝乾久藏，乃可应用，製絨之法，即将多年所藏之艾，去梗存葉，搗云土氣，用石碾壓，或放石臼內杵搗極細，再用細羅篩去塵屑，色成潔白，上品最佳，收藏之地，要求乾燥，切勿潮濕，不易燃火，致碍灸用，且減低效力也，爲乎可。

艾之性能

致用艾灸病，始於岐黄，傳於歷代，著於功能，蓋以艾味苦辛，性氣溫和，最能行氣活血，通經達絡，用以入药，則有調和氣血溫中散寒之力，用以灸病，更有補虛解結，消癥止疼之

—11—

功，主灸百病，法最安全，且有寒热两性，虚实两宜之功能，如头为众阳之会，故曰头無冷痛，针治头痛，必刺手足，諸陽各经，不宜刺头也，盖针能引氣，若刺头部，則諸陽之氣並鬱於頭，其热难止，或遇痰厥頭痛，均可施灸頭部，乃能獲痊，此因艾之性能虚实均宜，热者灸之，热即發散，寒者灸之，寒轉温和，入药則上行，用灸則下行故也。

製艾炷法及其大小

用艾灸時，先将艾絨取出少許，用兩手掌搓揉緊細，量其粗細長短，用手爪甲切断，緊搓成炷，上细下粗，並将下面粗处，重按成平面形，易於放穏，而便使用，此雖小藝，不可不学，否則非粗细不匀，即鬆軟難用，至用艾炷大小，各有標準，小如雀糞，如麥粒，大如棗核，或龍眼核大，明堂下经云，凡灸艾炷，下廣三分，若不及三分，則火氣不達，病何能療，是艾炷欲其大也，然灸時宜先察看体質審度病情，而定大小，灸小兒炷宜小，灸壮者炷宜大，灸頭部四肢炷宜小，灸腹部炷宜大，灸輕病炷宜小，灸重病炷宜大，無論何穴，凡不宜多灸者，炷均宜小，至壮數应灸多寡，古書具載，查看自知。

热磚石灸發汗法

山野鄉僻工農之家，遠距市鎮，艰於求医，每患腰腿疼痛麻痺重症，輒取瓦磚或石板二塊，用水煮或火烤極熱，布包放在被窩，腿腳蹬之，藉热出汗，数次病愈，又有風寒疼痛，拔大火罐，均為代用灸法之一种也。

直接间接灸法

古時艾灸治病，多用直接灸法，必令發灸，方能生效，資生云，凡着艾，得瘡發，所患即瘥，若不發，其病不愈，日本朝鮮医者多採此法，故彼兩國男女人士腹背四肢，多有灸疤，故又名曰瘢痕灸，即將艾炷直接放在穴上，燃燒之一种灸法是也，如在肉皮穴上先墊他物再放艾炷燃燒，又如太乙針等均名間接灸法，有墊蒜片鹹菜片者，又有薑片者，名薑艾灸，附片者名附子灸，此均間接灸也，直接灸法，雖云治病，奈使患者先受炮烙之刑，增加痛苦，終非所宜，總以間接灸法，使人不受灸疤之痛苦，是為妙術也。

大艾炷烤灸法

凡患腰膀腿膝痠疼重症，微針小灸，难收速效，可用酒盃大，或拳大艾炷，裝盘碟内，或木板上燃着，放被窩内，蓋嚴，將腰膀或腿膝墊起，用艾火薰烤代灸，藉热發汗，数次必愈，此為重病最效之一种妙法也，幸勿忽視為要。

預防傳染及長生灸法

—13—

衛生政策，首主預防，我中医灸法，預防要着，科学唯物、經济簡便，預防方法，無出其右。……

無論何疫，均灸百會命門臍中、三里四穴，補壯元陽，可免傳染，小兒並喝三豆飲水，即斐花三錢，甘草二錢，黄黑綠豆各壹兩，共煮多水，放糖飲之，防疫特效，中風預防灸法，詳列医案諸風门內，又如病延年灸法，不必按照日本每月初按日數之印版灸法，即每月要灸臍中、氣海、三里三穴五六次，不可間断，吾敢保証無病長生也。

禁針穴歌

腦户顖会及神庭，玉枕络却到承灵，顱息角孫承泣穴，神道灵台膻中明，水分神闕会阴上，横骨氣衝針莫行，箕门承筋手五里，三陽络穴到青灵，孕婦不宜針合谷，三阴交内亦莫針，石门針灸应須忌，女子终身孕不成，外有雲门並鳩尾，缺盆主客深暈生，肩井深時亦暈倒，急補三里人还平，刺中五臟胆皆死，衝陽血出投幽冥，海泉顴髎乳頭上，脊间中髓傴僂形，手魚腹陷陰股內，膝臏筋会及腎經，腋股之下各三寸，目眶関節皆通評。

禁灸穴歌

啞门風府天柱擎，承光臨泣頭維平，絲竹攢竹睛明穴，素髎禾髎迎香程，顴髎下関人迎去，天牖天府到周荣，淵腋乳中鳩尾下，腹哀臂後尋肩貞，陽池中衝少商穴，魚际經渠一順行，地

—15—

五、陽关消中主，隐白、漏谷、通阴陵，条口、犢鼻、上阴市，伏兔、髀関、申脉、迎，委中、殷门、承扶上，白环心俞同一经，灸而勿针、々勿灸，针经为此常叮嚀，庸医针灸一齐用，徒使患者炮烙刑。

灵枢刺禁

灵枢终始篇曰，凡刺之禁，新内勿刺，已刺勿内。已醉勿刺，已刺勿醉。新怒勿刺，已刺勿怒。新劳勿刺，已刺勿劳。已饱勿刺，已刺勿饱。已飢勿刺，已刺勿飢。已渴勿刺，已刺勿渴。大驚大恐，必定其氣乃刺之，乘車来者，卧而休之，如食頃乃刺之，步行来者，坐而休之，如行十里頃乃刺之，凡此十二禁者，其脉乱、氣散，逆其荣衛，经氣不次，因而刺之，則陽病入於阴，阴病出於陽，則邪氣復生，粗工勿察，是謂伐身，形体淫泆，乃消腦髓，津液不化，脱其五味，是謂失氣。

灵枢五禁篇曰，刺有五夺，形肉已脱是一夺也，大夺血之後，是二夺也，大汗出之後是三奪也，大泄之後是四夺也，新産及大血是五夺也，此皆不可泄。

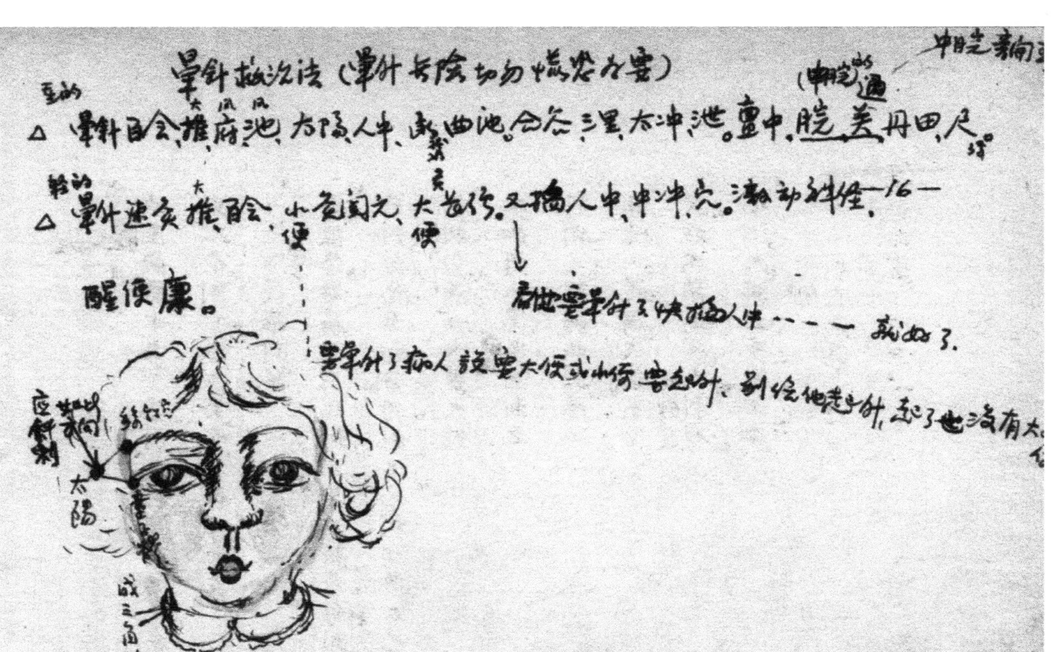
晕针救治法（晕针后除切勿惊慌为要）

中脘穴：素向[illegible]

重的
△晕针百会、推风府、风池、太阳、人中、[illegible]、曲池。合谷、三里、太冲泄。膻中、（中脘）脘、关、丹田、尺泽。

轻的
△晕针速灸推百会、小便[illegible]、大便[illegible]。又掐人中、中冲穴。涨动神经。—16—

醒便康。

[illegible]晕针之快掐人中……就好了。

晕针了病人说要大便或小便要起针，别给他起针，起了也没有大[illegible]

附：健忘是主感神经过劳（本来主感与副主感神经应该平衡，神经过敏、过劳神经时，主感神经兴奋速度超过副主感神经），应针百会、肾俞、神门。（肾俞或心俞）

如果副主感神经过分超过主感神经，则必发精神想睡觉。

諺治医案篇

古今針灸源流略說

針道源流，肇自内経，岐黄論道，脏腑闡明，灵素大法万世師承，难経子午，扁華正宗，晋皇甫謐著甲乙経，宋铸銅人，王維徳功，隋王执中，七篇資生，标幽作賦，竇氏流鋼，元明諸賢，各有發明，追楊继洲，选集大成，滿清求桊，日渐凋零，人競新奇，医尚欧風，帝國主義侵略環攻，否極泰來，紅日東升，祖先遺産，宝貴珍瑰，光復祖國，在振宗風，猗欤休哉，附驥攀龍。

老人門

老人健忘，「百會心俞，通里命門，神門復溜，」老眼昏花，腎俞、命門，肝俞，又法百会，水泉補之，又補復溜，肝俞瀉施。」眼八散大，懸顱最奇，旁开一寸，補後瀉之，如求速效，再補腎俞。」耳聾蟬鳴，听宫燃針，天柱大杼，復溜昆崙。」又法百会，听宫泄針，肝俞並泄，腎俞補神。」風火眩暈，百会不補，風池曲池，再泄合谷，」腎虚眩暈，復溜絕骨，」搖头風症，百会承浆，肩井中渚，後谿泄良。」老手顫戰，肩髃曲池，手井全泄，八泄陽池，」失眠不寐，三針安眠，神门解谿，只補湧泉。」五更腎瀉，氣海復溜。」又法脾俞，腎俞補

—17—

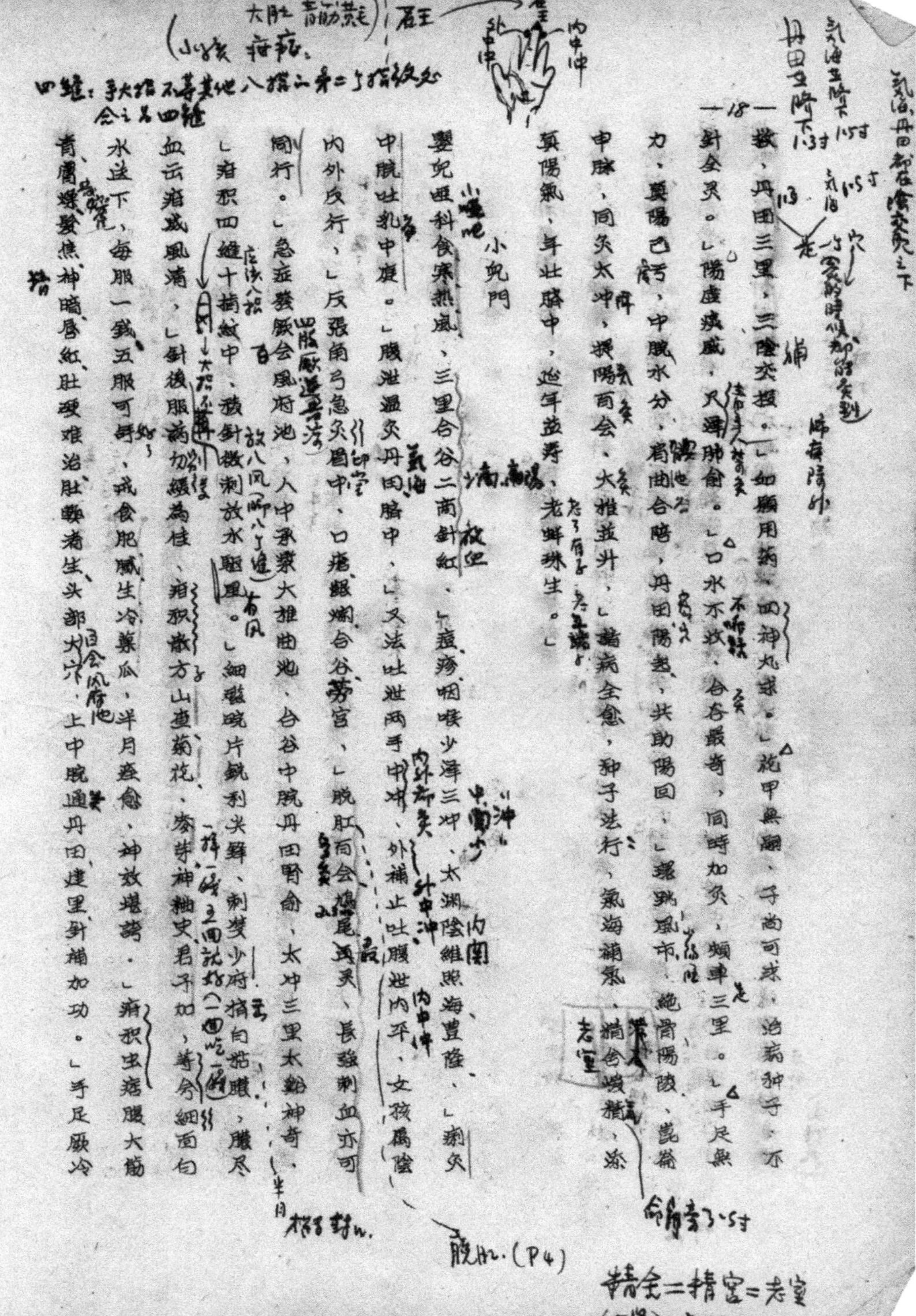

—18—

散，丹田三里，二陰交授。⌞如脈用药，四神丸球。⌞指甲無痛，子尚可救，治病种子，不針全灸。⌞陽虚痰盛，尺澤肺俞。⌞口水不收，合谷最奇，同時加灸，頰車三里。⌞手足無力，興陽已窮，中脘水分，肩曲合陷，丹田陽志，共助陽回。⌞環跳風市，絶骨陽陵，崑崙中脉，同灸太冲，提陽百会，大椎並升。⌞諸病全愈，种子法行，氣海補氣，精宮峻補，添興陽氣，年壯臍中，延年益寿，老蚌珠生。⌞

小兒門

嬰兒肥科食寒熱風，三里合谷二商針紅。⌞痘疹咽喉少澤三冲，太淵陰維照海豊隆。⌞痢灸中脘吐乳中庭。⌞腹泄温灸丹田臍中。⌞又法吐泄兩手中冲，外補止吐腹泄内平，女孩属陰内外反行。⌞反張角弓急灸眉中，口瘡蝦嘛合谷勞宮。⌞脱肛百会鳩尾両灸，長強刺血亦可同行。⌞急症發厥会風府池，人中承漿大椎曲池，合谷中脘丹田腎俞，太冲三里太谿神奇，⌞疳积四縫十指縫中，發針微刺放水驅風。⌞細酸皖片皴利尖鮮，刺梦少府指白指臘，臘尽血云疳盛風滴，⌞針後服藥切綴為佳，疳积散方山查菊花，麥芽神曲史君子加，等分細面白水送下，每服一錢五服可畢，戒食肥膩生冷菓瓜，半月痊愈，神效堪誇。⌞痢积虫痞腹大筋青，腹蠖發焦神瞎唇紅，肚硬难治肚臍着生，头部大穴上中脘通丹田建里針補加功。⌞手足厥冷

口红、唇红——急惊风（实热证）

（阳症）急惊风——（实热症）

（阴症）慢惊风——（虚寒证）

外関通融曲池合谷三里太冲脾胃三焦大腸俞攻。」食积腹硬臟腑披痰唇内白點虫积特徵、」𠝹挑重病四缝同攻脾胃補出此為準繩。」身黄腫穿百会上星大椎太陽尺澤脘中合谷水分丹田、脐中腎脾胃俞環跳市風三陰交里絶骨陰陵各穴全灸邀灸天応氣旺飲食七日成功。」四五步後啞不能言聾先治耳不聾可痊。心俞同灸内踝骨尖啞门泄勁通里補完。」陰卵偏大腹痛灸痊太冲独陰三陰関元。」慢脾驚風面白眼青虚寒氣弱顛実傾生。」百会太陽府池退風尺澤合谷環跳懸鐘風市三里然谷太冲太谿中脉客主脐中丹田補数瀉氣則灵針入起走缶針大山備正归原抽針莫停。」腎俞頻平承漿入中各穴針罪逃驚灸功腎俞丹田三四壯丁蓮先穿孔圍列七星艾圓豆大百壯脐中蓮乾遮換加減肉痊。」又法隱白並補眉中針透攢竹兜哭者生。」急驚癇風反張角弓会風府池素髎人中印堂太陽神门大陵八邪風血十宣井紅天突氣户中脘國圓大二椎骨泄熱驅風肺至小腸俞腰逃行命門身柱尺澤委中曲池合谷風市陽陵承山崑崙三里懸鐘大熱大渴泄瀉甦生。」急驚初現風府人中曲池合谷少商中冲大椎湧泉冲商血紅。」海上仙方治急驚風，生黄栽茶各子面攪蛋猪色數宣中色青即平。」七日臍風吸乳口緊眉心眼角黄色忽生鼻黄尚易口黄多凶唇鋼舌强泣無淚声絶通仙佛或可救生。」此症先灸百会上星中承針罪氷片對樁围艾絨内蔓灸臍中。」腎俞三壯臍背横行平開折半至腰椎中回量六分七壯艾絨又从大椎至尾閭脊中间折半點

十宣：手指尖端正中为宣（偏一点）

—19—

天应穴 阿是穴 不定穴，痛处即穴

（天应也是阿是穴也是痛的地方）

—20—

墨記明再將椎間尺寸量明三分之一折三角形上角墨點下二角平左右二穴量法記清艾灸七壯神效功奇。」臍風又方顖会、少商、印堂、眉心、人中、承漿、神闕七穴臍之六旁各開一寸每穴一壯。」再看兩乳夜积有掐針刺去血定保全活。」腹現青筋臍中上行灸筋末端麥大艾炷每灸一壯縮下寸零再灸再下消盡更生筋直心窩藥王復生兒童病弱雖易染傳無論何時預防為先、三豆飲方備效如仙、菉荳、甘草各二三錢、黃黑綠豆各一兩全共煮多水加糖味甜兒童喜飲病疫不傳。

婦女門

婦女月信虛實、分嚴紫黑瘀塊實熱、經前淡無血色、錯後虛寒」內庭血海氣海當先三陰交里經血歸源。」調經又法曲池內關太衝通里陰陽陵泉」古法用心關元通神氣海天樞三陰公孫虛寒溫補、實熱泄針」月經不調血海至陰二穴多灸全不用針」癥瘕氣海、天樞、地机、臍下關元、水道、中極」又有癥瘕男痃相類聚散無常合谷、百会、中脘、丹田、期门、肓俞、肺俞、三里、四花、大椎」實熱盛極牢洩枯乾、血少色淡陰維內關三陰曲池陰陽陵泉」脾虛血少治不同前隱白三里歸脾湯煎、」經血閉塞三陰四關崑崙陽陵內關々元曲池間使交信收圓」經閉面黃乾嘔不眠曲池、支溝、三里、三陰」又法經閉商效救急三陰合谷中極腎俞」經閉行氣下胎四針合谷三里丹田至陰、合丹用補里陰泄針」加三陰交、血海陰陵、陰交溫灸、太谿、氣衝」連声咳嗽肺俞可寧手足心熱湧泉勞宮」乾血入痨加膏肓

隐白治血的病（白带也可以）
（可止）

—21—

俞陶道身柱、肺俞、胃俞、腸関癸亥凍虫灸奇癥紅不遏狭労無益」血氣、労倦、煩熱五心四肢皆痛头目昏沉腎俞、百会膏肓俞、神曲池、合谷絶骨盗寒」血多行間、三陰通里、不止加針隠白曲池」血块曲泉氣海丹田複溜、三里、三陰交、関」月經不利断故、中極、血結成块三陰間使」血滞下癥蠱满熱湿関元、帶脉、合陽、太谿」口鼻逆經血熱妄行、絡脉損伤、肝脾瘀滞合谷三里血海通灵」血崩不止丹田、中極、腎俞子宮、百労、風池、曲池、膏肓、隠白最奇。血崩漏下子宮、中極、崩血常有多少淋漓関元同補丹田腎俞、隠白特效血海、肝俞」産妇血崩枠鏈焼紅淬醋薫鼻、崩症更灵」每居經行头暈腹疼、合谷、三里、陽交、内庭」經期入房觸血猖狂、忽寒、忽熱、羸瘦、臉黄、風門、腎俞、百労、帮忙中極、氣海、三陰交光」經期便血、泄大腸俞、合谷、三里三陰脾俞腹哀陰交白瘍無虞。」月期発狂葯有灵方阿膠、生地、各四銭薑入鴨蛋内蒸熱淡嘗。」血氣蠱脹複溜行間、宣中水分、氣海、丹田、支溝、間使、三陰、関元、内庭、三里、公孫、曲泉、。」單腹血脹、氣喘、下脘、宣中、氣海、三里、行間」血症三里必須得氣、針自摇動生效方易。」病在經期針腫头皮、三陰交泄腫、淌瀕灾。」室女經動腹痛不調関元、腎俞、三里、陰交」赤白帯下氣海、中極、三陰、陽交、白瘍、腎俞」赤白又法帯脉、関元、三陰、氣海、間使、白瘍」帯下虚損形瘦不安、百労、腎俞、三陰、関元」歯白帯症血海、三陰々跷照海艾各九壮」赤帯兼灸足通谷、薑又法燃艾関元、通神、氣海、中極、各七壮溢」陰盛陽衰、淌濁混淆白帯淋漓、氣海、関元、内庭、三陰交、陰陵泉、血海、三里、小腸俞、連膀胱俞

—22—

俞、水分、艾灸加足通谷九壮灵验。」白带妙法[illegible]山虎花煎水服下应手如拿。」调经种子关元通神左右二寸子户、胞门各五十壮全不用针，然后独灸阴交三阴」久不妊孕中极旁行三寸子宫针一寸零，冷补热泄，巧夺天功。」调经艰难，三阴、关元、商丘、四满、子宫生进。」阴挺曲泉、照海、大敦，腹痛阴会、中极、三阴。」生殖器病血海、照海，针灸并行功高数百。」不受胎孕子宫冷，虚补三阴交、子宫、中极。」安胎秘法玄妙通神，三阴交补合谷泄针。」滑胎惯病此法留心，三四五六每月一针。」横生死难产反用加灸至阴。」催生最快下胎四针」难产气闷子上逼心，下胎法内巨阙加针。」横生死胎合谷、三阴、昆仑、曲池、太冲、独阴，」横生手出莫惊危险，足小趾尖三壮顺产。」交骨不开肩井穴改针深陷倒三里能管。」胎衣不下中极、三阴效力最速再加昆仑。」产血腹痛气海、三阴、产后血晕不识亲人飞虎支沟三里三阴。」胎产厥逆手足如冰，速针肩井气回魂生。」恶露不止三阴、曲池、太冲、四满、关元、中极」恶露绵延脐腹痛连三阴、膏肓、水分、关元、」产后瘀血肚腹胀疼速泄三里承山、内庭、」气血两虚易中邪风，四肢不遂动转失灵，会风府、池太阳、肩中、大椎、肩井、曲池、偏历、列缺、合谷、环跳、阳陵、风市、血海、承山、阴陵、三阴交、复溜、三里、委中，人虚病实，补后泄明。」月内云宫身扑冷风停瘀血脏腹胀胀々，第一曰刺会府池风、太阳、肺俞、膏肓俞，行肝脾胃俞、大小肠，攻膀胱、关门、丹田、脘中、三阴交里，后灸脐中。」第二、三曰按原法行，大小二肠隔曰一攻。」四曰以后常灸脐中、期门、肝俞、

四种
- △人虚病虚（专补）
- △人实病实（专泄）？
- △人虚病实（先补后泄——先补平气）
- △人实病虚（先泄后补）

逐痰、驅風、其餘各穴酌為減增、三日以後头部針停。乚産後失調易中寒風邪阻血結、厥陰任衝寒鬱発热、天癸逼行、血室空虛邪热侵中乍寒乍热、手足心烦、痰嗽羸瘦汗似头颈合夜譫語見鬼神驚悩月家癆血室热攻会風府池、太陽驅風合谷尺沢期門救生、三陰三里(中脘关通)各穴泄補依法换行、其他要穴臨症減增。乚乳房癰腫部位要分乳上屬胃膺窗乳根、上下巨虛三里通神。乚乳头下部屬肝厥陰刺足臨泣太冲期門。乚乳腫灸法、乳头上聽乳头到处七壯可安。乚又法用繩須掛前胸臍乳截斷轉蚕後行處繩尽处七壯灸平。乚乳癰下廉、三里、侠谿少沢魚际委中臨泣。乚乳癰又法刺足臨泣、神門、内関、三里、太谿竹馬臨関、腫消病瘥。乚乳癰腫痛、胆胃热、实乳癌結核脾肺鬱集吃乳兒睡、口鼻热嘘乳集阻滞、氣血停滞太渊合谷、心肝肺俞膏肓、三里、三陰交、集除肝俞外均泄補之。乚天应患处部位須知乳头乳盘针刺、菜施患处周圍灸最相宜核堅赤潰数针泄痰。乚妇人無乳少冲、合谷氣會亶中少沢同補又法乳根内関前谷嬰兒飽嬉合家万福。

諸風門

中風総括歌：風从外中伤肢体、痰火内發病心官、体伤不仁與不用、心病神昏不語言、当分中絡、経府臟、更審虛实寒热痰、脱證撒手為脾絶、口開眼合是心肝、遗尿腎絶鼾声肺、閉證握固緊牙関、初以通関先取嚔、痰壅不下吐為先。

△肝経的穴有泄无補。

△肾经的穴有補无泄。

—23—

中风（血压高引起）

中風治療四言舉要歌

按歌四言者多亦有七字句者非要歌韻取其簡句合音便於熟記云

中風内虛，熱襲外風，風中腑臟，痰火内攻，口噤神昏，卒倒失驚。只要迎香，宣井並紅、風府池啞，承漿人中，口噤頰車，合谷速攻，天滿顖会，灸療甦生。風中經脉，半身失灵，手足三里，肩井肩髃，曲池合谷，環跳委中，風市絶骨，氣血通經。口眼歪斜，絡脉中風，会風府池，医風中人，承漿，左針右病，口内筋紅，頰車地倉，合谷收功。

中風預防法

中風預防針灸法，要关八會要記明，四指手叉根節後，忽覺麻痺三里同，無故十手指自動，三日以後多中風，急治百会大椎灸，丹田要穴補法行，尺澤通关泄再補，姜艾百壯灸臍中，又法男灸左膝眼，大横承山崑崙烘。

類中風總括歌：類中類乎中風症，尸厥中虛氣食寒，火濕暑惡皆昏厥，辨在喎斜偏廢間。

類中風治療四言舉要

類中風症，尸厥人中，百会承漿，虛補大陵，火暑惡厥，十宣井紅，濕寒食症，合谷太冲，逐陽九針，通用還生，中惡又法，鬼哭艾炷，神闕姜灸，中惡大敦，各灸一壯，針補会陰，

95

中惡穴位、乳下三寸。

還陽九針歌

「啞瘖三通太、人中承漿排、人中湧泉補、餘均補瀉開」

傷風總括歌：傷風屬肺、咳声重、鼻塞噴嚏、涕流青、鼻淵腦熱、不噴嚏、濁涕穢久、必鼻紅。

傷風（鼻鼽）鼻衄鼻淵治療舉要

鼻為肺竅、上共腦通、傷風寒鼽、風府迎香、風門合谷、通天上星。」熱衄流血、合谷太冲、百勞三壯、並灸上星、大椎尺澤、少商灸灵、並治鼻瘡、此法同行。」鼻淵風池、通天上星、又法上星、加灸太冲、鼻痔窒塞、上星懸鐘、素禾二髎、通天神庭。

痙風總括歌：痙病項強背反張、有汗為柔無汗剛、生産血多過汗後、潰瘡犬吠破風傷。

痙病治療

風邪乘虚、入太陽經、内外有因、即成痙風、痙病通治、大椎人中、天柱大杼、百会府風、身柱芦恕、同奏奇功。破傷成風、痙病角弓、風府風門、曲池氣行、大敦郄郄、承山陽陵、耳垢炙黄、研合艾絨、向是穴灸、三五壯可、或手足甲、各一錢重、炒黄研末、酒服汗功。

傷寒門

—25—

△ 傷寒病也是經絡上的病（足三陽 足三陰）
不是手上經絡的病
只刺足經（表裡）如要入絡了或速刺經同刺
六穴同攻。

傷寒病 從表而太陽經病 → 陽明 → 少陽 → 太陰 → 少陰 → 厥陰。（到厥陰經的病就不好治了）

—26—

傷寒初病、太陽經症、頭痛偏衝、熱汗惡風，魚府風池、外關可平。」傷寒头痛、無汗身疼、百会府池、太陽血紅、大椎曲池、亦可同攻，合谷間使、三里太冲、無汗泄谷、復溜補行。」大便癃結、支溝可通、章門照海、三里脘中，偏仍不通，陽陵豐隆、瀉下祛痰、狂燥更灵。」小便赤澀、通里調停、神昏譫語、神門可清、过經不解，大熱騰々。

期門中脘，間使太冲、内庭三里、最奏奇功。

傷寒病後，遍日傳經、一日風府、二陽明榮、三少陽俞、四太陰井、五少陰俞、六厥陰經。

傷寒在表，刺三陽經，傳經入裡、譫語眼紅、三陰經刺、六穴同攻。

胸痛大陵、間使膻中、結胸同治、中脘可平。

傷寒初病、惡寒头痛，外関魚際、委中太冲、脇痛飛虎、章門陽陵，重可再加，期門委中。

傷寒会府池要明，大椎曲池合谷迎，三里無汗復溜補，过經期門中脘行，头痛太陽太冲泄，腹瀉天樞氣海平，初病惡寒外関閉，陰經間使有奇功。

師傳傷寒太陽經秘訣歌，傷寒百会風府池，太合闘里太冲施，無汗泄谷復溜補，汗若多時反用之。

寒為陰邪，惡寒惡風、發熱無汗、項强身疼、脉如浮緊、大椎速攻、曲池泄谷、復溜補行，

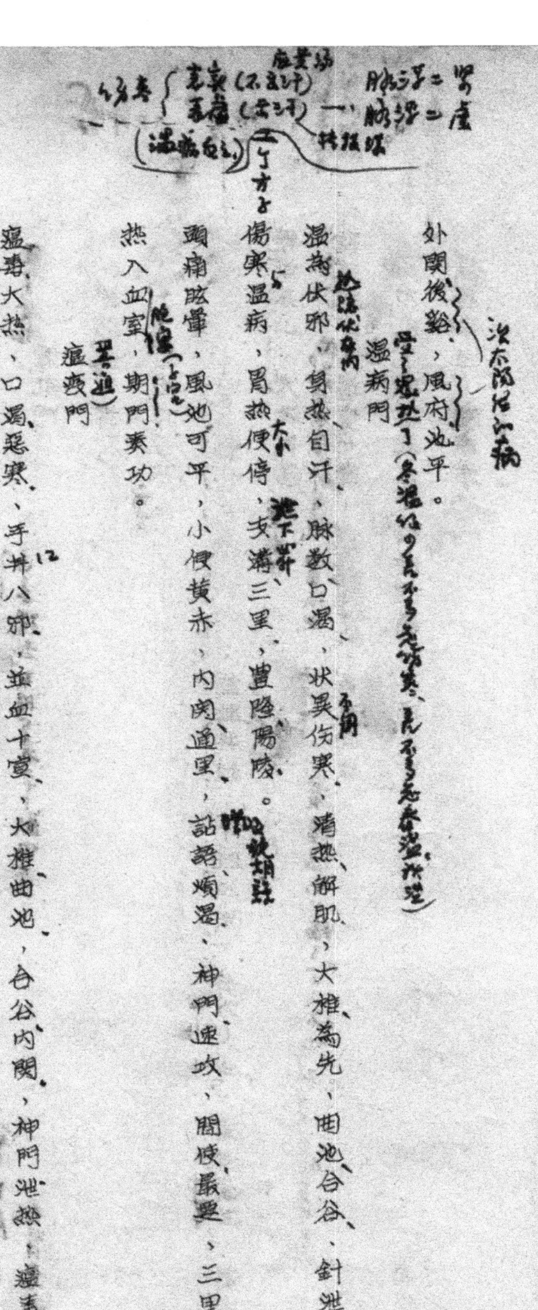

外関後谿，風府尚平。

温病門

温為伏邪，身熱自汗，脉数口渴，狀異傷寒，清熱、解肌，大椎為先，曲池合谷，針泄自安。

傷寒温病，胃熱便停，支溝三里，豐隆陽陵。

頭痛眩暈，風池可平，小便黄赤，内関通里，譫語煩渴，神門速攻，間使最要，三里出通。

熱入血室，期門奏功。

瘟疫門

瘟毒大熱，口渴惡寒，手井八邪，並血十宣，大椎曲池，合谷内関，神門泄熱，瘟毒自消。

瘟疫流行，十宣井紅，大陵合谷，尺澤委中，便秘支溝，三里陽陵，咽喉腫痛，天突速攻。

熱入血分，瘟疹發斑，曲澤委中，放血可痊。

預防傳染，曲池尺紅，受毒減痢，並血委中。

暑厥脉数，少商中冲，湧泉中脘，尺委並紅。

痧疹不通，血熱壅積，曲池三陰，重泄逼紅。

瘟毒閉結，大便不通，支溝照海，陽陵豐隆。

—27—

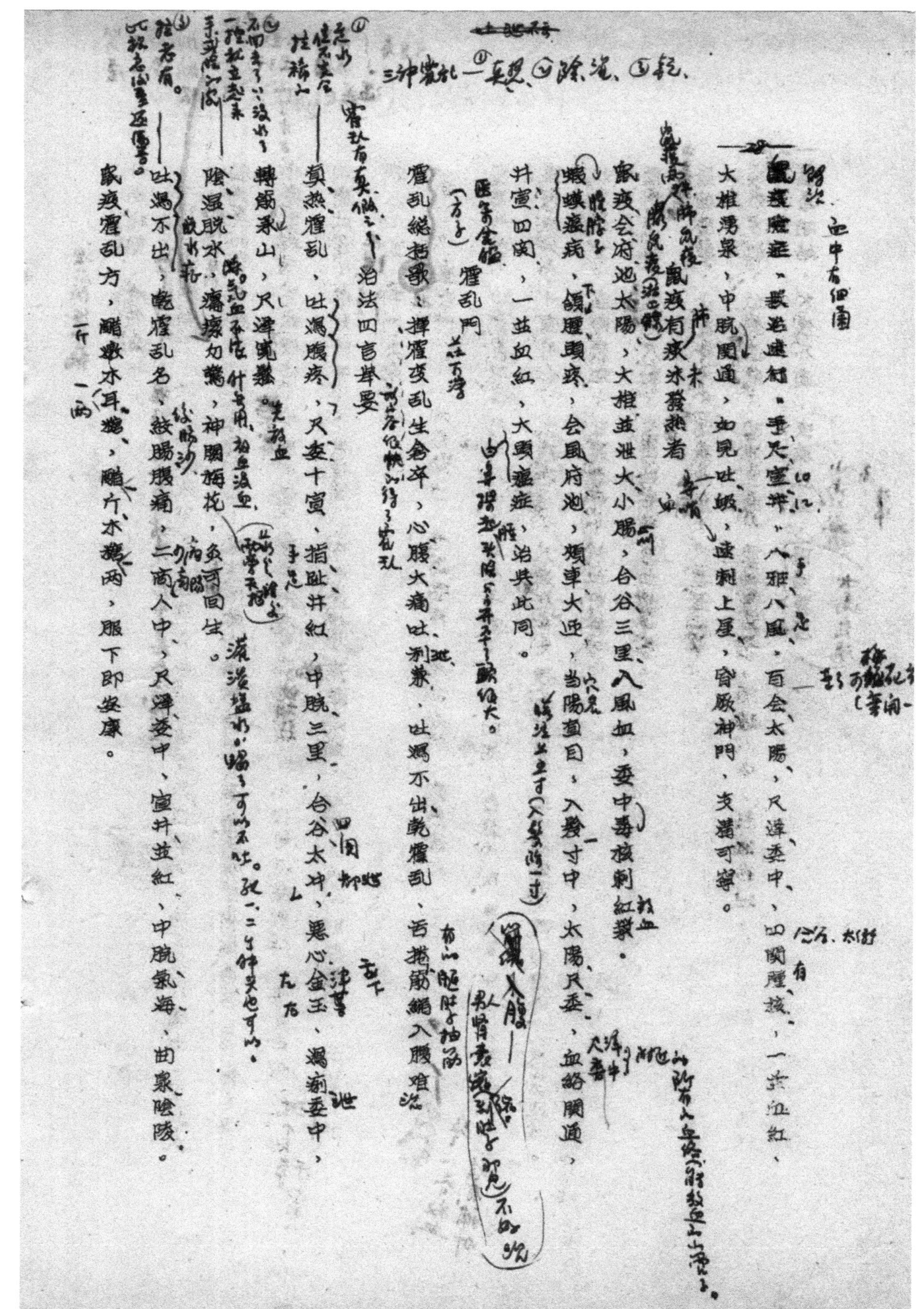

三种霍乱 ①寒思 ②除湿 ③乾

痧症、救治歌訣：手足十宣井、八邪八風、百会太陽、尺澤委中、四関腫核、一齊血紅、
大椎湧泉、中脘関通、如見吐衄、齒齦上星、昏厥神門、支溝可寧。

痧疫有痰沐發热者
痧疫会府池太陽、大椎並泄大小腸、合谷三里入風血、委中毒核刺紅漿。

蝦蟆瘟病、頷腫頭疼、会風府池、頰車大迎、当陽直目、入髮寸中、太陽尺委、血絡開通、
井宣四関、一並血紅、大頭瘟症、治共此同。

醫宗金鑑 霍乱門
(方子)

霍乱総括歌：揮霍变乱生倉卒、心腹大痛吐利兼、吐瀉不出乾霍乱、舌捲筋縮入腹难治

治法四言舉要

真熱霍乱、吐瀉腹疼、尺委十宣、指趾井紅、中脘三里、合谷太冲、悪心金玉、瀉痢委中、
轉筋承山、尺澤[illegible]。
陰湿脱水、瘈瘲如驚、神闕梅花、灸可回生。
灌淡塩水[illegible]
吐瀉不出、乾霍乱名、絞腸腹痛、二商人中、尺澤委中、宣井並紅、中脘氣海、曲泉陰陵。

痧疫霍乱方，雄黄木耳[illegible]、雌[illegible]木[illegible]兩，服下即安康。

頭面門

頭痛眩暈總括歌：頭痛痰熱風濕氣，或兼氣血虛而疼，在右屬氣多痰熱，左屬血少更屬風，因風眩暈頭風痛，熱暈煩渴火上攻，氣鬱不伸痰嘔吐，濕則重痛虛動增。久病頭痛合谷強，百会風府池太陽，如患頭角偏頭痛，光明豐隆絡脉詳，頭痛如破三穴效，偏正頭痛頭維良，眼角後頭連京骨，裏腦重痛命門防。

頭痛四言舉要

前後頭痛百会上星，神庭絲竹，崑崙陽陵，曲池合谷，京骨收功。

裡頭項痛，命門可平，天柱大杼，百会上星。

偏頭痛症，会風府池，頭維太陽，列缺陽谿，光明四關，豐隆解谿。

頭風眩暈，百会風池，会池全灸，合谷泄施。

痰火眩暈，刺絲竹空，風池曲池，陽陵豐隆。

頭痛鼻衄，顖会灸灵，大椎一壯，三壯上星。

虛眩滋髓，後溪絶骨，頭引目痛，至陰京骨，面腫人中，後溪合谷。

耳目門

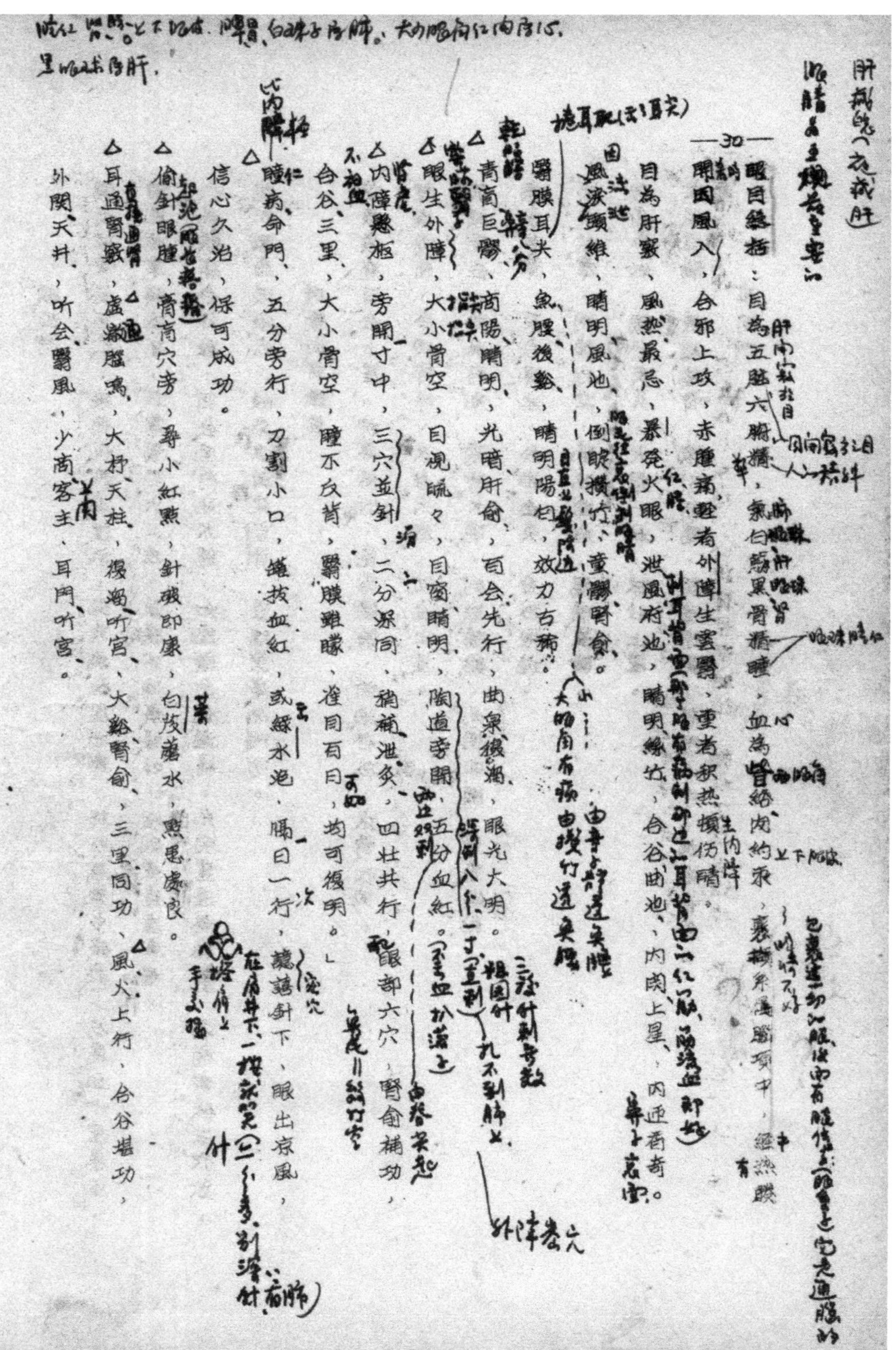

—30—

眼目總括：目為五臟六腑精，氣白筋黑骨精瞳，血為絡肉約束，裹擷系還腦項中，經熱……

眼目風入，合邪上攻，赤腫痛，輕者外障生雲翳，重者积热損傷睛。

目為肝竅，風熱最忌，暴發火眼，泄風府池，睛明絲竹，合谷曲池，內肉上星，內迎香奇。

風淚頭維，睛明風池，倒睫攢竹，童髎肝俞。

翳膜耳尖，魚腰後谿，睛明陽白，效力古稀。

青盲巨髎，商陽睛明，光明肝俞，百会先行，曲泉後谿，眼光大明。

△眼生外障，大小骨空，目視䀮䀮，目窗睛明，腦道旁開，五分血紅。

△內障懸樞，旁開寸中，三穴並針，二分深同，補瀉泄灸，四壯共行，眼部六穴，肝俞補功。

合谷三里，大小骨空，瞳不反背，翳膜難曚，痊同百日，均可復明。

△瞳病命門，五分旁行，刀割小口，罐拔血紅，或綠水泡，隔日一行，穢藷針下，眼出凉風。

信心久治，保可成功。

△偷針眼瞳，膏肓穴旁，尋小紅點，針破即康，白莢蘑水，愈患處良。

△耳通腎竅，虛濁腦鳴，大杼天柱，後谿聽宮，大椎腎俞，三里同功，風火上行，合谷堪功。

外關天井，聽会翳風，少商客主，耳門聽宮。

口舌門

口舌證治歌：唇口屬脾舌屬心，口舌瘡糜蘊熱深（口淡脾和臭胃熱），五味內溢五熱淫，木舌重舌々腫大，唇腫唇瘡緊繭唇，舌發赤腫多实熱，淡白时痛每虚因。

口為脾竅，舌苗心生，口臭水溝、三里勞宫、唇腫弛緩，巨髎、迎香、兑端、合谷、承漿、地倉。

重舌腫痛，金玉十宣，曲池合谷，神門、内關。

舌強不語，天突、啞門，風府、中冲，復溜、通神。

齒喉門

牙齒總括歌：牙者骨餘屬乎腎，牙齦手足兩陽明，齒長齦動為腎憊，牙疼胃火、風寒虫，不怕冷熱為風痛，火腫喜冷得寒疼，寒不腫蛀喜熱飲，虫牙蝕盡一牙生。

牙齒屬腎，根絡陽明，風火二関，曲池、翳風、頰車、三里、合谷、泄寫。

口噤下関，頰車中承。

牙車脱落上関会听。

寒牙腎虚，三里、胆承，痛至搖動，太谿補灵，呂細承漿，下門牙寧。

咽喉總括歌：胸膈風熱咽喉痛，邪盛單雙乳蛾生，熱極腫閉名喉痹，語言艰出息不通，痰盛

—32—

纏喉閉、咽、內外腫閉纏喉風、喉痹纏喉守危證、燒後無礙腫閉出。
喉痹、腫痛，風熱之源，風池風府、二商十宣、曲池合谷、魚際內關、頰車三里，尺澤二間。
喉腫咽乾、神門太淵。
扁桃線炎、喉痹嘁風、喘促寒熱，璣梁勞宮、各灸七壯，十宣血紅。└腫閉不通、然骨豐隆
、天突氣舍、天容翳風，金玉刺血，照海收功。
咽痛腫痛、迸象險生、井宣尺委、四關并紅、太淵通里、三里豐隆。

△ 癲狂癇門

癲癇総括歌：經言癲狂本一病，狂乃陽邪癲是陰，癲疾始發意不樂，甚則神癡語不倫，狂怒
山狂多不卧，目直罵詈不認親，癇病吐涎背噤倒，抽搐醒後若平人。
癲癇、鳩尾、間使大陵，百会風府，後谿上星。
脊吐涎沫，神門速功，曲池尺澤，豐隆自明。└痖發照海，壹中脉灵。
癲狂心俞，百会人中，神門後谿，攢竹神庭，陽谷陽谿，少海大陵，僕參申脉，豐隆陽陵。
癇症正発，卒倒莫驚，百会風府，承漿人中，神門後谿，神庭眉中，身柱四関，陽陵豐隆，
巨闕上脘，鳩尾天井，如再不醒，灸法速行，鬼眼四穴，火烧即明。

瀉痢門

諸瀉總括歌：濕勝濡瀉即水瀉，多水腸鳴腹不疼。寒濕洞泄即寒瀉，鴨溏清徹痛雷鳴。完穀不化名飧瀉，土衰木盛不升清，脾虛腹滿食後瀉，腎瀉寒虛晨數行。

五泄濕盛，火泄宣清，曲池內關，三里委中。

水泄下脘、天樞下廉。

脾寒濕痛，三里關元，三陰交隨，飧瀉泄痊。

食積作泄，天樞中脘。

暑泄大椎，曲池內關，大腸委中，三里上廉。

溏、飧、腎泄，三陰交灸，百会、中脘、天樞、臍中，命門、氣海、隱白、陰陵。

痢疾總括歌：噤口飲食俱不納，水穀糟粕雜血膿，風痢墜重圓清血，休息時作復時停，熱痢魚腦稠粘穢，寒痢稀澥白清腥，濕痢黑豆汁渾濁，五色相雜臟氣凶。

痢疾曲池合谷太冲。

暑濕赤白陽陵委中。

噤口腹痛，水道外陵，氣海天樞，三里臍中，三陰脾俞，中脘太冲，百会水分，照海內庭。

—33—

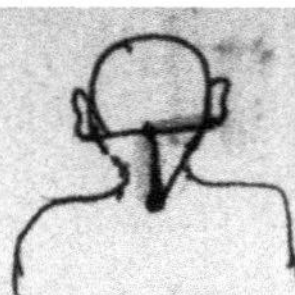

—34—

濕熱、內關、太谿上廉。

痢成膿血，速逕下廉，太白補土，水瀉曲泉。

久痢虛寒，溫補宜先，百会、鳩尾、氣海、關元、三陰、隱白、三里、回天。

腫脹門

腫脹總括歌：衛氣並脉，循分肉，內傷、外感正邪攻，外邪客脉為脉脹，邪留分肉膚脹生，脉脹筋起絡色变，久成單腹木脫消，膚脹鼕々初不鞕，緬綿氣鼓脹膨々。外邪干衛客腸外，腸覃月事以時行。外邪干榮客胞內，石瘕經閉狀妊盈。皮厚色蒼多是氣，皮薄色澤水濕成。氣速安臥从上下，水漸难眠喘嗽微，石水少腹腫不喘，風水面腫脛足同，石水陰邪寒水結，風水陽邪熱濕凝。

脹滿初起，內關、勞宮、三陰交、三里、隱白、內庭。

脹甚內關，公孫、內庭，氣海峻補，天樞瀉行，章門、中脘、三里、陽陵。

水腫四關，曲池、肩髃、大椎、內關、偏歷、陰陵。

水腫利尿，水道、關元，復溜、腎俞、京門、通天、陰谷、偏歷、三陰、上廉。

水腫利水，偏歷、陰陵、關元、氣海、命門火攻，三陰交、三里、絕骨、太冲、解谿放水，隱白補平。

中魁（陽池 和 中指）

水腫灸法：水分、大椎，一二椎下，各灸九救，陰谷七壯，七日七回，信者得救，健康恢復，

△大椎取法，繩量耳根。正中按定，貼項繩勻，直下盡處，大椎方真。

治水腫，腹脹如娠，先灸腎俞，七壯水分，然骨左右，五壯並灸，連灸十日可望回春。

噎膈門

噎膈翻胃總括歌：三陽熱結傷津液，乾枯賁、幽、魄門不通，賁門不納為噎膈，幽門不放翻胃成，

二証流連傳導隘，魄門應自澀於行，胸痛便艱如羊糞，吐沫、嘔血命難生。

噎膈天突、建里、大陵，膈俞、膈關，中魁、勞宮，賁門收納，飲食自通。

翻胃轉食，腸胃熱烘，幽門腫閉，食難下行，三脘、氣海，腸胃交通，魚際、復溜，津液可增，

三里、絕骨，合谷、太沖，食道癌腫，建里可通，大陵、重泄，渦腫全生。

噎膈翻胃，胃粘衝衝，火無氣化，津液甚微，朝暮噎轉，虛寒細推，下脘、天樞、天突、中魁、

勞宮、膈俞，三里、神闕，公孫、太白，巨闕春回，陽陵、太沖，胆胃衝歸。

嘔吐噦門

嘔吐噦總括歌：有物有声謂之嘔，有物無声吐之徵，無物有声噦乾嘔，面青、指黑、痛厥凶。

胃熱嘔噦，金玉中沖，二商、四關，三里、勞宮。

— 35 —

—36—

吐食不化，三脘調停。

痰飲寒嘔，中脘先行，三里、太白、天突同攻。

乾嘔間使，乳根灸平。

胆火嘔苦，邱墟陽陵，太冲并泄，三里内庭。

蓄食停水，中脘二間，三里、太白，天突嘔逆。

氣冲上逆，公孫可停，通谷中脘，尺澤大陵。

积聚門

积聚総括歌：五积六聚本难經，七癥八瘕議千金，腸覃石瘕辨月事，痃癖之名别淺深，癥积發時有常處，府聚忽散無本根，癥瘕积痃痞聚癖，腸满汁溢外寒因。

痞塊天应，針头尾中，針灸中脘，周卷灸平。

癥积中脘，氣海章門，天枢三里，肝脾俞神。

痃聚上脘，中極不容，関元三里，三陰交通。

心积伏梁，巨闕神門。肝积肥氣，行間期門。脾积痞氣，商丘章門。肺积息奔，中府缺盆。腎积奔豚，湧泉京門。

呼吸气贲饱（喘、端肩膀）

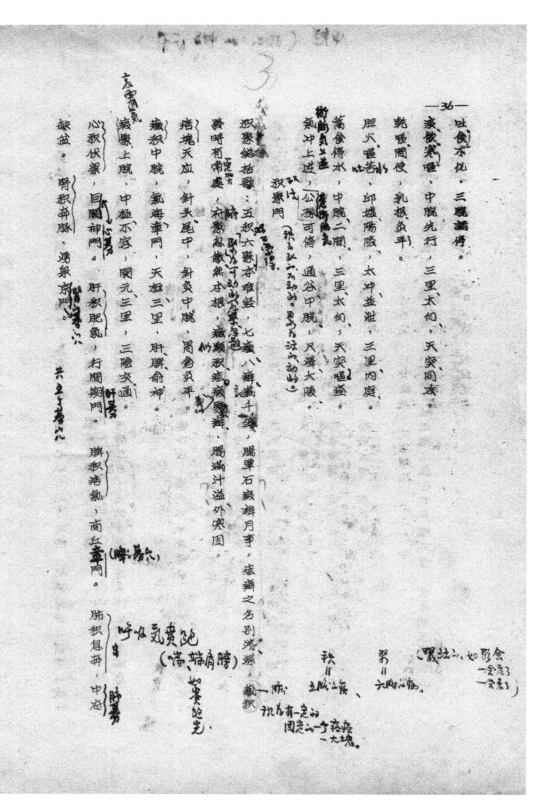

3

痿症門

五痿総括歌：五痿皆因肺热生，陽明無病不能成，肺热葉焦皮毛痹，發為痿躄不能行，心热脉痿脛節縱，腎骨腰脊不能興，肝筋拘攣失所養，肌肉不仁燥渴頻。

痿痹辨似歌：痿病足兮痹病身，仍在不疼痛裡分，但观治痿無風葯，始晓虚实别有因。

五痿（肝心、脾肺腎經），病因肺热，累及陽明，初治肺胃，应手可愈，毛痹脉痿，筋緩節縱，百会大杼、太渊陽陵，曲池三里，肩井肩髃，命門腎俞，会陽救兵，四関二市，環跳委中，中脘建里，絶骨光明，选穴輪刺，針灸並行。

痹病総括歌：三痹之因風寒湿，五痹筋骨脉肌皮，風勝行痹寒痹痛，湿勝着痹重难支，皮麻肌木脉色变，筋攣骨重遍邪時，復感於邪入脏腑，周同脉痹不相移。

周痹歌：周痹患定無歇止，左右不移上下行，似風偏廢隻手足，口眼無斜有痛疼。

風勝行痹，走注而疼，風池曲池，合谷太冲，三陰交里，風市陽陵。

寒勝痛痹，痛甚不移，三里四関，三陰曲池。又法：復溜，絶骨復谿。

—37—

着痹湿腫，下廉委中，三陰交里，曲池陽陵。

諸痹四関，曲池肩髃，委中下廉，環跳陽陵。

要性痺症，遍身節痛，脇腧筋骨、四会并行，再隨各症，患处穴攻。

瘧疾門

瘧疾總括歌：夏伤於暑舍榮内，秋感寒風並衛居，比時或為外邪束，暑汗無出病瘧疾。

諸瘧神門，間使公孫。熱瘧陶道，太谿金門。久瘧氣虚，三陰交里。瘧母章門、五壯脾俞。

瘧来發前，合谷曲池，大椎特效，間使後谿。

危氏刪瘧，定症按時，心暢汗出，子胆侠谿，及肝太冲，中封更奇，肺寅列缺，合谷卯疾，冲陽胃辰，巳脾公孫，商丘脾金，午心神門，小未後谿，申胱金門，酉腎大鐘，再刺太谿，戌包門使，亥焦陽池。

痰飲門

痰飲總括歌：陰盛為飲陽盛痰，稠濁是熱沐清寒，燥少黏連咯不易，濕多易出風掉眩，脇滿唾吐為伏飲，支飲喘咳臥難，飲流四肢身痛溢，嗽引脇痛下之懸，痰飲素盛今暴瘦，漉々声水走腸間，飲留肺胸喘短滿，在心下悸背心寒。

溫瘧脾俞、肺俞豐中、乳根中脘、関元豐隆。

风主肝. 湿主脾.

实痰結滞，大椎速攻，内関、尺澤、豊隆陽陵。

导痰涤飲，大椎先開，列缺、膏肓、陶道、灵台，又法：大椎，肩髃、曲池、内関合谷，巨闕春回。

伏飲嘔吐，膈滿内関，至陽脾俞，腎俞、関元。

懸飲積溜，列缺、陰陵，期門、支溝，巨闕不容。

咳嗽門

咳嗽總括歌：有声曰咳，有痰曰嗽，声痰俱有，咳嗽名，雖云臟腑皆咳嗽，要在聚胃関肺中，胃濁脾湿嗽痰本，肺失清肅咳因生，風寒、火鬱、燥痰飲，积热、虚寒、久勞成。

痰熱内乾，魚際、内関、肩髃曲池，尺澤開痰。

痰多冲逆，俞府、雲門，巨骨、列缺，内関公孫。

痰嗽風池，天突、陽陵，列缺、尺澤，三里豊隆。

咳嗽痰喘，俞府肺俞，乳根、列缺，嗽止痰稀。

咳嗽代血，陶道、璇璣，期門列缺，隱白風池。

嗽久肺虚，太淵肺俞，太白三里，魚際太谿。

風寒咳嗽，速刺大椎，魚際重泄，合谷曲池。

咳嗽氣短，氣海補之、中脘、三里，俞府璇璣。

哮喘門

哮喘總括歌：喘則呼吸氣急促，哮則喉口有响声、实热氣粗胸满鞭、虛寒氣乏飲痰清。

虛喘氣海、關元、肺俞、膻中、太淵、復溜、三里。

实喘大椎、合谷、曲池、尺澤、乳根、魚際、肺俞。

痰热哮喘、内關、魚際、列缺、尺澤、合谷、曲池。

喘逆俞府、列缺、尺澤、降逆定喘、巨骨、灵台。 哮喘俞府、天突、尺澤、列缺、膻中、並灸灵台。

心神門

心神總括歌：形之精粹处名心，中含良性本天真、天真一氣精神祖、体是精兮用是神、神从精氣妙合有，随神往來魂陽灵、並精出入陰灵魄、意是心机动未形、意之所專謂之志、志之动变乃思名、以思謀遠是為慮、用慮處物智因生，心藏神兮脾意智、肺魄肝魂腎志精、氣和志達生喜笑、氣暴志憤恚怒生、憂思繫心不解散、悲哭哀苦悽然情、内生恐懼求人伴、外触骇然响动驚。

心虛不眠，曲池、三陰、神門、肩顒、健眠三針。（神門解谿湧泉）

精→神→意→志→思→慮→智。

心悸怔忡、合谷曲池、内関通里、神門更宜。

神昏不省，百会、三中、四関、神門、承漿、人中。

呆痴健忘，百会、命門、湧泉多補，通里、神門。

内伤虚勞痨瘵門

内伤虚勞痨瘵総括歌：内伤劳役伤脾氣，飲食伤胃，伤其形，伤形失節温凉过，氣湿熱暑火寒中。

虚損成劳因複感，陽虚外寒，損肺经，陰虚内熱，从腎損，飲食劳倦自脾成，肺損皮毛洒寒嗽，心損血少月経凝，脾損食少肌消泄，肝損脇痛懶於行，腎損骨痿難久立，午热夜汗骨蒸々，从下皮聚毛落死，从上骨痿不起終，恐懼不解則伤精，怵惕思慮則伤神，喜樂無極則伤魄，悲哀动中則伤魂，憂愁不已則伤意，盛怒不已則伤志，劳倦过度則伤氣，氣血骨肉筋精極。

痨瘵陰虚虫乾血，积热骨蒸欬嗽痰，肌膚甲錯目黯黑，始健不泄下為先。

自汗盗汗総括歌：自汗表陽虚惡冷，陽実蒸热汗津々，盗汗陰虚分心腎，心虚不固火伤陰。

内伤脾胃，食少飽脹，消瘦無力，　三里三，三陰交，

濁滞腹脹，泄瀉氣短，又腸鳴，　隐白，三陰交，

等。

男主氣、女主血、

—42—

飲食难化、飽滿噯氣、　陽陵通三里2　太白1

伤食痞脹、吞酸噯氣、　中脘1　陽陵2　三里2

陽虛自汗、氣促倦怠、　三里1　復溜1　命門三

肺氣虛痿咳吐涎沫、　肺俞1　天突1　太淵1

肺燥咳嗽唾血、　魚際2　太谿1

驚悸失眠、　神門2　通里1　內關2

脾虛腹痛泄瀉、　隱白1　三陰交1　膻中五　脾俞三

肝虛血虧目暗、　曲泉1　太冲1

腎虛氣弱遺精失溺、　氣海1　關元1　又中極1　曲骨1

氣血兩虛、　三里1　三陰交1　曲泉1

陰虛勞症、骨蒸痰嗽、煩汗不寐　大椎三2　曲池2　合谷2　內關2　復溜1

陶道三　關元五　四花五　催眠三針([illegible])

腎虛痰嗽、午後發熱、盜汗消渴、　然谷1　復溜1　陰郄2

陰虛(血[illegible]) 陽虛(氣[illegible])

祛癆虫　腰眼三　肺俞三　膏肓三　陶道三　身柱三

盜汗 陰虛(血少)

消渴

[illegible]

△

取膏肓穴又法，有僧、取膏肓穴法並手垂下、正身直立，取七椎下、各旁開同身寸三寸即是穴。灸百壯。

心腹胸脇門

心腹諸痛總括歌：心痛岐骨臨處痛，橫滿上胸下胃脘，当臍脾腹連腰腎，少腹小大腸脇肝，虫痛時止吐清水，疰即中惡寒外干，悸分停飲與思慮，食即停食冷内寒，水停痰飲熱胃火，氣即氣滞血瘀緣，隨証分門檢方治，真心黑厥至節难。

心痛　巨闕1　神門2　建里2

心悶　百会　内關　神門

胸痛　肩髃　曲池　大陵　魚際2　又雲門　風門2　又二井　支溝　間使　三里

胃脘痛　中脘三1　三里2　又上脘1　通谷2　太白2　又下脘1　天樞2

丘墟2

俠脇脇痛　上廉1　独陰三

腹脹　陰陵　中極七

大腹痛胸悶　間使2　三陰交1　又陰陵1　承山2　隐白1

—卌—

小腹痛嘔　三里2　臍中五　中脘1　太谿1　又氣海1　天樞2　關元1　四滿2

氣瘀脇肋痛　支溝　陽陵　太冲2

寒积腸痛嘔吐　章門七　氣海1　又留飲　中脘　不容2

瘀血腸痛　曲池　三陵交　陽陵泉2

腹痛神灸　臍中上下左右口角寸端四穴各七壮

脇腹积塊脹痛　期門　中脘　關元　三里

腹内积　公孫　行間　璇璣　又太谿　章門　關元　璇璣　又章門　中脘　中極　太谿

行間

心口痛　期門　風池　三里　關元　巨闕　内庭

心、腹、糟雜（霍亂）　中脘　氣海　公孫　行間

肝氣胃脇痛　期門　尺澤　支溝　三里

老師說：（臚衄是头上的七竅都出血叫臚衄）

并不流血，太多了，就叫臚衄了。（[illegible]）

失血門

失血總括歌：九竅出血名大衄、鼻出鼻衄臚如泉（臚衄如泉水）、耳目出血耳目衄、膚出肌血齒牙宣、内衄嗽涎脾唾腎，咯心欬肺嘔屬肝、精竅溺血膀胱淋，便血大腸吐胃圜。

男精竅

吐血嘔血先宜降火控逆　巨骨　神門　郄門　曲池　合谷　三里2　大椎

咯血　肩髃　曲池　合谷　内關2　關元1　又神門　魚際2　太谿1　肺俞三

唾血　内關　魚際2　三陰交　太谿1

咳血　百勞　魚際2　太谿1　又内關　列缺2　三陰交1　中脘　三里　風門　肝俞

又肺俞　太淵　大陵　曲池　合谷　尺澤2

衄血鼻衄　上星　風府　曲池　合谷2　又迎香　二間　加禾髎　大椎三　顖会三

目衄　上星　睛明　絲竹空　攢竹2　曲池　合谷　厥陰　俠谿

耳衄　曲池　合谷　听宫　翳風2　内庭　照海　手三里

齒衄　曲池　合谷　頰車　下關2

皮膚出血　膈俞　血海

舌衄　中冲　少冲　關冲　金津　玉液　放血

大腸受風而下血

腸風下血　曲池　委中　内關　太谿2

臟毒下血　曲池　太冲　三陰交　下廉2　命門三

糞後下血　隱白　三里　三陰交1　又長強七2　承山2　大腸三　膈俞五　太白2

—446—

小便尿血淋滴不通　劳宫　三陰交　復溜2　又肩髃　曲池　合谷　内關2　又大陵　關元

虚症尿血長流　關元　三陰交1　中極　復溜　又灸命門　除根神效

消症門

消渴総括歌：試观年老多症渴、林信三消尽燃乾、飲多尿少渾赤热、飲少尿多消白寒。

上消肺渴尿如常（肺消）曲池　合谷　内關　魚際　神門

中消實渴尿赤（胃消）内關　三里　委中2　或消穀善飢　三里　陽陵　大陵2　氣海　關元

下消腎渴尿濁（腎消）内關　太谿　行間　湧泉　陽陵　委中2

十一椎、十二椎、十三椎、十四椎各旁開一寸、照海各灸九壮　胆俞　肝俞

胃俞　三焦俞　腎俞　中脘　不容　肓俞　關元2　百劳

遺精門

遺精総括歌：不夢而遺心腎弱、夢而後遺火之强、过欲精滑清氣陷、久曠溢渴味醇伤。

夢遺　内關　氣海2　關元1　又然谷2 1　中封2

虚滑　關元　大赫1　又氣海　復溜　陰陵　中極　三陰交1　又精宫　腎俞　神門

曲泉　太冲2　三陰交2 1

魚口便毒：男女之大腿根为鼠蹊淋巴腺、左边称作「魚口」右边称作「便毒」。（李大夫说）
生那兒是在大腿根（淋巴腺化濃）。这是三淋病引起的。

花柳病：重者为梅毒，輕者为三淋病。（母）

—47—

前陰門

陽痿不举（男） 腎俞 関元 中極 陽起 然骨 陰谷 照海

陰莖易挙（男） 心俞 神門 労宮 然骨 太谿 湧泉

陰精易泄（男） 腎俞 精宮 関元 中極

陰縮 関元 石門 归来 大赫 中封 大敦

陰莖痛（男） 曲泉 陰陵 三陰交 行間 太冲 大敦 中極 腎俞

陰汗（男女） 大赫 氣冲 中極 三陰交 崑崙 太谿 魚際

陰囊湿痒（男女） 中極 大赫 陰交 会陽 上髎 曲泉 三陰交

陰吹胃氣下降陰户吹風（女） 胃俞 胃倉 三里 三陰交 氣户 氣海 中極

陰寒（女） 陰户冷小便澀白滞多 中極 関元 胞門 子户 命門 腎俞 三陰交

陰菌（女） 陰户突出如菌状之物痒痛 大敦 太冲 公孫 三陰交 関元 中極 腎俞

陰挺（女） 另灸百会三五壮

魚口便毒 男女皆属肝腎二経 承山 三陰交 大敦 然骨 崑崙 又法三陰交 照海放血速愈

中国数字代表……（如「三」代表……）
阿拉伯数字代表针之补泄，单数代表补（如「1」代表补）。双数代表泄（如「2」代表泄）

—48—

疝氣門

疝證總括歌：經云任脉結七疝，子和七疝主於肝，肝經过腹環陰器，任脉循腹裡之原，疝證少腹引陰痛，衝上、衝下、二便难，厥吐、瘕瘕、狐出入、潰膿、癃秘、水㿉頹。

寒疝腹痛 三陰交 関元 歸來1

热疝紅腫 曲池 三陰交 太冲2

癩疝癥聚 曲泉 中都2

湿热腫墜 内関 委中 隐白 又大敦 行間2 又大敦 陰交2

△偏墜 大敦 太冲 三陰交 陰交 又灸法：三量口兩角，三折成三角形，上角安臍中，下兩角是穴，左灸右，右灸左，左右患全灸。

試其陰卵偏大。

淋濁門

濁帶總括歌：濁病精竅熱白濁，穢物如膿陰内疼，赤热精竭不及化，白寒濕热敗成精。（婦女白帶有時是淋）

淋濁 四髎 関元 氣海 血海 三陰交2 1 再灸曲骨 血海 照海 臍中各七壯

諸淋 肩髃 曲池 合谷 内関2 又関元 復溜 陰陵 又曲池 然骨 三陰交2

又内関　委中　太谿　陽陵　加大敦　行間

遺尿門

小便閉癃遺尿不禁総括歌：膀胱熱結為癃閉，寒虚遺尿與不禁，閉即尿閉無滴出，少腹脹滿痛难伸，癃即淋瀝點滴出，莖中澀痛數而勤，不知為遺知不禁，石血膏劳氣淋分。

遺尿　四髎　曲骨　百会　関元／灸　膀胱　中膂　白環／灸　三陰交／　又中極　陰陵／

又氣海　復溜／　又関元　水道／

小便不通　膀胱　胞門　丹田　臍中　營沖（在照海直下約一寸許）　又陰陵泉２

又関元　三陰交　太谿

小兒尿床　氣海灸　大敦三　又中極針特效

手足腰脇門

腰痛総括歌：腰痛腎虚風寒濕，痰飲氣滞與血瘀，濕熱閃挫凡九种，面忽紅黑定难医。

九种原因　閃著了、挫著了、

手掌背瘡　勞宮

手戰　顫抖（震顫）　曲澤　少海　陰市

手指筋攣不伸　手三里　外關　八邪　又曲池　合谷　陽谷

—49—

手抽筋　尺泽　手腫　曲池　合谷

痰火手难伸　肩髃2　曲池2　肺俞灸、

手麻木　期門　外關　手三里　風池　中渚　腕骨　天井

手疼　曲池　外関

臂外廉痛　太渊　天井

臂疼　風池　尺澤　又肩髃　曲池　又臂臑

足疼　委中　崑崙　又三里　膝関　三陰交　又陽輔

足冷　腎俞五

△足大指筋疼、近爪甲色青、黑不腫、惟疼痛異常　頭部各穴（上星、顖会、百会、风府、池、）　還陽九針　十二大穴（馬丹陽12穴｛三里、内庭、曲池、合谷、委中、承山、太衝、崑崙、環跳、陽陵、通里、列缺、）　丹田

腎俞　小腸俞，　神門2　阿是穴

足外廉上下筋骨痛　陽陵泉　深針久留立愈

麻脚瘟　受地邪風，从脚心麻至小腹，頭昏不起。　丹田　環跳　風市　陽陵　三里

絕骨　太冲　京骨　湧泉　膝眼2　伏兔灸　承山放血　委中放血　八風放血

解谿　平開三針放血

脚軟　出汗受風或脚熱过河受冷　丹田1　環跳　風市　陰陽陵　太冲　絶骨　三里

絶骨三　委中血　承山血

脚氣通治諸穴輪刺　上廉　下廉　風市五　陰市　委中　絶骨五　太谿　陽陵　崑崙

八風　丘墟　解谿　陽輔　太冲

湿熱脚氣　曲池　三陰交　三里　陽輔

寒湿脚氣（陽激下針）　三里五　三陰交三

脚疼、脚軟、小腿気（不出汗）

脚氣冲心小腹不仁　中脘及通関　神門2　伏兔灸　太冲2　湧泉2　環跳　風市　血海

阿是　太谿血　承山血　委中血

八味丸最效　桂附八味丸（[illegible]）　[illegible]

四肢浮腫　曲池　液門　通里　行間　中渚　合谷　三陰交　内庭　陽陵　中都　期門2

胃俞　脾俞1

手足拘攣筋緊不開　風府池　肩髃　曲池　手足三里　陽池　八邪　陽陵　承筋灸　承山

中渚　外関　環跳　中脉

股膝内痛　委中　三里　三陰交三2　内外崑崙　解谿　八風　太冲2

膝腫不能曲折　膝眼2　膝関2　行間2　風市　陰市　梁丘　委中　中脘　胆俞　環跳

—51—

陰陵泉　三里　絶骨

鶴膝風　肩髃　曲池二　又曲池　陽陵二　再取各穴較刺　三里　膝眼　膝關　陽陵

委中　梁丘　陰陵　陰谷　又法環跳　風市　三里　絶骨並通關分

（臨泣）八風　太冲　委中　承山二

患處的筋骨變（有）腦（有）者均針之又常針二陵（陰陵、陽陵泉）

腿外廉痛　陽輔　光明二　腿冷如冰　陰市五

腿內廉痛　三陰交　蠡溝

腿重　崑崙　委中二　又環跳　風市二　飛揚

腿膀痛麻　痛泄中瀆　麻補風市

膝蓋痛　梁丘二　三里二　陽陵泉三二

腿風癱瘓　環跳　絶骨二

腿疼　委中　膝眼　絶骨　崑崙二

又　尺澤　委中　陽陵　三里二

又　三里　臨泣　臨谷二

腿疼　風市　陰市　環跳

又　風池　期門　承山　太中2

又　風池　梁丘　三里　崑崙2　後谿　環跳

腿麻木痛　三里　二陵　三陰交三　申脈　絕骨　丘墟　太冲三

△腰腿痛　腎俞　委中　陽陵　臨泣2

又法　白環俞　委中　申脈　腕骨　三里

腰腿、全身疼、又法

常用（七針為主，各下九針可用）

背後七針秘法，取一二四椎下各一針，四椎下旁開五分各一針（2针(4.5)），兩肩上正中有窩處各一針（肩井穴），左痛在左，肩胛骨尖下一針，右痛在右一針，左右全痛，左右齊針，均二三分深，俟其慢々進行，約一句鐘，看其針眼不紅方抽針。

（(1)(3)(5)）（七針之外？）（一頁鐘）（附針之時針眼紅一会不紅了）（左七(6)　右一(7)　肩井）

腰破傷痛　委中　腰曲難伸　委中血

腰痛　僕參2　崑崙　附陽　環跳　委中2

腎虛腰疼　腎俞　人中　委中2　阿是穴及腎俞下遍灸之

腋腫馬刀挾纓、堅而不潰、急治可消　行間　神門五　太淵　絕骨五　胆俞　腕骨2

背強　瘂門　人中

—53—

腋下若疼（…腋下如馬刀形）叫馬刀挾纓

2

—54—

背疼　膏肓五

腰痛傴僂　人中　環跳　委中　崑崙　又白環　委中

筋痛傴僂　陽陵三　又命門　腎俞　志室

腰脚痛　環跳　風市　行間　委中　申脈　崑崙　人中

腿膝無力　風市五　陰市五　絶骨三　條口五

瘡毒門

小兒遍身生瘡　曲池　合谷　三里　絶骨　膝眼全泄

△瘡毒要穴　無論患在何處竹馬穴最重要。

又　尺澤　委中　尾閭　心俞　如患在膝下者開　環跳　風市　陰陵　三里、委中、

患在身上開　尺澤　肩髃　心俞

瘡宜多針疽宜多灸

瘡疽未出頭　患處梅花針放血　竹馬灸

瘡疽發背　患處周圍溫火灸之、倘不收口、內必有虫、用韭菜炒雞蛋餅、數信石末蓋瘡口、虫拔尽、剪開四圍、溫灸自愈、此症手足熱舌麻強難治、若不熱不痛低陷爛肉紫黑

、為内發、肉先死、不治。

△瘡毒要穴

竹馬穴歌：尺澤指中、尾閭上行、横寸口角、竹馬瘤瘡特效。

搭背神灸：發背初起、不痛灸至痛、痛灸至不痛、姜片艾絨灸阿是頭、至身有汗為止。

瘡毒背瘤（小水瘤）　委中放紫黑血即愈奇效。

背後瘡　肩井　委中　三里　行間

懸瘡　生臍下会陰穴處、極痛、俗名騎馬瘡、　委中　三里２　瘡頭禁針多灸。

鵝掌瘋　生手掌或足面上、白屑堆起似癬、極痒、至手中心不治　曲池　手三里　神門
八邪　心俞　肝俞　竹馬　阿是（密針先外後内　灸由内向外）

蛇串瘡　纏腰或手足而生、或腹背及各處、或外無瘡、而另生一條紅筋皆是、如手串至耳頸繞周圍不治、先刺瘡頭五大針、次瘡尾、次瘡肚、次全部、灸亦如此順序、必灸至白色或成白殼。

蛇頭瘡　生手上　尺澤　曲池７　手三里　内關均刺血　患處三針放血即日愈

蛇頭蚌殼　生手上　手三里　合谷　曲池２　阿是穴　八邪　放血
又經过各指節三面均針、灸治患處為止，又患在指中者指尖三面均針之。

—55—

又手背陽患針陽手板、陰患針陰、又患在手背開三里穴多効。

附骨疽　郄門灸年壯

手疔瘡　肩井　曲池灸　合谷2

面部疔　合谷　三里　神門灸2

手瘡、背瘡、　肩井　心俞　百勞　曲池

暗痧　承山　腳跟　均懮出針放血

△針橫痃妙法（負口便毒）不砭針（不破可針）　左右承山二寸（深針）　須令患者起立針之，針畢（坐下）再令以手頻頻揉按患處半日全愈

又法（針）同是穴　血海（三陰交、血海）下各穴2

蟆口疔　根在背後（有）紅點，左疔根在右，右在左，將紅點刺出惡血，以拔毒膏貼針眼，再用

右仁搗爛敷患處周圍，半日一換，消腫即愈。

七星蓋月疔　蟆口環生初生一枚、又連生三四至六七枚即死、　委中放血　內服銀花敗毒

散針數次可愈。

刺疔妙法　令患者舉臂，从肩胛骨下端橫量近脊、約五六分處有小紅點或黑點，按擦顯現

、左患取右、右取左，即在點上刺之，間如不痛針可略深，切勿深過一寸。

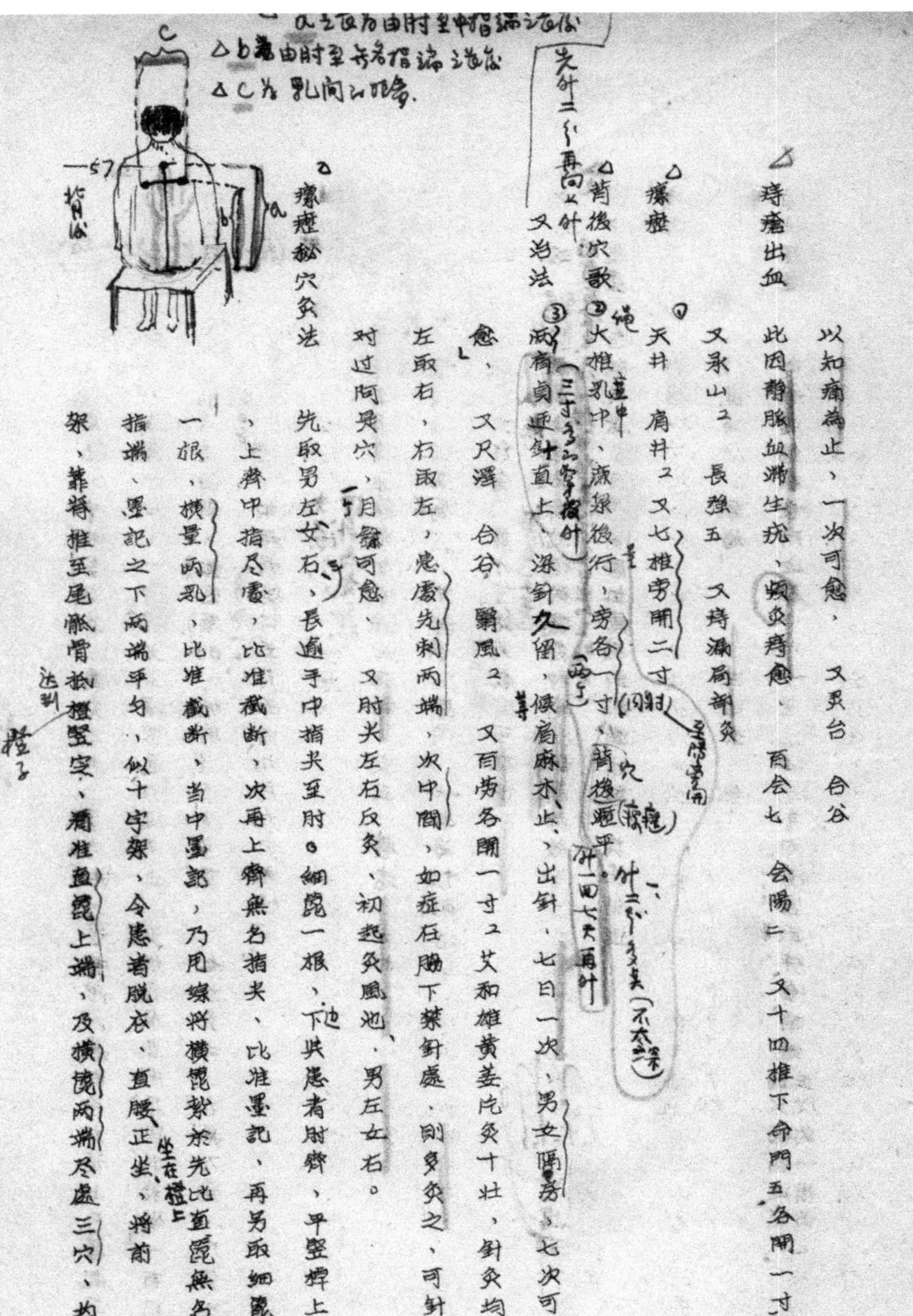

以知痛為止、一次可愈、 又灵台 合谷

△痔瘡出血 此因静脈血滞生疣、瘡灸痔愈、 百会七 会陽二 又十四椎下命門五各開一寸三

又承山二 長強五 又痔漏局部灸

△瘰癧 ⑴天井 肩井二 又七椎旁開二寸（同肘）

△背後穴歌 ⑵大椎乳中、漸緣後行、旁各一寸、背後癧平

先针二分再向上针

又治法 ⑶麻肩貞逕針直上（三寸多以穿後针）、深針久留、傾肩麻木止、出針、七日一次、男女隔旁、七次可愈、 又尺澤 合谷 翳風二 又百勞各開一寸二艾和雄黄姜片灸十壮、針灸均左取右，右取左，患處先刺兩端、次中間、如症在腋下禁針處、則多灸之、可針对过阿是穴、月餘可愈、 又肘尖左右灸、初起灸風池、男左女右。

至陽穴 针二分一壹灸（不太深） 针一回七天再针

△瘰癧秘穴灸法 先取男左女右、長遍手中指尖至肘。細篦一根、下池拱患者肘彎、平竖掌上、上齊中指尽處、比准截断、次再上齊無名指尖、比准墨記、再另取細篦一根、横量兩乳、比准截断、当中墨記，乃用綫将横篦紮於先比直篦無名指端、墨記之下兩端平匀、似十字架、令患者脱衣、直腰正坐（坐在櫈上）、將前架、靠將推至尾骶骨抵櫈竖空、看准直篦上端、及横篦兩端尽處三穴、均

△a之長为由肘至中指端之長度
△b為由肘至無名指端之長度
△C為乳间之距離。

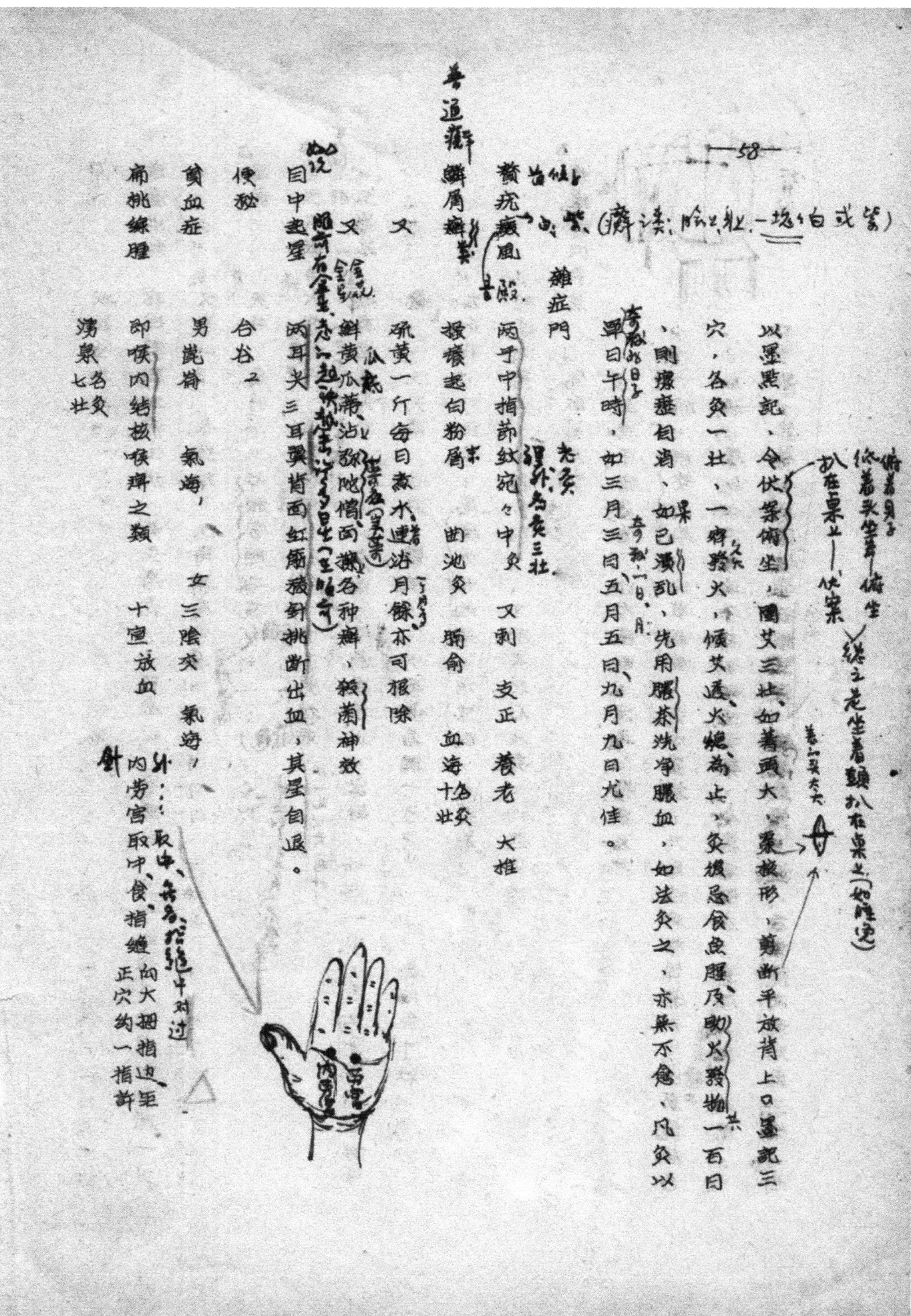

△鼻渊

鼻塞、流涕、臭恶如腥、头痛、　曲池　又曲池上下二寸各一穴、两手共六穴各灸九壮

十日可痊。

肺尖加答儿　即肺劳结核初期：　四花七　患门年　膏肓年　身柱三　劳宫三针二分之　肺俞

三里频灸之。大椎鸠尾、廉泉、后谿、绝尽、口寸横竖四花

肩髃中脘、鼻尖顶、脊山根鼻孔内患病为止。

前七后八针刺法：心蔽骨下隔一指处挑一孔针稍下两旁开一寸余各一针、又稍下正中一针、稍下两旁各一针再稍下正中一针，又在背后对过脊两旁各排挑三针并在三针外正中旁开五分各一针前后均挤出恶血，诸拔亦可外用生姜擦之。

附　各种炎症

脑膜炎　系急性传染，小儿易染，来势卒暴，冷热吐泄，头痛如劈，目窜项强，角弓口噤，痰壅昏沉，究竟厥逆，　百会　风府池　哑门　头维　太阳　素髎　人中

承浆　天突

胸前排骨每排穴界二针中行骨缝每排一针、上、中、下、三脘　天枢　气海　大椎起至阳止各椎放血　肺俞至肾俞止　肩井　曲池　尺泽放血　外关　十宣　十二井放血

四花、内患穴详本

—59—

辨生地 急血（清营·和血部卫） 当归身补 亏清血。
薄荷 ……（…… 和上部卫）。

三里 犊鼻2 风市2 委中 血海 承山 阴陵泉 绝骨 太冲 重者加命门
京骨

睾丸炎 身热恶寒、头疼、腰疼、阴囊睾丸赤肿、剧痛 照海 血海 深针 曲骨 又旁开
一寸部手按最痛处三穴各灸七壮

淋毒性关节炎 淋毒流膝红肿、奇痛、足胫痠软、膝肿处禁针灸、治宜先照淋病针灸、以后再取 漏谷
三里 阴市 深针出血、无妨、各灸七壮。

胃肠炎 呕吐恶心、吐酸、腹胀泄泻、腹痛、不思饮食 中脘 不容 承满 关元 肓俞 大横七2
胃俞 三焦俞 肾俞 大肠俞十一壮灸

中耳炎 耳内发热剧痛 听宫 手三里 合谷 曲池2 角孙 曲鬓 翳风 七壮各灸

肋膜炎 首先是受感冒了 扑伤感冒、发热恶寒、咳嗽、剧痛疼、 风门 肺俞 厥阴俞 膏肓 神堂灸针七 库房
紫宫灸针五 水分九灸

△盲肠炎（阑尾炎） 妙灸右小腹部章门穴点记，另用绳量手中指尖至指末端约三寸（中指头剥根折作三寸）由章门向后横量绳
尽点记，再由章门向下直量绳尽点记、共三穴、各灸二十一壮（一穴七壮），三日愈。此症则右足……而

一灸助气
气吹出去了。
不伸。灸三次 三日愈

小肠炎中医名肠痈　小腹连腰痛或蜷左脚屈而不伸，身热、小便数，欠曰轻，痼重。月馀後成脓。治法在未成脓前灸竹马穴七壮神效。有脓後眼必青黑、白眼成黄色，速泄肘後夭井穴，并灸其後一寸五分渐灸而上，俟大便下脓，然後取大肠俞、尾闾骨尖泄之。

补遗

伤寒外治点眼法　用大粉甘草六分　上梅花冰片四分　研极细点入两内眥角内神效。

疔毒走黄　急因走黄处，按经寻遇茲刺直竖者，即为疔苗，刺出恶血（先刺心俞）灸三壮

及刺　合谷　大椎　灵台　百劳效

解㑊　病因肝肾二经虚损、筋几骨痿、百体懈惰　十二井　十宣　尺泽　委中　太冲

然骨　如查背有红点急灸红点。

伛偻　肾伤、水亏背曲如弓　风市　风门　肺俞　肾俞　委中　外丘　京骨　昆仑

然骨　阳陵

龟背脊背湾折背如龟状　大椎　大杼　肺俞　心俞　膈俞　身柱　曲池　委中　三里

瘿瘤　痰湿停滞。　中府　天窗　天容　浮白　气舍　丘墟

龟胸　风痰停饮，常与龟背互因而起　乳根　外丘　大杼　俞府　巨阙　中脘

—61—

应该有九种心痛。
这就一共有七种心痛。

62 阴经

真心痛 章門 肺俞 列缺 魚際

厥心痛 邪氣直中於心，各臟代受而名。如背後觸心相控，善瘈為腎心痛 京骨 崑崙 然谷

民間秘效 公孫 上脘

胃心痛 腹脹胸滿、心腔痛甚 大都 太白 公孫 三里 上、中脘

脾心痛 如針刺心痛甚者 然谷 太谿 三陰交 三里 中脘

肝心痛 色蒼蒼終日不得太息 行間 太冲 内關 上脘 氣海

肺心痛 間動作、心痛甚，色不變者 魚際 太淵 公孫 内關 三里 中脘

膀胱心痛 委中 飛揚

此厥心痛來勢急，湯液太緩，難救，故專主針治，效速功偉。

五癭因怒氣、濕痰致傷榮衛，氣血凝滯而成。石、氣、血、肉、筋五種。刺 扶突、天突、天窗、天容 缺盆

俞府 膻中 列缺 浮白 氣舍

舌出不收。心脾火之上炎所致 兑端 湧泉 外關 神門 通里 啞門 少商 三間

手三里。另用上硃砂敷舌上，或暗摔碗盘於地，使聞大驚亦收。